Uni-Taschenbücher 362

UTB

Eine Arbeitsgemeinschaft der Verlage

Birkhäuser Verlag Basel und Stuttgart
Wilhelm Fink Verlag München
Gustav Fischer Verlag Stuttgart
Francke Verlag München
Paul Haupt Verlag Bern und Stuttgart
Dr. Alfred Hüthig Verlag Heidelberg
J. C. B. Mohr (Paul Siebeck) Tübingen
Quelle & Meyer Heidelberg
Ernst Reinhardt Verlag München und Basel
F. K. Schattauer Verlag Stuttgart-New York
Ferdinand Schöningh Verlag Paderborn
Dr. Dietrich Steinkopff Verlag Darmstadt
Eugen Ulmer Verlag Stuttgart
Vandenhoeck & Ruprecht in Göttingen und Zürich
Verlag Dokumentation München-Pullach

DEUTSCHE LITERATUR IM 20. JAHRHUNDERT
Literaturwissenschaftliche Arbeitsbücher
Herausgegeben von Lothar Köhn und Klaus-Peter Philippi

Silvio Vietta/Hans-Georg Kemper

Expressionismus

Wilhelm Fink Verlag München

ISBN 3-7705-1174-3

© 1975 Wilhelm Fink Verlag, München 40
Satz und Druck: Hofmann-Druck KG, Augsburg
Buchbindearbeiten: Großbuchbinderei Sigloch, Stuttgart
Umschlagentwurf: A. Krugmann, Stuttgart

VORBEMERKUNG

Die Reihe versucht, charakteristische Aspekte, Tendenzen und Zusammenhänge der deutschen Literatur seit der Jahrhundertwende historisch und systematisch transparent zu machen. Sie möchte damit einen Beitrag zur Forschung leisten und zugleich eine Orientierungs- und Arbeitsgrundlage für Studenten und Deutschlehrer bereitstellen.

Die einzelnen Bände sind jeweils einer literarischen Epoche gewidmet. Sie wollen deren geschichtliche Voraussetzungen, ihre charakteristische "Physiognomie", ihre Leistung und Wirkung sowie ihre Bedeutung für das Verständnis gegenwärtiger Literatur sichtbar machen. Die Reihe übernimmt für die Gliederung der Zeiträume bekannte literarische Etikettierungen, soweit diese über die Bezeichnung von stilistischen Gemeinsamkeiten, von Programmen, Schulen oder Strömungen hinaus auch realhistorische Dimensionen besitzen und ihren Zeitraum unverwechselbar kennzeichnen (z. B. Naturalismus, Expressionismus). Die anderen Einteilungsprinzipien deuten unmittelbar den Bezug zu einer realhistorischen Epoche an (z. B. Literatur der Zwanziger Jahre, Literatur im Dritten Reich). Die jeweilige Epochenproblematik wird im übrigen in den einzelnen Bänden diskutiert, die in unterschiedlicher Akzentuierung mit der Darstellung ihres Gegenstandes eine Einführung in Methoden und Probleme literaturwissenschaftlicher Forschung verbinden.

Die Bände sind im Prinzip einheitlich gegliedert. Nach einem einleitenden Teil — 'Das Thema' — verknüpft der zweite Teil — 'Probleme, Zusammenhänge, methodische Fragen' — die Erarbeitung grundlegender Kategorien mit der exemplarischen Darstellung der für das Verständnis der jeweiligen Epoche wichtigsten Fakten und Informationen. Der dritte Teil — 'Analysen' — untersucht repräsentative Werke des Zeitraums, um die zuvor erarbeiteten Kategorien detailliert zu überprüfen und in methodische Verfahrensweisen einzuführen.

Die beteiligten Autoren haben das Konzept der Reihe gemeinsam erarbeitet. Sie ist auf elf Bände angelegt und wird durch drei Bände mit fachdidaktischen Modellen ergänzt.

L. Köhn   K.-P. Philippi

ZUR TECHNISCHEN EINRICHTUNG DES BANDES

Dieser Band enthält ein durchnumeriertes Literaturverzeichnis. Auf die darin aufgeführten Publikationen wird im folgenden durch in Klammern gesetzte arabische Ziffern verwiesen, welche die entsprechende Nummer des Literaturverzeichnisses angeben, unter der der jeweilige Titel verzeichnet ist. Sind die Zahlen in einer Klammer durch ein Semikolon getrennt, so bezeichnet jede von ihnen eine andere, unter der genannten Zahl im Literaturverzeichnis aufzufindende Publikation, z. B. "(18; 541; 745)". Sind die Ziffern in den Klammern — wie meist — durch ein Komma getrennt, so kennzeichnet die Zahl vor dem Komma die entsprechende Nummer im Literaturverzeichnis, die Ziffer nach dem Komma die Seitenzahl der betreffenden Veröffentlichung; "(48, 100)" bedeutet also: Publikation Nr. 48 des Literaturverzeichnisses, S. 100.

HINWEIS

Das Manuskript des vorliegenden Bandes wurde im Juni 1974 abgeschlossen. Meine im Zusammenhang mit der Arbeit an diesem Buch entstandene, wenig später abgeschlossene Studie 'Vom Expressionismus zum Dadaismus. Eine Einführung in die dadaistische Literatur' ist wesentlichen Ergebnissen aus Silvio Viettas Epochenanalyse des Expressionismus (Teil II in diesem Band) verpflichtet (vgl. 65a, 11). Um so mehr bedaure ich, daß die hier vorliegende Epochendarstellung des Expressionismus — bedingt durch unvorhergesehene Verzögerungen bei der Drucklegung — vier Monate später als meine im Dezember 1974 erschienene Studie an die Öffentlichkeit gelangt.

H.-G. K.

INHALT

TEIL I

DAS THEMA

Hans-Georg Kemper / Silvio Vietta

I. DAS THEMA

"Welch ein Trommelfeuer von bisher ungeahnten Ungeheuerlichkeiten prasselt seit einem Jahrzehnt auf unsere Nerven nieder! Trotz sicherlich erhöhter Reizbarkeit sind durch diese täglichen Sensationen unsere Nerven trainiert und abgehärtet wie die Muskulatur eines Boxers gegen die schärfsten Schläge. (...) Man male sich zum Vergleich nur aus, wie ein Zeitgenosse Goethes oder ein Mensch des Biedermeier seinen Tag in Stille verbrachte, und durch welche Mengen von Lärm, Erregungen, Anregungen heute jeder Durchschnittsmensch täglich sich durchzukämpfen hat, mit der Hin- und Rückfahrt zur Arbeitsstätte, mit dem gefährlichen Tumult der von Verkehrsmitteln wimmelnden Straßen, mit Telephon, Lichtreklame, tausendfachen Geräuschen und Aufmerksamkeitsablenkungen. Wer heute zwischen dreißig und vierzig Jahre alt ist, hat noch gesehen, wie die ersten elektrischen Bahnen zu fahren begannen, hat die ersten Autos erblickt, hat die jahrtausendelang für unmöglich gehaltene Eroberung der Luft in rascher Folge mitgemacht, hat die sich rapid übersteigenden Schnelligkeitsrekorde all dieser Entfernungsüberwinder, Eisenbahnen, Riesendampfer, Luftschiffe, Aeroplane miterlebt. ... Wie ungeheuer hat sich der Bewußtseinskreis jedes einzelnen erweitert durch die Erschließung der Erdoberfläche und die neuen Mitteilungsmöglichkeiten: Schnellpresse, Kino, Radio, Grammophon, Funktelegraphie. Stimmen längst Verstorbener erklingen; Länder, die wir kaum dem Namen nach kennen, rauschen an uns vorbei, als ob wir selbst sie durchschweiften. Der jahrzehntelang vergeblich umkämpfte Südpol ward, innerhalb 34 Tagen, gleich zweimal entdeckt, und der sagenhafte Nordpol wird bald von jedermann auf der Luftreise von Japan nach Deutschland überflogen werden können. Vor kurzem noch ungeahnte Möglichkeiten der Elektrizitätsausnutzung, unheilbare Krankheiten, Diphterie, Syphilis, Zuckerkrankheit durch neuentdeckte Mittel heilbar geworden, das unsichtbare Innere unseres Körpers durch die Röntgenstrahlen klar vor Augen gelegt, all diese 'Wunder' sind Alltäglichkeiten geworden. Im Jahre 1913 noch erließ eine Zeitschrift ein Preisausschreiben: 'Welche Nachricht würde Sie am meisten verblüffen?' Wie harmlos erschienen die Antworten gegen die Ereignisse, die kurz darauf einsetzten. Der Krieg begann sich über Erde, Luft und Wasser zu verbreiten, mit Vernichtungsmöglichkeiten, die die Phantasie auch der exzen-

trischsten Dichter zu ersinnen nicht imstande gewesen war. Unsere Heere überfluteten Europa; Dutzende von Millionen Menschen hungerten jahrelang; aus Siegesbewußtsein stürzten wir in Niederlage und Revolution; Kaiser, Könige und Fürsten wurden dutzendweise entthront. Wer soll noch durch Menschenunglück erschüttert werden, der erlebte, daß vier Millionen Menschen durch Menschenhand im Krieg umgebracht wurden? Die Länder erbebten von Attentaten und Revolten; politische und soziale Ideen, von denen unsere Großeltern noch nichts ahnten, wuchsen über die Menschheit und veränderten das Antlitz der Völker und der Erde. Das Geld, einziger Maßstab realen Besitzes, verlor seinen Wert und eroberte ihn wieder. Staatengebilde brachen zusammen; Konferenzen versuchten vergeblich der Welt eine Neuordnung zu geben. Die urälteste Monarchie der Erde, China, ward Republik ... und Maschinen, Maschinen erobern unsere Planetenkruste. Zusammengeballt in zwei Jahrzehnte erlebten wir mehr als zwei Jahrtausende vor uns. Was haben wir noch zu erwarten, zu erleben? Vermögen wir uns noch zu wundern?"
Kurt Pinthus in einem Illustrierten-Artikel 1925 (688, 130 f.)

Dieser Band möchte in die Literatur und zugleich in die Epoche des Expressionismus einführen, und er möchte damit den Begriff Expressionismus als einen Epochenbegriff verwenden und zur Diskussion stellen. Es gibt gewichtige Fakten und bedeutsame Gründe, die einen solchen Versuch erschweren. Sie liegen zum einen in der Epoche selbst und in der in ihr entstandenen Literatur, und sie entstammen zum andern dem Erkenntnisinteresse, den methodischen Verfahren und den bisherigen Resultaten der Expressionismus-Forschung sowie der seit Jahren intensiv geführten Methodendiskussion der Literaturwissenschaft. Beide Problembereiche seien im folgenden in einigen Aspekten erläutert.

Die meisten Begriffe, welche die Literaturgeschichte in ihrer historischen Abfolge gliedern sollen, sind heute Gegenstand zum Teil heftiger Auseinandersetzungen, denn sie sind im Vergleich miteinander zu heterogen, sie implizieren und bezeichnen zu Verschiedenartiges: einzelne Schulen oder Gruppen, Stilrichtungen oder "Strömungen", ein Lebensgefühl oder eine Weltanschauung, unterschiedlich lange, aufeinander folgende oder historisch parallel verlaufende Perioden, rein literarische Phänomene oder eine Epoche als realhistorische Erscheinung. Nahezu jede Wissenschaft gliedert ihre Geschichte anders, zum großen Teil nach eigenen, wissenschaftsimmanenten Kriterien. Jeder wissenschaftstheoretische Zugriff, jede methodologische Akzentuierung lassen eine Epoche angesichts unterschiedlicher Erkenntnisinteressen in oft recht anderem Licht erscheinen. Jede neue Generation entwickelt *ihr* Bild der Literaturgeschichte, das sich von früheren nicht selten erheblich unterscheidet. Solchem Bedeutungswandel und solchen Diskussionen um seine Relevanz zur Bezeichnung einer Epoche, eines Stils oder einer "Bewegung" ist auch der Begriff Expressionismus von Anfang an ausgesetzt gewesen. –

Ursprünglich leitet sich die Bezeichnung aus der bildenden Kunst her. Armin Arnold hat die Herkunft des Begriffs verfolgt und dabei festgestellt, daß er sich im englischsprachigen Raum vereinzelt bereits um 1850 und 1880 zur Bezeichnung unterschiedlicher und unwichtiger Künstlergruppen findet. Von 1901 bis 1908 stellte der Maler Julien Auguste Hervé in Paris regelmäßig einige Bilder unter dem Titel "Expressionisme" im Rahmen größerer Ausstellungen aus. Doch haben diese Bilder und die früher mit diesem Namen belegten Künstler wenig mit dem zu tun, was man später zur expressionistischen Malerei rechnen sollte; die französischen "Expressionisten" nannten sich selbst "Les Fauves" und wurden in Deutschland auch als "Die Wilden" bekannt. – Im deutschsprachigen Raum wird der Begriff zuerst im Vorwort zum Katalog einer Ausstellung in Berlin 1911 zur Etikettierung einiger Werke jüngerer französischer Maler verwendet und breitet sich dann rasch bei den Kritikern und Theoretikern – nicht jedoch bei den Malern selbst – zur Charakterisierung jener bildenden Künstler aus, die als anti-impressionistisch erscheinen. Da sich der Begriff Impressionismus bereits eingebürgert hatte, lag es nahe, zur Kennzeichnung der Gegenposition das Wort "Expressionismus" zu gebrauchen.

Im Bereich der Literatur wurde der Begriff offenbar – worauf Paul Raabe aufmerksam gemacht hat – zuerst von Kurt Hiller im Juli 1911 und von Barlach im Dezember desselben Jahres verwendet. Doch dauerte es noch Jahre, bis er sich im Bewußtsein jener Autoren eingebürgert hatte, die wir heute unter ihm subsumieren (45, 9–15). Einige von ihnen – wie Heym, Trakl, Stadler, Lichtenstein – starben, bevor sich die Bewegung, unter die man sie heute rechnet, für sie als "expressionistische" zu erkennen geben konnte. Andere wiederum, so resümiert Arnold u. a., distanzierten sich von dem Begriff oder wußten mit ihm nichts anzufangen. "Eine expressionistische Gruppe im Sinne der Futuristen und Dadaisten gab es nie. Den größten Zusammenhalt besaß die Gruppe von Schriftstellern, die für Herwarth Waldens Zeitschrift 'Der Sturm' schrieb." (45, 15)

Sofern sich die damaligen Autoren und Kritiker etwas unter dem Begriff vorstellen konnten, gingen ihre Ansichten über seine Bedeutung zum Teil weit auseinander. Man gebrauchte ihn z. B. als vage Etikettierung für all jene, die "irgendwie" gegen den Naturalismus und die unter dem Symbolismus zu subsumierenden Stilrichtungen aufbegehrten, als eine allgemeine literarische Bewegung in ganz Europa (Pinthus), als Wiederkehr einer Stilrichtung, die in der Betonung des Gefühlhaften und Irrationalen sowie in bewußt atektonischer und unharmonischer Gestaltungsweise im Prinzip bereits bei Griechen und Römern vorhanden war (Edschmid) – nicht zufällig entdeckte die Germanistik jener Jahre, vor allem Fritz Strich, den "lyrischen Stil des 17. Jahrhunderts" in seiner Affinität zur

Gegenwart (757) –, als eine relativ kurzlebige "Ausdrucksart", die alsbald vom "Aktivismus" als einer "Gesinnung" abgelöst wurde (Hiller), als Ausdruck einer "expressiven" Aufbruchsstimmung, als Bezeichnung einer zwar losen und in der Mitgliederzahl fluktuierenden, aber doch an ein bestimmtes Programm gebundenen Autorengruppe (Walden, Pfemfert), schließlich als allgemeine Kennzeichnung des Kunst- und Literaturstils in Deutschland von etwa 1910 bis 1920, 1923 oder 1925 (vgl. 23; 24; 25; 26; 29). Auch rückschauend scheint auf den ersten Blick nur eine Vielzahl sich widersprechender theoretischer Ansichten und divergierender Stile erkennbar. Sie sind zum Teil auch Ausdruck von Adaptionen recht heterogener literarischer Strömungen, wissenschaftlicher, weltanschaulicher und politischer Positionen. In diesen spiegelt sich zugleich eine in vieler Hinsicht unterschiedliche Reaktion auf die bewegte realhistorische Entwicklung jener Jahre.

Trotz dieser Disparatheit der Bewegung schälen sich zwei Grundtendenzen deutlich heraus: eine kultur- und zivilisationskritische und eine von messianischem Verkündigungspathos getragene Richtung. Beide Tendenzen lassen sich vom Beginn der Epoche an nachweisen und durchziehen, in einer in ihrem Wechselbezug noch genau zu bestimmenden Form, das ganze expressionistische Jahrzehnt.

Von den äußeren Ereignissen, die dieses Jahrzehnt prägten, ist vor allem der 1. Weltkrieg zu erwähnen. Seine Vorzeichen schlagen sich in der expressionistischen Literatur ebenso nieder, wie sein Ausbruch und Verlauf zur Verschärfung der expressionistischen Zivilisationskritik beitrug. Er forderte auch unter den Künstlern seine Opfer. Bereits im ersten Kriegsjahr starben Alfred Lichtenstein, Ernst Wilhelm Lotz, Ernst Stadler und Georg Trakl. 1915 fiel August Stramm. 1916 starben Reinhard Johannes Sorge und Gustav Sack. Unter den Toten befanden sich einige der stärksten dichterischen Begabungen des Expressionismus (vgl. 24, 112).

Der Krieg zerriß ferner die mannigfach vorhandenen Künstlergemeinschaften, die persönlichen Bekanntschaften und brieflichen Verbindungen – vor allem natürlich über die nationalen Grenzen hinweg. Die Verbindungen zu Frankreich waren dabei besonders eng gewesen. Die Verehrung für die französische Kunst und Kultur war eines der gemeinsamen Kennzeichen expressionistischer Autoren. Allerdings zeigten sich einige von ihnen für den Nationalismus nicht unempfänglich. Die erste Kriegsbegeisterung bei einigen – z. B. bei Ernst Toller, René Schickele, Rudolf Leonhard, Max Brod und Fritz von Unruh – entsprang allerdings sehr verschiedenartigen Wurzeln und schlug alsbald – angesichts der grauenvollen Fronterlebnisse und der frühzeitig erkennbaren Auswirkungen auf die Zivilbevölkerung – bei den meisten in ihr Gegenteil um. Ein Teil der Expressionisten emigrierte während des Krieges ins Ausland, vor allem in die Schweiz. So René Schickele, der von hier aus die wichtige Zeitschrift 'Die weißen Blätter' edierte, ferner Ludwig Rubiner und Leonhard Frank.

Im Laufe des Krieges wurde der Expressionismus u. a. zum Sammelbecken der kulturellen Antikriegsbewegung in Deutschland, und teilweise versuchte man auch, auf die Politik direkt einzuwirken. Bedeutsam sind hier vor allem die Haltung Franz Pfemferts und der Mitarbeiter an seiner — neben Herwarth Waldens 'Der Sturm' wohl bedeutendsten — expressionistischen Zeitschrift 'Die Aktion', sowie die 'Ziel'-Jahrbücher Kurt Hillers und die beiden — allerdings erst nach Kriegsende erschienenen — Jahrbücher 'Die Erhebung' von Alfred Wolfenstein, in denen 'Aktivisten' wie Ernst Bloch, Max Brod, Gustav Landauer, Heinrich Mann, Kurt Pinthus und Ludwig Rubiner ein pazifistisches, sozialistisches Welt- und Gesellschaftsbild mit utopischen Zügen entwarfen und z. T. durch politische Aktionen nach Kriegsende zu verwirklichen suchten. Während des Krieges unterdrückte die Militärzensur alle offenen und indirekten Antikriegsäußerungen in Deutschland. In welchem Maße sie die öffentliche Wirksamkeit der Expressionisten einschränkte und Stil und Inhalt der Publikationen bestimmte, ist bislang noch nicht zureichend untersucht worden.

Zu der disparat anmutenden "Physiognomie" dieser "Bewegung" trug auch ihre heterogene Lokalisierung in verschiedenen Zentren bei. Berlin spielte eine dominierende Rolle, daneben aber existierten auch andere bedeutsame Wirkungsstätten, so München, Zürich, das Elsaß, Prag und Wien, Leipzig und Dresden. John Willett hat sie in einer anschaulichen Landkarte verzeichnet (117, 70 f.). Beim Expressionismus handelt es sich, so versichert Kurt Pinthus, "nicht wie in früheren literarischen Gruppenbildungen: Sturm und Drang, Romantik, Junges Deutschland" um "einige Dutzend Autoren, sondern tatsächlich um Hunderte, die sich kannten, erkannten, anerkannten" (22, 12), und diesen stand eine relativ große Anzahl von Zeitschriften, Anthologien und Buchreihen zur Verfügung, über deren wichtigste der Marbacher Expressionismus-Katalog (24) sowie Paul Raabe und Fritz Schlawe informieren (38; 40; 42; 43). In der Tat ist die Fülle der Namen erstaunlich, die dem Leser bei der Lektüre der Zeitschriften begegnet. Einem relativ kleinen Kreis ständiger Mitarbeiter stand eine große Zahl fluktuierender Beiträger gegenüber, denen offenbar einige Male Prosastücke oder Gedichte im "expressionistischen Stil" gelangen, ohne daß sie sich einen dauernden Platz im betreffenden Publikationsorgan erobern konnten oder wollten.

Bis zum Ende des 1. Weltkriegs war indessen auch die Wirkung der ständigen Mitarbeiter und der bekannteren expressionistischen Schriftsteller vergleichsweise gering gegenüber Schriftstellern wie Gerhart Hauptmann, Richard Dehmel, Thomas Mann, Hugo von Hofmannsthal, Rainer Maria Rilke, gegenüber dem klassizistischen Eklektiker Paul Heyse, den großen Realisten des 19. Jahrhunderts und den ausgesprochenen Publikumslieblingen um 1900: Ludwig Ganghofer, Peter Rosegger, Rudolf Herzog, Georg von Ompteda und Hedwig Courths-Mahler. Die meisten der eben Genannten publizierten auch in der Epoche des Expressionismus weiter, und sie dokumentieren damit die Ungleichzeitigkeit des

Gleichzeitigen in der Literaturgeschichte. 'Die Ratten' von Gerhart Hauptmann sowie Hofmannsthals 'Jedermann' und 'Der Rosenkavalier' erschienen z. B. im selben Jahr wie Sternheims Komödien 'Die Hose' und 'Die Kassette', nämlich 1911. Das Publikationsdatum von Thomas Manns Novelle 'Der Tod in Venedig' — 1913 — fällt zusammen mit Döblins Erzählung 'Die Ermordung einer Butterblume' und Kafkas 'Urteil'. Stefan Georges Gedichtband 'Der Stern des Bundes' teilt das Veröffentlichungsjahr 1914 mit den Gedichtzyklen Trakls ('Sebastian im Traum') und Stadlers ('Der Aufbruch'). Die Beispiele ließen sich vermehren.

Auch dies verweist auf die Problematik einer Epochenbezeichnung, die unter dem Namen "Expressionismus" firmieren soll. Und als — mit den Jahren 1919/20 — schließlich dessen Breitenwirkung in Deutschland beginnt, als selbst konservative Verlage und auch die Provinzbühnen expressionistische Werke adaptieren, halten ihm nicht wenige Anhänger und Kritiker bereits die Grabrede. "Ich bin für Leistung", erklärt Edschmid 1920. "Aber ich bin gegen Expressionismus, der heute Pfarrerstöchter und Fabrikantentöchter zur Erbauung umkitzelt." (25, 175) Ähnlich äußert sich René Schickele. Er und manche andere mußten die gescheiterte Revolution als Verrat an den Idealen betrachten, für die sie auch literarisch eingetreten waren. Der nunmehr einsetzende Ruhm galt ihnen als Mißverständnis, als kommerzielle Nutzung in einer veränderten historischen Situation, als Reduktion und Verflachung ihrer Ziele und ihrer Bewegung zu einem modischen Stil, der von übereifrigen Mit- und Nachläufern auf dem Markt der Öffentlichkeit feilgeboten wurde (25, 178 f.).

Erschweren so einerseits Fülle, Vielfalt und Divergenz des Materials das Verständnis der Epoche außerordentlich, so lag andererseits die wohl entscheidende Barriere gegen die Bildung eines differenzierten Epochenbegriffs in den letzten Jahren in Ansatz und Methode der Literaturwissenschaft selbst: der vornehmlich textimmanenten Forschung der Sechzigerjahre. In dem Maße, in dem sie sich auf Form- und Stilanalysen vor allem der großen, nicht unmittelbar oder nur lose in literarischen Gruppen integrierten 'Einzelgänger' wie Gottfried Benn, Georg Trakl, Franz Kafka, Carl Sternheim, Georg Kaiser, Georg Heym konzentrierte, traten die stilistischen Eigenheiten dieser Autoren hervor; der Blick für die Rückbindung ihrer Ausdrucksformen an Epochenstrukturen aber trübte sich. So entwickelte sich eine Eigendynamik in der Bewertung jenes Zeitraumes: Immer mehr Autoren wurden genauen Einzelanalysen unterzogen, dabei aus dem Zusammenhang mit der Epoche gelöst, und es drohte ein Expressionismus übrig zu bleiben, der vornehmlich mit plakativen Stilphänomenen von zumeist zweitrangigen Autoren identifiziert wurde. Heute existiert ein krasses Mißverhältnis zwischen einer ins Unübersehbare angewachsenen Spezialforschung zu einzelnen Autoren — vor allem zu Kafka, Trakl, Benn, Sternheim, Heym und Kaiser — und einer geringen Zahl von Untersuchungen möglicher epochaler Gemeinsamkeiten.

Wenn an der Einheit der Epoche überhaupt festgehalten wurde, so stellte sie sich — von so wichtigen Ausnahmen wie Sokels (105), Denklers (49), Hohendahls (62) und neuerdings Eykmans (54) Büchern über den literarischen Expressionismus abgesehen — vornehmlich als Addition monographischer Artikel zu einzelnen Autoren dar. Ein Beispiel für dieses Verfahren ist die mit nahezu 800 Seiten bisher umfangreichste Einführung in den 'Expressionismus als Literatur', die Wolfgang Rothe herausgegeben hat. Rothe hält die "sogenannt expressionistische Dichtung" "primär" für eine "geistige Bewegung", die sich "kaum ungestraft aus dem Gesamt des Zeitalters lösen" lasse, doch für eine Darbietung der Literatur unter diesem Aspekt muß er weitgehend "Fehlanzeige" melden (95, 10 f.). Dennoch vereint der Band auch einige wichtige Artikel zur Epoche. In Bezug auf die Gattungen ließen sich am ehesten noch in Drama und Lyrik gemeinsame Stilmerkmale feststellen, während die Prosa des Expressionismus — trotz des Buches von A. Arnold über dieses Thema — bis heute sehr unzureichend erfaßt wurde (vgl. 46).

Ein anderes Problem der früheren, vornehmlich geistesgeschichtlich orientierten Expressionismusforschung ist ihr Anknüpfen an programmatische Äußerungen des Expressionismus selbst. Von Anfang an neigte die Forschung dazu, das Selbstverständnis der Epoche zur Grundlage ihrer eigenen Begriffsbildung zu machen. So kritisiert Jürgen Ziegler zurecht, daß "ein Teil der Forschung jene umfassende, gleichwohl aber naive Vorstellung von Subjektivität, die sich 'ursprünglich' unvermittelt und unverstellt im 'reinen Ausdruck' zu äußern versuchte, unbesehen übernahm. 'Expressionismus' wurde zur ontologischen Qualität eines 'expressiven Menschen'. Das von den Expressionisten postulierte Verhältnis zur Welt wurde so nicht nur reproduziert, sondern gleichzeitig als wissenschaftliche Kategorie objektiviert." (118, 2)

Nun ist gegen die Anknüpfung am Selbstverständnis einer Epoche bei der wissenschaftlichen Begriffsbildung per se noch nicht viel einzuwenden. Indem aber die Forschung expressionistische Schlagworte wie "Seele", "der Mensch", "Wesen", "Wandlung", "Vision", "Aufbruch", "Erneuerung" zur Grundlage ihres eigenen Expressionismusverständnisses machte, wurde z. T. die Frage nach den Hintergründen und Voraussetzungen sowie dem geschichtlichen Stellenwert dieser problemgeschichtlich allerdings aufschlußreichen Aufbruchstimmung nicht mehr gestellt. Außerdem orientierte sich die Ontologisierung dieser Begriffe vornehmlich an den vordergründigen Erscheinungen der Epoche: dem lauten Pathos, der lärmenden Rhetorik und der durchsichtigen Ideologie des O-Mensch-Expressionismus. Eine naive Übernahme dieser Begriffe verbietet sich aber schon darum, weil der literarische Expressionismus sie selbst bereits gründlich in Frage gestellt hat. Eine Reihe von Expressionismusdefinitionen — nicht zuletzt von marxistischer Seite — reduzieren aber die Epoche vornehmlich auf die programmatisch-pathetischen O-Mensch-Beschwörungen, ohne das ideologiekritische Potential der Bewegung hinreichend zu berücksichtigen. Das neueste Beispiel dafür ist eine Textsammlung zu 'Expressionismus und Dadaismus', die allerdings in der Einleitung die "Schlagworte" der Epoche aus kritischer Distanz zitiert (2, 11).

Aber die Epoche Expressionismus ist nicht auf diese — wenn auch kritisch gebrauchten — Schlagworte reduzierbar. Auch dies zeichnet sich in der Forschung der letzten Jahre deutlich ab. In divergenten Analysen verschiedener Interpreten zu Heym, Wolfenstein, Kaiser, Benn, Einstein artikuliert sich z. T. offen das Bedürfnis nach einem gewandelten Expressionismusbegriff, der es möglich machen würde, die in der Einzelanalyse gewonnenen, mit dem vordergründigen Begriff von Expressionismus nicht vermittelbaren Ergebnisse epochal einzuordnen. Ein gründlich modifizierter Expressionismusbegriff wird z. T. durch diese Analysen selbst vorbereitet.

Wenn also nun im folgenden der Versuch gemacht wird, die Epoche Expressionismus als eine Einheit zu begreifen und zugleich anders zu begreifen, als es in der Forschung vielfach geschehen ist, so ist dieser Ansatz seinerseits sowohl in seiner Kritik als auch in seinen positiven Anknüpfungspunkten durch Ansätze in der Forschung vorbereitet. Er ist zudem natürlich vermittelt durch den Stand der Wissenschaftsgeschichte, der nach einer vornehmlich auf atomisierende Einzelanalysen ausgerichteten Phase wieder umgreifende Zusammenhänge in den Blick gerückt hat, ohne die positiven Ergebnisse und Methoden der immanenten Interpretation negieren zu wollen. Ja, eine genaue Epochenanalyse kann heute gar nicht mehr anders als unter Berücksichtigung dieser Ergebnisse und auf der Basis genauer Textanalysen erarbeitet werden. Insofern sind Methoden und Ergebnisse immanenter Literaturwissenschaft in die übergreifende problemgeschichtliche Darstellung einer Epoche 'aufzuheben', und zwar nicht im Sinne einer nachträglichen, mechanischen Verknüpfung immanenter Interpretationsergebnisse mit allgemeinen ökonomischen, psychologischen, philosophischen, politischen Kategorien, sondern so, daß der allgemeine Fragehorizont in der Einzelanalyse und die Einzelanalyse auf den allgemeinen Fragehorizont hin wechselseitig sich erschließen.

Hält man sich dabei an die schwierigsten Autoren und komplexesten Texte der Epoche, ergibt sich ein gänzlich gewandeltes Expressionismusbild. Entscheidend für dieses neue Epochenverständnis dürfte wohl die Einsicht sein, daß die expressionistische Beschwörung eines 'neuen Menschen' nicht isoliert werden kann aus dem Spannungsfeld der Epoche, insofern sie selbst nur eine Re-aktion ist auf die ebenfalls und vor allem in der frühen Phase des Expressionismus zur Darstellung kommende schwere Strukturkrise des modernen Ich. Letztlich ist die Lehre von der Erneuerung des Ich überhaupt nur zu verstehen vor dem Hintergrund der Erfahrung der Ichdissoziation, die ihrerseits vielfältig motiviert ist. Man denke an das Eingangszitat von Kurt Pinthus, das eine Reihe von Faktoren aufführt: die geänderten wahrnehmungspsychologischen Bedingungen, gegeben durch die moderne Verkehrstechnik, die neuen Medien, die moderne Technologie im ganzen. Zudem die Erfahrung des Krieges, der Massen, der Auseinandersetzung mit politischen und weltanschaulichen Ideologien. Diese in der Literatur ausgetragene Auseinandersetzung ist nicht unter den verkürzten Begriff eines O-Mensch-Expressionismus zu subsumieren. Noch viel weniger ist die erkenntnistheoretische Reflexionsprosa des Expressionismus, auf den Plan gerufen durch Erkenntnisprobleme der modernen Wissenschaften und den Stand der kritischen Philosophie, unter diesen Begriff zu bringen. Nach Hugo Ball, der zu den wichtigsten Vertretern der aus dem Expressionismus herauswachsenden, expressionistische Motive radikalisierenden Bewegung des Dadaismus gehört, sind es "drei Dinge ... die die Kunst unserer Tage bis ins Tiefste erschütterten, ihr ein neues Gesicht verliehen und sie vor einen gewaltigen neuen Aufschwung stellten: Die von der kritischen Philosophie vollzogene Entgötterung der Welt; die Auflösung des Atoms in der Wissenschaft; und die Massenschichtung der Bevölkerung im heutigen Europa." (23, 136)

So stellt sich die Signatur dieser Epoche dar als ein komplexes *Spannungsfeld* von tiefgreifender, vielfach bedingter Strukturkrise des modernen Subjekts und Erneuerungsvorstellungen, von Ichdissoziation und Aufbruchstimmung. Wenn bei der Erforschung dieses Spannungsfeldes die Zusammenhänge des Expressionismus mit der modernen Technologie, den gewandelten Produktionsformen, der durch die Medien veränderten Struktur der Öffentlichkeit, den modernen Wissenschaften in den Blick kommen, ist dies kein modischer Soziologismus, sondern geschieht aus der Einsicht heraus, daß Darstellungsformen und Grundfragen dieser literarischen Epoche aus sich heraus und rein immanent nicht zu verstehen sind. Auch darauf verweisen ja die Zitate von Zeitgenossen wie Pinthus und Ball mit aller Deutlichkeit. Wiederum können und sollen die literarischen Texte Aufschluß geben über die Gesamtstruktur der Epoche, nicht nur über deren Literatur.

Die Verfasser hoffen, durch ihre problemgeschichtliche und analytische Darstellung der Epoche der Expressionismusforschung neue Impulse zu geben. Indem der verengte Expressionismusbegriff als nur ein Moment in einer komplexen Epochenstruktur erscheint, gewinnt auch die Auseinandersetzung mit dieser Epoche ein neues Gesicht. Gerade die Form problemgeschichtlicher Darstellung (Teil II) und exemplarischer Einzelinterpretationen (Teil III) — zum Verhältnis der Teile siehe Teil II, Kap. I.2 und Teil III, Kap. 1 — ermöglicht die Konzentration auf jene Texte, in denen die Einsicht in Grundprobleme und Komplexität der Epoche am besten repräsentiert ist. Dieses Verfahren ist zugleich eine Absage an den Versuch, alle Werke der Epoche, alle Zeitschriften, jeden Autor angemessen heranziehen zu wollen. Es ging uns — dem Charakter dieser Reihe entsprechend — um den problemgeschichtlichen und an exemplarischen Texten zu vermittelnden Einblick in Grundstrukturen der Epoche, nicht um eine alle Autoren und Texte gleichermaßen berücksichtigende literaturgeschichtliche Darstellung. Wir haben versucht, diese Grundstrukturen gerade an den schwierigsten Autoren und Texten und in ihrer disparatesten Ausprägung sichtbar zu machen, so daß sich auch eine Vielzahl der hier nicht weiter berücksichtigten, zur Epoche gehörenden Autoren unter dem in diesem Band entwickelten Koordinatensystem begreifen läßt.

Einige Positionen, die der Leser besonders vermissen könnte, werden in den diesem Buch vorausgehenden und nachfolgenden Bänden der Reihe 'Deutsche Literatur im 20. Jahrhundert' zur Sprache kommen. Dies gilt insbesondere für die Analyse der 'Wort'-Kunst des 'Sturm'-Kreises und der expressionistischen Sprachexperimente. Diese werden von Eckhard Philipp im Zusammenhang mit den Abstraktionstendenzen der expressionistischen Malerei und des Dadaismus im nachfolgenden Band – 'Dadaismus' – ausführlich erörtert. Lothar Köhn wird den Spätexpressionismus im Rahmen seiner Darstellung der Literatur in den Zwanziger Jahren würdigen. – Um die Mitarbeit und Kontrolle des Lesers zu erleichtern, zitieren wir die Werke – wo es möglich ist und (vor allem bei längeren Analysen) sinnvoll erscheint – nach zuverlässigen Taschenbuchausgaben. Auf diese wird im Literaturverzeichnis durch Hinweis auf die jeweilige Taschenbuchreihe aufmerksam gemacht.

TEIL II

PROBLEME–ZUSAMMENHÄNGE–METHODISCHE FRAGEN

Silvio Vietta

1. EINIGE BEMERKUNGEN ZU THESE UND METHODE DER PROBLEMGESCHICHTLICHEN DARSTELLUNG DES LITERARISCHEN EXPRESSIONISMUS

1.1

Der literarische Expressionismus hat im Laufe der Forschungsgeschichte eine Vielzahl von Begriffsbestimmungen erfahren. Dabei scheint die Hauptschwäche jener Definitionsansätze, die ihn als "subjektiv visionäre Ausdruckskunst", als "Schrei", "Revolte", "Aufbruch" bestimmen, daß sie zu einseitig ausgehen von der lärmenden Rhetorik, dem lautstarken, von Lukács "hohl" genannten Pathos, mit dem diese Epoche die Idee einer Erneuerung des Menschen propagierte.

Wie bereits angedeutet, läßt sich aber die expressionistische Idee des "neuen Menschen" und die ihr entsprechende Rhetorik nicht isolieren von der tiefgreifenden Erfahrung der Verunsicherung, ja Dissoziation des Ich, der Zerrissenheit der Objektwelt, der Verdinglichung und Entfremdung von Subjekt und Objekt, Erfahrungen, die ebenfalls und in dieser Radikalität literaturgeschichtlich zum ersten Male im Expressionismus zur Darstellung kommen. Es geht hier um das Problem der Entfremdung im modernen, arbeitsteiligen, nur noch der Kategorie der Produktivität verpflichteten Produktionsprozeß (siehe Kap. 2.3), um Verabsolutierung des Machtprinzips in der modernen Gesellschaft (Kap. 2.4), um den durch die neuen Massenmedien bedingten Strukturwandel der Öffentlichkeit (Kap. 2.5), um das Problem der Zersetzung der traditionellen Leitbegriffe der abendländischen Metaphysik und die damit aufgeworfenen erkenntnistheoretischen Probleme (Kap. 2.2 und 2.6), die Entfremdung von Subjekt und Objekt in der modernen Wissenschaft und Theoriebildung (Kap. 2.6), aber auch um sozialpsychologische Kategorien (Kap. 2.7) und die unscheinbare, darum nicht minder tiefgreifende wahrnehmungspsychologische Umschichtung, die durch die veränderten Wahrnehmungsbedingungen der modernen Großstadt ausgelöst wird (Kap. 2.1). Es geht, mit einem Wort, um den umgreifenden Problemkomplex "Die Moderne". Mit ihm setzt sich der literarische Expressionismus in einer radikalen, d. h. bis an die Wurzeln gehenden Form, auseinander.

Dabei ist die Tendenz zur Abstraktion, die ihm zuweilen von der Kritik angelastet wurde und die den Expressionismus deutlich von der unmittelbaren Mimesis des bei aller Zivilisationskritik naiven und optimistischen Naturalismus abgrenzt, wesentlich vorgegeben durch den Abstraktionsgrad des Problems, mit dem er sich auseinandersetzt: dem Wesen und nicht nur Erscheinungsformen moderner, rational-zivilisatorischer Wirklichkeit. Ich habe diese kulturkritische Auseinandersetzung des Expressionismus mit der Moderne, die ihn deutlich abhebt von Naturalismus, Psychologismus und der ästhetischen Selbstbezogenheit der Neuromantik, unter den Begriff der "Ichdissoziation" subsumiert, weil er eine Art Konvergenzpunkt bildet für die verschiedenen Erfahrungs- und Darstellungsformen. Zu einem Konvergenzpunkt wird der Begriff, insofern er die gemeinsame Wirkung der Vielfalt der in der modernen Wirklichkeit wirksamen dissoziierenden Komponenten auf das Subjekt festhält, mithin die in der Moderne sich wandelnde Kategorie der Subjektivität selbst im Blick hat. Dabei ist nicht zu übersehen, daß der Begriff "Ichdissoziation" eine negative Kategorie ist. Er orientiert sich deskriptiv an der Selbsterfahrung der Epoche, die der modernen Zivilisation radikal skeptisch gegenüberstand, weil sie sich implizit und explizit an einem Begriff von Wirklichkeit und Subjektivität orientierte, den die Moderne auflöste.

Es wäre nicht möglich, jene Idee einer nicht entfremdeten Form von Wirklichkeit und Subjektivität vorweg zu rekonstruieren, da ihre explizite Propagierung in der Idee des "neuen Menschen" selbst bereits eine Regressionsform ist. Sicher hat das ausgehende 18. Jahrhundert das Ideal eines in seiner Totalität mit sich und der Welt harmonisch vermittelten und versöhnten Menschen überliefert. Hegels Begriff des Subjekts und Goethes Persönlichkeitsbegriff meinen das, jeweils in ihrer Form. Aber: "Persönlichkeit starb lautlos..." (Sternheim), und die von einigen expressionistischen Autoren verkündete Auferstehung des innerlich geläuterten, autonomen "neuen Menschen" war schon von den gewandelten Voraussetzungen her zum Scheitern verurteilt. Auch das hält gerade die Zivilisationskritik des Expressionismus fest, und ein Hauptinteresse an dieser Epoche besteht in dem Aufweis der von ihr ans Licht gebrachten Dissoziationsfaktoren der Moderne.

So ist die Signatur der Epoche — das wäre die Hauptthese dieser problemgeschichtlichen Darstellung des literarischen Expressionismus im Teil II — gekennzeichnet durch die "Dialektik" von Ichdissoziation und Menschheitserneuerung, von Entfremdungserfahrungen und dem Aufruf zur Wandlung des Menschen.

Für die Analyse erweist es sich als Notwendigkeit, zunächst die unter dem Begriff der "Ichdissoziation" gefaßte Erfahrung und Darstellung eines Substanzverlustes des Ich zu beschreiben und nicht mit der Lehre vom neuen Menschen im "messianischen Expressionismus" zu beginnen, weil jene Lehre vom neuen Menschen überhaupt nur zu verstehen ist vor dem Hintergrund der Erfahrung der Ichdissoziation. Wird hier doch der Versuch gemacht, den Substanzverlust des Ich noch einmal rückgängig zu machen und das Ich aufzuheben auf die höhere Stufe eines "gewandelten" Menschen, zugleich verbunden mit der Intention, den Metaphysikverlust der Moderne zu kompensieren durch eine eigentümliche, schon an Nietzsches "Übermensch" zu kritisierende Sakralisierung des Subjekts.

Daß die Epoche gekennzeichnet ist durch einen wesensmäßigen Zusammenhang von Ichdissoziation und Menschheitserneuerung, macht kein Autor so deutlich wie Georg Kaiser, dessen Dramen 'Von morgens bis mitternachts' und 'Gas' die Dissoziation des Ich beispielhaft zur Darstellung bringen, während Dramen wie 'Die Bürger von Calais' und Hölle Weg Erde' ganz im Dienst der Erneuerungsidee stehen.

Dennoch ist hier in mehrerer Hinsicht Vorsicht geboten. Erstens ist die Vermittlung der Ideen nicht bei allen Autoren in gleicher Weise sichtbar. Während bei einer Reihe von Autoren des messianischen Expressionismus das Erlösungspathos dominiert und die Auseinandersetzung mit der Moderne einerseits zum "Schrei" nach ihrer Veränderung, andererseits zur einfach antithetisch gegen die moderne Wirklichkeit gesetzten Idee des "neuen Menschen" regrediert, die zentralen Impulse der Moderne in dieser Ideologie aber gar nicht mehr verarbeitet werden, überwiegt bei anderen Autoren das ideologie- und kulturkritische Moment und zersetzt hier weitgehend die naive Hoffnung auf Wandlung und Erneuerung des Menschen. Schließlich war es selbst ein Expressionist, Gottfried Benn, der die expressionistische Lehre vom "neuen Menschen" "das letzte Lügenfieber aus dem vom Abgang schon geschwollnen Maul" (163, 101) nannte. Sprachlich herrscht bei den Autoren der ersten Gruppe lautstarkes Pathos und appellative Rhetorik vor, während die Autoren der zweiten Gruppe eine distanziertere, zuweilen ironische, ja sarkastische Sprachform kennzeichnet.

Es besteht kein Zweifel, daß die Autoren der zweiten Gruppe, ihre ideologiekritische Auseinandersetzung mit der Moderne, für uns heute interessanter sind als Thematik und Ausdrucksform des messianischen Expressionismus. Ja, man kann in dieser Auseinandersetzung — im Gegensatz zum messianischen Erneuerungspathos — das eigentlich Neue und Revolutionäre der expressionistischen Literatur sehen. Dementsprechend mehr Raum wird in dieser problemgeschichtlichen Darstellung der Zivilisations- und Kulturkritik des Expressionismus gewidmet, zumal der Reflexionsstand des messianischen Expressionismus sich auf einem einfacheren Niveau bewegt und daher einfacher zu durchschauen ist. Außerdem ist die "O-Mensch-Dichtung" des Expressionismus, ihre Ideologie und Rhetorik, von der Forschung sehr viel besser erfaßt, auch mit der wünschenswerten Deutlichkeit kritisiert worden, während die ebenfalls im Expressionismus zu Tage tretende Strukturkrise des modernen Ich, ihre Voraussetzungen und literarischen Ausdrucksformen, ein sehr viel offeneres Forschungsfeld darstellen.

Zweitens — und das wird bereits im oben Gesagten impliziert — kann der Begriff "Dialektik" als Kennzeichnung der Signatur der Epoche nur mit Vorsicht gebraucht werden. Wenn subjektiv die expressionistische Idee der Erneuerung des Menschen zwar dessen "Aufhebung" auf eine höhere Stufe meinte, so ist diese Erneuerung doch in den meisten Fällen nur blasse Antithese zu den dissoziierenden Faktoren der Moderne. Dialektik verkümmert im messianischen Expressionismus zur Antithetik. So werden im messianischen Expressionismus u. a. gegen die einseitige Herrschaft des Intellektes, Begriffe wie "Herz" und "Seele" mobilisiert, wird das "Wesen" des Menschen inständig beschworen, ohne den Stand kritischer Rationalität selbst noch einzuholen. Das "Wesen" stellt sich so unvermittelt als ein verkümmertes dar.

Und diese Schwäche verrät sich in der Sprache. Die Autoren des messianischen Expressionismus müssen vielfach durch lärmendes Pathos wettmachen, was ihnen an gedanklicher Verarbeitung und Durchdringung der Gegenwart fehlt. Das läßt sich besonders deutlich an der religiösen Wortschicht zeigen. Die im messianischen Expressionismus so häufige Verwendung religiöser Bilder und Symbole wirkt zumeist klischeehaft, weil der im Expressionismus selbst erarbeitete Stand der Metaphysikkritik nicht mehr rezipiert wurde. So wird die leere Phraseologie zum Indiz für die regredierte Form der Subjektivität und Religiosität, wird der messianische Expressionismus — gegen den Willen seiner Vertreter — zum Indiz der Ichdissoziation. Noch im Scheitern seiner Ideen und seiner Sprachformen gibt er Auskunft über den geschichtsphilosophischen Ort des modernen Subjekts.

Gegen einen marxistischen Kritiker wie Georg Lukács muß man jedoch festhalten, daß der Expressionismus auf die Ideologie des neuen Menschen, auf Pazifismus und Pathos gerade nicht zu reduzieren ist. Autoren wie Kaiser, Sternheim, Heym, Benn, van Hoddis, Trakl, Kafka, Einstein, Lichtenstein haben vielmehr einen Bewußtseinsstand bereitgestellt, der von der Expressionismuskritik selbst erst einmal zu erarbeiten ist, weil von ihm her, nicht von außen, Ideologie und Rhetorik des messianischen Expressionismus zu kritisieren sind. Daher widmen wir uns im folgenden Kapitel zunächst der Analyse dieser Autoren und des von ihnen erreichten Bewußtseinsstandes. Wir müssen dabei berücksichtigen, daß bei einigen Autoren progressiv-ideologiekritische mit regressiven, z. T. ersatzmetaphysischen Motiven sich verbinden. Kaiser, Benn, aber auch der große Anreger des Expressionismus, Nietzsche, liefern dafür Beispiele. Die Analyse muß also nicht nur in der Epoche, sondern auch bei einzelnen Autoren divergente, z. T. sogar gegenläufige Motive unterscheiden.

1.2

Das führt zur Frage nach dem Analyseverfahren selbst. Ich mache keinen Hehl daraus, daß es mir so ging wie vielen anderen Interpreten des literarischen Expressionismus: der Begriff erschien mir im Laufe der Analyse zunehmend problematisch. Seine Prägung erfolgte ja — wie wir gesehen haben — zunächst im Bereich der bildenden Künste und in Opposition zu dem damals in der Avantgarde vorherrschenden Impressionismus. Das Bedeutungsmoment des subjektiv Ausdrucks-, ja Ausbruchhaften im Gegensatz zur impressionistischen "Eindruckskunst" hat der Begriff nie ganz abgelegt und von dort war es nur ein Schritt zu Begriffsdefinitionen wie "visionäre Ausdruckskunst", "ekstatischer Aufbruch", "Zerbrechen der Formen", "Zertrümmerung der Wirklichkeit".

Wenn nun im folgenden die expressionistische Literatur als der Versuch einer Mimesis der modernen Wirklichkeit und ihrer Wesenszüge interpretiert wird, so sind diese dem Begriff anhaftenden Bedeutungsmomente eher irreleitend. Ich muß daher ausdrücklich begründen, warum es dennoch sinnvoll erscheint, den Begriff beizubehalten.

Erstens: Mit dem Begriff verbindet sich eine lange Forschungstradition, in deren Rahmen der eigene Ansatz — sowohl die Detailinterpretationen als auch die Zentralthese — steht. Selbst die Kritik an Ergebnissen der Forschung ist ja noch durch sie vermittelt, wie zweifellos solche Kritik ihrerseits kritisch verarbeitet werden wird. Diese Forschungskontinuität aber wird wesentlich durch die Einheit des Epochenbegriffs, auf den sie sich richtet, ermöglicht, und es wäre letztlich ein Mißverständnis des eigenen Ansatzes, wenn er sich aus der Einheit eines solchen wirkungsgeschichtlichen Bewußtseins glaubt hinauskatapultieren zu können. Zudem gehört zur Forschungsgeschichte des Expressionismus der stetige Hinweis auf die Problematik des Begriffs, so daß eine naive Rezeption seiner primären Bedeutungsmomente nicht mehr so zu fürchten ist.

Zweitens: Der Begriff als Epochenbegriff hält wesentlich die Einheit der Epoche fest. Das aber ist für eine problemgeschichtliche Darstellung von unschätzbarem Wert. Ihre Gliederungsprinzipien sind ja nicht primär durch Gattungen, Chronologie oder monographische Darstellung einzelner Autoren vorgegeben, sondern wesentlich durch den Problemzusammenhang einer Epoche. Nun ist gerade die Literatur des Expressionismus gekennzeichnet durch eine schier unübersehbare Fülle von Ideen und Stileigentümlichkeiten. Daß diese Fülle jedoch kein anarchisches Durcheinander bildet, sondern in einem inneren Zusammenhang steht, hält die Einheit des Begriffs fest. Der Begriff "Expressionismus" meint selbst also einen komplexen, aber wesensmäßigen Begriffs z u s a m m e n - h a n g , der seinerseits Abstraktionsprodukt ist und aus der detaillierten Analyse der verschiedenen literarischen Texte und Dokumente der Epoche sowie der Forschungsliteratur gewonnen wurde. Die Struktur oder Signatur der Epoche — ihr Begriff — wäre also selbst zu begreifen als interpretatives Deutungsschema, dessen innere Dynamik bedingt ist durch den, in einem ständigen Hin und Her sich bewegenden Austausch zwischen Einzeltext und Epochenbegriff, Interpretiertem und dem Fragehorizont des Interpreten, zwischen Forschungstradition und Neuansatz.

Allerdings hat die aufs Epochenverständnis zielende problemgeschichtliche Darstellung immer die Tendenz, den einzelnen Text aufs Allgemeine hin zu befragen, mithin die individuelle Eigenheit des Textes nicht voll auszuschöpfen. Zwar kann auch die problemgeschichtliche Darstellung nicht mehr hinter den vor allem in den Sechzigerjahren erreichten Stand der immanenten Interpretation zurückfallen, und in diesem Sinne bemüht sich die folgende Interpretation, ihre allgemeinen Aussagen konkret am Text zu erarbeiten, aber die immanente Interpretation gibt doch — gerade auf Grund ihrer Einseitigkeit — einen Maßstab vor, der eine Epochenanalyse als Vergehen am individuellen Einzeltext erscheinen läßt. Denn bruchlos geht das Individuelle nur selten im Allgemeinen auf. Andererseits kann gerade diese Spannung zwischen Einzeltext und Allgemeinem fruchtbar werden. Hat sich doch, wie in Teil I erwähnt, das allgemeine Expressionismusbild in den letzten Jahren von Einzelanalysen her zu korrigieren begonnen. Auch die Spannung, die zwischen problemgeschichtlichem Teil und Analyseteil in diesem Buch besteht, soll daher nicht kaschiert werden. Zum einen korrigiert der Analyseteil von Hans-Georg Kemper exemplarisch an Detailinterpretationen, was den Einzeltexten im problemgeschichtlichen Teil notwendig an Gewalt widerfuhr, zum anderen könnte in Divergenzen und Spannungen zwischen den Teilen selbst bereits wieder der Nukleus liegen für eine Weiterentwicklung des Expressionismusbildes.

Wenn man den literarischen Expressionismus interpretiert als Mimesis einer veränderten, modernen Form von Wirklichkeit und Subjektivität, so stellt sich die Frage, warum man diese Epoche nicht geradlinig ableitet von den veränderten Bedingungen der Wirklichkeit selbst. Man könnte gut marxistisch die Entwicklung an der ökonomischen Basis seit der Reichsgründung und so die Entwicklung des wilhelminischen Deutschlands zum Imperialismus aufzeigen. Die Literatur des Expressionismus wäre dann von diesen Bedingungen her zu interpretieren.

Gegen ein solches Verfahren sprechen jedoch eine Reihe von Überlegungen. So entspricht der bei allen Schwankungen — etwa der Krise der Gründerzeit — relativ geradlinigen ökonomisch-politischen Entwicklung keineswegs eine ebensolche Entwicklung im "Überbau". Es ist vielmehr frappierend, wie scharf doch — trotz Übergängen und Vermittlungen — die Brüche sind zwischen Naturalismus, Neuromantik, Impressionismus, Expressionismus, um nur die wichtigsten Hauptströmungen vor und nach der Jahrhundertwende zu nennen. Hier müssen noch ganz andere Einflüsse wirksam gewesen sein und nicht nur die von den russischen Formalisten beobachtete "Automatisierung" als innerer Selbstzersetzungsprozeß einer literarischen Epoche.

So läßt sich, um ein Beispiel zu nennen, gerade an der erkenntnistheoretischen Reflexionsprosa des Expressionismus zeigen, daß hier der Stand der modernen wissenschaftlichen Theoriebildung beim Übergang vom 19. ins 20. Jahrhundert selbst verarbeitet wird (siehe Kap. 2.6.2 ff.). Die Eigendynamik dieser Theoriebildung und mithin der Reflexionsstand der expressionistischen Literatur lassen sich aber nicht — wie dies Lukács tut — von der ökonomisch-politischen Basis des Imperialismus direkt deduzieren.

Außerdem steckt, nach der Einsicht von Hans Kilian (643), in der marxistischen Primärsetzung der ökonomischen Basis als "Basis" ein gut Teil undurchschauten Herrschaftsdenkens, insofern solches Denken die "entfremdeten Identitätsstrukturen" einer einseitig nur noch auf ökonomische Produktivität gerichteten Lebensform nicht nur analysiert, sondern unbewußt "zu Normen und zum Maß des Menschen selbst machen will." (643, 51) Gerade diese Normen aber stellt ein expressionistischer Autor wie Georg Kaiser in Frage. Er attackiert nicht nur ökonomische Verteilungsmechanismen, sondern die Herrschaft der ökonomischen Kategorie der Produktivität selbst. Eine Theorie, die von dem Primat der ökonomischen Basis ausgeht, hat die zivilisationskritischen Tendenzen des Expressionismus schon im Ansatz entschärft, insofern die Frage nach den Voraussetzungen einer solchen Primärsetzung selbst nicht mehr gestellt werden kann.

Ähnliches gilt für die Reduktion des Geschichtsbegriffs. Reflektiert doch der Begriff von Geschichte als Klassenkampf die Unfähigkeit, anderes als eine in Klassenantagonismen erstarrte Gesellschaft überhaupt noch zu denken. Dementsprechend wenig weiß ein marxistischer Kritiker wie Georg Lukács auch mit den expressionistischen Handlungsmaximen, die sich nicht ins Klassenkampfschema pressen lassen, anzufangen (siehe Kap. 3.4). Außerdem erlaubt das Basis-Überbauschema, auch wenn man mit dem Begriff der "Wechselwirkung" operiert, immer nur eine nachträgliche Vermittlung, während gerade die expressionistische Frage nach dem Wesen der Moderne, deren immanente Einheitlichkeit aufzudecken unternimmt. Die Einsichten, die sich dabei ergeben, lassen sich nicht einseitig von der ökonomischen "Basis" herleiten, da die in der modernen Ökonomie u n d Theorie zur Herrschaft kommende Kategorie einer die Welt zur "Objekt"-Welt degradierenden Subjektivität selbst zur Frage steht.

Wenn es überhaupt interessant ist, sich mit Literatur zu beschäftigen, dann weil sie Einsichten vermittelt, die in d e r Form in den bestehenden wissenschaftlichen Systemen der Ökonomie, Philosophie, Psychologie, Soziologie nicht erfaßt werden. Daher müssen die literarischen Texte primäre Grundlage einer auch über diese Texte hinausgehenden, auf Epochenstrukturen abzielenden literaturwissenschaftlichen Analyse sein. Daß diese Wissenschaften nach Möglichkeit und Maßgabe heranzuziehen sind, braucht kaum eigens erwähnt zu werden.

Grundlage aber sind die literarischen Texte selbst, nicht die anderweitigen Äußerungen der Autoren. So aufschlußreich diese sein können, es ist altbekannt, daß literarische Texte zumeist "mehr wissen" als die theoretischen Äußerungen ihrer Verfasser. Ja, bei vielen Autoren herrscht ein geradezu groteskes Mißverhältnis zwischen Selbstverständnis und literarischer Produktion, zwischen Theorie und Dichtung, und der verlockende Weg, von den zumeist einfacheren und geglätteten theoretischen Äußerungen auszugehen, erweist sich bei Autoren, die nicht einen ihrer Dichtung entsprechenden Stand der Reflexion aufweisen, als Irrweg.

Theoretisch wäre ein solches Interpretationsverfahren, wie ich es hier grob skizziert habe, repräsentiert durch eine "integrative Literaturtheorie". Diese beobachtet, ausgehend vom literarischen Text, dessen Vermittlung durch Literatur- und Geistesgeschichte, analysiert seine Darstellungsfunktion in Bezug auf eine gesellschaftliche "Wirklichkeit", die nicht selbst schon als fertiges System gegeben ist, sondern nur bruchstückhaft und perspektivisch in der Form von Dokumenten oder Deutungen, und ist sich dabei der vielfach bedingten Perspektivität des Autors und des Rezipienten, mithin des eigenen Standortes, bewußt. Auch wenn diese Analyseaspekte in einer problemgeschichtlichen Darstellung nicht immer scharf zu trennen sind, sollten sie hier immerhin angedeutet werden.

Ihnen entsprechen die immanente und geistesgeschichtliche Vermittlungsfunktion, Darstellungs-, Produktions- und Rezeptionsfunktion der literarischen Sprache, dem eigentlichen Vermittlungszentrum jenes komplexen Kommunikationsvorgangs, der im "Verstehen" literarischer Texte statthat. (Zum Begriff der "integrativen Literaturtheorie" und der Funktionen der literarischen Sprache siehe Vietta 760, 9 ff.)

Trotz dieser formalen Gliederungskriterien und der Gliederung der Epoche unter die Oberbegriffe "Ichdissoziation" und "messianischer Expressionismus" behält die Epochenanalyse etwas Unsystematisches. Wird doch, ausgehend von den literarischen Texten, auf Kategorien ganz unterschiedlicher Herkunft zurückgegriffen. Wie gesagt: die literarischen Texte selbst legen die Ausweitung der Fragestellung vor. Ein Gedicht wie Lichtensteins 'Punkt', das die Wahrnehmung in der modernen Großstadt thematisiert, verweist auf wahrnehmungspsychologische Begriffe, Kaisers 'Gas'-dramen auf die Produktionssphäre, die erkenntnistheoretische Reflexionsprosa auf den Stand der Erkenntnistheorie der Zeit, Filmeinblendungen und filmische Darstellungsformen auf den Entwicklungsstand dieses Mediums usw., aber die Integration dieser Aspekte unter einen einheitlichen Begriff von Wirklichkeit und Subjektivität kann doch nicht verbergen, daß die Vielperspektivität und Vielschichtigkeit der Aspekte nicht hierarchisch-systematisch geordnet sind.

Der Grund dafür liegt auf der Hand: die Vielzahl der Perspektiven und Kategorien läßt sich beim Stand der wissenschaftlichen Begriffsbildung nicht auf ein einheitliches Begriffssystem projizieren. Nicht ohne grobe Verkürzungen jedenfalls, denn ein marxistischer Ansatz, der einzige, der ein derartiges Denkmodell anzubieten scheint, liefert, einmal abgesehen von der oben erwähnten Problematik, keineswegs eine kohärente Theorie der Vermittlung dieser Kategorien, sondern in Bezug auf das Vermittlungsproblem eher eine Vielzahl offener Fragen.

Wenn also kein 'Supersystem' zur Verfügung steht, das die Vielzahl der

Aspekte hierarchisch-systematisch gliedert, so ist das Gliederungsverfahren doch nicht einfach additiv. Die Analyse folgt vielmehr im Rahmen der oben skizzierten Literaturtheorie dem hermeneutischen Zirkel so, daß die Ganzheit der literarischen Epoche in Analyseschritten zwar sukzessiv in ihren zentralen Aspekten dargestellt, das Ganze aber am Einzeltext vorausgesetzt und wiederum von ihm her bestimmt wird. Erst die Lektüre des Ganzen ermöglicht daher ein 'ganz' adäquates Verständnis der Teile, die ihrerseits stets aufs Ganze bezogen bleiben. Die Vielzahl der Querverweise im Text soll dies im Bewußtsein halten. Gerade die Annahme einer in ihrer inneren Spannung einheitlichen Epochenstruktur erlaubt es ja, diese Struktur von verschiedenen Seiten her 'einzukreisen'.

Noch ein Wort zur Abgrenzung der Epoche des Expressionismus. Tatsächlich berührt sich der Expressionismus — bei allen Divergenzen — mit einer Reihe von Motiven der vorexpressionistischen und europäischen Literatur. So findet sich, um nur die zwei wichtigsten Beispiele zu nennen, die Idee der Erneuerung des Menschen, die Sehnsucht nach einer "neuen Geistesära" bei Nietzsche, im ausgehenden Naturalismus, im Jugendstil, aber auch bei G. B. Shaw. Und es ist ebenfalls Nietzsche, der bereits die "Vielheit des Ich" entdeckt, sind es Autoren wie T. S. Eliot, James Joyce, Gertrude Stein, Ezra Pound und die Imagisten, die die innere Diskontinuität des Ich — jeweils in ihrer Form — zur Darstellung bringen. 'Typisch expressionistisch' aber ist die Radikalisierung der Ichdissoziation, ihre Verknüpfung mit der Frage nach dem Wesen der modernen Produktions-, Wahrnehmungs- und Denkformen, sowie deren innere Verknüpfung mit radikalen Erneuerungsvorstellungen. Daß aber Berührungspunkte mit der europäischen Literatur — einmal ganz abgesehen von dem direkten Einfluß des Expressionismus z. B. auf das amerikanische Drama der 20er Jahre — sich aufweisen lassen, daß man bei einem genauen Studium der großen europäischen Literatur des 20. Jahrhunderts auf ähnliche Erfahrungen und Formstrukturen stößt, mag als ein Indiz dafür angesehen werden, daß es sich bei den Kernfragen des literarischen Expressionismus um allgemeine Probleme des 20. Jahrhunderts handelt. (Die Zusammenhänge der deutschen Literatur um die Jahrhundertwende mit der Weltliteratur analysiert Paul Hoffmann im vorausgehenden Band dieser Reihe.) Schließlich möchte ich diese Überlegungen nicht abschließen, ohne Herrn Professor Klaus Ziegler in Tübingen zu danken. Er hat dieses Manuskript gelesen und mir durch seine detailbezogene wie grundsätzliche Kritik sehr geholfen.

2. ICHDISSOZIATION IM EXPRESSIONISMUS

2.1 Dissoziierte Wahrnehmung in der Groß-stadt und der frühexpressionistische Reihungsstil

Am 11. Januar 1911 erschien in der Berliner Zeitschrift 'Der Demokrat' ein Gedicht, das auf eine ganze Generation junger Autoren eine geradezu signalhafte Wirkung ausübte. Es ist das Gedicht 'Weltende' des bis dahin nur in eingeweihten Berliner Literatenkreisen bekannten Autors Jakob van Hoddis, der mit bürgerlichem Namen eigentlich Hans Davidsohn hieß. Kurt Pinthus eröffnet die von ihm herausgegebene berühmte expressionistische Lyrikanthologie 'Menschheitsdämmerung' mit diesem Gedicht und Gottfried Benn rechnet den Beginn der expressionistischen Lyrik in Deutschland "von dem Erscheinen des Gedichts 'Dämmerung' von Alfred Lichtenstein ... und dem Gedicht 'Weltende' von Jakob van Hoddis ..." (162, 498). Nach Johannes R. Becher muß dieses auf den ersten Blick so unscheinbare Gedicht geradezu eine Marseillaise der jungen Expressionisten gewesen sein: "Meine poetische Kraft reicht nicht aus, um die Wirkung jenes Gedichtes wiederherzustellen, von dem ich jetzt sprechen will. Auch die kühnste Phantasie meiner Leser würde ich überanstrengen bei dem Versuch, ihnen die Zauberhaftigkeit zu schildern, wie sie dieses Gedicht 'Weltende' von Jakob van Hoddis für uns in sich barg. Diese zwei Strophen, o diese acht Zeilen schienen uns in andere Menschen verwandelt zu haben, uns emporgehoben zu haben aus einer Welt stumpfer Bürgerlichkeit, die wir verachteten und von der wir nicht wußten, wie wir sie verlassen sollten ..." (26, 51 f). Die Wirkung des Gedichts, die Becher hier zu rekonstruieren versucht, impliziert schon eine für die expressionistische Künstlergeneration kennzeichnende Einstellung zur Kunst, die in der fundamentalen "Verwandlung" des Menschen durch Kunst ihre eigentliche Aufgabe sieht. Aber nun das Gedicht 'Weltende':

> Dem Bürger fliegt vom spitzen Kopf der Hut,
> In allen Lüften hallt es wie Geschrei,
> Dachdecker stürzen ab und gehn entzwei
> und an den Küsten — liest man — steigt die Flut.
>
> Der Sturm ist da, die wilden Meere hupfen
> An Land, um dicke Dämme zu zerdrücken.
> Die meisten Menschen haben einen Schnupfen.
> Die Eisenbahnen fallen von den Brücken.
>
> (310, 28)

Zwei Strophen mit einem simplen Reimschema und fünfhebigen Jamben: das Revolutionäre des Gedichts liegt also sicher nicht in dieser äußeren Form. Vielmehr zeigt sich das Neuartige in seiner Bildstruktur, sowohl dem Charakter der einzelnen Bilder als auch ihrer Verknüpfung. Da wird eine Bürgerordnung durcheinandergewirbelt, ironisch gebrochen in einer Kette von 'Katastrophenbildern', deren heterogene Verknüpfung man in der Forschung mit Begriffen wie "Reihungsstil" oder "Simultangedicht" zu fassen suchte. Denn das Disparate, Unzusammenhängende der Bilder ist das augenfälligste Stilmerkmal des Gedichts. Die Bilder fügen sich nicht in die Einheit eines kohärenten Gedankenablaufs oder gar eines räumlich-situativen Zusammenhangs. Vielmehr exponiert — mit Ausnahme der durch Enjambement verbundenen Anfangsverse der zweiten Strophe — jeder Vers ein neues Subjekt, ohne unmittelbar an das vorige anzuknüpfen oder zum folgenden überzuleiten.

Welche Ausdrucksfunktion hat diese Auflösung der Bildkontinuität? Textimmanent gesehen entspricht der Bruch zwischen den Versen der inneren Disparatheit auch von Einzelbildern: "Dachdecker ... gehn entzwei", "die wilden Meere hupfen". Da wird das Subjekt durchs Verbum verdinglicht, die wilden Meere werden zum Kabaretteffekt. Diese verfremdende Disparatheit der Bilder und ihr abrupter, unvermittelter Zusammenhang bewirken den ans Groteske rührenden Effekt des Gesamtgedichts. Wenn das 'Weltende' als Ende der bürgerlichen Welt in derart verfremdeten Einzelbildern erscheint, wenn der Reihungsstil die Katastrophen der bürgerlichen Welt — von herabfallenden Hüten, Dachdeckern über Naturkatastrophen, Schnupfen, bis zu den herunterpolternden Zivilisationsprodukten — so trocken und unterschiedslos aufzählt, dann wird dieses "Weltende" durch die Darstellung zugleich ironisch auf Distanz gesetzt. Autor wie Leser scheinen eine Position außerhalb des Geschehens zu beziehen. Die Katastrophen scheinen sie nicht zu tangieren. Man "liest" sie, wie man am gedeckten Frühstückstisch die papierenen Katastrophen in der Zeitung zur Kenntnis nimmt. Das ist das von Becher beschriebene Gefühl der Überlegenheit und des Siegesmutes, das van Hoddis' Gedicht auf die junge expressionistische Generation ausgestrahlt haben muß.

Aber der Schein trügt. Die Sicherheit der Distanz, die Überlegenheit des ironischen Ich, das all das offenbar nicht weiter angeht, ist in Wirklichkeit nicht gegeben. Schon der Hinweis auf das persönliche Schicksal von van Hoddis — es treten schon 1912 Anzeichen einer zunehmenden Schizophrenie auf, die diesen gequälten und leidvollen Autor des frühen Expressionismus von da an für sein Leben zeichneten — macht deutlich, daß hier nicht wirklich eine überlegene Distanz zur Katastrophe des "Weltendes" gegeben ist. Eine Katastrophe übrigens, die bei van Hoddis in ihren Auswirkungen beschrieben, aber sonst nicht weiter präzisiert wird, während Georg Heym in seinem berühmten Kriegsgedicht ("Aufgestanden ist er, welcher lange schlief ...") das Drohende einer nahenden Katastrophe in der Gestalt des Krieges ankündigt.

Aber auch die Form des Gedichts 'Weltende' hat etwas Bedrohliches. Das Dissoziierte, Unzusammenhängende der Bilder, die – um es auf einen Begriff zu bringen – Simultaneität des Disparaten ist selbst die formale Konkretion der Orientierungslosigkeit, der Zusammenhanglosigkeit der Zeit als "tödlicher Zeitlosigkeit der modernen bürgerlichen Welt" (314, 83). Man muß sich allerdings hüten, das Moment der Zusammenhanglosigkeit zu sehr zu betonen und – wie es in der Forschung geschehen ist – auch noch mit 'Formnegation' gleichzusetzen (118, 124). Denn zum einen verwirklicht das Gedicht ja sehr konsequent ein bestimmtes Formprinzip: das der Reihung heterogener Bilder. Zum andern ergibt sich ein untergründiger Zusammenhang aus der funktionalen Zuordnung der Bilder. Sie alle evozieren – auf den verschiedensten Ebenen – Zusammenbruch der bürgerlichen Welt, Chaos, und bilden somit eine einheitliche Klasse von Sätzen, die durch ihr Thema 'Weltende' definiert ist.

Dennoch bleibt der Befund, daß wir es hier mit einer dissoziierten Kette heterogener Themaelemente zu tun haben, mit einer raschen Abfolge wechselnder Bilder. Und dies ist ein Konstruktionsprinzip, das Schule gemacht hat. Neben Gedichten von Johannes R. Becher, Max Herrmann-Neisse, Ernst Blass, Paul Boldt, Ferdinand Hardekopf und anderen ist Alfred Lichtensteins Gedicht 'Die Dämmerung', ebenfalls schon im Frühjahr 1911 veröffentlicht und in der Berliner Literatenavantgarde begeistert aufgenommen, das bekannteste Gedicht, das den Reihungsstil von Jakob van Hoddis aufnimmt und ihn eigenständig weiterentwickelt:

> Ein dicker Junge spielt mit einem Teich.
> Der Wind hat sich in einem Baum gefangen.
> Der Himmel sieht verbummelt aus und bleich,
> Als wäre ihm die Schminke ausgegangen.
>
> Auf lange Krücken schief herabgebückt
> Und schwatzend kriechen auf dem Felde zwei Lahme.
> Ein blonder Dichter wird vielleicht verrückt.
> Ein Pferdchen stolpert über eine Dame.
>
> An einem Fenster klebt ein fetter Mann.
> Ein Jüngling will ein weiches Weib besuchen.
> Ein grauer Clown zieht sich die Stiefel an.
> Ein Kinderwagen schreit und Hunde fluchen.
>
> (462, 44)

Auch hier die streng eingehaltene konventionelle äußere Form, deren Schema aber nicht einfach naiv erfüllt, sondern ähnlich wie bei van Hoddis durch Reimverwendung und Themastruktur parodiert wird. Ähnlich auch die Deformation des Menschen in einzelnen Bildern ("dicker Junge", "zwei Lahme", "ein blonder Dichter wird vielleicht verrückt", "fetter

Mann", "grauer Clown" ...) und die dissoziierte Reihung heterogener Bildelemente im Reihungsstil. Die Atomisierung und Isolierung der einzelnen Bilder, thematisch vermittelt nur noch durch den im Titel gegebenen zeitlichen Rahmen, ist Voraussetzung der neuen Darstellungsform. Man kann eine gewisse Entfremdung der Bildelemente voneinander und vom Ganzen konstatieren, die kennzeichnend ist nicht nur für diese frühexpressionistische Lyrik, sondern ein zentrales Formproblem der gesamten modernen Literatur darstellt. In diesem Zusammenhang ist der Hinweis wichtig, daß Lichtensteins Lyrik den Zusammenhang zwischen Reihungsstil und neuen Wahrnehmungsformen deutlicher macht als van Hoddis. Lichtenstein spricht selbst davon, daß sein Gedicht 'Die Dämmerung' "die Reflexe der Dinge unmittelbar — ohne überflüssige Reflexion" mitteile (23, 243).

Von dieser Äußerung, deren Begriff von Unmittelbarkeit und Reflexionslosigkeit selbst nicht unvermittelt, sondern eher als zielgerichtete Polemik verstanden werden sollte, ist zunächst einmal festzuhalten, daß diese Lyrik eine Wahrnehmungsform beschreibt. Wenn man unsere bis zu diesem Punkt weitgehend formale Analyse des Reihungsstils in diesen neuen Zusammenhang bringt, dann wird der formale Befund — Simultaneität des Disparaten in der raschen Folge wechselnder Bilder — zu einem Wahrnehmungsproblem. Die literarische Formstruktur frühexpressionistischer Lyrik verweist über sich hinaus auf das ja auch von Kurt Pinthus eingangs in Teil I angesprochene Wirklichkeitsproblem, genauer: auf die Wahrnehmung von Wirklichkeit im großstädtischen Lebensraum; sowohl van Hoddis als auch Lichtenstein sind Autoren der Großstadt und lebten in der damals größten Stadt Deutschlands und der am schnellsten wachsenden Stadt Europas: Berlin.

Ich habe den Zusammenhang zwischen Großstadtwahrnehmung und neuen Darstellungsformen wie dem frühexpressionistischen Reihungsstil jüngst in einem Aufsatz über 'Großstadtwahrnehmung und ihre literarische Darstellung' analysiert (vgl. 111) und kann mich daher hier im wesentlichen kurz fassen und schon auf die Ergebnisse dieser Analyse beziehen. Sie wurden vor allem an dem Gedicht 'Punkt' von Lichtenstein gewonnen:

> Die wüsten Straßen fließen lichterloh
> Durch den erloschnen Kopf. Und tun mir weh.
> Ich fühle deutlich, daß ich bald vergeh —
> Dornrosen meines Fleisches, stecht nicht so.
>
> Die Nacht verschimmelt. Giftlaternenschein
> Hat, kriechend, sie mit grünem Dreck beschmiert.
> Das Herz ist wie ein Sack. Das Blut erfriert.
> Die Welt fällt um. Die Augen stürzen ein.
>
> (462, 69)

Das Gedicht reflektiert unmittelbar auf die sinnliche Wahrnehmung in der Großstadt und ihre Rückwirkung auf das wahrnehmende Subjekt. Aber die Rollen sind vertauscht: Grammatisches Subjekt sind die "wüsten Straßen", ihre 'brennende' Aktivität deformiert das Wahrnehmungssubjekt zum 'ausgebrannten' Objekt. Vers drei und die letzten Verse des Gedichts sprechen diesen Befund fast schon überdeutlich aus und machen zudem auf die wechselseitige Abhändigkeit von Subjekt und Objekt im Wahrnehmungsakt aufmerksam:

> Das Herz ist wie ein Sack. Das Blut erfriert.
> Die Welt fällt um. Die Augen stürzen ein.

Wenn das Wahrnehmungssubjekt die Wahrnehmungsaktivität nicht mehr aufrechterhalten kann, bricht auch die durchs Subjekt vermittelte Objektwelt in sich zusammen. Subjekt und Objekt der Wahrnehmung "stürzen ein".

In einem Aufsatz mit dem Titel 'Die Großstadt und das Geistesleben' (vgl. 672) beschäftigt sich Georg Simmel bereits 1902 mit eben jenem Problem der veränderten Wahrnehmungsbedingungen in der Großstadt und ihren Auswirkungen auf das Subjekt. Simmel schreibt: "Die psychologische Grundlage, auf der der Typus großstädtischer Individualitäten sich erhebt, ist die Steigerung des Nervenlebens, die aus dem raschen und ununterbrochenen Wechsel äußerer und innerer Eindrücke hervorgeht. Der Mensch ist ein Unterschiedswesen, d. h. sein Bewußtsein wird durch den Unterschied des augenblicklichen Eindrucks gegen den vorhergehenden angeregt; beharrende Eindrücke, Geringfügigkeit ihrer Differenzen, gewohnte Regelmäßigkeit ihres Ablaufs und ihrer Gegensätze verbrauchen sozusagen weniger Bewußtsein, als die rasche Zusammendrängung wechselnder Bilder, der schroffe Abstand innerhalb dessen, was man mit einem Blick umfaßt, die Unerwartetheit sich aufdrängender Impressionen. Indem die Großstadt gerade diese psychologischen Bedingungen schafft — mit jedem Gang über die Straße, mit dem Tempo und den Mannigfaltigkeiten des wirtschaftlichen, beruflichen, gesellschaftlichen Lebens — stiftet sie schon in den sinnlichen Fundamenten des Seelenlebens, in dem Bewußtseinsquantum, das sie uns wegen unserer Organisation als Unterschiedswesen abfordert, einen tiefen Gegensatz gegen die Kleinstadt und das Landleben, mit dem langsameren, gewohnteren, gleichmäßiger fließenden Rhythmus ihres sinnlich-geistigen Lebensbildes." (672, 188)

Es ist bezeichnend, daß die Beschreibung der großstädtischen Wahrnehmungsnorm: — "rasche Zusammendrängung wechselnder Bilder, der schroffe Abstand" zwischen ihnen — auch eben jene Lyrik kennzeichnet, die als erste dezidierte Großstadtlyrik im deutschsprachigen Raum gelten kann: die frühexpressionistische Reihungslyrik. Das ist wohl kein Zufall, sondern könnte wesentlich dadurch bedingt sein, daß dieser Typus von Lyrik in seiner formalen Struktur eben jene veränderten Wahrnehmungsbedingungen zur Darstellung bringt, die Simmel phänomenologisch als Erfahrungs- und Wahrnehmungsnorm der Großstadt selbst analysiert.

Worauf Simmel und eben auch die frühe expressionistische Lyrik verweisen, ist die Historizität der sinnlichen Wahrnehmung selbst. Darauf hatte in einer aphoristischen Äußerung schon Marx aufmerksam gemacht: "Die Bildung der fünf Sinne ist eine Arbeit der ganzen bisherigen Weltgeschichte." Ebenso Walter Benjamin: "Innerhalb großer geschichtlicher Zeiträume verändert sich mit der gesamten Daseinsweise der menschlichen Kollektiva auch die Art und Weise ihrer Sinneswahrnehmung. Die Art und Weise, in der die menschliche Sinneswahrnehmung sich organisiert – das Medium, in dem sie erfolgt –, ist nicht nur natürlich, sondern auch geschichtlich bedingt" (739, 17). Während noch Kant in seiner 'Kritik der reinen Vernunft' den Erkenntnisapparat des Subjekts als wesentlich gleichförmig und ahistorisch begriff, schlägt hier die Einsicht in die Geschichtlichkeit der menschlichen Erkenntnisformen durch, eine Einsicht, die von der Schulpsychologie erst in Ansätzen verarbeitet wurde.[1] Und: sowohl Simmel als auch die frühen Expressionisten erfahren diese Umstrukturierung der Wahrnehmung als ein Dissoziationsphänomen, vermutlich weil sie implizit die kontinuierlichere und einheitlichere Erfahrungsform der "Kleinstadt" (Simmel) oder gar eines agrarischen Lebensraumes als positive Norm ansetzen. Andererseits – das zeigt sich bereits hier und noch deutlicher im Kap. 2.5 – bleibt auch die expressionistische Literatur nicht unangefochten von jenem Sensationsprinzip mit seinem raschen Wechsel sich überschlagender Neuigkeiten, das ja auch in den neuen Massenmedien Zeitung und Film dominant hervortritt.

Nicht monokausal, aber als e i n e wesentliche Komponente ordnet also unsere Analyse dem expressionistischen Reihungsstil eine neue Erfahrung von Wirklichkeit zu, die Erfahrung der Großstadt. Daß diese Erfahrung so schockhaft auf expressionistische Autoren wirkte und eine literarische Form ins Leben rief, der das Moment des abrupten schockhaften Bildwechsels selbst inhärent ist, hängt wesentlich damit zusammen, daß diese Erfahrung selbst noch eine geschichtlich neue, unverarbeitete Erfahrung war. Man muß sich ja vergegenwärtigen, daß in Deutschland die ökonomische Umwälzung von der dominant agrarischen zur industriellen Nation, die damit verbundene Konzentration in Industriezentren und Ballungen im großstädtischen Lebensraum mit einer gegenüber England und Frankreich großen Verzögerung einsetzt. Erst die Reichsgründung von 1871, das Ende der Kleinstaaterei, das neue nationalpolitische Selbstbewußtsein und die Reparationszahlungen Frankreichs

---

[1] Im erwähnten Aufsatz über 'Großstadtwahrnehmung und ihre literarische Darstellung' (111) ziehe ich einen Aufsatz von Stanley Milgram heran, der zu den wenigen Beispielen einer historischen Wahrnehmungspsychologie gehört (647). Siehe außerdem die Bibl. Nummern: 636, 642.

geben der Wirtschaft Impulse, die dann allerdings zu einer rasanten, geradezu atemberaubenden Produktionssteigerung im industriellen Sektor führen. Berlin – die deutsche Metropole – ist der Kulminationspunkt dieser Entwicklung. Hier entwickeln ökonomisches Wachstum und Bevölkerungsexplosion ihre größte Dynamik. "Vollends seit 1871 ist die neue Reichshauptstadt in eine Epoche stürmischer Entfaltung eingetreten, deren Schnelligkeit selbst in dieser Zeit zunehmender 'Verstädterung' der modernen Welt nur noch in dem Wachstum der großen Städte Nordamerikas nach dem Ende des Bürgerkrieges ihresgleichen hatte. Von 826 341 Einwohnern im Jahre 1870 wuchs Berlin schon bis 1880 ... über die erste Million hinaus und überschritt bis 1910 auch die zweite Million (704, 82 f.)."[1a]

1920, also gegen Ende des expressionistischen Jahrzehnts, hat "Großberlin" nach der Eingemeindung der selbst zu Großstädten angewachsenen Vororte beinahe vier Millionen Einwohner und ist damit die drittgrößte Stadt der Welt. Das ist eine Entwicklung, auf die auch expressionistische Autoren direkt verweisen. So enthält der 1917 erschienene Gedichtband Armin Wegners 'Das Antlitz der Städte' ein Gedicht mit dem Titel 'Der Zug der Häuser' (auch zit. in 1, 158). Das Gedicht thematisiert das naturfressende, wuchernde Wachstum der Stadt:

> Hohläugig glotzen die Häuser herüber,
>   mit scheelem Blick versengen sie Strauch und Baum ...

Dann sprechen die Häuser selbst:

> 'Gebt Raum! Gebt Raum
> unserm Schritt!
> Wir wälzen den plumpen steinernen Leib darüber,
> Die Dörfer, die Felder, wir nehmen sie mit!'

So mordet die "steinerne Welle" die Natur. Das Schlußbild nimmt die Vision einer total verstädterten Welt vorweg:

> ... nie sind wir müde, nie werden wir satt,
> Bis wir zum Haupte der Berge uns recken
> und die weite, keimende Erde bedecken:
> Eine ewige, eine unendliche Stadt! ...

[1a] Dazu einige weitere Zahlen. Sie belegen jeweils das Wachstum der Städte zwischen 1880 und 1910 in Tausenden: München (230–596), Leipzig (149–589), Hamburg (412–931), Köln (144–516), Frankfurt (136–414), Dortmund (66–214), Stuttgart (117–286).

In Georg Kaisers Drama 'Gats' wird das Problem der Überbevölkerung noch durch Auswanderung gelöst; Wegners Gedicht und Lothar Schreyers Vers: "Menschenwoge überschwemmt die Welt" (1, 168) deuten an, daß diese Fluchtwege bald durch Menschenmasse selbst verstopft sind.

Natürlich geht die Bevölkerungsexplosion Hand in Hand mit dem rapiden Wachstum der Industrie, die in Deutschland vor allem in und um Berlin kulminiert. Das Bevölkerungswachstum Berlins ist Ursache und Wirkung seiner dynamischen Entwicklung zur Industriemetropole. Textilindustrie, aufbauend auf dem traditionellen Textilgewerbe, Maschinen- und Metallindustrie, chemische Industrie und Elektroindustrie konzentrieren sich in Berlin und seinen Vororten.

Vor allem für die Elektroindustrie wurde Berlin Mittelpunkt Deutschlands; gerade sie hat das Erscheinungsbild der Stadt um die Jahrhundertwende nachhaltig geprägt. "1882 wurden auf der Leipziger Straße und auf dem Potsdamer Platz die ersten von Siemens gelieferten elektrischen Bogenlampen in Benutzung genommen und wenig später die 'Berliner Elektricitätswerke' als Aktiengesellschaft zur Versorgung der Stadt mit elektrischer Kraft gegründet" (704, 90). Diese technische Neuigkeit provozierte schon den Naturalisten Karl Bleibtreu zum Ausspruch: "Dies ist, was ich den Realismus in der Lyrik nenne. Sogar in erotischer Lyrik sollte man sich nicht von den Sternen Wolkenkukusheims, sondern von den elektrischen Lampen der Leipziger Straße beleuchten lassen." (720, 53)

Nun ist die naturalistische Opposition gegen die schablonenhafte Liebeslyrik, wie sie in der Münchner Dichterschule um Geibel und Heyse gepflegt wurde, sicher berechtigt; andererseits steckt in dieser unmittelbaren Anlehnung der Literatur an äußerliche Erscheinungsformen der modernen Zivilisation auch ein Kurzschluß. Der Problemkomplex Großstadt, als augenfälligste Erscheinungsform moderner Zivilisation, greift sehr viel nachhaltiger in das Verhältnis des Subjekts zur Umwelt ein als es der Naturalismus mit seiner Elendsmalerei ahnen ließ. Die Großstadt selbst ist schon das Produkt einer fundamental veränderten Beziehung des Menschen zur Natur und einer total veränderten Praxis. Zu diesem Wesen moderner, auf Naturwissenschaften und industrieller, arbeitsteiliger Praxis fundierter Wirklichkeit dringt der Verweis auf neue Laternen und die an sich rührende Elendsmalerei nicht vor.

Auch die Subjekt-Objekt-Dialektik in der sinnlichen Wahrnehmung, wie wir sie am expressionistischen Reihungsstil aufgewiesen haben, ist nur e i n e Ebene der Auseinandersetzung mit dem Problemkomplex Großstadt. Allerdings eine wichtige Ebene. Wir sahen, daß die neuen Wahrnehmungsbedingungen labilisierend, desintegrierend wirken und — wenn sie nicht zur Ichdissoziation führen sollen — ein hohes Maß an Bewußtsein verlangen, das dem Tempo und der Mannigfaltigkeit der Reizschocks sich gewachsen zeigt.

In seiner berühmten Baudelaireanalyse — Baudelaire ist der erste Großstadtlyriker der Weltliteratur überhaupt — hat Walter Benjamin zu Recht auf diese neue Funktion des Bewußtseins in der Großstadt verwiesen (vgl. 740 u. 111), und Heinrich Küntzel schreibt in Bezug auf Lichtensteins Lyrik, daß "eine Dichtart, der es auf die Schnelligkeit der Assoziation zwischen dem ersten Eindruck und dem letzten Ausdruck ankommt ... eine höhere Reflexion auf ihr sprachliches Material" voraussetze (465, 404).

Wie hoch aber die literarische Neuerung des Expressionismus zu bewerten ist, sieht man, wenn man sie mit vorexpressionistischer Großstadtlyrik vergleicht. 1910, also zu Beginn der expressionistischen Ära, erschien die erste Großstadtanthologie. Schon der Titel: 'Im steinernen Meer. Großstadtgedichte' (736) ist kennzeichnend für eine Vielzahl der hier versammelten Gedichte: sie 'besingen' das moderne Phänomen der Großstadt mit groß angelegten Metaphern und Allegorien aus dem Naturbereich und verdecken so zum einen den naturnegierenden Charakter moderner Großstädte, zum andern das dissoziative Moment moderner Großstadterfahrung. Das Eingangsgedicht des Naturalisten Julius Hart, der sich seinerseits an antikisierend-mythologische Stiltendenzen der Neuromantik und des Jugendstils anlehnt, ist typisch für dieses Verfahren, das spezifisch Moderne der Großstadterfahrung 'wegzudichten' oder zuzudecken mit Naturmetaphern, Bildern einer mittelalterlichen oder antiken Stadtwelt und einer bombastischen Rhetorik. Nur eine Kostprobe:

> Berlin
> Endlos ausbreitest du, dem grauen Ozean gleich
> den Riesenleib; in dunkler Ferne stoßen
> die Zinnen deiner Mauern ins Gewölk und bleich
> und schattenhaft verschwimmen in der großen
> und letzten Weite deine steinigen Matten:
> Weltstadt, zu Füßen mir, dich grüßt mein Geist
> zehntausendmal; und wie ein Sperber kreist
> mein Lied wirr über dich hin ...

Auch bei Armin Wegner und Lothar Schreyer finden wir das Bild der "Welle" oder "Menschenwoge", aber dort doch in einem ganz anderen Kontext: das Bild vergegenwärtigt das Ausufernde und damit Ausweg- und Transzendenzlose moderner Zivilisation. Hier dagegen grüßt der Dichter von oben "zehntausendmal" die Stadt, gleichsam in der Pose eines antiken Gottes vom Olymp herab. Die Schlußverse imitieren dann auch unverhohlen Homer — "Dich, Kraft, besing ich ... Singen will ich den Kampf / mit dir, Natur, Fleisch, Staub und Tod." — so als wäre moderner Arbeitsprozeß und Großstadtleben der Kampf der Heroen um Troja, der Dichter ein moderner Homer. Vor allem diese stilisierende Pose des dichtenden Subjekts macht das Gedicht so unerträglich, weil sie, gestützt auf die morschen Krücken der Rhetorik, die reale Wirklichkeit des modernen Ich in der Großstadt durch Wortschwulst verdeckt.

Das Gedicht ist besonders schlecht. Keineswegs alle naturalistischen Lyriker bauschen ihre Sprache so bombastisch auf. Arno Holz beispielsweise hat in seinen Berlingedichten aus dem 'Buch der Zeit' einen wohltuenden Ton von Ironie, bleibt dort allerdings weitgehend einer Perspektive verpflichtet, die vor allem das Idyllische der damals in ihrem Charakter noch kleinstädtischen Großstadt Berlin hervorhebt.[2] Andere Gedichte erwähnen zwar thematisch Dirnen und Bettler — diese Motive spielen auch in den expressionistischen Großstadtgedichten eines Lichtenstein, van Hoddis, Benn, Blass, Boldt, Wegner, Stramm, Stadler eine zentrale Rolle[2a] —, aber das Elend der Großstadt erscheint in den naturalistischen Gedichten zumeist als Genrebild. An die komplexe Subjekt-Objekt-Dialektik, die sich am expressionistischen Reihungsstil aufweisen läßt, rühren sie nicht.

Das gilt auch für die impressionistischen Vorformen des expressionistischen Reihungsstils. Wenn ein Autor wie Liliencron einen Musikanten in "Berlin-Cölln" beschreibt oder einen "Blitzzug", dann sind hier die thematisch neuen Motive — Großstadt, Eisenbahn — doch immer noch an balladeske, z. T. ins Bänkelsängerhafte übergehende Formen rückgebunden.

Die im expressionistischen Reihungsstil zu Tage tretende Dialektik macht deutlich, daß die vom Subjekt gesetzte, aber ihm entfremdete Wirklichkeit in ihrer Diffusität zersetzend auf das Wahrnehmungsich einwirkt, dieses dissoziiert, um so auch die im Wahrnehmungsakt gegebene Objektwelt zu dissoziieren. Ein Prozeß, dem auch die in der Lyrik Lichtensteins und van Hoddis' spürbare Ironie keinen substantiellen Gegenpart zu bieten vermag. Daher gilt für diese Ironie, was Georg Lukács in seiner 1914 geschriebenen berühmten 'Theorie des Romans' über den 'Humoristen' sagt: "Die Seele des Humoristen dürstet nach einer echteren Substantialität als ihm das Leben bieten könnte; deshalb zerschlägt er alle Formen ... des Lebens ... Aber mit dem Zusammenbrechen der Objektswelt ist auch das Subjekt zum Fragment geworden; nur das Ich ist seiend geblieben, doch auch seine Existenz zerrinnt in der Substanzlosigkeit der selbstgeschaffenen Trümmerwelt." (754, 49)

Diese Dialektik könnte man auch in den großen Stadtromanen des beginnenden 20. Jahrhunderts nachweisen: in James Joyce' Dublinroman 'Ulysses', im 1910 abgeschlossenen Parisroman 'Malte Laurids Brigge' von Rilke, in Döblins 'Berlin Alexanderplatz' (1929).[3] Immer geht es auch hier — bei allen stilistischen Divergenzen — um Dissoziationserscheinungen des Ich, die auch formal in der weitgehenden Auflösung logisch-

[2] Siehe beispielsweise die Gedichte 'Samstagsidyll', 'Berliner Frühling', 'Großstadtmorgen' in Arno Holz' 'Buch der Zeit', S. 93 ff, 98 ff, 105 f.

[2a] Siehe die unter der Rubrik 'Großstadterfahrung' zusammengefaßten Gedichte in S. Vietta (Hg.): Die Lyrik des Expressionismus. Tübingen. 1975 (31a].

[3] Siehe dazu auch V. Klotz: Die erzählte Stadt (750) und Fußnote 27, S. 127.

kontinuierlicher Handlungsentwicklung sich nachweisen lassen. Der Reihung von Bildern entspricht hier eine Reihung von Szenen, Episoden, Assoziationen, Reflexionen, die vielfach nur noch locker miteinander verbunden sind. Schließlich erscheint bei Joyce, Döblin und auch Gottfried Benn der Assoziationsfluß des Ich selbst als eine dissoziierte innere Wahrnehmungskette, wie sie dem Arzt Rönne in Benns Szene 'Die Eroberung' durch den Kopf schießt: "... er mußte noch einmal zurückgehen — wahrscheinlich in sein Büro —, wahrscheinlich ein Brief an einen Geschäftsfreund —, man kennt das ja selbst — ja, ja, so ist das Leben — man erzieht sich selbst — man muß manches opfern — aber nur den Kopf nicht sinken lassen — erhebt die Herzen — Sursum corda — der gestirnte Himmel — das dienende Glied." (163, 23)

Wir müssen auf die Depersonaliserungsprobleme in der expressionistischen Literatur Benns, aber auch van Hoddis' und Lichtensteins im Zusammenhang mit erkenntnistheoretischen Fragen noch gründlich eingehen. Der hier gegebene Hinweis auf die Prosa soll nur darauf aufmerksam machen, daß die am frühexpressionistischen Reihungsstil aufgewiesene Form- und Wirklichkeitsproblematik auch in anderen Gattungen auftaucht und auch bei Autoren, die dem Expressionismus selbst nicht angehören.

2.2 Verdinglichung des Ich und Personifizierung der Dinge

2.2.1 Personifikation in der expressionistischen Lyrik und Malerei. Problematik der Kategorie 'Personifikation'

In seiner Schrift über 'Die Lage der arbeitenden Klasse in England' beklagt Friedrich Engels schon 1845 die "Atomisierung und Isolierung der Menschen" in der Großstadt London. "Schon das Straßengewühl hat etwas Widerliches, etwas, wogegen sich die menschliche Natur empört. Diese Hunderttausende aus allen Klassen und aus allen Ständen, die sich da aneinander vorbeidrängen, sind sie nicht alle Menschen, mit denselben Eigenschaften und Fähigkeiten, und mit demselben Interesse, glücklich zu werden? ... Und doch rennen sie aneinander vorüber, als ob sie gar nichts gemein, gar nichts miteinander zu tun hätten ... Die brutale Gleichgültigkeit, die gefühllose Isolierung jedes einzelnen auf seine Privatinteressen tritt um so widerwärtiger und verletzender hervor, je mehr diese einzelnen auf den kleinen Raum zusammengedrängt sind." (703, 90) Die Beschreibung der großstädtischen Masse findet sich in der englischsprachigen Literatur bei Edgar Allen Poe, z. B. in der Erzählung 'Der Mann in der Menge'; sie prägt, das hat Benjamins Baudelaire-Analyse gezeigt, die Sprache Bandelaires bis in den Rhythmus, ohne selbst unmittelbar beim Namen genannt zu werden. Daß sich die frühe europäische Großstadtliteratur an der Erfahrung der Städte London und Paris entzündet, ist allerdings kein Zufall. London und Paris sind die ersten modernen Großstädte in Europa. Berlin beginnt erst nach der Reichsgründung von 1871 sich zu einer Großstadt modernen Typs zu entwickeln, wird aber dann in wenigen Jahrzehnten auf Grund einer ungeheuren Wachstumsdynamik zu einer der größten Städte der Welt. Aber auch das Wachstum von Städten wie München, Leipzig, Hamburg, Köln, Frankfurt, Dortmund u. a. spiegelt die in Deutschland verspätet, aber dann im Eilzugtempo nachgeholte Entwicklung von Industrie und Technik auf der Basis des neuen politischen Nationalbewußtseins (siehe Fußnote 1a).

Wir haben gesehen, daß der neuen großstädtischen Lebensform eine gänzlich veränderte Wahrnehmungsstruktur entspricht, die ihrerseits in der literarischen Form sich niederschlägt und daher aus dieser erschlossen werden kann: der frühexpressionistische Reihungsstil als literarische Mimesis einer neuen kollektiven Wahrnehmungs- und Bewußtseinsnorm.[4] In ihm — das war die These des vorigen Abschnitts — schlägt sich die dissoziierte Wahrnehmungsstruktur der Großstadt als dissoziierte Reihung heterogener Bilder nieder. "Ich bin nur ein kleines Bilderbuch", schreibt Alfred Lichtenstein im Gedicht 'Mondlandschaft' (462, 66).

Dabei sahen wir bereits, daß großstädtische Dissoziation nicht nur die von Engels konstatierte Isolierung zur Folge haben kann. Sie bewirkt nicht nur die "Auflösung der Menschheit in Monaden" (Engels), sondern bricht diese Monaden selbst auf. Die hier zunächst nur wahrnehmungspsychologisch aufgewiesene, aber wesentlich auch erkenntnistheoretisch bedingte Subjekt-Objekt-Dialektik (siehe Kap. 2.6) greift selbst tiefer ins Bewußtsein der zu Monaden vereinzelten Subjekte ein, als es der von Engels gebrauchte Begriff der "Isolierung" ahnen läßt. Das zeigt sich gerade an der frühexpressionistischen Lyrik und hier vor allem bei den Autoren Jakob van Hoddis, Alfred Lichtenstein, Alfred Wolfenstein, Georg Heym, Gottfried Benn, Georg Trakl, aber auch bei weniger bedeutenden Lyrikern wie Johannes R. Becher, Ernst Blass, Armin Wegner, Ernst Wilhelm Lotz und Wilhelm Klemm. Daß es vornehmlich die f r ü hexpressionistische Lyrik ist, die der modernen Wirklichkeitserfahrung Ausdruck verleiht, hängt mit der in Kap. 1 dieses Teiles angedeuteten inneren Dialektik der Bewegung 'Expressionismus' selbst zusammen. Während vornehmlich im Frühexpressionismus die Erfahrung der Entfremdung und Ichdissoziation zu Wort kommt, wird gerade in den Kriegs-

---

[4] Der literatursoziologische Ansatz Lucien Goldmanns könnte, in modifizierter Form, als theoretische Untermauerung dieser These herangezogen werden. Goldmann begreift Literatur als Entsprechung von kollektiven Bewußtseinsstrukturen, bezieht sich dabei allerdings nur auf bestimmte soziologische Gruppen (siehe 742).

jahren gegen die Erfahrung der Ichdissoziation die ideologische Bastion des autonomen Ich im Begriff des 'Neuen Menschen' noch einmal aufgerichtet und verteidigt. Wo es um die ideologische Propagierung des 'Neuen Menschen' geht, wird aber die Erfahrung der Moderne zumeist verstellt durch eine überzogene Rhetorik, wie sie die Gedichte des einstmals so gefeierten Franz Werfel oder Lyriker wie Kurt Heynicke, René Schickele, Karl Otten und das expressionistische Verkündigungsdrama kennzeichnet.

Verfolgen wir nun zunächst den Begriff der Dissoziation weiter. Wir sahen, daß die wahrnehmungspsychologische Überbelastung und die damit gegebene Desintegration der Wahrnehmungseinheiten sich literarisch in der Dissoziation der Bilder niederschlagen. Darüberhinaus wird aber die Identität der einzelnen Bildeinheiten selbst angegriffen, insbesondere die Grenzen zwischen Subjekt und Objekt eingerissen. Das Subjekt wird verdinglicht, wenn Dachdecker "entzwei . . . gehn", die Dingwelt aber dynamisiert und 'belebt'. Die Dissoziation greift also die Seinsbestimmungen und damit die Integrität der Wirklichkeit selbst an. Personen sind nicht mehr Personen, Dinge nicht mehr Dinge. Literarisch ergibt sich aber gerade aus der Verbalisierung dieser Erfahrung eine neue, verfremdende Darstellungsform.

In den Gedichten Alfred Wolfensteins ist diese verfremdende Darstellungsform noch unmittelbar transparent auf ihren Erfahrungshintergrund hin. Das erste Gedicht, mit dem Wolfenstein an die Öffentlichkeit trat, war das im Frühjahr 1912 in der Aktion veröffentlichte Gedicht 'Mitwelt'. Es beschreibt ausführlich und in epischer Breite den feindlichen Charakter der städtischen 'Mitwelt', die auch die Rückzugspositionen der bürgerlichen Welt: das private Domizil und das eigene Bewußtsein nicht unangetastet läßt, vielmehr gerade in diese Innenräume des privaten Ich aufdringlich eindringt.[5] Nicht nur werden die Grenzen zwischen Straße und Haus in den dünn gebauten Berliner Mietskasernen vom Straßenlärm her überspült — "Wieder schon ins Zimmer platzt die Straße" —, auch der Lärm und die Geräusche innerhalb des Hauses heben das Ich aus sich heraus und degradieren es zum Lauscher wider Willen:

> Nun von drinnen her
> Quillt, aus dieser Wohnung,
> Mir die Existenz entgegen.
> Durch die dünne Wand, so dünn wie Haut,
> Zieht sich einer seine Kleider aus,
> Saugt sich Wasser in den Mund,
> Wälzt es tönend darin um,
> Spuckt es aus, wirft sich ins Bett . . .
>
> (zit. in 633, 55)

---

[5] Zur Konstituierung und Auflösung der Kategorie des 'Privaten' siehe J. Habermas: Strukturwandel der Öffentlichkeit (684).

Das ist nur ein Detail. Mit dieser Detailgenauigkeit aber wird alles aufgenommen: das Schnarchen eines Nachbarn, der schlurfende Gang eines Hausbewohners zur Toilette — "und jetzt knallt/kalt der Deckel an die Wand . . ." — bis hin zum "Moment der Spülung", den das registrierende Ich, zwanghaft aus sich herausgesetzt und an diese Geräuschwelt "direkt angeschlossen", vorweg selbst "bestimmen" kann wie den ganzen automatisierten Geräuschablauf einer solchen Mietskaserne.

Bei dem Naturalisten Arno Holz finden sich, wie bereits erwähnt, ähnlich detaillierte Beschreibungen des Berliner Hinterhofmilieus, aber dort zumeist noch in der sanften Aura der Idylle. Beim Expressionisten Wolfenstein spürt man den Ekel eines durch Nietzsches Nihilismusanalyse geprägten modernen Bewußtseins und eine fiebrige Enerviertheit, die den aufdringlichen Banalitäten nicht mehr gewachsen ist und sie gerade darum so zwanghaft verfolgen muß. Das Ich wird zum Registrator einer banalen, aber aggressiven "Mitwelt" und gehört sich, im wahrsten Sinne des Wortes, nicht mehr selbst an. Die sich darin ausdrückende Verdinglichung hat also zwei Seiten: sie meint zum einen die aggressive Dynamisierung der Umwelt, die sich ins Bewußtsein des Ich, auch gegen dessen Intention, hineinfrißt, zum anderen die Umpolung des Subjekts zum mehr oder weniger passiven Objekt der zum Subjekt gewordenen "Mitwelt".

Diese doppelte Umkehrung ist gut auch an Wolfensteins Gedicht 'Städter' zu studieren:

> Nah wie Löcher eines Siebes stehn
> Fenster beieinander, drängend fassen
> Häuser sich so dicht an, daß die Straßen
> Grau geschwollen wie Gewürgte sehn.
>
> Ineinander dicht hineingehakt
> Sitzen in den Trams die zwei Fassaden
> Leute, wo die Blicke eng ausladen
> Und Begierde ineinander ragt.
>
> Unsre Wände sind so dünn wie Haut,
> Daß ein jeder teilnimmt, wenn ich weine,
> Flüstern dringt hinüber wie Gegröhle:
>
> Und wie stumm in abgeschloßner Höhle
> Unberührt und ungeschaut
> Steht doch jeder fern und fühlt: alleine.
>
> (22, 45 f.)

Das Gedicht ist, wie alle Gedichte Wolfensteins, nicht frei von einem pathetischen Unterton, greifbar hier in dem Schlußvers, der das Alleinsein selbst zur Pose erstarren läßt. Dieses Pathos schleicht sich nicht von ungefähr ein, sondern hängt zusammen mit einer inneren Unstimmigkeit in der Lyrik Wolfensteins: sie registriert einerseits die Entfremdung und Aushöhlung des Ich, andererseits — das unterstreicht auch die kluge Arbeit zu Wolfenstein von Peter Fischer, die zugleich, von der Einzelanalyse her, auf ein modifiziertes Expressionismusbild abhebt — klammert sie sich ans Ich als "die letzte, nie in ihrem Kern angezweifelte Bastion" (633, 64). Diese ja den ganzen Expressionismus kennzeichnende Antinomie aber tragen die Gedichte Wolfensteins nicht bewußt aus. Das wird schon deutlich durch den Widerspruch zwischen traditioneller Sonettform und neuem Inhalt, zwischen der pathetisch behaupteten Einsamkeit des Ich und einem Erfahrungsstand, den diese Lyrik selbst bereitstellt, dem der Entfremdung und Verdinglichung des Ich.

Im Gedicht 'Städter' zeigt sich diese Verdinglichung im Bild der fassadenhaften Erstarrung von Personen, denen ihrerseits eine aufgequollene, dynamisierte Dingwelt, wie sie auch in den Bildern Edvard Munchs zur Darstellung kommt, gegenübersteht: "die Straßen/Grau geschwollen wie Gewürgte sehn..." Daß gegenüber dieser Welt auch das Refugium des Privaten, in dem das Ich zu sich kommen könnte, kein Refugium mehr ist, zeigte sich bereits im Gedicht 'Mitwelt'. Aber auch andere Gedichte Wolfensteins, z. B. die 'Flucht aufs Land' machen deutlich, daß "Flucht" eben nicht mehr möglich ist. Dieses Gedicht, auch Lichtensteins 'Der Ausflug' (462, 53), enthalten in ihrer bewußt registrierten Unmöglichkeit, Natur naiv noch zu erfahren, zugleich auch eine Absage an naive Naturlyrik, wie sie von Goetheepigonen bis ins 20. Jahrhundert hinein fabriziert wurde.

Die Stilfiguren der Verdinglichung und die ihr komplementäre der Personifizierung gehören zu den prägendsten Stilfiguren frühexpressionistischer Lyrik. Wendungen wie "Häuserrudel", "Die Häuser sind halbtote alte Leute", "Ganz diabolisch/Gedunsen sind die Häuser, graue Fratzen" finden sich bei Lichtenstein. In Wolfensteins 'Ernüchterung' "richtet sich die Treppe teuflisch auf", andernorts heißt es: "Häuser flattern hingepeitscht" ('Verdammte Jugend' 22, 54). In der Lyrik Georg Heyms, auf die wir im nächsten Abschnitt gesondert eingehen, gibt es viele Beispiele insbesondere für die dämonische Personifizierung der Dinge oder Sachverhalte: "Und tausend Fenster stehn die Nacht entlang/ Und blinzeln mit den Lidern, rot und klein." ('Die Stadt' 279, 452). Dagegen heißt es von den Menschen in demselben Gedicht: "Unzählige Menschen schwemmen aus und ein." In 'Die Nacht': "Die sonderbaren Häuser gehen fort."; dagegen: "Und manchmal wird ein Mensch vorbeigefegt..." (ebd., 426), eine verdinglichende Metapher, die dem Titel des ersten Gedichtbandes von Ernst Blass verwandt ist: 'Die Straßen komme ich entlanggeweht'. In Georg Heyms Gedicht 'Die Stadt der Qual' spricht die Stadt gar selbst — eine durchgeführte Personenallegorie —, in der zweiten Fassung des Gedichts 'Die Städte' werden Straßen transformiert in "eine

Hundeschar/Im Hohlen bellend", wiederum Personen zu zitternden "Stimmen, vorübergewehte" (ebd., 494).

Immer entbindet die personifizierende Metapher das Aggressive, in ihrer unkontrollierbaren Eigenständigkeit gar dämonisch Verzerrte der 'Mitwelt', während die komplementär verdinglichende Metapher die Entsubstantialisierung und Aushöhlung des Ich zur Darstellung bringt. Auch die Häufigkeit der Todesmetapher und der Epitheta "leer", "eisig", "kalt" in der Lyrik Georg Trakls deuten auf die Erfahrung der Ichdissoziation, die allerdings bei Trakl nicht so unmittelbar und direkt in den Zusammenhang der Großstadt- und Zivilisationskritik gebracht werden darf (siehe Teil III, Kap. 2). Bei August Stramm, dem eigenständigsten und bedeutendsten Dichter der um die Zeitschrift 'Der Sturm' und ihren Herausgeber Herwarth Walden versammelten Autoren, werden der Personifizierung und Verdinglichung noch durch die für Stramm typische Sprachverknappung und Transformation von Wortklassen ein zusätzlicher Akzent verliehen:

> Die Steine feinden
> Fenster grinst Verrat
> Äste würgen
> Berge Sträucher blättern raschelig
> Gellen
> Tod. (22, 87)

Das Gedicht beschreibt eine 'Patrouille', und es ist evident, daß es die von der normalen Erfahrung der Gegenstandswelt abweichende Angst einer den Tod jederzeit gewärtigen Patrouille sprachlich wiedergeben will. Am Gedicht läßt sich etwas Prinzipielles über die Metaphorik der Verdinglichung und Personifizierung festhalten: Ihr ist primär nicht mit Kategorien wie 'Wirklichkeitszerstörung', 'visionäre Ausdruckskunst', die in der älteren Expressionismusforschung eine so große Rolle spielten, beizukommen. Gewiß, nach den Regeln einer Normsemantik "würgen" Äste nicht, Fenster "grinsen" nicht und "blinzeln" auch nicht wie im Gedicht Heyms. Diese Verben fordern nach den Regeln der Linguistik ein menschliches, zumindest ein belebtes Subjekt. Aber abgesehen davon, daß die Sprache von jeher solche metaphorischen Verschiebungen vornimmt, um so ihren Bedeutungsspielraum zu erweitern, hat die metaphorische Verfremdung hier die präzise Funktion, bestimmte Aspekte der Wirklichkeit selbst zum Ausdruck zu bringen. Das Gedicht Stramms versucht, die Wirklichkeitserfahrung einer Kriegspatrouille sprachlich einzufangen, für die Steine, Fenster, Büsche eben mehr sind als bloße 'Gegenstände'. Das Gedicht beschreibt ein angstvoll aufgeladenes Spannungsfeld, in dem die Dinge zu potentiell Tod bringenden Akteuren dynamisiert, die "Patrouille" zu möglichen Zielpunkten des Todes verdinglicht sind.

Die Gedichte Wolfensteins, Heyms, Lichtensteins bringen mit metaphorischer Verfremdung das Aggressive und Bedrohliche der städtischen Umwelt gegenüber dem geschwächten und entsubstantialisierten Subjekt zur Darstellung. Die sprachliche Verfremdung, der von der Norm abweichende Ausdruck haben also die Funktion, verdeckte Aspekte der Wirklichkeit selbst sichtbar zu machen. In diesem Sinne schreibt auch Peter Fischer zu Wolfensteins Gedicht 'Städter': "Hier ist nun zu sehen, wie die sogenannte subjektive Verzerrung sehr wohl ein Objektives hervortreiben kann . . . Die Entlarvung bringt die Gesetze an den Tag, die die Gesellschaft bestimmen. Sie heißen Verdinglichung und Entfremdung." (633, 81) Ganz ähnlich will Kurt Mautz in seinem Buch über Georg Heym die Kategorie der 'dämonisierenden Metapher' verstanden wissen: Durch sie werde "eine vom Menschen geschaffene Welt als eine ihm entfremdete, übermächtige und ihn bedrohende dargestellt." (296, 76)

Im Grunde werden aber hier die Kategorien Subjekt und Objekt selbst problematisch. Suggeriert doch die Kategorie des 'Objektiven', daß es — gleichsam außerhalb des Subjektiven — eine feststehende und unverrückbare Wirklichkeit gäbe. So sieht es ja auch der naive Materialismus, dem schon die Erkenntnistheorie Kants den Todesstoß versetzte, gegen den aber Marx noch in seinen Feuerbachthesen polemisieren muß. Selbst wenn man die Kategorie des Objektiven gleichsam als die kollektive Erfahrungsnorm der Sachverhalte festlegt, was in der Sekundärliteratur zum Expressionismus häufig implizit im Begriff der "subjektiven Verzerrung" geschieht, ist doch auch eine solche Festschreibung des sogenannten 'Objektiven' problematisch. Gerade die erkenntnistheoretische Reflexionsprosa des Expressionismus hat den naiven Begriff von 'objektiver Wirklichkeit' gründlich in Frage gestellt (siehe Kap. 2.6.2 ff.), und die Expressionismusforschung sollte nicht hinter den in der Literatur selbst erreichten Reflexionsstand zurückfallen.

Es zeigt sich, daß gerade die von der Norm abweichenden, verfremdenden Metaphern latente, von der Bewußtseinsnorm eben nicht ausdrücklich wahrgenommene Aspekte der Wirklichkeit zur Darstellung bringen. 'Wirklichkeit' selbst stellt sich dar als eine durchs Subjekt vermittelte vielperspektivische Kategorie und das Bewußtsein als eine komplexe Einheit mit latenten Erfahrungsschichten. Nur darum kann Literatur, und die Literatur des Expressionismus zumal, bestimmte, vorher nicht so ausdrücklich wahrgenommene Aspekte der Wirklichkeit sichtbar machen und latente Erfahrungsformen des Subjekts aktualisieren. Beides: Erfahrungsform und Wirklichkeitsaspekt sind dabei ursprünglicher aufeinander bezogen, als es die geschichtsphilosophisch späten Kategorien "Subjekt" und "Objekt" erkennen lassen.

Die Personifikation von Dingen als komplementäre Stilform zur Verdinglichung des Ich findet sich auch in der Malerei um die Jahrhundertwende. Auch hier problematisieren sich die Kategorien gerade in Bildern, in denen der Zusammenhang von Personifikation und Verdinglichung zur Darstellung kommt. Man denke hier z. B. an James Ensors Bild 'Einzug Christi in Brüssel', das Bernard S. Myers in seinem Buch über die 'Malerei des Expressionismus' "zu einem der wichtigsten und phantasievollsten vorexpressionistischen Werke seiner Zeit" zählt (699, 31). Das mit Masken und Fratzen gefüllte Bild einer Großstadtstraße bringt das bedrohliche Aufwuchern der Umwelt und die "äußerste Entfremdung zwischen Ich und Umwelt" zur Darstellung einer "Mitwelt", in der die anderen nur als "Larven und todzernagte Gespenster" erscheinen (Haftmann 697, 78). Ensor nimmt die gespenstischen und chaotischen Großstadtvisionen eines Expressionisten wie George Grosz vorweg, der seinerseits schon futuristische und kubistische Einflüsse verarbeitet.

Aber auch jene Maler, die man im engeren Sinn zum Expressionismus zählt: die in der Gruppe "Die Brücke" zusammengeschlossenen Ernst Ludwig Kirchner, Erich Heckel, Karl Schmidt-Rottluff, Emil Nolde, Max Pechstein und die Maler des "Blauen Reiter" Kandinsky, Klee, Macke und Marc dynamisieren und beleben den Raum in einer bis dahin unerhörten Form. "Niemals zuvor", schreibt Myers, "ist die Kunst so bewußt und mit solcher Leidenschaft darangegangen, die physische Erscheinung der Dinge, ihre Farbe, ihre Form, ihren Raumgehalt zu verändern, nur um die Reaktion des Künstlers auf die sichtbare und geistige Welt noch stärker ins Emotionale umsetzen zu können. Der Künstler der romanischen Zeit beispielsweise hatte ein naives Verhältnis zur Wirklichkeit, der moderne Künstler dagegen setzt sich vom Intellekt her mit ihr auseinander" (699, 40).

Man könnte also versucht sein, von einer totalen Subjektivierung und in diesem Sinne Personifizierung der Wirklichkeit zu sprechen. Gerade mit Hinblick auf die Malerei hat die Forschung ja auch diese Bewegung so gedeutet: als eine 'Ausdruckskunst', die — so schon Hermann Bahr — "wieder mit den Augen des Geistes sieht", in der "sich der Geist wieder als selbstherrlich erklärte gegenüber dem Naturerlebnis" (Worringer zit. in 695, 29), in der die "innere Vision" den äußeren Eindruck überlagert und verdrängt. Auch die einflußreiche Begriffsbestimmung von Kasimir Edschmid geht in diese Richtung. Aber die so eingängige Opposition: Impressionismus — Expressionismus, Eindruckskunst — Ausdruckswille ist irreführend. Denn die wichtigste Intention der expressionistischen Maler war es nicht, die Welt mit inneren Gesichten und Halluzinationen zu überziehen, sondern gerade durch den allerdings stark verfremdeten Blick die latenten und das heißt für sie 'eigentlichen' Aspekte der Wirklichkeit bloßzulegen.

Das große Vorbild war hier Vincent van Gogh, der über sein Bild 'Nachtcafé in Arles' schrieb: "Ich versuchte auszudrücken, daß das Café ein Ort ist, wo man verrückt werden und Verbrechen begehen kann. Ich versuchte es durch den Gegensatz von zartem Rosa, blutroter und dunkelroter Weinfarbe, durch ein süßes Grün und Veronesergrün, das mit Gelbgrün und hartem Blaugrün kontrastiert. Dies alles drückt eine Atmosphäre von glühender Unterwelt aus, ein bleiches Leiden, die Finsternis, die über den Schlafenden Gewalt hat." (Zit. ebd., 32) Wohin van Gogh mit seinem fiebrigen Pinselstrich, mit der Gewalt und den extremen Spannungen seiner Farben vordringen will, ist ein Wirklichkeitsbereich, in dem die Grenzen zwischen Subjekt und Objekt verschwimmen, und die Intensität der Wahrnehmung noch die psychischen Vibrationen und Möglichkeiten der Menschen im Umgang mit den Dingen registriert. Auch und gerade für die Naturbilder van Goghs gilt das: auch hier dringt van Gogh in einen Bereich unmittelbarer Naturerfahrung vor, die noch das Spannungsfeld zwischen Mensch und Dingen und das pulsierende Wachstum in der Natur aufspürt. Wir werden im Zusammenhang mit den erkenntnistheoretischen Problemen sehen, daß auch bei expressionistischen Autoren, z. B. Gottfried Benn, ähnliche Intentionen nachweisbar sind. Auch er beklagt die "Trennung von Ich und Welt, die schizoide Katastrophe", sucht dann allerdings in vorzivilisatorischen Urformen der Natur und der Regression des Ich einen Bereich, der vor jener Trennung liegt.

Über die Landschaft in der expressionistischen Lyrik schreibt Kurt Pinthus: "Weil der Mensch so ganz und gar Ausgangspunkt, Mittelpunkt, Zielsetzung dieser Dichtung ist, deshalb hat die Landschaft wenig Platz in ihr. Die Landschaft wird niemals hingemalt, geschildert, besungen; sondern sie ist ganz vermenscht: sie ist Grauen, Melancholie, Verwirrung des Chaos . . ." (22, 29). Für die Malerei des Expressionismus und auch weite Teile der Dichtung gilt dieser Befund nicht so uneingeschränkt. Wenn schon in Edvard Munchs berühmtem 'Schrei', diesem "'geballten Schrei' des Expressionismus" (Myers 699, 33), das psychische Spannungsfeld mitgemalt wird, wenn die expressionistischen Maler in ihrer gewaltsamen und antinaturalistischen Farb- und Formgebung die subjektiven Vibrationen und Reaktionen mitzuerfassen suchen, dann wird hier eine intensive Nähe zur Dingwelt gesucht, die in der unterkühlten und distanzierten Subjekt-Objektbeziehung neutralisiert ist. Der Intensität des Ich, die sich im Aufbrechen der Formen und den fiebrigen Farben verrät, soll gerade eine intensivierte, elementare Erfahrung der Dingwelt entsprechen, nicht aber die Natur einfach "vermenscht" werden.

Ein Beleg für diese Deutung ist der expressionistische Rückgriff auf elementare Formelemente, wie sie die Malerei Cézannes schon bloßlegt, auf einfache und vitale Farben, wie sie die Fauves entdeckt haben, ist die Begeisterung für die von Gauguin u. a. entdeckte elementare Kunst der Südsee und Afrikas, die vor allem in den expressionistischen Holzschnitten der 'Brücke' bewußt imitiert wird. Überall sucht man nach vorzivilisatorischen Ausdrucksformen, die das gerade nicht entfremdete Antlitz des Menschen, die nicht vom modernen Subjekt deformierte Wirklichkeit bloßlegen sollen. Eine derartige Suche nach unentstellter Wirklichkeit ist natürlich schon eine Antwort auf Entfremdungserfahrungen. Daß sie selbst psychologisch aufs äußerste gefährdet ist, machen die nervösen Zusammenbrüche der sensibelsten und gefährdetsten Naturen wie van Gogh, Ensor, Kirchner u. a. nur zu deutlich. Von der halluzinativen Intensität einer unverstellten und nicht verdinglichten Wirklichkeitserfahrung zur bloßen Halluzination und zum Wahnsinn ist es nur ein kleiner Sprung.[6]

Auch die Häufigkeit des Wahnsinnsmotivs in der expressionistischen Literatur macht auf diese Gefährdung aufmerksam. Wenn die Grenzen zwischen Subjekt und Objekt verfließen, droht das durch eine Vielzahl anderer Faktoren labilisierte Subjekt selbst im Strudel seiner dynamischen Wirklichkeitssicht unterzugehen (siehe Kap. 2.6.4.6). Es ist wichtig, daß man diese Zusammenhänge mitdenkt, wenn man von der 'Personifizierung' der Dinge in der expressionistischen Literatur spricht. Personifizierung meint nicht einfach die Versubjektivierung der Welt. Wenn Straßen "sehen", Häuser "graue Fratzen" sind, Fenster "Verrat grinsen", so wird hier durch die Verfremdung gerade eine versteckte Qualität der Objektwelt zur Darstellung gebracht. Es ist allerdings in der hier zitierten Literatur gerade der feindliche, entfremdete Aspekt der Wirklichkeit, den die Verfremdung zum Vorschein bringt, während es in der Malerei zumeist um den von der modernen Zivilisation nicht überformten Aspekt der Wirklichkeit geht.

2.2.2 Mythische Personenallegorie und Zivilisationskritik in der Lyrik Georg Heyms

Wenn wir im Zusammenhang mit den Kategorien Verdinglichung und Personifizierung zuvor Beispiele aus den Gedichten Georg Heyms zitier-

---

[6] Bezeichnend ist hier der Ausbruch van Goghs, als Gauguin ihn 1888 besuchte und ihm nahe legte, doch nicht mehr nach der Natur, sondern aus dem Kopfe zu malen. "Das leuchtete van Gogh ein, aber er konnte es natürlich gar nicht. Vielmehr verwirrte es ihm die feinen Fäden, mit denen er sein Spiegelreich, die zweite Wirklichkeit aus Ich und Ding im Gleichgewicht hielt. Jetzt ging zum erstenmal der Griff ins Irre, und in der Richtung dieses Griffes lag das Rasiermesser, mit dem er Gauguin anfiel." (Haftmann 697, 28) Zwei Jahre später schoß er sich selbst eine Kugel in den Leib.
Ähnlich gefährdet war der wohl genialste der Brücke-Maler, Ernst Ludwig Kirchner. Sein "hektisches Aufreißen des Dinglichen und Herauslösen der Ausdruckszeichen aber brachte auch hier diesen empfindlichen Geist in jene gefährliche Lage, die wir bei Munch, Ensor, van Gogh schon erkannten." (ebd., 112) Gleichzeitig wird deutlich, unter welchen psychischen Spannungen und Opfern die Entwicklung der bildenden Kunst um die Jahrhundertwende von der gegenstandsbezogenen zur Konstitution einer 'abstrakten', d. h. vornehmlich ihre eigenen Darstellungsmittel darstellenden Malerei erkauft war.

ten, so weist die Lyrik dieses Autors doch so eigenständige Merkmale auf, daß wir sie noch einmal eigens in den Blick nehmen müssen.

Zunächst: Auch Georg Heym war, wie Jakob van Hoddis, Mitglied jenes Berliner Dichterclubs 'Neopathetisches Cabaret', das ähnlich wie die Vorläufer solcher literarischen Cabarets: das Pariser 'Chat noir' und die Münchener 'Elf Scharfrichter' zugleich als Bürgerschreck und Treffpunkt der literarischen Avantgarde fungierte. Im Juli 1910, also anderthalb Jahre vor seinem Tod, las Heym in diesem Kreis zum ersten Male seine Gedichte.

Mit Jakob van Hoddis scheint Heym auch eine literarische Verwandtschaft zu verbinden; jedenfalls ist – wenn man einmal die berühmte expressionistische Lyrikanthologie 'Menschheitsdämmerung' aufschlägt und die Eingangsgedichte: van Hoddis' 'Weltende' und Heyms 'Umbra Vitae' hintereinander liest[7] – die motivliche Übereinstimmung zunächst frappierend. Ja, das Thema 'Weltende', der Endzeit und drohenden Katastrophe, ist das Zentralthema in der Lyrik Heyms, sei es direkt exponiert wie in Heyms berühmten Gedichten 'Die Menschen stehen vorwärts in den Straßen...', 'Der Gott der Stadt', 'Die Dämonen der Städte', 'Der Krieg', sei es indirekter in einer Metaphernwelt, die in den Bildern des Weltabends, der Nacht, des ewigen Winters, des vernichtenden Feuers, der Toten, der Totenstadt und der ziellosen Reise den drohenden Untergang und eine ihm korrespondierende Hoffnungs- und Orientierungslosigkeit des Subjekts zur Darstellung bringt.

Viele Autoren haben dann auch auf diese Verwandtschaft hingewiesen, so etwa Kurt Mautz: "Was bei Else Lasker-Schüler, van Hoddis, Blass, Benn und Werfel etwa gleichzeitig als expressiver Stil sich ankündigt, kristalliert sich in 'Der ewige Tag' (1911) und 'Umbra Vitae' (1912) zu einem neuen, in sich geschlossenen Form- und Sinngefüge von Dichtung aus." (296, 7) Und speziell zu van Hoddis' 'Weltende' und Heyms Endzeitgedicht 'Die Menschen stehen vorwärts in den Straßen ...': "Daß der Fragmentcharakter der beiden Vierzeiler (von van Hoddis) eine Kompositionsschwäche ist und nicht durch den Reihungsstil bedingt, zeigt der Vergleich mit dem Gedicht Heyms, das nach demselben Stilgesetz aufgebaut ist." (ebd., 226)

Die Arbeit von Mautz über Georg Heym gehört nicht nur zu den besten Arbeiten über diesen Autor, sie hat auch, von der Einzelanalyse her, Anfang der Sechzigerjahre ein neues Expressionismusbild wesentlich mit ge-

---

[7] Die von Karl Ludwig Schneider herausgegebene Gesamtausgabe der Dichtungen und Schriften Heyms führt das Gedicht nicht unter dem Titel 'Umbra vitae', sondern nur unter dem Eingangsvers "Die Menschen stehen vorwärts in den Straßen..." (279, 440). Wir zitieren das Gedicht im folgenden nach der Gesamtausgabe. Der Gedichttitel 'Umbra vitae' wurde offenbar von einem anderen, weniger bekannten Gedicht übernommen (279, 462). Siehe dazu auch die textkrit. Bemerkungen von G. Martens (294).

prägt. Davon wird noch zu reden sein. In den obigen Zitaten ist allerdings sowohl der Expressionismusbegriff unklar — van Hoddis, Benn und Werfel gehören nicht zusammen — als auch die Abgrenzung der Autoren falsch und führt daher notwendig zu einem ungerechtfertigten Vorwurf. Heym hat nicht den Reihungsstil eines van Hoddis gleichsam zu sich selbst gebracht, indem er dessen Schwächen vermied. Das stilprägende dissoziative Moment des Reihungsstils fehlt gerade bei Heym. Bilderketten in der Lyrik Heyms, die dem Reihungsstil entfernt verwandt scheinen, sind in ihrer Metaphorik ins Dämonische hin stilisiert und tragen daher — im Gegensatz zum Reihungsstil — ein sehr viel einheitlicheres Gepräge. Das hat Mautz selbst an einem Gedicht wie 'Berlin' (II) nachgewiesen:

> Beteerte Fässer rollten von den Schwellen
> Der dunklen Speicher auf die hohen Kähne.
> Die Schlepper zogen an. Des Rauches Mähne
> Hing rußig nieder auf die öligen Wellen.
>
> Zwei Dampfer kamen mit Musikkapellen.
> Den Schornstein kappten sie am Brückenbogen.
> Rauch, Ruß, Gestank lag auf den schmutzigen Wogen
> Der Gerbereien mit den braunen Fellen.
>
> In allen Brücken, drunter uns die Zille
> Hindurchgebracht, ertönten die Signale
> Gleichwie in Trommeln wachsend in der Stille.
>
> Wir ließen los und trieben im Kanale
> An Gärten langsam hin. In dem Idylle
> Sahn wir der Riesenschlote Nachtfanale. (279, 58)

Scheinbar rein deskriptive Bilder wie "Des Rauches Mähne...", "Rauch, Ruß, Gestank lag auf den schmutzigen Wogen...", "der Riesenschlote Nachtfanale" geben der Industrielandschaft selbst bereits gigantische Züge und — darauf hatte bereits Werner Kohlschmidt in einem Artikel hingewiesen (vgl. 290) — steigern ihren Anblick ins Dämonische. Mautz sieht in den Nachfanalen "als letztes Reimwort des Gedichts mit besonderm Nachdruck versehen, ... in nuce bereits das Weltuntergangsfeuer, das in den mythologischen Großstadtgedichten Heyms die Welt der Städte zerstört." (296, 69)

An jenen "mythologischen Großstadtgedichten" aber läßt sich die Abgrenzung noch sehr viel präziser durchführen. Ich wähle als Beispiel das Gedicht: 'Der Gott der Stadt':

Auf einem Häuserblocke sitzt er breit.
Die Winde lagern schwarz um seine Stirn.
Er schaut voll Wut, wo fern in Einsamkeit
Die letzten Häuser in das Land verirrn.

Vom Abend glänzt der rote Bauch dem Baal,
Die großen Städte knien um ihn her.
Der Kirchenglocken ungeheure Zahl
Wogt auf zu ihm aus schwarzer Türme Meer.

Wie Korybanten-Tanz dröhnt die Musik
Der Millionen durch die Straßen laut.
Der Schlote Rauch, die Wolken der Fabrik
Ziehn auf zu ihm, wie Duft von Weihrauch blaut.

Das Wetter schwelt in seinen Augenbrauen.
Der dunkle Abend wird in Nacht betäubt.
Die Stürme flattern, die wie Geier schauen
Von seinem Haupthaar, das im Zorne sträubt.

Er streckt ins Dunkel seine Fleischerfaust.
Er schüttelt sie. Ein Meer von Feuer jagt
Durch eine Straße. Und der Glutqualm braust
Und frißt sie auf, bis spät der Morgen tagt. (279, 192)

Wie bei fast allen Gedichten Heyms ist die äußere Form geradezu auffallend unauffällig und konventionell. Vierzeilige Strophen, kreuzweise gereimt, im jambischen Rhythmus, das ist wahrhaft nicht formrevolutionierend.

Anders steht es mit der Bildschicht. Evoziert wird das Bild eines dämonischen Gottes, genau bis ins Detail: er sitzt "breit" auf der Stadt, "schaut voll Wut", symbolisiert durch die verfinsterte Stirn und das sich "im Zorne" sträubende Haar, auf die Stadt unter sich. Dem im wörtlichen Sinne 'bedrückenden' und bedrohenden Bild entspricht die zerstörerische Entladung der Energie in der letzten Strophe. Wie in den Homerischen Epen Zeus vom Idagebirge herunter seine Blitze schleudert, schüttelt der "Gott der Stadt" seine "Fleischerfaust" und "Ein Meer von Feuer jagt/Durch eine Straße . . .".

Damit ist auch schon ein Hinweis auf den literaturgeschichtlichen Hintergrund einer solch mythischen Personenallegorie wie 'Der Gott der Stadt' gegeben. Erinnert das Gedicht doch an das Berlingedicht von Julius Hart, dessen Rückgriff auf antike Mythologeme und Ausdrucksformen dem Trend der Neuromantik und des Jugendstils folgt. Bei Heym ist die Herkunft gerade der mythologischen Bildschicht aus Jugendstilmotiven klar erwiesen. So tauchen in der frühen Lyrik Heyms antikisierend "Faune", "Nymphen", "Der Sohn des Pan", "Neptun" auf, und die innere Verwandtschaft des allerdings später entstandenen Gedichts 'Luna' (I) mit dem 'Gott der Stadt' ist schon in den ersten beiden Strophen sichtbar:

> Den blutrot dort der Horizont gebiert,
> Der aus der Hölle großen Schlünden steigt,
> Sein Purpurhaupt mit Wolken schwarz verziert,
> Wie um der Götter Stirn Akanthus schweigt,
>
> Er setzt den großen goldnen Fuß voran
> Und spannt die breite Brust wie ein Athlet,
> Und wie ein Partherfürst zieht er bergan,
> Der Schläfe goldenes Gelock umweht. (279, 239)

Im Gedicht 'Luna' (II) heißt es zu Beginn:

> Schon hungert ihn nach Blut, des kurze Tracht
> An einen Henker mahnt im roten Rock (ebd., 241)

An den Luna-Gedichten läßt sich ablesen, wie sich bei Heym die mythologische Figur des Mondes zunehmend ins Dämonisch-Zerstörerische hin verschiebt. Wird der Mond in 'Luna' (I) noch mit einem goldgelockten "Partherfürsten" verglichen, so stellt sich im zweiten Gedicht schon das Bild des "Henkers" ein. Beide: 'Der Gott der Stadt' und der Mondgott in 'Luna' (II) sind zerstörerische Dämonen, beide gestalten also drohende Zerstörung in der Gestalt mythischer Personen. Dabei machen die Luna-Gedichte deutlich, daß Heym hier noch einer bestimmten literarischen Tradition folgt, wenn er auf mythologische Figuren der Antike zurückgreift. Andererseits funktioniert Heym die Mythologeme radikal um. Luna ist eben nicht mehr Homers sanfte Mondgöttin, Goethes "Schwester von dem ersten Licht,/ Bild der Zärtlichkeit in Trauer..." oder Stefan Georges "Der mond auf seinen zarten grünen matten ...", dessen neuromantischer Motivwelt Heyms Lyrik, trotz der scharfen Polemik gegen George, doch in vielem verwandt ist. Im Gegensatz zur Neuromantik, ähnlich aber wie Rimbaud in seinem Gedicht 'Venus Anadyomène', nimmt Heym das mythologische Motiv auf, um es zu brutalisieren. Die Kontinuität mit der mythologisch-literarischen Tradition ist zugleich der in Frankreich schon früher vollzogene Bruch mit ihr. Dabei wird nicht nur der das Motiv begleitende Erwartungshorizont destruiert. Entscheidend ist die neue Spannung, die durch die Konfrontation des Motivs mit den neuen Inhalten: Großstadt, Zivilisation entsteht. Ihr zerstörerisches Potential zumal wird im umfunktionierten Mythologem sinnfällig. So entstehen Heyms mythische Personenallegorien wie 'Der Gott der Stadt' oder 'Die Dämonen der Städte'.

Im Gedicht 'Der Gott der Stadt' entspricht der Übergewalt des dä-

monischen Gottes die Orientierungs- und Hilflosigkeit der Stadt: Die
Häuser "verirren" sich, die "wie Korybanten-Tanz" dröhnende Musik —
auch dies ein antikisierendes Motiv — dient der Selbstbetäubung, die
zugleich mit dem zum Gotte aufsteigenden Rauch der Schornsteine
das Motiv eines sakralen Opfers parodiert. Eine Form der Parodie allerdings, die nicht durch ironische Distanz gebrochen ist; dafür ist das be-
drückende und zerstörerische Bild des Stadtdämonen viel zu übermäch-
tig. Allgemein gilt, daß die in der Sekundärliteratur gebrauchte Kategorie
der Parodie nur mit Vorsicht auf Heym anzuwenden ist, da das Moment
der ironischen Distanz und der Komik, die Parodien im allgemeinen kennzeichnen, der unmittelbaren Übergewalt, ja Aggressivität der Heymschen
Bilder fehlen. Traditionelle Mythen werden in der Lyrik Heyms umfunktioniert, aber nicht wie bei Thomas Mann ironisch distanziert, vielmehr soll die Gewalt der Bildkraft unmittelbar Gewalt — die Gewalt nämlich der modernen Technologie und Zivilisation — vor Augen führen. Gerade die Geschlossenheit und Einheitlichkeit der mythischen Personenallegorien Heyms, ihre Archaik und Wucht, bringen die zwar vom Subjekt produzierte, ihm aber entfremdete und in der Entfremdung wie eine
mythische Naturgewalt gegenüberstehende Zivilisation mit ungeheurer
Plastizität zur Darstellung. Keine Bildkette, kein Reihungsstil also, sondern mythische Personenallegorie als Mimesis moderner Zivilisation
und Großstadtwelt.

Damit ist eine Antwort auf die Frage nach der Darstellungsfunktion
der mythischen Personenallegorie in der Lyrik Heyms gegeben. Gedichte
wie 'Der Gott der Stadt', 'Die Dämonen der Städte', 'Der Krieg' konzentrieren in der personalen Allegorie eines dämonischen Gottes die diffusen
zerstörerischen Kräfte moderner Zivilisation und Großstadtwelt in der
Plastizität des kompakten Bildes. Latente Brutalität, Aggression und zerstörerische Energien, die gerade in der Zeit vor dem 1. Weltkrieg sozusagen in der Luft lagen, werden so als Zeitgefühl ertastbar.

Gegen dieses Dichtungsverfahren aber liegt ein Einwand nahe: Die
zerstörerischen Kräfte sind ja Zerstörungsenergien des Menschen selbst,
gerade nicht mehr mythologisch-göttliche Kräfte. In der Tat wird der
spezifisch unmythologische Charakter der modernen, auf dem Prinzip
quantifizierender und berechnender Kalkulation und Naturausbeutung
basierenden Zivilisation eher verstellt als erhellt. Andererseits erfaßt die
mythologische Allegorie die Entfremdung subjektiver Arbeit und Energien in zerstörerische, wie eine Naturgewalt auf das Subjekt zurück-
schlagende Mächte.

Diese Dialektik hat Kurt Mautz in seinem Heym-Buch als erster klar
erkannt. Über das "personifizierende Verfahren" Heyms schreibt Mautz:
"Diente es zuvor einer vergöttlichenden Überhöhung und Verklärung
des Wirklichen, so dient es jetzt der Veranschaulichung der Übermacht
einer dem Menschen fremden, ihn bedrohenden Wirklichkeit und der De-
maskierung ihres negativen, ungeheuerlichen Wesens . . ." (296, 83). In die-

sem Sinne sind die "dämonisierenden Metaphern" Heyms "Ausdruck gerade der Entfremdung von Natur und Mensch. Das 'Leben', das sie toten Dingen und Naturerscheinungen verleihen, versinnbildlicht die Übermacht der toten Dinge über den Menschen in einer Welt, die er selbst geschaffen hat und zu beherrschen glaubt, die sich aber ihm gegenüber zu verselbständigen und ihn zu beherrschen droht." (ebd., 91)

Gegenüber diesem bei Mautz erreichten Erkenntnisstand ist es ein Rückfall, wenn Heinz Rölleke in seiner Heyminterpretation die Zivilisationskritik Heyms auf eine bloß subjektive Befindlichkeit zurückschrauben will: "Graues Einerlei, Eintönigkeit, Langeweile — Leitworte und Zentralthemen der Heymschen Dichtungen und Schriften — sind aber keineswegs, zumindest nicht in erster Linie, Akzidentien seiner Zeit, vielmehr Charakteristiken seiner eigenen Befindlichkeit." (299, 357) Gewiß, in Heyms Tagebüchern reißen die Klagen nicht ab über die "dumpfe Monotonie" und "grauenhafte Öde" der Wirklichkeit: "Es ist alles so langweilig..." und im Selbstkommentar: "Ich habe eben wieder mein Tagebuch durchlesen. Alle Tage fast das gleiche. Nur ab und zu mal eine kurze Freude, sonst alles grau in grau." (30. 5. 1907; 281, 89) "Wäre es nun nicht völlig gleich gewesen, ob ich überhaupt nicht gelebt hätte, oder ob ich dies inhaltlose Dasein mit mir herumgeschleppt hätte. Ich weiß auch gewiß nicht, warum ich noch lebe; ich meine, keine Zeit war bis auf den Tag so inhaltlos wie diese." (29. 9. 1909; ebd., 131). In einer am 19. 6. 1911 in der 'Aktion' veröffentlichten Skizze 'Eine Fratze' heißt es gar: "Unsere Krankheit ist, in dem Ende eines Welttages zu leben, in einem Abend, der so stickig ward, daß man den Dunst seiner Fäulnis kaum ertragen kann." (280, 173) Und im Tagebuch vom 15. 9. 1911: "Mein Gott — ich ersticke noch mit meinem brachliegenden Enthousiasmus in dieser banalen Zeit." (281, 164)

Zweifellos sind diese im Tagebuch sich niederschlagenden Erfahrungen auch biographisch bedingt: durch das immer wieder frustrierte Liebesbedürfnis Heyms, das miserable Verhältnis zu seinem bürokratischen Vater, die freudlose Atmosphäre am Gymnasium in Neuruppin, um nur die wichtigsten biographischen Faktoren zu nennen. Andererseits drückt sich in den Tagebüchern und der Dichtung Heyms ein Ennui am Dasein aus, der schon die Sprache spezifisch moderner Lyriker wie Baudelaire und Rimbaud durchzieht — "Le monde, monotone ... un desért d'ennui" — und der erst recht seit Nietzsches Nihilismusanalyse, die zugleich eine Analyse des modernen Pessimismus ist, zu einem prägenden Merkmal moderner Geistesverfassung wurde: "Wir sind abgesotten in der Einsicht und in ihr kalt und hart geworden, daß es in der Welt durchaus nicht göttlich zugeht, ja noch nicht einmal nach menschlichem Maße vernünftig, barmherzig oder gerecht: wir wissen es, die Welt, in der wir leben, ist ungöttlich, unmoralisch, 'unmenschlich' ..." (Friedrich Nietzsche, 'Die fröhliche Wissenschaft': 650, 210 f.).

Das Gefühl der Monotonie, der Öde, der Ziellosigkeit des Daseins,

Angst als Befindlichkeit und Furcht vor der Übergewalt der modernen Zivilisationswelt, die sich auf Schritt und Tritt in der Dichtung Heyms nachweisen lassen, sind Merkmale einer spezifisch 'modernen' Bewußtseinsverfassung, die ihrerseits in die Verfallsgeschichte der Metaphysik gehört, in das, was Nietzsche 'Nihilismus' genannt hat. Sie als bloß subjektive Befindlichkeit eines isolierten Individuums abzutun, ist so einseitig wie die in der älteren Heymforschung vorherrschende Deutung, es handele sich bei dieser Lyrik um bloß subjektive "Visionen" und Projektionen, eine Interpretation, die noch einmal im Begriff der "visionären Entrealisierung" bei Christoph Eykman auflebt (52, 51). In beiden Fällen ist der implizierte Realitätsbegriff zu einfach. Er umfaßt nicht die kollektiven Erfahrungs- und Verstehensformen sozialer Gruppen, den Bewußtseinsstand einer Zeit. Heyms Zerstörungs- und Untergangsvisionen verleihen genau jener Bewußtseinslage Worte, die – von der Übermacht und zugleich Monotonie der modernen Zivilisationswelt erdrückt – nach einem Aufbruch aus dieser Welt sich sehnte, ein Aufbruchsbedürfnis, dessen Pervertierung auch noch den Krieg willkommen heißt. Auch das deutet sich in den Tagebüchern und Dichtungen Heyms an.

In diesem Sinne ist das berühmte Kriegsgedicht Georg Heyms als Dokument eines rauschhaften Vitalismus zu lesen, jenes "Enthousiasmus", der in der Monotonie des modernen Alltags zu ersticken glaubt und diese monotone Welt – und sei es auch mit Gewalt – zerstören will. Ich zitiere nur die beiden Anfangs- und Schlußstrophen des insgesamt elfstrophigen Gedichts:

> Aufgestanden ist er, welcher lange schlief,
> Aufgestanden unten aus Gewölben tief.
> In der Dämmrung steht er, groß und unerkannt,
> Und den Mond zerdrückt er in der schwarzen Hand.
>
> In den Abendlärm der Städte fällt es weit,
> Frost und Schatten einer fremden Dunkelheit,
> Und der Märkte runder Wirbel stockt zu Eis.
> Es wird still. Sie sehn sich um. Und keiner weiß.
>
> . . .
>
> Eine große Stadt versank in gelbem Rauch,
> Warf sich lautlos in des Abgrunds Bauch.
> Aber riesig über glühnden Trümmern steht
> Der in wilde Himmel dreimal seine Fackel dreht,
>
> Über sturmzerfetzter Wolken Widerschein,
> In des toten Dunkels kalte Wüstenein,
> Daß er mit dem Brande weit die Nacht verdorr,
> Pech und Feuer träufet unten auf Gomorrh. (279, 346 f.)

In der Forschung hat es Kontroversen um die Deutung dieses Gedichts gegeben. So schreibt einerseits Fritz Martini in einer Interpretation, daß hier das geschichtliche Ereignis Krieg – das 1911 entstandene Gedicht wurde vielfach als unmittelbare Antizipation des ersten Weltkriegs gelesen – verwandelt werde in ein "kosmisches Ereignis" (295, 438]. "Der Krieg erscheint als das radikal Dämonische, das aus unbekannten Tiefen ausbricht ... Er erscheint als ein göttliches Wesen, das gleichwohl aller göttlichen Eigenschaften beraubt ist und nur als der Inbegriff der unbegrenzten, aus sich selbst daseienden Kraft begegnet". (295, 431) Dagegen hält Mautz, daß es sich bei dem Kriegsgedicht um die geschichtlich genau determinierbare Abwandlung eines Jugendstilmotivs handele und daß das Gedicht einer bestimmten zeitgeschichtlichen Situation und Bewußtseinslage Ausdruck verleihe (296, 43 ff.). Auch das ist richtig. Aber entscheidend ist, daß diese zeitgeschichtlichen Verweise im Gedicht selbst nicht explizit enthalten sind. Die Interpretation erhält vom Gedicht selbst keine direkten Verweise auf den geschichtlichen Kontext, in dem es steht, sondern muß die archaische Bildwelt des Gedichts transzendieren, um seinen zeitgeschichtlichen Rahmen zu rekonstruieren.

Die Kritik Martinis ist also nicht ganz unberechtigt. Die mythischen Personenallegorien Heyms zeigen zwar die Übergewalt der Dingwelt und auch die gegen sie aufstehenden Zerstörungs- und Aggressionstriebe mit einer kaum zu überbietenden Plastizität, aber doch in einem mythischen, gleichsam vorgeschichtlichen Gewand. Soziale und spezifisch zeitgeschichtliche Hintergründe des Phänomens Krieg bleiben in Heyms Gedicht so verborgen wie für die meisten Europäer zu Beginn des ersten Weltkrieges. Dagegen muß allerdings betont werden, daß es Heym nicht um die Darstellung von Nationalkonflikten ging, sondern wesentlich um die gleichsam ins Sadistische und Zerstörerische verkehrte Darstellung rauschhafter Energien, die die moderne Zivilisations- und Großstadtwelt zerstören sollen, weil sie als öde und verworfen erfahren werden: "Gomorrha".

Damit ist zugleich ein Stichwort gegeben, das noch einmal ein Licht wirft auf den ideologischen Ort der Gesellschaftskritik Heyms. Sodom und Gomorrha sind Städte, die dem Alten Testament zufolge (1 Mos. 19) von Gott vernichtet wurden, weil sie abgründig böse waren; Gott vernichtet diese Städte durch einen Feuer- und Schwefelregen, bei deren Anblick die Frau Lots, des einzig Gerechten und darum Geretteten aus diesen Städten, zur Salzsäule erstarrt.

Heym übernimmt nicht nur Motive apokalyptischen Untergangs aus dem Alten Testament; auch der ideologische Standort seiner Zivilisationskritik ist wesentlich noch metaphysisch. Die "transzendentale Obdachlosigkeit", die Georg Lukács in seiner 'Theorie des Romans' als Signum der Moderne erkannte, läßt die Welt in Heyms Lyrik zu einer ewigen Todes-, Eis- und Winterlandschaft gefrieren, in der die Zeit selbst erstarrt, das Subjekt ziellos und orientierungslos herumirrt und dem Verfall preisgegeben ist. "Die Menschen gehen schattenhaft im Kreise", ziellos in der

"Starre der leeren Öde", heißt es im Gedicht 'Die Menschen', das schon durch den Titel den Anspruch einer Universalaussage erhebt (279, 431). Gedichte wie 'Die Morgue', 'Das Fieberspital', 'Das Krankenhaus' und 'Ophelia' beschreiben den körperlichen Zerfall des Subjekts mit einer nur von Gottfried Benn überbotenen Häßlichkeit. Wesentlich erscheint auch der Tod selbst in diesen Gedichten als ein zielloses unerlöstes Herumirren. Wie Kafkas Jäger Gracchus, der nach dem Tode unerlöst durch die Welt treibt, finden auch die Toten in der 'Morgue' keine Ruhe:

> Was fanden wir im Glanz der Himmelsenden?
> Ein leeres Nichts... (279, 289)

Vor diesem Nichts prallen sie zurück und sind daher weder im Jenseits noch im Diesseits aufgehoben. So erscheint die Welt in dieser Lyrik als eine Art unerlöster Totenkammer: "Jetzt schlafen viele, wie in weißen Särgen ..." (279, 427). "Dumpf wie im Moder altgewordener Lüfte / Verschrumpft die Welt, und steht voll Totenkammern ..." (ebd., 462), "Von toten Städten ist das Land bedecket" (ebd., 471). Im Gedicht 'Auf einmal aber kommt ein großes Sterben ...' wird über die Städte gesagt, sie fielen "hohl wie Gräber" auseinander (ebd., 422).

In einer solchen Todeswelt erstarrt auch die Natur zu "weiten Öden, winterlich verwehte ..." (ebd., 422) und: "Die Bäume wechseln nicht die Zeiten / Und bleiben ewig tot in ihrem Ende." (ebd., 442) In ihr gerinnt die Zeit zum nunc stans eines ewig gleichen unterschiedslosen "tagein, tagaus" wie im Gedicht 'Die Mühlen'. Die zweite Strophe des Gedichts lautet:

> Und die Müller sitzen tagein, tagaus
> Wie Maden weiß in dem Mühlenhaus.
> Und schauen oben zum Dache hinaus. (ebd., 416)

So wird der Gedichttitel 'Mitte des Winters' selbst zu einer geschichtsphilosophischen Bestimmung der Erstarrung der Welt und der Orientierungslosigkeit des Subjekts:

> Mitte des Winters
> Das Jahr geht zornig aus. Und kleine Tage
> Sind viel verstreut wie Hütten in den Winter.
> Und Nächte, ohne Leuchte, ohne Stunden,
> Und grauer Morgen ungewisse Bilder.
>
> Sommerzeit. Herbstzeit, alles geht vorüber
> Und brauner Tod hat jede Frucht ergriffen.
> Und andre kalte Sterne sind im Dunkel
> Die wir nicht sahen von dem Dach der Schiffe.

Weglos ist jedes Leben. Und verworren
Ein jeder Pfad. Und keiner weiß das Ende.
Und wer da suchet, daß er Einen fände,
Der sieht ihn stumm, und schüttelnd leere Hände.[7a]

(ebd., 438)

Totalisierungen wie "jede Frucht", "Weglos ist jedes Leben", "verworren / ein jeder Pfad. Und keiner weiß ..." machen deutlich, daß 'Mitte des Winters' hier eine geschichtliche Universalmetapher ist, nicht etwa bloß ein Jahreszeitengedicht. Darin besteht eine Ähnlichkeit zu Kafka, dessen "Landarzt" in der gleichnamigen Erzählung "nackt, dem Froste dieses unglückseligsten Zeitalters ausgesetzt" als alter Mann "durch die Schneewüste" zieht und dabei "niemals ... nach Hause kommt" (330, 128) und dessen Schloßroman die erstarrte und ausblicklose Welt eines dauernden Winters entwirft. In beiden Fällen bezeichnet die Naturmetapher zugleich eine geschichtliche Erfahrung, die des "unglückseligsten Zeitalters."

Die Blumen starben in der goldnen Zeit
Und Winter jagt uns über dunkle Erde ... (279, 408)

In diesem Kontext einer spezifisch geschichtlichen Erfahrung von Wirklichkeit müssen auch die Stadtgedichte Heyms gesehen werden, ja die Stadt ist die Inkarnation jener modernen Todeslandschaft, zu der die ganze Welt geworden ist. Wie jene biblischen Städte Sodom und Gomorrha sind sie Stätten des Bösen und darum wert, daß sie zugrunde gehn. Dabei sind — wie für die ganze Generation der jungen expressionistischen Lyriker — neben dem Einfluß Nietzsches vor allem Baudelaires Erfahrung der Stadt als einer Stätte des Infernalischen und Rimbauds 'Une saison en enfer', in dem es heißt: "Je me crois en enfer, donc j'y suis. C'est l'exécution du catéchisme." (735, 278), prägend gewesen. Wenn die Zivilisationskritik in der Lyrik Heyms vielfach den Charakter einer negativen Theologie annimmt, dann steht Heym hier schon in einer europäischen Lyriktradition, die in Frankreich durch Baudelaire und Rimbaud, in England durch Gedichte Matthew Arnolds die spezifisch moderne Spannung zwischen Metaphysikbedürfnis und "leerer Transzendenz" zur Sprache bringt.[8]

Heym selbst schreibt am 15. 9. 1911 in sein Tagebuch: "Man könnte vielleicht sagen, daß meine Dichtung der beste Beweis eines metaphysi-

---

[7a] Die Ausgabe von Schneider setzt, allerdings als unsichere Lesart, im Unterschied zu früheren Heym-Ausgaben statt "Sterne" "Stauden". Im Kontext der Schiffsmetaphorik ist aber diese Lesart nicht sehr sinnvoll.

[8] Der Begriff "leere Transzendenz" ist einer der Zentralbegriffe in Hugo Friedrichs 'Die Struktur der modernen Lyrik' (741).

schen Landes ist, das seine schwarzen Halbinseln weit herein in unsere
flüchtigen Tage streckt." (281, 164) Drei Wochen später heißt es im Tagebuch: "Am liebsten wäre ich, man denke sich, Kürassierleutnant, — heute —
und morgen wäre ich am liebsten Terrorist." (ebd., 168) Zum Kürassierleutnant hatte der Vater den in seinen Augen mißratenen Georg Heym
bestimmt. Interessant aber ist die blinde Alternative: Kürassierleutnant
oder Terrorist. Auch nach dem Pathos der revolutionären Geste sehnte
sich der junge Georg Heym. In einem Brief von 1911 heißt es: "Wäre ich
doch in der französischen Revolution geboren. Heute gibt es nichts, für
das man sich begeistern könnte, nichts, das man zu seiner Lebensaufgabe
machen möchte, schlimmer als Pest und Cholera." Dagegen ruft der Frei-
heitskämpfer Friedrich Hecker in Heyms Dramenfragment 'Die Revolution':

> Barrikaden, Barrikaden. Welch ein Wort. Welch einen Sturm der Be-
> geisterung facht es an. Wenn das Volk auf sie die Banner der Freiheit
> pflanzt und sich um sie schart, sie zu verteidigen mit Blut und Gut und
> Leben. O Freiheit. Freiheit." (280, 693)

Einer dissoziierten Bewußtseinslage, der die Vorstellungen der Freiheit,
des Terrorismus und des Dienstes im Wilhelminischen Heer so nahe bei-
einander lagen, hat im Ansatz Nietzsche schon durchschaut: "Was bedeutet Nihilismus? — Daß die obersten Werte sich entwerten. Es fehlt das
Ziel. Es fehlt die Antwort auf das 'Wozu'." (651, 557) Der brachliegende
"Enthousiasmus" eines Georg Heym, dem die Welt als eine öde Toten-
landschaft erscheint, sucht nach Zielsetzungen, die dem vitalistischen Le-
bensdrang ein 'Warum' oder 'Wozu' des Lebens supponieren. Das Austauschbare und Surrogathafte solcher Zielsetzungen ist Georg Heym so
wenig wie der Generation, die mit Gloria in den Krieg zog — "für Volk
und Vaterland" — bewußt geworden.

Wenn so einerseits der ideologische Standort der Dichtung Heyms einer
scharfen Kritik zu unterziehen ist, so sollte doch der Erkenntniswert seiner
Dichtung nicht unterschätzt werden. Heym hat in der umfunktionierten
mythischen Personenallegorie ein literarisches Darstellungsmittel entwickelt, das bestimmte Aspekte der Moderne: ihren übermächtigen Entfremdungscharakter zumal — mit nicht zu überbietender Plastizität zur
Darstellung bringt. Darüberhinaus hat eine jüngere Arbeit über Georg
Heym von Ronald Salter (300) auch den Sinn für Ausdrucksformen in dieser
Lyrik geweckt, die nicht als mythische Personenallegorien oder Universalmetaphern einer negativen Theologie zu beschreiben sind, sondern durch
die Genauigkeit ihrer Phänomenbeschreibung faszinieren. Das Gedicht
'Robespierre' ist ein Beispiel:

> Robespierre
> Er meckert vor sich hin. Die Augen starren

Ins Wagenstroh. Der Mund kaut weißen Schleim.
Er zieht ihn schluckend durch die Backen ein.
Sein Fuß hängt nackt heraus durch zwei der Sparren.

Bei jedem Wagenstoß fliegt er nach oben.
Der Arme Ketten rasseln dann wie Schellen.
Man hört der Kinder frohes Lachen gellen,
Die ihre Mütter aus der Menge hoben.

Man kitzelt ihn am Bein, er merkt es nicht.
Da hält der Wagen. Er sieht auf und schaut
Am Straßenrande schwarz das Hochgericht.

Die aschengraue Stirn wird schweißbetaut.
Der Mund verzerrt sich furchtbar im Gesicht.
Man harrt des Schreis. Doch hört man keinen Laut.

(279, 90)

Nicht die Revolution als Ersatzreligion, nicht das fiebrige Freiheitspathos, das auch Terrorismus sein kann, nichts anderes als die genaue Beschreibung eines Mannes, der hingerichtet werden soll. Die Ästhetik des Häßlichen in der Beschreibung der Person: der weiße Schleim, die verrenkten Glieder und das verzerrte Gesicht, schließlich die Einbettung der Szene in die gleichgültige Neugier einer spektakelhungrigen Menge, das sind die Bildelemente einer akkurat beschreibenden Phantasie, die mehr sieht, als gemeinhin sichtbar ist. Die Genauigkeit und Bildkraft dieser Phantasie, die insbesondere im Bereich des Häßlichen ganz neue, weit über den Naturalismus hinausgehende Wahrnehmungsfelder erschließt, verleiht der Lyrik Heyms auch heute noch eine faszinierende Wirkung. Darin besteht eine Verwandtschaft mit dem Pfarrersohn Gottfried Benn, der ganz anders, aber aus einer ähnlichen ideologischen Position heraus, die Depersonalisierung des Subjekts mit den Mitteln einer minutiös beschreibenden Ästhetik des Häßlichen zur Sprache bringt.

2.2.3 Die Synekdoche in der expressionistischen Lyrik als Ausdruck der Depersonalisierung: Gottfried Benn

Wenn wir in den zerstörerischen Dämonen Heyms und seiner geschlossenen Metaphorik der Öde, der Nacht, des Verfalls und Todes eine bestimmte geschichtliche Bewußtseinsverfassung erkannten, so spricht für die Repräsentanz dieser Bewußtseinslage, daß sie auch im ganz anders gearteten Sprachstil Gottfried Benns in ähnlicher Form sich nachweisen läßt.
Zwar findet sich bei Benn nicht die Darstellung der zu mythischen Personallegorien verdichteten, übermächtigen Objektwelt, aber die Verdinglichung des Ich wird in der Dichtung Benns mit einer kaum zu über

bietenden Härte und Brutalität zur Sprache gebracht. Dabei wird – ähnlich wie bei Heym – die sprachliche Grenzverschiebung in den Bereich des Häßlichen wesentlich durch den selbst noch metaphysisch vermittelten antimetaphysischen Impuls so weit vorangetrieben, wie es sich der Naturalismus, der ja bereits die häßliche Kehrseite der modernen Zivilisations- und Großstadtwelt bewußt ans Licht zerrte, aber sie doch letztlich aus optimistisch-fortschrittsgläubiger Perspektive betrachtete, nicht träumen ließ. Hermann Conradis 'Brutalitäten', die dem Naturalismus insgesamt vorgeworfene pathologische Schwäche für das Häßliche und Abseitige wirken geradezu harmlos gegenüber jener Ästhetik des Häßlichen, die der Expressionismus und hier besonders Gottfried Benn im Bereich der literarischen Sprache entwickelten. Zur Entbindung dieser Kräfte nötig war die ganze Wucht der Nihilismusanalyse Nietzsches einerseits, andererseits die Wirkung Baudelaires und Rimbauds, die ja auch auf einer fundamentalen Ebene sich mit der europäischen Metaphysik und insbesondere dem Erbe des Christentums auseinandersetzten.

Um welche Darstellungsformen geht es bei Benn? Wesentlich um ein Stilphänomen, auf das wir bereits bei Alfred Lichtenstein gestoßen sind. In seinem Gedicht 'Die Dämmerung' erscheinen Menschen als: "dicker Junge", "zwei Lahme", ein "verrückter... Dichter", "ein fetter Mann", "ein weiches Weib", "ein grauer Clown". Zu beobachten ist also eine durchgängige Reduktion der Person auf ihre – zumeist häßlichen – Eigenschaften. Das Subjekt wird durchs Adjektiv oder das gewählte Nomen selbst identifiziert mit einer Eigenschaft, die zumeist einen Mangel ausdrückt, ja die Eigenschaft wird zum eigentlich kennzeichnenden substantiellen Moment gegenüber dem unspezifischen, allgemeinen Subjekt. Dadurch wird das Akzidentielle, die Eigenschaft, zumindest tendenziell zur eigentlichen Substanz; das Substantielle, das Subjekt, regrediert zur häßlichen Eigenschaft.

Grammatisch kann diese Identifikation des Subjekts mit einer pejorativen Eigenschaft in vielfältiger Form kodiert werden: bei Lichtenstein häufig als Adjektiv-Substantivverbindung, als Substantivverschmelzung ("Menschentiere", "Hungerhaie", "Streichholzmann"), aber auch als vollwertiger Satz: "In Fetzen, fressend liegt ein Menschenluder ..." ('Die Fahrt nach der Irrenanstalt' (II) (462, 54), "Studenten schneiden ein erfrornes Mädchen an" ('Winterabend' ebd., 63), "Die Menschenbiester gleiten ganz verloren / Im Bild der Straße, elend grau und grell." ('Fahrt nach der Irrenanstalt' (I) ebd., 46). Tiefenstrukturell sind diese unterschiedlichen Ausdrucksformen ja alle ähnlich: über ein Subjekt wird ein deformierendes Tätigkeits- oder Erscheinungsmerkmal so ausgesagt, daß es mit ihm selbst weitgehend identifiziert wird.

Gottfried Benn hat dieses Stilmittel in noch viel pointierterer und aggressiverer Form eingesetzt. Sein Gedicht 'Nachtcafé' ist Teil eines Gedichtzyklus und gehört zu den frühen, zwischen 1912–14 entstandenen Gedichten Benns:

Nachtcafé

824: Der Frauen Liebe und Leben.
Das Cello trinkt rasch mal. Die Flöte
rülpst tief drei Takte lang: das schöne Abendbrot.
Die Trommel liest den Kriminalroman zu Ende.

Grüne Zähne, Pickel im Gesicht
winkt einer Lidrandentzündung.

Fett im Haar
spricht zu offenem Mund mit Rachenmandel
Glaube Liebe Hoffnung um den Hals.

Junger Kropf ist Sattelnase gut.
Er bezahlt für sie drei Biere.

Bartflechte kauft Nelken,
Doppelkinn zu erweichen.

B-moll: die 35. Sonate.
Zwei Augen brüllen auf:
Spritzt nicht das Blut von Chopin in den Saal,
damit das Pack drauf rumlascht!
Schluß! He, Gigi! —

Die Tür fließt hin: Ein Weib.
Wüste ausgedörrt. Kanaanitisch braun.
Keusch. Höhlenreich. Ein Duft kommt mit. Kaum Duft.
Es ist nur die süße Vorwölbung der Luft
gegen mein Gehirn.

Eine Fettleibigkeit trippelt hinterher. (164, 18 f.)

In diesem Gedicht erscheinen die Personen selbst nur noch als ihre
häßlichen Attribute: "Grüne Zähne, Pickel im Gesicht", "Lidrandentzündung", "Junger Kropf", "Sattelnase", "Bartflechte", "Doppelkinn", "Eine
Fettleibigkeit". Die Eingangsverse potenzieren dieses Verfahren noch, indem sie das Spiel der Instrumente zu einem Sauf- und Rülpsgeschehen
verhäßlichen, und die Instrumente ferner als Metaphern für die
Personen eingesetzt sind, die somit einer doppelten Reduktion unterzogen werden: die Person als Cello, Flöte, Trommel und das Spiel der
Instrumente als Saufen, Rülpsen und das Lesen eines Kriminalromans.
Dabei konvergieren Verdinglichung der Person und Personifizierung der
Dinge. Die Eingangsverse wären ja auch zu beschreiben als Personifika-
tionsformen. In beiden Fällen dominiert der Aspekt des Häßlichen.

Die scheinbare Ausnahme in diesem Gedicht: ein Sinnlichkeit und Süße verbreitendes Weib – "Keusch. Höhlenreich . . ." – entlarvt sich rasch durch ihren Anhang: "Eine Fettleibigkeit trippelt hinterher."

Alles Personale also ist aufgelöst in Attribute. Der Autor scheint dabei – im Gegensatz zur Lyrik Heyms – kaum im Blickfeld. Abgesehen von dem Ausbruch in den Versen 15 ff., der aber rasch wieder in sich zusammenbricht – "Schluß! He, Gigi!" – scheint er sich mit der Rolle des distanzierten Registrators zu begnügen.

Die traditionelle Rhetorik kennt den Begriff der Synekdoche. Die Synekdoche "besteht in einer Verschiebung der Bennung der gemeinten Sache innerhalb der Ebene des Begriffsinhalts" (Lausberg 752, 69), beispielsweise vom Ganzen auf einen Teil (Herd für Haus und Familie), vom Stoff auf das Produkt (Traube für Wein), vom Urheber aufs Werk oder – in unserem Falle – vom (körperlichen) Indiz auf den Träger. Entscheidend ist aber, daß die Synekdoche nur in einem geschlossenen, allgemein anerkannten Universum von Wechselrepräsentanzen wirklich funktioniert. Ein Ausdruck kann ohne Abstriche für den anderen nur eingesetzt werden, wenn er den anderen vollwertig ersetzen kann. Gerade das ist aber in der Moderne nicht mehr der Fall. Die "Pickel im Gesicht" ersetzen nicht die Person, wie das weiße Haar ehemals synekdochisch für das Alter einstehen konnte. Auch "Bartflechte", "Doppelkinn" usw. sind Synekdochen, die nicht mehr bruchlos auf die Person dahinter verweisen, sondern diese selbst verkümmern lassen.

Das Allgemeine als Subjekt löst sich auf, wird verdinglicht zu häßlichen Attributen. Allerdings geht der Geltungsanspruch des Allgemeinen dabei nicht gänzlich verloren. Gerade die Darstellung des in seine Bestandteile zerrissenen Subjekts beansprucht ja implizit, dessen allgemeine Verfassung in der Moderne darzustellen. So löst sich das Allgemeine als Substanzbestimmung des Subjekts und der Person auf, eine Bestimmung, die den Begriff des "Subjekts" bei Hegel und auch der "Persönlichkeit" bei Goethe einmal auszeichnete, bleibt aber – wie in den Universalmetaphern Heyms – als Geltungsanspruch erhalten. Die synekdochische Reduktion des Subjekts meint dessen allgemeine Verfassung in der Moderne.

Hinter der synekdochisch zersetzenden Perspektive ist natürlich der geradezu sezierende Blick des Arzt-Autors Gottfried Benn spürbar. Dabei dringt Benn mit einem durch Nietzsche vermittelten Degout so weit vor im Bereich der Ästhetik des Häßlichen, daß seine Gedichte geradezu schockhafte Reaktionen auslösten und immer noch auslösen.[9] Wenn der Naturalismus die Freigabe aller Lebensbereiche, auch der 'häßlichen', für die künstlerische Darstellung forderte und auch in der Tat die 'häßlichen' Aspekte der Wirklichkeit: das soziale Elend, Dirnen, Bettler, Armut und Krankheit nicht verdrängte, sondern in den Bereich der 'schönen Künste'

---

[9] Zur Rezeptionsgeschichte Benn siehe u. a. 'Benn – Wirkung wider Willen' (179).

einholte, so hat erst der Expressionismus eines Gottfried Benn die ganze Häßlichkeit des Körperlichen und des körperlichen Zerfalls sichtbar gemacht. Von der schockhaften Provokation dieser Entlarvung des Häßlichen, die damit zugleich den Begriff des Häßlichen relativiert und nicht mehr ungebrochen als Gegenbegriff zum 'Schönen' beläßt, leben die meisten der frühen Gedichte Benns wie 'Kleine Aster', 'Schöne Jugend', 'Requiem', 'Der Arzt', 'Saal der kreißenden Frauen', 'Finish', 'Mann und Frau gehn durch die Krebsbaracke' u. a. Schon die Titel der frühen Gedichtbände: 'Morgue und andere Gedichte' (1912) und 'Fleisch' (1917) deuten auf die neue 'Fleisch'- und Verfallsperspektive des Daseins, auf die wir schon in der Lyrik Heyms stießen und deren Ansätze sich in der Dichtung Baudelaires und Rimbauds finden. Man denke an Baudelaires 'Une Charogne' ('Ein Stück Aas') in den 'Blumen des Bösen' oder an Rimbauds 'Venus Anadyomène'. Beide Gedichte beschreiben exzessiv körperliche Häßlichkeit und Zerfall; dabei provoziert Rimbauds Umfunktionierung des Mythos — ähnlich wie Gedichte Heyms — noch einen zusätzlichen literarischen Schockeffekt.

Auch bei Benn gibt es aggressive Parodien insbesondere auf christliche Symbolik: "Fühlst du den Rosenkranz von weichen Knoten?" ('Mann und Frau ...' 164, 14). Im Gedicht 'Requiem' lautet die zweite Strophe:

> Jeder drei Näpfe voll: von Hirn bis Hoden.
> Und Gottes Tempel und des Teufels Stall
> nun Brust an Brust auf eines Kübels Boden
> begrinsen Golgatha und Sündenfall. (164, 10)

Hier werden Personen seziert und dabei ausgenommen wie Tiere. Dabei ist schon die Reduktion des Subjekts auf seine pure Körperlichkeit und des Körpers auf seine Verfallssymptome und ausschlachtbaren Organe eine Parodie auf die christliche Schöpfungslehre. Vielfach stehen bei Benn einfach die Worte "Fleisch" oder "Fett" für den Menschen: "Sieh, dieser Klumpen Fett und faule Säfte ..." ('Mann und Frau ...' ebd., 14), "Das Fett wird ranzig und hat ausgepaart" ('Über Gräber' ebd., 23), "verwest an Fetten, Falten und Bejahrung" ('Knabenchor' ebd., 146).

> Verranzten Fettes
> bei offner Scham
> Fliegenfang — Rest des Bettes,
> einstiges Polygam ... ('Chanson' ebd., 408)

"Was je an Saft und mürbem Fleisch / um Kalkknochen schlotterte, / dünstet mit Milch und Schweiß in meine Nase" ('Der Arzt' (I) ebd., 11), "Mit Pickeln in der Haut und faulen Zähnen / paart sich das in ein Bett und drängt zusammen / und säet Samen in des Fleisches Furchen ..." ('Der Arzt' (III), ebd., 13), "Das Fleisch ist weich und schmerzt nicht ..." ('Mann und Frau . . .' ebd., 14); auch die sinnliche Attraktion einer Frau erscheint so als "Fleisch, das nackt ging" ('D-Zug' ebd., 27).

Daneben gibt es exzessive Beschreibungen von körperlichen Mißbildungen und Krankheiten beim frühen Benn:

> . . . Und die Frucht —:
> das wird sehr häufig schon verquiemt geboren:
> mit Beuteln auf dem Rücken, Rachenspalten,
> schieläugig, hodenlos, in breite Brüche
> entschlüpft die Därme . . . ('Der Arzt (III)' ebd., 13)

> Der Mann:
> Hier diese Reihe sind zerfallene Schöße
> und diese Reihe ist zerfallene Brust.
> Bett stinkt bei Bett . . . ('Mann und Frau . . .' ebd., 14)

Von der "Syphilis" bis zur "Fettleibigkeit", von "Furunkeln" bis zu "Pickeln", "Erbrochenem" und "Kot" wird alles beschworen, was die Körperlichkeit, körperlichen Zerfall und Gebrechen, die Hinfälligkeit des Wesens Mensch, demonstrieren kann. Am Ende werden im Gedicht 'Requiem' die Leichen selbst ausgenommen wie Schlachtvieh.

Benns Beschreibung von Verfallssymptomen, ja seine synekdochische Reduktion des Menschen auf solche Symptome ist u. a. zu verstehen vor der Folie seiner eigenen Biographie: Benn stammt aus einem protestantischen Pfarrhaus, studierte auf Wunsch des Vaters zunächst Theologie, dann auf eigenen Wunsch Medizin und wurde Facharzt für Geschlechtskrankheiten, zum anderen vor dem geistesgeschichtlichen Hintergrund der Metaphysik- und Theologiekritik Nietzsches. Nietzsches Wort "Gott ist tot" setzt auch der metaphysischen Bestimmung des Menschen als Ebenbild Gottes ein Ende. Benn:

> Die Krone der Schöpfung, das Schwein, der Mensch . . .
> ('Der Arzt' (II) ebd., 12)

Verdinglichung als synekdochische Reduktion des Menschen auf seine Körperlichkeit — "Fleisch" — und des Körpers auf seine Verfallssymptome ist also eine Radikalisierung der Metaphysik- und Ideologiekritik, die Ästhetik des Häßlichen[10] nicht nur gegen die Tradition der 'schönen

---

[10] In seiner Schrift 'Über das Studium der griechischen Poesie' beklagt Friedrich Schlegel, "daß es noch nicht einmal einen namhaften Versuch einer Theorie des Häßlichen gibt. Und doch sind das Schöne und das Häßliche unzertrennliche Korrelaten" (670, 193). Im Sinne einer solchen Korrelation der Begriffe wäre das 'Häßliche' zu bestimmen bei Benn als Gegenbegriff zu jener Tradition der 'schönen' Künste und ihres Menschenbildes, die sich in seiner Ästhetik des Häßlichen zwar zersetzt, aber doch noch als Kontrastfolie präsent ist.

Künste' gerichtet, sondern vor allem auch gegen deren Ideale und ideales Menschenbild. Die einmal großen ethischen Werte des Christentums werden im 'Nachtcafé' zu funktionslosen Umhängern und so parodistisch lächerlich gemacht:

> Fett im Haar
> spricht zu offenem Mund mit Rachenmandel
> Glaube Liebe Hoffnung um den Hals.

Man kann all diese literarischen Motive bei Benn auf biographische Voraussetzungen zurückführen. Die humanistisch-pastorale Intelligenz eines Sohnes aus streng protestantischem Pfarrhaus lehnt sich auf gegen die Normen der Väter; andererseits kann aber Benn die Sehnsucht nach einer metaphysischen Weltordnung nicht abschütteln, die gerade durch das materialistisch-naturwissenschaftliche Denken der Zeit, das der Arzt Benn rezipiert hat, in ihren Grundfesten zerstört wird. Als Dichter der expressionistischen Generation erfährt Benn zudem den Schock der Nihilismusanalyse, wie sie Nietzsche mit äußerster Zuspitzung formulierte, steht er im Wirkungsfeld der Franzosen Baudelaire und Rimbaud, und das alles wirkt auf ihn um so nachhaltiger, weil seine Herkunft, das protestantische Pfarrhaus, ein Hort traditioneller Kulturwerte war.

Auf der anderen Seite muß man sich auch hier vor einem biographischen Reduktionismus hüten. Er verdeckt, daß die Spannungen des Bennschen 'Doppellebens' – dies der Titel einer späteren autobiographischen Schrift –, dessen Zerreißprobe sich im Werk auf Schritt und Tritt nachweisen läßt, einer durchaus exemplarischen Situation des modernen Ich entspricht. Die Spannung, die schon in dem einen Vers: "Die Krone der Schöpfung, das Schwein, der Mensch" zwischen einem sakralen und vulgären Sprachbereich entsteht und auch in der späteren Lyrik Benns zwischen dishomogenen Sprachschichten zumeist nominaler Natur sich nachweisen läßt, spiegelt eine ganz allgemeine Erscheinung in der Literatur des 20. Jahrhunderts.

Bei Benn wird diese Spannung im wesentlichen erzeugt durch die Antinomie einer selbst noch metaphysischen Denkform und ihrer totalen Negation:

> . . . Ein Fleckchen!
> Ein Fleck, der gegen die Verwesung spräche ! ! –
> Ein Fleckchen, wo sich Gott erging . . . ! ! !
> Der Schöpfungskrone gehn die Zinken aus.
>
> ('Fleisch' ebd., 37)

Den geschichtsphilosophischen Ort dieser Position bezeichnet Albrecht Schöne: Er sieht in Benn die Radikalisierung eines modernen Transzendenzverlustes, dessen Anfänge schon im 17. Jahrhundert sich nachweisen lassen. "Beim jungen Benn ist der letzte Schritt getan: die Realität der

Transzendenz ist verloren, in der Wirklichkeit selbst wird die Manifestation Gottes gesucht – mit der Entlarvung ihrer Verderbtheit und Hinfälligkeit wird auch er hinfällig und nichtig." (190, 198)

Es ist von daher klar, daß die Aufsplitterung der Wirklichkeitsperspektive in der Lyrik Benns, daß der Wirklichkeitsverlust, den der Arzt 'Rönne' in der gleichnamigen Erzählung erfährt, nicht einfach auf biographische Fakten wie z. B. das Militärarztmilieu in Brüssel, wo Benn zeitweilig stationiert war, zurückgeführt werden kann. In der berühmten Expressionismusdebatte glaubte Alfred Kurella auf diese Weise den 'Fall Benn' leicht erledigen zu können. Aber die erkenntnistheoretische Problematik, die sich im Werke Benns niederschlägt, liegt sehr viel tiefer und muß im Zusammenhang mit der Entwicklung und Krise des modernen Subjektbegriffs gesehen werden.

2.2.4 'Verdinglichung' bei Kafka

Auch in der Prosa des Expressionismus tauchen Verdinglichung und Personifikation als literarische Phänomene auf und hier nirgendwo so abgründig wie in der Prosa Franz Kafkas.

Allerdings ist die Zuordnung Kafkas zum Expressionismus nicht unproblematisch. Paul Raabe hat in seinem Aufsatz mit dem Titel 'Franz Kafka und der Expressionismus' zurecht darauf hingewiesen, daß Kafkas Schaffen zwar zeitlich mit dem Expressionismus ungefähr zusammenfalle – Kafkas Hauptschaffensperiode begann 1912 und reichte bis zu seinem Tode 1924 –, daß auch Verbindungen zu expressionistischen Autoren, vor allem zu Franz Werfel, bestanden, daß aber doch die "dynamischen, aktiven Stiltendenzen in Lyrik, Drama und Prosa mit zeittypischem Gepräge" bei Kafka fehlten. (369, 166) Kafka gehört daher nach Raabe nur "in einem passiven Sinn zum Expressionismus" (ebd.). In der Tat, Kafka lebte zurückgezogen als Angestellter der "Arbeiter-Unfall-Versicherungs-Anstalt" in Prag; er beobachtete zwar genau die Entwicklung der zeitgenössischen Literatur, empfand aber geradezu Ekel vor dem Lärm des literarischen Marktes, vor den rhetorisch aufgebauschten und lärmenden Ausdrucksformen und Lebensbedingungen einiger Expressionisten. So äußert sich Kafka in einem Gespräch mit Gustav Janouch über einen Gedichtband von Johannes R. Becher: "Ich verstehe diese Gedichte nicht. Es herrscht hier so ein Lärm und Wortgewimmel, daß man von sich selbst nicht loskommen kann. ... Die Worte verdichten sich hier nicht zur Sprache. Es ist ein Schreien. Das ist alles." (334, 53) Über die Anthologie 'Menschheitsdämmerung': "Das Buch macht mich traurig. Die Dichter strecken nach den Menschen die Hände aus. Die Menschen sehen aber keine freundschaftlichen Hände, sondern nur krampfhaft geschlossene Fäuste, die nach den Augen und Herzen zielen." (ebd., 86)

Der expressionistische "Schrei" und die vielfach in verkrampfter Sprachpose erstarrte Suche nach d e m Menschen (siehe Kap. 3) konnten Kafka nicht liegen. "Der lärmempfindliche Kafka und der expressionistische Schrei – diese Gegensätze schließen sich aus." (369, 171) Kafkas zurückhaltende, eher puristische Sprache ist deutlich durch die Isolation der deutschen Sprache in Prag und den trockenen Kanzleistil geprägt, Wortkaskaden und gefühlhaft-pathetische Rhetorik, mit denen zweit- und drittrangige Expressionisten ihre Gedichte aufbauschten, konnten nur Kafkas Widerwillen provozieren. So lehnte er mehrmals auch die Mitarbeit an Gemeinschaftsprojekten expressionistischer Literaten ab.

Es ist aber die These dieses Buches, daß die marktschreierischen Randsymptome des Expressionismus nicht das Wesen dieser Epoche ausmachen. Im Gegenteil, diese Symptome: aufgebauschte Rhetorik und ein vielfach wichtigtuerischer Aktivismus wirken heute eher abgestanden und schal. Wesentliche Bestimmungen aber wie die vielfach bedingte Subjektdissoziation, die erkenntnistheoretische Verunsicherung und der Metaphysikverlust, die wir – in sehr unterschiedlicher Form – an herausragenden Autoren wie van Hoddis, Heym, Benn, Trakl, Kaiser, Toller, Sternheim nachweisen können, prägen auch das Werk Franz Kafkas. Damit können und sollen nicht die Differenzen in der Darstellungs- und Erfahrungsform eingeebnet werden. Im Gegenteil, es wird darum gehen, gerade sie herauszuarbeiten, aber doch unter dem problemgeschichtlichen Aspekt einer so engen Zugehörigkeit Kafkas zum Expressionismus, daß wir im literarischen Werk des 'Außenseiters' Kafka die fundamentale und radikale Darstellung der spezifischen Grundproblematik dieser Epoche sehen.

In diesem Abschnitt geht es um den Begriff der Verdinglichung. Es gibt bei Kafka frappierende Beispiele der Verdinglichung von Personen, so die 1915 in René Schickeles 'Die weißen Blätter' veröffentlichte Erzählung 'Die Verwandlung'. Sie beginnt mit dem Satz:

Als Gregor Samsa eines Morgens aus unruhigen Träumen erwachte, fand er sich in seinem Bett zu einem ungeheuren Ungeziefer verwandelt. (330, 56)

Das ist eine Form der "Verwandlung", die weit über die Verdinglichung von "entzwei"gehenden Personen bei van Hoddis, entsubstantialisierten Subjekten bei Heym, bloßem "Fleisch" bei Benn hinausgeht. Immer noch ist dort der Bezugspunkt die Person, selbst wenn sie bei Benn zur puren Körperlichkeit und zu deren Verfallssymptomen deformiert wird. Die Deformation besteht gerade in der provozierenden Reduktion des Subjekts auf seine verfallende Körperlichkeit. Gregor Samsa aber ist ein "Ungeziefer".

Diese "Verwandlung" als plötzliches, unvorhergesehenes und unvorhersehbares Ereignis hat Gregor Samsa sozusagen aus heiterem Himmel überfallen, so überraschend, wie die Verhaftung durch eine rätselhafte

Gerichtsinstanz in Kafkas Roman 'Der Prozeß' den Bankangestellten Josef K. überfällt. Personen in Kafkas Erzählungen wie Josef K. und Gregor Samsa sind mit total verfremdeten Situationen konfrontiert, die sie nicht vorhergesehen und erst recht nicht willentlich produziert haben, in die sie vielmehr hineingeworfen werden. Beim Versuch, die Situation zu meistern, entsteht sofort eine Spannung zwischen der Reflexion dieser 'Helden' und der ihnen entfremdeten Situation. So kann Gregor Samsa sich nicht eigentlich auf die neue, hochgradig befremdliche Situation einstellen, er kann seine "Verwandlung" nicht fassen, versucht es nicht einmal ernsthaft, vielmehr verdrängt er die Situation, versucht sie zu vertuschen und im Bezugsrahmen seiner früheren Welt weiterzudenken. Aus dieser abgründigen Divergenz zwischen Reflexion und entfremdeter Situation entsteht, mehr noch als aus der verwandelten Situation selbst, die in der Forschung mehrfach beobachtete Wirkung des Grotesken.

So versucht Gregor Samsa, vom Handlungsreisenden zum Ungeziefer transformiert, zunächst einmal weiterzuschlafen:

'Wie wäre es, wenn ich noch ein wenig weiterschliefe und alle Narrheiten vergäße,' dachte er . . . (330, 56)

Er verdrängt also die entfremdete Situation selbst als eine 'Narrheit', wird aber immer wieder durch die verwandelte körperliche Realität auf sie zurückgestoßen. So kann Samsa nicht mehr, wie gewohnt, auf der rechten Seite schlafen, weil sein deformierter Zustand es nicht erlaubt:

Er versuchte es wohl hundertmal, schloß die Augen, um die zappelnden Beine nicht sehen zu müssen, und ließ erst ab, als er in der Seite einen noch nie gefühlten, leichten, dumpfen Schmerz zu fühlen begann.
'Ach Gott,' dachte er, 'was für einen anstrengenden Beruf habe ich gewählt!' (ebd., 56)

Das Schließen der Augen und der Gedanke an den Beruf sind jeweils Formen der Verdrängung, des Versuches, sich an die gewohnten Existenz- und Denkformen zu klammern, die eigene, entfremdete Gestalt vor sich und den anderen zu vertuschen. Die Anderen: das ist zunächst einmal Gregors Familie; seine Schwester, sein Vater, seine Mutter. Diese meldet sich auch schon bald besorgt an der Tür:

'Gregor,' rief es — es war die Mutter —, 'es ist dreiviertel sieben. Wolltest du nicht wegfahren?' Die sanfte Stimme! Gregor erschrak, als er seine antwortende Stimme hörte, die wohl unverkennbar seine frühere war, in die sich aber, wie von unten her, ein nicht zu unterdrückendes, schmerzliches Piepsen mischte, das die Worte förmlich nur im ersten Augenblick in ihrer Deutlichkeit beließ, um sie im Nachklang derart zu zerstören, daß man nicht wußte, ob man recht gehört hatte. (ebd., 58)

Durch die hier angedeutete Deformation der Stimme wird die menschliche Kommunikation mit der Umwelt abgebaut. Zunächst gibt sich jedoch die Familie, nichts ahnend, mit einem auch nicht recht verstandenen Bescheid zufrieden, und auch Gregor ist "gespannt, wie sich seine heutigen Vorstellungen allmählich auflösen würden".

Daß die Veränderung der Stimme nichts anderes war, als der Vorbote einer tüchtigen Verkühlung, einer Berufskrankheit der Reisenden, daran zweifelte er nicht im geringsten. (ebd., 59)

Die Lage dramatisiert sich aber wesentlich im folgenden durch das Auftauchen des Prokuristen aus der Firma, dessen Erkundung und drängende Anfrage vor Gregors Tür die Angst Gregor Samsas um seine Stellung im Geschäft und um die Existenz — die ganze Familie lebt von seinem Verdienst — so wahnsinnig steigert, daß er in völlig irrealer Abschätzung der Situation ein äußerstes an Scharfsinn mobilisiert, um mit einer Kaskade von beschönigenden Entschuldigungen — "Ein leichtes Unwohlsein, ein Schwindelanfall . . ." — die Situation zu retten. Aber gerade dabei entlarvt er sich:

'Das war eine Tierstimme,' sagte der Prokurist, auffallend leise gegenüber dem Schreien der Mutter. (ebd., 64)

Als er, mühsam mit dem Kiefer den Schlüssel im Schloß herumdrehend, selbst herauskommt, reagieren auch die anderen auf sein Erscheinen mit Verdrängung: die Mutter fällt in Ohnmacht, der Vater "ballte mit feindseligem Ausdruck die Faust", der Prokurist weicht zum Ausgang "als vertreibe ihn eine unsichtbare, gleichmäßig fortwirkende Kraft" (ebd., 65).

Gregor, noch immer willens, seine "Kollektion" zusammenzupacken und gleich an die Arbeit zu gehen, wird, nachdem er den Prokuristen, den er gerade zurückhalten wollte, vertrieben hat, vom eigenen Vater mit unartikulierten Zischlauten in sein Zimmer zurückgetrieben. Man hält ihn der menschlichen Kommunikation gar nicht mehr für fähig.

Nach dem Schrecken der Verwandlung im ersten Teil der Erzählung folgt eine Phase, in der man sich in der Familie mit der Verwandlung abzufinden, sich mit ihr einzurichten beginnt. Die Schwester bringt Gregor regelmäßig sein Futter, wie man Haustiere füttert, ohne sich allerdings an Gregors Anblick gewöhnen zu können. Daher hält sich Gregor bei ihrem Eintritt regelmäßig unter dem Kanapee versteckt. Der Vater findet wieder eine Anstellung und während die Familie noch immer in der vagen Hoffnung auf Besserung sich mit ihrem Leben einzurichten beginnt, konsolidiert sich auch die "Verwandlung" bei Gregor:

... und so nahm er zur Zerstreuung die Gewohnheit an, kreuz und quer über Wände und Plafond zu kriechen. Besonders oben auf der Decke hing er gern; es war ganz anders, als das Liegen auf dem Fußboden; man atmete freier ... (ebd., 78)

Als man, durchaus fürsorglich, für diese Exkursionen Platz schaffen und die Möbel herausnehmen will, 'bricht er aus' und wird von dem seinerseits wie im 'Urteil' plötzlich verwandelten, kraftvollen und strengen Vater nicht nur zurückgetrieben, sondern auch mit Äpfeln beworfen.

Ein ihm sofort nachfliegender drang ... förmlich in Gregors Rücken ein ... (ebd., 84)

Im dritten und letzten Teil der Erzählung wird das Vergessen und Verkümmern Gregors beschrieben. Dabei gibt sich Gregor zunächst immer noch dem Traum hin, "beim nächsten Öffnen der Tür die Angelegenheiten der Familie ganz so wie früher wieder in die Hand zu nehmen" (ebd., 87). Die zunehmende Ausstoßung Gregors aus der menschlichen Sphäre offenbart sich jedoch, wenn eine neue, etwas derbe Hausangestellte ihn gar nicht mehr als ein zur menschlichen Gemeinschaft zugehöriges Wesen identifiziert, sondern als "Mistkäfer" tituliert:

'Komm mal herüber, alter Mistkäfer!' (ebd., 89)

Als Gregor gar am Ende noch drei neue Untermieter durch sein Erscheinen zu vertreiben droht, zu dem er selbst aus Zuneigung zu seiner Schwester getrieben wurde, nennt gerade sie ihn ein "Untier" und versucht die Eltern zu überzeugen:

'Weg muß es,' rief die Schwester, 'das ist das einzige Mittel, Vater. Du mußt bloß den Gedanken loszuwerden suchen, daß es Gregor ist. Daß wir es so lange geglaubt haben, das ist ja unser eigentliches Unglück. Aber wie kann es denn Gregor sein? Wenn es Gregor wäre, er hätte längst eingesehen, daß ein Zusammenleben von Menschen mit einem solchen Tier nicht möglich ist, und wäre freiwillig fortgegangen.' (ebd., 94 f.)

Diese endgültige Verstoßung aus der Familiengemeinschaft vollzieht Gregor, ähnlich wie Georg Bendemann das "Urteil" seines Vaters, an sich selbst. Als erste findet ihn die Haushälterin:

'Sehen Sie nur mal an, es ist krepiert; da liegt es, ganz und gar krepiert!' (ebd., 96)

Daß der Schluß: die endgültige Verdrängung und Abschüttelung der
"Verwandlung" und der scheinbar hoffnungsvolle Neuanfang der Familie nicht naiv als solcher gelesen werden kann, hat Christoph Bezzel
betont. Das idyllische Bild der Familie in der wärmenden Frühlings-
sonne beim Ausflug "ist in Wahrheit das Sichtbarwerden einer vom Beginn her angelegten Katastrophe. Das Bild ist ein verzweifelt ironisches
Bild höchster Sprengkraft unter der Maske sachlicher Deskription". (341,
70) Konzentriert doch das Bild noch einmal den Fassadencharakter von
Denk- und Verhaltensformen angesichts einer in gespenstiger Unausge-
sprochenheit verdrängten Entfremdungssituation.

Die Frage ist schnell bei der Hand und auch schon unzählige Male gestellt worden: Was bedeutet das alles? Wenn man sich einer Antwort auf
diese Frage nähern will, ist es ein sinnvoller Umweg, zumindest kurz auf
die Vielfalt der Interpretationen in der Sekundärliteratur einzugehen.

Wilhelm Emrich sieht in der Erzählung den Grundkonflikt zwischen
der Arbeits- und Alltagswelt einerseits, andererseits dem entfremdeten
und daher entstellten 'Selbst' des Subjekts. "Sein eigenes Inneres bleibt
ihm fremd. Daher wird es von Kafka auch als ein ihm Fremdes gestaltet,
nämlich als ein Ungeziefer, das auf unbegreifliche Weise sein rationales
Dasein bedroht. Das ist der Sinn der merkwürdigen Tatsache, daß Kafka
immer wieder das eigene Innere, ja das 'eigentlich' Innerlichste des Menschen in Gestalt fremdartiger, erschreckend ins Leben einbrechender Dinge
oder Tiere darstellt oder in Form von absurden Gerichtsbehörden, die Re-
chenschaft vom Menschen über sein eigenes Selbst fordern ...". (349,
120 f.). Und: "Da das Selbst kein 'eigenes', verstandenes 'Inneres' ist, muß
es die Gestalt des Äußeren, Fremden annehmen, aber eines Fremden, das
die Gesetze der äußeren, empirisch rationalen Alltagswelt durchbricht.
Das ist die völlig klare, künstlerisch legitime Konsequenz aus dem modernen Entfremdungs- und Verdinglichungsprozeß." (ebd., 121)

Die entfremdete Gestalt eines Ungeziefers als die selbst entfremdete,
verdinglichte Form des Subjekts. Woraus resultiert aber solche Verdinglichung? Emrich verweist auf die Darstellung der Familienidylle, deren
scheinbares Glück auf "Täuschung und versteckter Berechnung" beruht
(ebd., 123). Sie ist also ein Spiegel der entfremdeten Geschäftswelt, die
ihrerseits durch den Prokuristen direkt vertreten und in den Reflexionen
Gregor Samsas ständig präsent ist. Als Darstellung der entfremdeten, berechnenden und bürokratischen Geschäftswelt, die die Existenz des privaten Ich total unterminiert, kann man auch andere Erzählungen Kafkas
lesen, insbesondere die großen Romane 'Der Prozeß' und 'Das Schloß'.

Eine solche unmittelbar sozialkritische Interpretation findet also genügend Anhaltspunkte im Werk Kafkas. Dennoch scheint sie gewaltsam
und nicht ganz werkgerecht. In diesem Kapitel haben wir den Begriff "Ver-

dinglichung" bisher in einem jeweils am literarischen Text ausgewiesenen eher phänomenologischen Sinn gebraucht. Aber der Begriff ist ja zunächst ein ökonomisch-philosophischer Begriff mit einer bestimmten Tradition. Er wird in Anlehnung an die Warenanalyse von Marx in Georg Lukács' überragendem Frühwerk 'Geschichte und Klassenbewußtsein' entwickelt. Der von Lukács an Marx gewonnene Begriff der Verdinglichung meint die Entfremdung gesellschaftlicher Arbeit zur Sache, zum fremden Objekt, Entfremdung subjektiver Tätigkeit zu einer dem Subjekt fremd gegenüberstehenden Gegenständlichkeit, also einen Prozeß, den schon der frühe Marx so beschreibt: "Je mehr der Arbeiter sich ausarbeitet, um so mächtiger wird die fremde, gegenständliche Welt, die er sich gegenüberschafft, um so ärmer wird er selbst, seine innere Welt, um so weniger gehört ihm zu eigen." (710 a, 561)

Lukács versucht nachzuweisen, daß diese Entfremdung der Arbeit vom Subjekt, als Entfremdung der Menschen untereinander, bereits im Arbeitsprozeß angelegt ist, insofern die Arbeit selbst schon nach entfremdeten, d. h. dem Subjekt fremden, von außen auferlegten Regeln verläuft. Das Prinzip, das dabei zur Geltung komme, ist das der "zunehmenden Rationalisierung" (709, 176), mit einem von Max Weber übernommenen Begriff: das Prinzip der "Kalkulation". Die "Kalkulation" ist nach Lukács das Prinzip der Verdinglichung selbst.

Überall weist Lukács die Verdinglichung nach. Im praktischen Arbeitsprozeß: das Zerreißen der Einheit von Arbeitendem und Bearbeitetem und der Ganzheit des Arbeitsprozesses in additive, nur noch montagehaft vermittelte Segmente; in der bürokratischen Verwaltung; auch in einer Theorie, die qualitative Denkformen ersetzt durch quantifizierende, qualitative Sachverhalte transformiert in berechenbare Relationen. Überall kommt das Prinzip der systematisierenden, berechnenden, rationalisierenden Kalkulation zur Geltung. Das meint – grob referiert – der ökonomisch-philosophische Begriff der Verdinglichung bei Lukács.

Wenn Emrich, wahrscheinlich mit Rückgriff auf Adorno, der den Verdinglichungsbegriff weniger klar definiert als Lukács gebraucht, in Kafkas Werk eine Darstellung der modernen ökonomischen Verdinglichung sieht, dann geschieht das, wie gesagt, nicht willkürlich, sondern wird von vielen Verweisen im Werk gestützt. Auf der anderen Seite ist es doch eine Frage, warum Kafka etwa in der 'Verwandlung' nicht die Arbeitswelt als die eigentliche Quelle der Verdinglichung selbst beschreibt. Hier wäre vor allem zu zeigen, wie Gregor Samsa von seinem Betrieb arbeitsteilig und kalkuliert eingesetzt, gehetzt, verbraucht und in diesem Sinne verdinglicht wird. Man hat zwar in der Gestalt des Prokuristen, auch in Gregors Reflexionen, Anhaltspunkte für die Geschäftswelt Gregor Samsas, aber die gänzlich herausgesprengte Gestalt eines Ungeziefers ist so befremdlich, daß man sie nur gewaltsam als eine Allegorie des im modernen Arbeitsprozeß entfremdeten Selbst lesen kann. Am ökonomischen Verdinglichungsbegriff gemessen müßte man Kafka rügen, daß er die eigentliche Quelle dieser Verdinglichung nicht klargelegt und ausführlicher beschrieben hat.

Wie sonst soll man diese befremdliche Geschichte verstehn? Walter Sokel vertritt in seinem Buch 'Der literarische Expressionismus' die These, die 'Verwandlung' sei eine traumsymbolische Darstellung verdrängter Trieb- und Wunschvorstellungen. Sokel sieht im Romanfragment 'Hochzeitsvorbereitungen auf dem Lande' eine Vorstufe der 'Verwandlung'. Dort wünscht sich der Held Raban in zwei Teile spalten zu können, um nicht seine Verlobte auf dem Lande besuchen zu müssen. Sein in ein Ungeziefer verwandeltes wirkliches Ich würde im Bett bleiben. Was aber dort noch als Tagtraum erscheint, wird Gregor Samsas Schicksal. Der zur absoluten Metapher gewordene Wunsch eines parasitären Daseins also. "Gregor Samsa wünschte auf die Macht in seiner Familie und gleichzeitig auf die unerträgliche Last schwerer Arbeit, die diese Stellung mit sich bringt, zu verzichten und die Liebe wiederzugewinnen, die seine Eltern ihm schenkten, ehe er den alten Vater als Ernährer und Haupt des Haushalts ersetzte. Gleichzeitig will er den Spieß gegen seine Familie umkehren, die seine Plackerei parasitisch ausnutzt, und selber wie ein Parasit zugleich in Freiheit und Abhängigkeit leben." (106, 65) Nach Adorno studiert Kafka "wie in einer Versuchsanordnung ... was geschähe, wenn die Befunde der Psychoanalyse allesamt nicht metaphorisch und mental, sondern leibhaft zuträfen". (335, 256)

Die Deutung der Erzählungen Kafkas als eine Traumsymbolik, die ihrerseits psychologische Mechanismen bloßlegt, kann ebenfalls eine Fülle von Argumenten für sich verbuchen. Dabei ist mit diesen in Traumsymbolen sich äußernden psychologischen Problemen unmittelbar auch Kafkas Selbsterfahrung als Künstler verbunden. So kann man den Komplex der Insektenbilder lesen als Ausdruck der Künstlerproblematik, wie Kafka selbst sie existentiell erlebte: die Rolle des Außenseiters, der nicht in die glatte Alltagskommunikation integriert ist, hat in seinen Augen selbst etwas Pariahaftes. Das bezeugen Brief- und Tagebuchstellen. Heinz Politzer hat in diesem Sinne und mit guten Argumenten die Form des Ungeziefers als Chiffre für Kafkas Künstlertum interpretiert.

Die Künstlerproblematik wiederum hängt bei Kafka eng mit dessen Vaterkonflikt zusammen — dies zeigt auch Hans-Georg Kempers Analyse der Erzählung 'Das Urteil' im dritten Teil dieses Buches —, der in der 'Verwandlung' strukturell ganz ähnlich auftaucht. Es ist der Vater, der Gregor mit übermächtiger Autorität gegenübertritt, ihn mit Äpfeln bombardiert und ihm dabei auch eine Wunde zufügt, die wesentlich mit zu seinem Tode führt. Daß wir im Motiv des Vaterkonfliktes auch eine Brücke zu anderen expressionistischen Dichtungen haben, z. B. Walter Hasenclevers 'Der Sohn', Arnolt Bronners 'Vatermord', sei hier nur am Rande erwähnt; wir werden darauf noch in Kap. 2.7 zu sprechen kommen.

Also auch die psychologische und psychoanalytische Interpretation können eine Vielzahl von Texthinweisen und vor allem auch biographischen Dokumenten für sich geltend machen. Sie erhellen auch in der Tat eine wesentliche Bedeutungsschicht im Werk Kafkas. Dennoch wirkt ihr vielfach totalisierender Anspruch gewaltsam, weil wesentliche Schichten des Werks wiederum auch nicht erfaßt werden.

Vor allem in den Sechzigerjahren hat die Kafka-Forschung den Weg einer strikt immanenten Interpretation eingeschlagen. Diese Forschungsrichtung hat die Kafka-Interpretation auf den vergleichsweise soliden Boden textnaher Deutung gestellt, ist aber von ihren Voraussetzungen her problematisch. Nicht nur schleichen sich unter der Hand häufig Werturteile ein, die nicht immanent gewonnen wurden, auch die 'ontologischen' Voraussetzungen einer wesentlich auf Textelemente und -zusammenhänge fixierten Interpretation sind gerade bei Kafka nicht problemlos. Das hat Jost Schillemeit am Roman 'Der Prozeß' zurecht herausgestellt: "Denn das ist offenbar die Frage, ... ob dieser Roman überhaupt als Darstellung von 'Gegenständen', seien es auch fiktive, angemessen beschrieben ist." (374, 588) Schillemeit kommt bei seiner Analyse des Romans zu dem Ergebnis, daß man in der zentralen Bedeutungsschicht des Romans an Stelle von Gegenständen eher auf einen "Hohlraum" stößt.

Auch weist der Begriff des "Bildzeichens", der in dieser Forschungsrichtung eine wichtige Rolle spielt, weil er den immanenten Verweisungsbezug des Werks hervorhebt und damit die immanente Interpretation rechtfertigt, über das Werk hinaus, zwar nicht als isoliertes Zeichen, aber doch in Form einer kontextuell vermittelten Ganzheit.[11] Mit diesem kurzen Abriß ist das Reservoir der Kafka-Deutungen bei weitem nicht erschöpft. Es gibt eine ganze Reihe von quasi-theologischen, religiösen Deutungen — Kafka als Dichter des verborgenen Heils oder auch des Absurden — um nur noch einen der Hauptströme der Kafka-Deutung zu erwähnen.

Auch ohne hier die Vielfalt der Interpretationen nur zur Erzählung 'Die Verwandlung' ausführlich referieren zu können, kann man resümieren: es gibt keinen Autor im Expressionismus und vielleicht im ganzen 20. Jahrhundert, der mit so vielfältigen und divergenten Interpretationen bedacht worden ist. Dabei zeigt Hans-Georg Kemper sehr viel akkurater, als das in diesem Problemzusammenhang möglich ist, gerade an der Detailinterpretation, daß die Vielfalt der Deutungsperspektiven nicht nur willkürlich an den Text herangetragene Vorbegriffe sind, sondern durch-

---

[11] Siehe zu diesem literaturtheoretischen Begriff Jan Mukarovsky: 'Die poetische Benennung und die ästhetische Funktion der Sprache' (756). Der Prager Strukturalist Mukarovsky spricht von der durch den immanenten Verweisungsbezug literarischer Sprache bedingten "Benennung höherer Ordnung", vermittels derer sich der literarische Text, als Ganzheit, auf außerliterarische Wirklichkeit beziehe. Mukarovsky versucht so einerseits der relativen Autonomie des Textes, andererseits seinem außerliterarischen Verweisungsbezug gerecht zu werden.

aus bestimmte Leerstellen im Text füllen und so zu einem vielperspektivischen Verständnis des Textes führen.

Dennoch kann man sich nicht einfach mit einer additiven Vielzahl von Deutungen zufriedengeben. Die eigentliche Frage ist und bleibt: wie kommt es überhaupt zu einer solchen Vielzahl von Deutungen? Hier macht gerade und nur die Feinanalyse deutlich, daß der Text bewußt unbestimmte Spielräume des Lesens offen läßt, daß Vieldeutigkeit aus dem Fehlen einer eindeutigen und verbindlichen Darstellung resultiert. Ich muß daher direkt auf die Analyse Hans-Georg Kempers, deren Ergebnisse ich hier voraussetze, verweisen. Auch die Beobachtungen zur 'Verwandlung' kommen zu dem Befund, daß das zentrale Geschehen – die 'Verwandlung' – nicht eigentlich von einer der Figuren wirklich reflektiert und begriffen wird. Die verfremdete Situation setzt zwar Reflexion in Gang, aber defensive Reflexion, Verdrängungsmechanismen, Abwehrüberlegungen, Bewußtseinsvorgänge also, die nicht eigentlich den Begriff der Reflexion verdienen. Die Spannung zwischen dem Bewußtsein der Personen und der gegebenen Entfremdungssituation setzt aber beim Leser, der das Geschehen seinerseits aus der Perspektive des Protagonisten sieht, ohne mit ihr identisch werden zu dürfen, eigene Reflexionsvorgänge in Gang. Gerade indem er mit der Nase darauf gestoßen wird, daß die Deutungen der Figuren an der Situation vorbeiinterpretieren, wird seine eigene Interpretation herausgefordert.

Ich würde nun sagen, daß vor allem die frühe Kafka-Forschung den Fehler begangen hat, daß sie einfach diesem Deutungsimpuls gefolgt ist und gleichsam den 'Prozeß' weitergeführt hat, in den die Figuren Kafkas selbst verstrickt sind. Wenn schon Gregor Samsa nicht begreift, was mit ihm los ist, wenn schon Josef K. nicht weiß, wer hinter ihm her ist, die Germanistik wollte das doch wenigstens nachträglich klären. Das Schloß im gleichnamigen Roman, die Gerichtswelt in dem 'Prozeß', die 'Verwandlung' sind –, und nun kam die Deutung, an der Kafkas Helden selbst, ohne zu einer Klärung durchzustoßen, zerschellt sind. Der Fehler lag also in der unmittelbaren Identifizierung mit der Perspektive und dem Deutungszwang des Helden.

Demgegenüber ist zu begreifen, daß in Kafkas Erzählungen 'Deutung' selbst thematisiert wird. Diesem Ziel dienen die von Kemper am 'Urteil' konkret aufgewiesenen "Leerstellen", dient die von Kafka bewußt herausgearbeitete Diskrepanz zwischen der Reflexion des Protagonisten und einem Sachverhalt, der in ihr gerade nicht mehr aufgeht. Der Vorwurf, der nun gegen diese scheinbar simple Deutung erhoben werden kann, ist der, daß hier selbst wieder eine Deutung gegeben wird. Perenniert nicht auch diese Deutung den Deutungszwang der Helden und glaubt eine Lösung parat zu haben, zu der die Protagonisten gerade nicht gelangen? Insofern nicht, als diese Deutung gar keine 'Lösung' ist und wesentlich auf einer anderen Ebene ansetzt. Sie geschieht nicht mehr aus der Perspektive des Helden, sondern begreift gerade dessen deutende Reflexion als einen wesensmäßig unauflösbaren, unendlichen Prozeß.

Es wäre naiv und falsch zu sagen, Kafkas 'Verwandlung' bedeute etwas Bestimmtes — Kafkas Erzählungen sind keine gradlinigen Allegoresen abstrakter Sachverhalte —, vielmehr 'be-deutet' der Text eine nicht in subjektive Deutungen aufhebbare Situation. Der Held ist in eine total verfremdete Situation verstrickt, die er gedanklich nicht zu durchdringen imstande ist. Der in subjektive Deutung nicht mehr aufhebbare Entfremdungscharakter von Realität bildet — dieser Deutung nach — den Grundriß des Kafkaschen Erzählwerks. Dabei gehört zum Entfremdungscharakter, daß die Personen zumeist nicht einmal die Hilflosigkeit ihrer Reflexion vor der Realsituation bemerken.

Der Text thematisiert also Entfremdung selbst als eine Bewußtseinsform, und zwar so, daß er nicht plan begrifflich darüber spricht, sondern den Leser selbst durch radikale Verfremdung verstört, ihm den Boden gängiger Vorstellungen unter den Füßen wegzieht — schon im Eingangssatz der 'Verwandlung' wird ein Mensch zum "Ungeziefer" —, um ihn dann mit seiner verstörten Vorstellungswelt allein zu lassen. Man sieht hier, wie unhaltbar und gegen das Werk Kafkas selbst gerichtet der scheinbar so werkgerechte immanente Interpretationsanspruch ist. Jede, auch über den Text hinausgreifende Interpretation muß sich zunächst auf den Text selbst einlassen, aber die nur im Text vergrabene rein immanente Interpretation neutralisiert gerade den appellativen Anspruch des Textes. Ein Buch soll nach Kafka wirken wie ein Schlag auf den Kopf des Lesers. Diese wahrhaftig über den Text hinausweisende Intention des Autors ist ernst zu nehmen.

Die hier gegebene Deutung besagt nun nicht, daß der Vielzahl von Einzeldeutungen zu entraten ist. Im Gegenteil, die Einzeldeutungen sind selbst Bestandteil jenes Prozesses, den der Text beim Leser in Gang setzen will und dem er auch ständig durch Deutungshinweise und wohl gesetzte "Leerstellen" Nahrung gibt. Aber entscheidend ist doch, daß der Leser nicht — wie Kafkas 'Helden' — auf dieser Ebene unmittelbarer Deutung stehen bleibt, er muß darüberhinaus 'Deutung' selbst in einer bestimmten geschichtsphilosophischen und sozialen Situation als einen unendlichen Prozeß reflektieren, der wesensmäßig nicht zu einem Abschluß kommt. Kafkas Texte exponieren Sachverhalte, deren anfänglich vom Autor selbst angebotene Deutungen in "progressiver Regression" abgebaut werden, so daß der Sachverhalt nur um so rätselhafter, die Deutungen um so ratloser erscheinen. "Jeder Satz spricht: deute mich, und keiner will es dulden." (Adorno 335, 249 f.) "Stehenden Sturmlauf" hat Beda Allemann mit einer von Kafka selbst geprägten Formel diese Strukturform Kafkascher Dichtung genannt, und in ihr liegt auch der Unterschied zur traditionellen Fabel, mit der man Kafkas Erzählungen, insbesondere die kurzen Parabeln, oft verglichen hat: es springt kein positiv greifbarer allgemeiner Sinn mehr aus der Erzählung, der Sinn bleibt dunkel. Dieses

Dunkelbleiben des Sinns ist – und das kann nur eine paradoxe Formulierung umschreiben – selbst der Sinn.[12]

Das Problem der Verdinglichung und Gesellschaftskritik insgesamt verlagert sich damit auf eine andere Ebene. Nicht wird gesellschaftliche Entfremdung und Verdinglichung unmittelbar kritisiert – auch wenn es Elemente einer solchen Kritik in Kafkas Werk zur Genüge gibt –, vielmehr besteht die Kritik in der Darstellung einer Entfremdungssituation selbst. Diese ist allerdings auch von dem Interpreten nicht mehr begrifflich aufhebbar, auch nicht durch den philosophisch-ökonomischen Begriff der 'Verdinglichung'. Wenn Kafka durch radikale Verfremdung ein Subjekt in eine Situation versetzt, die es mit seinen gewohnten Denk- und Verhaltensformen nicht in den Griff bekommt, so tangiert dieses entfremdete Verhältnis von Situation zu Reflexion im Text auch notwendig die Interpretation des Textes. Die den Protagonisten zerfallene Kongruenz von Denken und Sein ist auch nicht nachträglich vom Interpreten wieder herstellbar. Die verfremdete Situation wird von der kreisenden Reflexion, auch der des Literaturwissenschaftlers, nicht mehr voll durchdrungen, 'Subjekt' und 'Objekt', um diese Hilfsbegriffe zu gebrauchen, klaffen unendlich auseinander. Natürlich operiert die Reflexion des Interpreten wohl nur in Ausnahmefällen auf der Ebene des 'Helden' in der 'Verwandlung', der Ebene der Verdrängung nämlich, aber die Sicherheit eines etablierten Interpretationssystems oder Begriffs, die alle Verwicklungen auflösen, alle Rätsel lösen würden, wird auch ihm zerschlagen. So wenig wie die Helden Kafkas weiß der Interpret, was die geschilderte Situation nun 'eigentlich' bedeutet. Allein darin kann er sich überlegen erweisen, daß er den Entfremdungscharakter der Situation als solchen begreift und möglicherweise seine erkenntnistheoretischen Voraussetzungen aufdeckt. Das soll in Kap. 2.6 versucht werden.

In den Erzählungen Kafkas schlägt die entfremdete Situation – weil diese Reflexion verstellt ist – so auf das Subjekt zurück, daß es pathologische Auflösungserscheinungen zeigt, bis hin zum physischen Tod. Diesen vollziehen die 'Helden' Kafkas vielfach an sich selbst. Ichdissoziation als subjektiver Reflex eines total gestörten Wirklichkeitsverhältnisses ist bei keinem Autor so im buchstäblichen Sinne vernichtend beschrieben worden wie bei Kafka. Daß existentielle Lebenserfahrungen eine Voraussetzung solcher Darstellung ist, versteht sich von selbst, nur darf man nicht eine allgemeine zeitgeschichtliche Situation, die natürlich auch die Biographie eines so sensiblen Mannes wie Kafka prägt, auf diese reduzieren. Gregor Samsa steht für mehr als die unglückliche Künstlerexistenz Kafkas – so, wie die unglückliche Existenz Kafkas für mehr einsteht als das nicht harmonisch verlaufende Schicksal eines Individuums Franz Kafka in Prag.

---

[12] Diese Deutung berührt sich in manchen Punkten mit der Kafkainterpretation von Krusche, die mir erst nach Abfassung des Buches vorlag (siehe 360).

Kafkas Literatur kann begriffen werden als eine Radikalisierung von Ansätzen, die sich auch bei anderen Expressionisten finden. So ist die entstellende Tiermetapher die extremste Entfremdungsgestalt des Subjekts: Das Ich als Ungeziefer. Darüberhinaus aber geht der Schockeffekt seiner Texte über das hinaus, was Benn oder Heym mit ihren Vorstößen in den Bereich einer Ästhetik des Häßlichen erreichten. Vor allem ist er anhaltender, weil undurchsichtiger. Denn die Metaphorik Kafkas ist nicht mehr auf ein geläufiges Denkschema zu reduzieren, auch nicht als Negativfolie. Aus der Radikalisierung der Verfremdung aber entsteht das, was man in der Forschung "absolute Metapher" genannt hat: die Verabsolutierung des nicht mehr in einem geläufigen System oder Wirklichkeitsmodell auf ein Verglichenes zu beziehendes Vergleichsbild. Wenn bei Sternheim eine heruntergekommene Gestalt mit dem Namen 'Die Laus' belegt wird, dann ist hier noch immer der Übertragungscharakter der Metapher deutlich sichtbar. Die von Kafka intendierte Störung geläufiger Denkformen, zu denen ja auch die traditionelle Metapher gehört, muß jedoch zur absoluten Metapher führen.

Allerdings darf man nicht annehmen, daß die absolute Metapher den Verweisungsbezug der Literatur zur Wirklichkeit zerstöre. Die in der absoluten Metapher dargestellte Entfremdungsform des Subjekts, die in ihr formal sich niederschlagende Entfremdung von Subjekt und Objekt und die durch sie bewirkte Zerstörung gängiger Interpretationssysteme bezeichnen selbst eine Krise der Wirklichkeit, einen Wirklichkeitszustand also, in dem die gängige Vermittlung von Denken und Sein, Subjekt und Objekt aussetzt. Darum wird die Deutung von Wirklichkeit selbst problematisch und als ein unendlicher Prozeß dargestellt. Parabeln wie 'Der Kreisel', 'Die Sorge des Hausvaters', 'Eine kaiserliche Botschaft', 'Von den Gleichnissen', 'Prometheus' sagen eigentlich immer nur dasselbe: daß der "Wahrheitsgrund" selbst im "Unerklärlichen" liegt und alle menschlichen Sprechformen diesen Wahrheitsgrund, ohne ihn je zu erreichen, nur umkreisen. So wird die von Kafka umgedeutete Prometheussage zur Sage von der Unsagbarkeit der Wahrheit:

Die Sage versucht das Unerklärliche zu erklären. Da sie aus einem Wahrheitsgrund kommt, muß sie wieder im Unerklärlichen enden. (330, 306)

Eine Sage über das Sagen, Deutung des Deutens also in der konkreten Form enigmatischer Verschlüsselung. Die Wahrheit des Sprechens als Verweis auf das Unerklärliche dieser Wahrheit wird im Text konkret vollzogen.[13]

---

[13] Siehe dazu Beda Allemann, 'Von den Gleichnissen' (337), Ingrid Strohschneider-Kohrs, Aufsatz über Kafkas Gleichnis 'Von den Gleichnissen' (378) und Klaus-Peter Philippi, 'Parabolisches Erzählen' (366).

Dabei spielt noch ein anderer wesentlicher Faktor eine Rolle, der ebenfalls Verbindungsglied zwischen Kafka und Expressionisten wie van Hoddis, Benn, Trakl, Heym ist: die Metaphysikkritik. Ein Aphorismus Kafkas lautet:

> Er ist ein freier und gesicherter Bürger der Erde, denn er ist an eine Kette gelegt, die lang genug ist, um ihm alle irdischen Räume frei zu geben, und doch nur so lang, daß nichts ihn über die Grenzen der Erde reißen kann. Gleichzeitig aber ist er auch ein freier und gesicherter Bürger des Himmels, denn er ist auch an eine ähnlich berechnete Himmelskette gelegt. Will er nun auf die Erde, drosselt ihn das Halsband des Himmels, will er in den Himmel, jenes der Erde. Und trotzdem hat er alle Möglichkeiten und fühlt es; ja er weigert sich sogar, das Ganze auf einen Fehler bei der ersten Fesselung zurückzuführen. (321, 46 f.)

Der Aphorismus beschreibt eine ausweglose Situation. Die Ausweglosigkeit resultiert aus der Zwischenstellung des Menschen als "Bürger der Erde" und "Bürger des Himmels", aus der Ankettung an zwei Seinsbereiche, die beide die Integration in den jeweils anderen verhindern. Das Sowohl-als-auch wird so zu einem Weder-noch, die scheinbare Freiheit zur dauernden Fessel. "Er", so könnte man auch paraphrasieren, ist weder ein "freier" Bürger des Himmels, noch der Erde, weil er gleichzeitig in beiden verankert ist.

Die Zwischenstellung zwischen metaphysischer Verankerung und Diesseitigkeit, um die eine Vielzahl der Aphorismen, aber auch der Erzählungen kreisen, bezeichnet — trotz der eigentümlich mythischen Form der Darstellung — eine geschichtsphilosophische Situation. Eine Situation der "transzendentalen Obdachlosigkeit" des Subjekts, das dennoch in einem metaphysischen Grund sich verankert weiß.

> Das Wort 'sein' bedeutet ihm Deutschen beides: Dasein und Ihmgehören. (ebd., 44)

Das eigentümlich Labyrinthische der Kafkaschen Welt und das ihr korrespondierende Abirren vom Weg, ja bis über den Tod hinaus Weglose der Kafkaschen Figuren, die Metapher des Lichts, das jener Mann vom Lande in der Parabel 'Vor dem Gesetz' nur als schwachen Abglanz erblickt, deuten in der Form literarischer Metaphern u. a. auf eine letztlich metaphysische Verankerung des Subjekts, die ihrerseits aber gerade nicht mehr positiv bestimmbar ist. Daher ihr eigentümlicher Entzugscharakter. Kafka selbst hat diese spezifisch geschichtliche Erfahrung auch als solche durchschaut, wenn er davon spricht, daß er das "Negative" seiner Zeit "kräftig aufgenommen habe".

Ich bin nicht von der allerdings schon schwer sinkenden Hand des Christentums ins Leben geführt worden wie Kierkegaard und habe nicht den letzten Zipfel des davon fliegenden jüdischen Gebetmantels noch gefangen wie die Zionisten. Ich bin Ende oder Anfang. (321, 121)

Die Grenzsituation, die hier geschichtlich als Ende einer "schon schwer sinkenden" christlichen und "davon fliegenden" jüdischen Religionstradition begriffen wird, ist dialektisch zugleich als ein Anfang beschreibbar. Das "oder" in der Formel "Ende oder Anfang" meint keine beliebige Austauschbarkeit, sondern deren wesensmäßige Dialektik.

Auch das literarische Werk Kafkas hat seinen Ort in dieser geschichtlichen Grenzsituation. "Kafkas Werk hält den Schlag der Stunde fest, da der gereinigte Glaube als unreiner, die Entmythologisierung als Dämonologie sich enthüllt. Aufklärer jedoch bleibt er im Versuch, den Mythos, der dergestalt hervortritt, zu rektifizieren ... Die Variationen von Mythen, die in seinem Nachlaß sich gefunden haben, bezeugen sein Bemühen um solche Korrektur." (Adorno 335, 277 f.)

Die Antinomie einer selbst noch in mythischem Gewand sich vollziehenden Kritik am Mythos hat Ähnlichkeit mit der mythologischen Metaphysikkritik Heyms und mit der Metaphysikkritik des Expressionismus insgesamt. Dabei ist wesentlich, daß Kafka sich nicht – wie andere Expressionisten – neuen Formen von Metaphysik wie der des "neuen Menschen", von der noch zu sprechen sein wird, verschrieben hat. Dafür hat er, selbst noch in der Metaphysik verankert, zu gründlich den Entzug ihrer positiven Bestimmungen begriffen. Auch die Form seiner Kritik ist nicht so direkt wie etwa bei Benn, sondern, wie wir gesehen haben, sehr viel vermittelter.

Dennoch gilt, daß auch hier die Gesellschafts- und Zivilisationskritik von einer letztlich metaphysischen Position aus geschieht, und das ist ein wesentliches Kennzeichen auch der Gesellschaftskritik von Heym, Benn, van Hoddis, Trakl, Kaiser u. a. Auf die erkenntnistheoretischen Grundlagen werden wir hier bei Kafka nur einmal mehr und um so dringlicher verwiesen.

Zuvor geht es aber noch im Rahmen dieses Kapitels um andere Phänomene der modernen Zivilisations- und Großstadtwelt: die arbeitsteiligen Produktionsformen und ihren Austausch mit innovativen Darstellungsformen in der expressionistischen Literatur (2.3), die Verselbständigung der Herrschafts- und Machtmechanismen (2.4) und den Einfluß der neuen Medien auf die Literatur (2.5).

2.3 Totale Zivilisationskritik und Darstellung des Menschen in den Dramen Georg Kaisers

2.3.1 *Zum Stand der Dramentechnik und Zivilisationskritik im vorexpressionistischen Drama*

Der Problemkomplex der modernen Zivilisation wird in direkter Form radikal auch in der expressionistischen Dramatik und hier wohl auf dem literarisch und gedanklich entwickeltsten Niveau in den Dramen Georg Kaisers und Carl Sternheims thematisiert. Vielleicht ist es nützlich, bevor wie auf Kaiser genauer eingehen, sich noch einmal kurz zu vergegenwärtigen, wie das Problem der modernen Zivilisation in der vorexpressionistischen Dramatik des Naturalismus zur Darstellung gelangt.

Geistesgeschichtlich angeregt durch die antimetaphysische Abstammungslehre Darwins und durch die positivistische Soziologie eines Hippolyte Taine und Auguste Comte, literarisch angeregt durch Balzac und Flaubert, die ihrerseits schon den neuen positivistischen Trend der Wissenschaften zur weltanschaulichen Grundlage ihrer literarischen Arbeit machten, und schließlich entscheidend beeinflußt auch durch die skandinavischen Dramatiker Ibsen und Strindberg, entwickelte der deutsche Naturalismus ein neues, kritisches Gesellschaftsbild, das den Menschen als Reflex seiner Abstammung und seines Milieus begreift. Arno Holz und Johannes Schlaf sind in Deutschland die Begründer der neuen dramatischen Form. Ihr Drama 'Die Familie Selicke' beschreibt akribisch genau das Milieu einer verelendenden Kleinbürgerfamilie in der Großstadt als einen das Individuum ausweglos determinierenden Zwangszusammenhang.

Das Milieu ist der eigentlich bestimmende Faktor für die Personen, daher kommt den Szenenanweisungen — auch in den naturalistischen Dramen Gerhart Hauptmanns — solche Bedeutung zu. Andererseits liegt darin auch die Verkürzung der Perspektive. Sozial- und Gesellschaftskritik reduziert sich bei Holz und Schlaf — nicht so eindeutig in Hauptmanns 'Die Weber' — auf die Kritik des in allen Elendsfarben ausgemalten Milieus. Die dahinter liegende Problematik der modernen Produktions-, Denk- und Lebensformen, die in der Verelendung von Kleinbürgertum und Proletariat nur als Spitze des Eisbergs zu Tage tritt, verschwindet ganz hinter dem breit ausgemalten Vordergrund des Milieus. Das hat dem Naturalismus den Vorwurf eingetragen, an der Oberfläche der modernen Wirklichkeit zu "kleben", deren Wesen aber nicht zu erfassen. (753, 462)

Die Dramen Georg Kaisers, Carl Sternheims, aber auch Ernst Tollers, Reinhard Goerings bleiben am äußeren Erscheinungsbild von Wirklichkeit nicht hängen. Es geht hier, am konkreten literarischen Modell, um den Problemkomplex Zivilisation als ganzen und um den Typus des modernen, in den Prozeß arbeitsteiliger Technologie und Lebensform eingebauten Menschen. Dabei war es für die Bewältigung dieser Problematik wesentlich, daß schon vor dem Expressionismus durch Strindbergs 'Nach Damaskus' und Wedekinds sozialkritische Dramen ein neuer, den Naturalismus überwindender Entwicklungsstand der Dramen- und Theatertechnik entwickelt wurde. Strindbergs Gestalten in 'Nach Damaskus' können interpretiert werden als weitgehend entindividualisierte Inkarnationen bestimmter Ideen; die Sprache ist nicht mehr, wie im naturalistischen Drama, bemüht, vorgebliche 'Alltagssprache' zu imitieren, und die Schauplätze sind ins Symbolische und Traumhafte hin überhöht, hängen also nicht mehr sklavisch am 'Milieu'. Zudem wird hier die Einheit des Ortes aufgelöst; der Protagonist macht seine Erfahrung mit der Welt auf einer Reihe von Stationen, deren Einheit wesentlich durch ihn selbst, das erlebende Ich, vermittelt ist. In der Konsequenz dieser "Stationentechnik" liegt es, wie Peter Szondi in seiner 'Theorie des modernen Dramas' bemerkt, daß auch "die Einheit der Handlung durch die Einheit des Ich ersetzt wird" und das "Handlungskontinuum in eine Szenenfolge aufgelöst" wird (109, 47), wobei Szondi bereits darauf aufmerksam macht, daß diese "Einheit des Ich" gerade nicht mehr problemlos gegeben ist.

In Wedekinds sozialkritischen Dramen wird zwar das Handlungskontinuum nicht so weitgehend aufgelöst wie im Stationendrama. Aber in seiner Arbeit über 'Geschlossene und offene Form im Drama' hat Volker Klotz doch nachgewiesen, daß in ihrer Behandlung von Raum, Zeit, Personen und Sprache Wedekinds Dramen dem Typus des "offenen Dramas" entsprechen. Vor allem ist auch hier auf die Tendenz zur Typisierung der Personen hinzuweisen, die schon in der Namengebung sich verrät. So werden die Professoren in Wedekinds 'Frühlings Erwachen' mit Namen wie "Affenschmalz, Knüppeldick, Hungergurt..." bedacht; der Rektor heißt "Sonnenstich".

Erst im expressionistischen Drama wird allerdings die Typisierung der Personen rein durchgeführt, so in Oskar Kokoschkas bereits 1907 entstandenem, 1910 im 'Sturm' veröffentlichten Stück 'Mörder, Hoffnung der Frauen' und Reinhard Sorges 'Der Bettler' von 1911/12; auch Else Lasker-Schülers in vielem jedoch noch dem Naturalismus verpflichtetes Stück 'Die Wupper' (1909) wäre in diesem Zusammenhang zu erwähnen. Kokoschkas Stücke, auch das vermutlich 1911 entstandene 'Der brennende Dornbusch', haben Sozialkritik nicht unmittelbar zum Thema, vielmehr geht es hier immer um die ins Mythische und zu Grundkräften des Daseins hinaufstilisierte Spannung zwischen den Geschlechtern — so in 'Mörder, Hoffnung der Frauen' zwischen "Dem Mann" und "Der Frau" —, aber die damit gegebene Art der Personengestaltung sowie die dynamisierte, elliptisch verknappte Sprache signalisieren doch einen Stand der Dramentechnik, der seinerseits auch eine neue Form der Sozialkritik im Drama ermöglicht. Ähnliches gilt für Sorges Drama 'Der Bettler'. Schon das

Personenregister: "Der Dichter", "Der Vater", "Die Mutter", "Die Schwester" . . . "Die Zeitung-Lesenden", "Die Kokotten", "Die Flieger" usw. zeigt an, daß es hier nicht mehr um individualpsychologische Personenzeichnung, sondern um reine Typengestaltung geht. Auch der Raum ist nicht mehr das naturalistisch-akribisch gezeichnete Milieu oder bürgerliche Interieur. Unter anderem wird in Sorges Stück der "Saal eines Kaffeehauses" zur Szenerie des Dramas.

Die Auflösung einer geschlossenen Dramenform, des bürgerlichen Interieurs und die Typisierung der Personen haben im expressionistischen Drama – entsprechend der Ambivalenz der ganzen Bewegung – wesentlich zwei Funktionen. Sie dienen zum einen der Idee der Erneuerung des Menschen, dem Apell an d a s "Wesen". Dieses "Wesen" des Menschen wird bei expressionistischen Autoren wie Sorge, Barlach, Kokoschka, Kornfeld, auch in Georg Kaisers 'Die Bürger von Calais', als ein von der Kruste moderner Zivilisation, bürgerlicher Ordnung und von Psychologismus verdecktes metaphysisches Wesen verstanden. Demgemäß entspricht hier die dramatische Typisierung dem surrogathaft religiösen Menschenbild. Paul Kornfelds Programmschrift 'Der beseelte und der psychologische Mensch' von 1918 macht dies besonders deutlich. Die darin enthaltene Absage an den Psychologismus geht aus von der okkultisch gefärbten Vorstellung einer metaphysischen "Seele", an die Literatur zu appellieren und die sie allererst freizulegen habe (siehe dazu: Kap. 3 über den 'Messianischen Expressionismus', insbes. 3.3).

Auf der anderen Seite aber liegt in der Tendenz zur Abstraktion der dramatischen Mittel die Möglichkeit, die Probleme der modernen Zivilisation nicht nur in der unmittelbaren Erscheinungsform des verelendeten Milieus oder bürgerlichen Interieurs, sondern auf einer abstrakteren Ebene zur Darstellung zu bringen. Es war Georg Kaiser, der diese Möglichkeit begriffen und verwirklicht hat. Indem er einerseits den dramatischen Raum des Milieus oder Interieurs sprengt und Großstadt- und Fabrikräume auf die Bühne bringt, zum anderen die moderne Entindividualisierung und Funktionalisierung des Subjekts als eine diesem von der Gesellschaft selbst angetane 'Abstraktion' vergegenwärtigt, stellt er die moderne Zivilisationskritik in der Literatur auf eine neue Ebene. Es geht Kaiser nicht mehr nur um Erscheinungsformen, und seien sie auch noch so rührend, sondern um das Wesen der modernen Zivilisation und Gesellschaft.

Daß hier ein historisch neuer Stand der Gesellschaftskritik im Drama erreicht wird, verdeutlicht nicht zuletzt die nachexpressionistische Entwicklung des sozialkritischen Dramas in den Zwanziger- und Dreißigerjahren in Amerika und Deutschland. Wie auch immer modifiziert sie verlief, die Sozialkritik des frühen Eugene O'Neill und Bert Brechts wären ohne Georg Kaiser nicht denkbar.

Zudem läßt sich an keinem Autor so gut wie an Georg Kaiser die innere Ambivalenz des Expressionismus aufweisen. Sozialkritik wie auch die Vision des neuen Menschen, Ichdissoziation wie auch die messianische Lehre von Aufbruch und Erneuerung des Ich verquicken sich bei diesem Dramatiker so eng, daß ihr innerer Zusammenhang geradezu in die Augen springt: Nur auf der Basis der Erfahrung eines Substanzverlustes des Ich, die in seinen Dramen zur Darstellung kommt, werden die ebenfalls in ihnen appellativ sich zu Wort meldenden expressionistischen Aufbruchsversuche überhaupt verständlich. Während allerdings ein Drama wie 'Von morgens bis mitternachts' schwerpunktmäßig die Ichdissoziation gestaltet, hat sich das etwa gleichzeitig entstandene 'Die Bürger von Calais' ganz der Idee des neuen Menschen verschrieben. Daher behandele ich das erste Drama in diesem Zusammenhang, das zweite unter der Rubrik 'Messianischer Expressionismus' in Kap. 3.

2.3.2 'Von morgens bis mitternachts': Macht und Ohnmacht des Geldes und die entseelte Großstadtwelt

Georg Kaisers Drama 'Von morgens bis mitternachts' ist ein nicht durch Akte, sondern durch zwei "Teile" untergliedertes Stationendrama; sein gehetzter Protagonist hat, wie alle Figuren dieses Dramas, keinen Namen, sondern wird identifiziert durch seine Funktionsbezeichnung: "Kassierer". Das Stück zeigt ihn zunächst in seiner Funktion als Angestellter einer kleinen Bank in einer provinziellen Kleinstadt. Der Einbruch in diese automatisierte Welt schablonenhafter Tätigkeit, dargestellt in der stummen Geste des Geldzählens, erfolgt durch eine verführerisch schöne Frau, für die der Kassierer Geld unterschlägt, in der Hoffnung, sie dadurch zu gewinnen und durch sie die Erfahrung eines ganz anderen, wirklichen Lebens. Der Kassierer versucht also mit defraudiertem Geld sich gleichsam herauszukaufen aus der entfremdeten Sphäre des Geldkreislaufs, deren bloßer Handlanger er vordem war. Sein verzweifelter Aufbruch bleibt so von Anfang an in der Sphäre stecken, aus der er ausbrechen will. Das prägt seine Erfahrungen, die er in den verschiedenen Stationen durchläuft, und gibt dem ganzen Stück eine statisch zirkulare Struktur, "Von morgens bis mitternachts" erfährt der gehetzte Kassierer auf seiner Flucht in und durch die "große Stadt B." — das ist natürlich ein direkter Verweis auf Berlin — dasselbe: daß für Geld nicht wirkliches Leben zu haben, daß käufliche Wirklichkeit leblos ist.

Auf einer Fluchtszene unmittelbar nach dem Diebstahl und der ersten Enttäuschung wird deutlich, daß es Kaiser nicht um Milieu oder Psychologie eines Defraudanten geht, sondern um die Deutung der modernen, käuflichen Warenwelt als ganzer. In einem "verschneiten Feld", durch das sich der Kassierer auf einem Umweg zunächst nach Hause zu seiner Familie durchkämpft, begleitet er seine hektische Arbeit mit einem gehetzten, telegrammartig verkürzten Monolog, der nicht nur die eigene Situation reflektiert — "Am Morgen noch erprobter Beamter ... Mittags ein durchtriebener Halunke ... Ich bin auf dem Marsche – Umkehr findet nicht statt ..." (391, 25) –, sondern schon die Grundessenz der Erfahrung mit der "schönen Dame" Welt vorwegnimmt:

Wo ist Ware, die man mit dem vollen Einsatz kauft?! Mit sechzigtausend – und dem ganzen Käufer mit Haut und Knochen?! – (ebd., 26)

Der Käufer mit "Haut und Knochen" ist selbst bereits eine Allegorie des Todes, seine Lebenserwartung wird eine Angst- und Todesprojektion:

Der Orkan hat den Schnee von den Zweigen gepeitscht: Reste in der Krone haften und bauen ein menschliches Gerippe mit grinsenden Kiefern auf. (ebd., 26)

Der Anfang nimmt das Ende vorweg: den realen Tod des Kassierers, der nur die letzte Konsequenz einer verzweifelten Erfahrung liebloser Großstadt- und Warenwirklichkeit ist.

Allerdings ist auch das alltägliche Familienleben von dieser Deutung nicht ausgenommen. Vor seiner Zirkulation durch die Großstadt findet sich der Kassierer zu einer Stipvisite zu Hause ein. Die Szene soll die "hübsche Gemütlichkeit" des Familienlebens als einen "gelben Sarg" entlarven, in der die Personen: Mutter, Frau, Tochter wie Marionetten agieren, die Zeit zum nunc stans des stereotyp immer Gleichen gerinnt und die Sprache zur automatisierten Phrase. Der Kassierer – zugleich Teil und Analytiker der Szene – deutet sie:

Die Gestorbenen liegen ihre drei Meter abgezählt unter der Oberfläche – die Lebenden verschüttet es immer tiefer. (ebd., 30)

Die folgenden Szenen in der Großstadt B. gehören dann zu den wirklich innovativen Szenen in der Dramengeschichte: eine Massenszene in einem Sportpalast, wo unter "Pfeifen, Heulen, Meckern geballter Zuschauermenge" (ebd., 35) Sechstagerennen gefahren wird, und eine Bordellszene bringen in ganz neuer Form typisch großstädtische Amusementzentren auf die Bühne.

In beiden Stationen fungiert der Kassierer als Inspirator und zugleich Analytiker der Szene. So steigert er die anonyme Massentobsucht im Sportpalast durch die Aussetzung astronomisch hoher Geldprämien zu einem "Leidenschaftsstrom", der sich an "Krieg" und "Schlacht" berauscht. "Hier ist die Schlacht in vollem Betrieb" (ebd., 43). Entindividualisierung und Massensuggestion der "freien Menschheit" äußert sich in der Reduktion von Sprache auf die unartikulierte Kollektivekstase: "Heulendes Getöse", "furchtbarer Lärm", "wahnsinniger Beifall", "Ekstase" heißt es in den Szenenanweisungen. Zu einer ähnlichen Einschätzung von Massensuggestion kommt auch Ernst Toller zu seinem Stück 'Hinkemann':

> ... Könige, Generale, Pfaffen und Budenbesitzer, das sind die einzigen Politiker. Die packen das Volk an seinen Instinkten! (557, 405)

Hier wie dort erscheint großstädtische Masse als eine sensationslüsterne, suggestible Größe, die käuflich, manipulierbar und durch blutige Spektakel zu berauschen ist. Das Verhältnis des Expressionismus zum Faschismus ist außerordentlich problematisch. Wir werden uns damit noch in Kapitel 3.4 beschäftigen. Sicher aber ist, daß eine solche Sportpalastszene die Massensuggestion eines Mannes wie Goebbels kritisch vorwegnimmt, der nicht nur zu irgendeiner "Schlacht" anheizte, sondern eben dort — im Sportpalast — zum "totalen Krieg" und das, wie bei Kaiser, unter "wahnsinnigem Beifall", "Ekstase".

Nach einer Szene im "Ballhaus", die Anonymität und Maskenhaftigkeit in der totalen Typisierung der Personen vor Augen führt — alle weiblichen Personen tragen nicht nur, sondern sind "Masken", deren Sprache reduziert ist auf "Kichern, Meckern" und das Wort "Sekt!" —, landet der Kassierer schließlich im "Lokal einer Heilsarmee". Hier soll, nach der Erfahrung einer entseelten Wirklichkeit, in Bekenntnis und Buße endlich die Seele zu Wort kommen. Auch hier entlarvt jedoch der Kassierer den faulen Zauber des Seelenausverkaufs, indem er Geld unter die Leute wirft, die darüber herstürzend sogleich verknäult mit dem Geld als ein "verkrampfter Haufen" zur Tür hinausrollen.

Einzig ein Mädchen scheint von der Geldgier frei, eine nicht entfremdete Liebesbeziehung bahnt sich an. Aber auch diese Hoffnung zerschlägt sich rasch, als der Kassierer erkennen muß, daß jenes Mädchen nur um der auf ihn ausgesetzten Belohnung willen bei ihm geblieben ist.

Das Schlußbild intensiviert noch einmal die Erkenntnis der Ausweglosigkeit in einer Todesvision, die ja schon am Morgen den Ausgang vorweg gedeutet hatte, und schließt den Kreis des Stückes, das so dem entwicklungslosen Kreiseln in einer erstarrten und abgestorbenen Wirklichkeit auch formal entspricht und nur noch den Tod als qualitativen Sprung aus dieser Wirklichkeit hinaus übrig läßt:

> Von morgens bis mitternachts rase ich im Kreise — nun zeigt sein fingergewinkter Zeichen den Ausweg — — — wohin?! (391, 65)

Zugleich wird der Selbstmord des Kassierers mit säkularisierten christlichen Symbolen und Anspielungen an Nietzsches Übermenschvorstellungen überhöht, eine Pseudostilisierung, die unvermittelt und daher aufgesetzt erscheint. Sie ist jedoch nicht zufällig, sondern bedingt durch jene säkularisierte Subjektmetaphysik, die uns noch beschäftigen wird.

2.3.3 Bemerkungen zur Kaiser-Forschung und literaturtheoretische Zwischenüberlegung

Es ist interessant, daß in der Forschung von ganz entgegengesetzten Standpunkten derselbe Vorwurf gegen Kaiser erhoben wurde: der Vorwurf der Subjektivität. So kritisiert Hanns H. Fritze in einer frühen Dissertation 'Über das Problem der Zivilisation im Schaffen Georg Kaisers' dessen "übersteigerten Subjektivismus" auf der Basis eines derzeitigen Existenzialismus; so kritisiert aber auch von linker Seite Wilfried Alding die "Subjektivierung des realistischen Dramas", die "Zersetzung des dramatischen Stils" im Stationendrama 'Von morgens bis mitternachts' (392, 382). Alding orientiert sich vor allem an der Vorstellung der "Erneuerung". Sie sei zunächst "nur die persönliche Meinung des Helden. Sie wird aber von keinem Mitspieler nachdrücklich widerlegt und erfährt damit im Stück objektive Anerkennung". (392, 378) Als würde nicht das ganze Stück demonstrieren, daß der Aufbruch des Kassierers als ein gehetzter Lauf durch die moderne Großstadtwelt ein einziger Leerlauf ist.

Da sieht Georg Lukács tiefer: "Georg Kaisers bestes Drama 'Von Morgens bis Mitternachts' schildert sehr lebhaft und anschaulich diesen Zustand und besonders eindringlich die Hohlheit und Inhaltlosigkeit einer solchen 'Revolte'. Sein armer Kassierer, der für nichts und wieder nichts unterschlägt und durchbrennt, kann mit seiner 'Freiheit' (und mit der Geldgrundlage dieser Freiheit) nichts anfangen. Er ist schon längst geschlagen, längst wieder ein – nur etwas anders eingefügtes – 'Rädchen' desselben Getriebes, bevor ihn sein Schicksal ereilt hätte." So weit, so gut. Dann aber schließt Lukács: "Und die anderen Dramen Kaisers, die Komödien Sternheims zeigen, daß es sich hier weniger um die Schwäche des Helden als um die der Schriftsteller handelt." (73, 33)

Es ist interessant, wie Lukács hier zwar die kritische Intention des Stücks weitsichtiger als Alding gerade in dessen zirkularer Struktur erkennt, dann aber ohne viel Aufhebens die Bewußtseinslage des Autors mit der des 'Helden' in einen Topf wirft. Zweifellos ist Lukács hier einer von ihm selbst anderen Orts reflektierten Grundgefahr materialistischer Literaturwissenschaft erlegen, indem er kurzschlüssig Autor und Held identifiziert und so übersieht, daß die kritische Darstellung der Entfremdung ja doch schon eine Distanz zu ihr voraussetzt. Die Darstellung eines entfremdeten, reduzierten Bewußtseins verweist implizit auf eine dieses Bewußtsein transzendierende Position.

Wiederum wäre es naiv, diese Position in den theoretischen Äußerungen des Autors im Klartext finden zu wollen. Hugo F. Garten schreibt über 'Georg Kaisers Theorie des Dramas': "Wenige Dramatiker haben sich so hinter ihrem Werk verborgen wie er." (399, 41) Schlimmer noch: die theoretischen Äußerungen Kaisers bleiben im Niveau und im Erkenntnisstand weit hinter dem zurück, was der literarische Autor Kaiser gesehen und gestaltet hat.[14] Dieser Befund weist wiederum auf ein literatur-theoretisches Prinzip, das gerade auch Lukács an Balzac herausgearbeitet hat: Ein guter Autor gestaltet in seinen literarischen Texten zumeist mehr, als derselbe Autor in seinen theoretischen Äußerungen und begrifflichen Selbstinterpretationen erfaßt. Das eigentliche Medium der Erkenntnis ist für einen literarischen Autor eben die Literatur und nicht der Begriff, daher sind auch die literarischen Texte, nicht ästhetische Äußerungen, Selbstinterpretationen, autobiographische Dokumente etc., so interessant und aufschlußreich sie von Fall zu Fall sein können, die wichtigste Quelle für den Literaturwissenschaftler, wenn er die Literatur eines Autors oder einer Epoche analysiert.

2.3.4 *Die mimetische Funktion der dramatischen Mittel Kaisers und Kritik ihrer Darstellungsleistung*

Mir scheint, daß man zunächst festhalten muß: Stationentechnik und Typisierung der Personen, deren Reduktion auf bloße Funktionsbegriffe, die Stereotypisierung der Sprache sind nicht einfach subjektive Verzer-rungen der objektiven Wirklichkeit, sind nicht bloße Phantasmen eines "Denkspielers", wie man Kaiser in Anlehnung an eine Formulierung von Bernhard Diebold vielfach genannt hat. Vielmehr vermitteln diese formalen Mittel der literarischen Darstellung selbst Einsicht in das We-sen moderner Zivilisation. In diesem Sinne sind sie durch und durch funktional, Mimesis der Wirklichkeit. Es ist wesentlich ein Verdienst von Klaus Ziegler, daß er diese Funktionalität der literarischen Mittel im Werk Kaisers erkannt und unzweideutig festgestellt hat: "Demnach deu-tet Kaiser das Wesen des technisch-industriellen Zeitalters im Sinn einer radikal versachlichten Unpersönlichkeit und damit letzthin Unmensch-lichkeit: das entscheidende Merkmal der modernen Hochzivilisation be-ruht darin, daß sie den Menschen zur bloßen Funktion und zum bloß funktionalen Stellenwert im Getriebe der anonymen gesellschaftlichen Organisationen und Institutionen entmächtigt." (421, 51)

Erst auf der Basis einer solchen Einsicht ins Werk Georg Kaisers ist Kritik an ihm möglich. In 'Von morgens bis mitternachts' beschreibt Kai-ser die Großstadt als einen Ort der Seelenlosigkeit. "Erschreckend sind die Orte der Seelenlosigkeit. Der Wanderer, der aus den Tiefen des Lan-des im Abendschein der Großstadt sich nähert, erlebt den Abstieg in diese Gefilde. Hat er den Dunstkreis der Ausflüsse durchschritten, so öffnen

---

[14] So feiert eine 1923 geschriebene Selbstbesinnung unter dem Titel 'Der Mensch im Tunnel oder Der Dichter und das Drama' das "Tempo" und den "Rekord" als das Ziel des Seins – "Rekord auf allen Gebieten. Der Mensch der Höchstleistungen ist der Typ der Zeit" (390, 692) – also jene Normen, die das Drama 'Von morgens bis mitternachts' in ihrer dissoziierenden Funktion kri-tisch zur Darstellung bringt.

sich die dunklen Zahnreihen der Wohnkästen und sperren den Himmel. Grüne Flammen säumen den Weg, erhellte Eisenschiffe schleifen ihre Menschenfrachten über den geglätteten Pechboden. In frechem Licht klingeln und donnern die Drehmaschinen und Rutschbahnen eines Lärmplatzes: das ist ein Ort der Freude; und Tausende stehen, schwarz gedrängt, mit flackernden Augen vor den Plakaten der umzäunten Wüstenei . . ."

Diese radikale Kritik an der Seelenlosigkeit moderner Großstädte und insbesondere auch ihrer Amusements findet sich in einem Buch, das Kaiser bei Abfassung des Dramas sicher noch nicht kannte: Walther Rathenaus 'Zur Mechanik des Geistes', erschienen 1913 (665, 43). Die inhaltliche Übereinstimmung deutet um so nachdrücklicher darauf, daß Kaisers Deutung der Großstadt einer kollektiven Bewußtseinslage zu Beginn des Jahrhunderts entsprach. Zu ihr gehört auch die Kritik an der modernen Geldwirtschaft, wie sie etwa Simmel in seiner damals berühmten 'Philosophie des Geldes' (1900) formuliert: Das Geld als der "fürchterlichste Formzerstörer" (673, 285). Und: "Der Mangel an Definitivem im Zentrum der Seele treibt dazu, in immer neuen Anregungen, Sensationen, äußeren Aktivitäten eine momentane Befriedigung zu suchen; so verstrickt uns dieser erst seinerseits in die wirre Halt- und Ratlosigkeit, die sich bald als Tumult der Großstadt, bald als Reisemanie, bald als die wilde Jagd der Konkurrenz, bald als die spezifisch moderne Treulosigkeit auf den Gebieten des Geschmacks, der Stile, der Gesinnungen, der Beziehungen offenbart." (ebd., 551). Für das Geld, als Motor dieser Bewegung, aber gilt, "daß es einerseits i n den Reihen der Existenz als ein Gleiches oder allenfalls ein Erstes unter gleichen steht, und daß es andererseits ü b e r ihnen steht, als zusammenfassende, alles Einzelne tragende und durchdringende Macht." (ebd., 552)

So ist auch in Kaisers Drama der eigentliche Held nicht der Kassierer, sondern das Geld. Seine Macht wird demonstriert, der Kassierer aber bleibt von Anfang bis Ende sein Handlanger. Wenn er Riesensummen im Sportpalast aussetzt, wenn er im Ballhaus die 'Puppen' tanzen läßt und die Sektpfropfen knallen, wenn er in der Heilsarmee Menschen in einen geldgeilen Haufen verwandelt, demonstriert er immer dasselbe: die Macht des Geldes, die Käuflichkeit der Menschen und zugleich die Seelenlosigkeit und innere Hohlheit der zur käuflichen Ware gewordenen Welt und des automatisierten Menschen.

In der Totalisierung der Kritik liegt aber auch das Problem. Wenn Personen schon so total entseelt und automatisiert wären, wie sie Kaiser darstellt, gäbe es eigentlich gar keinen Personenkreis mehr, an den sich das Stück richten könnte. In Wirklichkeit ist aber die Kategorie der Person keineswegs zum bloßen Schema, zum roboterhaften Automaten reduziert, vielmehr gerät sie in der Moderne eher in ein Spannungsfeld zwischen individueller Prägung, individualpsychologischen Determinanten, persönlichen Vorstellungskomplexen einerseits, entindividualisierenden, entfremdenden Faktoren andererseits. Die Kategorie der Entfremdung ist nur so lange sinnvoll, als eben dieses Spannungsfeld gegeben ist. Automaten können sich nicht entfremden und sind nicht entfremdet, sondern sind eben Automaten von ihrer Funktion und ihrer Definition her. Wenn aber bei Kaiser Personen wie Automaten agieren und sprechen, ist eben jenes Spannungsfeld zwischen Individuum und kollektiven Entfremdungstendenzen nicht wirklich ausgetragen. Ästhetisch wirkt sich das in der Schematisierung und Abgezogenheit der dramatis personae aus.

Auch die Beurteilung der modernen Zivilisation als ganzer ist in der Totalisierung der Kritik zu pauschal, zu undifferenziert und hat letztlich fatale Konsequenzen. Wenn nämlich die moderne Zivilisation als ganze verdammt wird, bleibt nur der Sprung aus ihr heraus in die vor- oder nachzivilisierte Welt der Naturidylle. Ein sinnvoller und besonnener Umgang mit Technologie wird nicht mehr ins Auge gefaßt, ihre positive Aufhebung erscheint unmöglich. Diese Konsequenz zeigt sich im 'Kanzlist Krehler' und vor allem in der Dramentrilogie 'Die Koralle', 'Gas I' und 'Gas II'.

2.3.5 *Die 'Gas'-Dramen: Funktionalisierung der Person, entfesselter Produktionsprozeß und die Idylle als Utopie*

"Extrem gestaltet der Dichter die Entindividuation des Kanzlisten (Krehler) im täglichen Arbeits-Rhythmus — extrem die Eruption der 'Reindividuierung' des Kanzlisten, die jedoch kein 'Erwachen zum Ich' in der Bejahung des Lebens werden kann — das Ich des Kanzlisten ist bereits abgestorben, kann nicht auferstehen." (398, 108)

Im Drama 'Die Koralle' (1916/17), das dramentechnisch nicht so interessant, aber in diesem Problemzusammenhang aufschlußreich ist, wird die Figur eines Großkapitalisten entworfen. Schon seine Kapitalanhäufung wird gedeutet als Flucht: "Rastloser Fleiß — rastlose Flucht." Und: "Wer flieht, will nicht sehen, über wen er tritt!" (384, 663) Ausbeutung also als Entsetzen vor der Armut.

Seine eigentliche Identität gewinnt aber jener Milliardär nicht in der als Flucht gedeuteten Unterdrückung, sondern in der Flucht aus der Wirtschaftswelt als ganzer. In einer komplizierten und recht konstruiert wirkenden Doppelgängergeschichte gelingt es dem Milliardär, seine Vergangenheit abzustreifen und sich in eine paradiesische Ruhe und Wunschwelt hineinzuprojizieren, die verkörpert wird durch den Doppelgänger. Die Identifikation mit dem paradiesischen Zustand, in der zugleich das Ich zu sich selbst kommen soll, gelingt, wie häufig bei Kaiser, nur durch ein Verbrechen; am Ende steht der Solipsismus: "Aber die tiefste Wahrheit . . . findet immer nur ein einzelner." (384, 710)

In den Stücken 'Gas I' und 'Gas II' geht es nicht mehr in erster Linie um soziale Probleme, sondern um die entfesselte ökonomische Produktivität als solche. In einem vorbildlich organisierten, sozialistischen Betrieb arbeitet der Sohn des Milliardärs als Arbeiter unter Arbeitern. Das Stück spielt also eine Generation später als 'Die Koralle'. Der Betrieb produziert Gas. Gas steht in diesem Stück für moderne Energiewirtschaft, technologischen Progreß − man würde heute Atom dafür setzen −, aber auch für die zerstörerischen Kräfte, die darin lauern. Diese Ambivalenz drückt sich in der Formel für die Gasproduktion aus. Sie "Stimmt − und stimmt nicht." (390, 179) Die Katastrophe einer Explosion, die das Werk dann in der Tat in die Luft sprengt, ist also ausdrücklich nicht durch menschliches Versagen motiviert, sondern durch jene Ambivalenz. Die zerstörerischen Kräfte moderner Technologie − Kehrseite des wissenschaftlich-technologischen Fortschritts − demolieren diese letztlich selbst.

Der Milliardärssohn, der als einziger den Zusammenhang zwischen Energieproduktion und Selbstzerstörung durchschaut, will daher Arbeiter und Kapital zur Aufgabe der Gasproduktion überreden. Er wird aber nun konfrontiert mit der Forderung nach erneuter Aufnahme der Gasproduktion, auch von Seiten der Arbeiter, die ihrerseits das Problem personalisieren und im "Ingenieur" eine Schuldfigur für die Katastrophe suchen. Bei der Forderung nach Wiederaufnahme der Gasproduktion berufen sich die Arbeiter auf ihre Funktion als Arbeiter wie auf eine unabänderliche Naturgewalt, kritisiert vom Milliardärssohn:

Arbeit − Arbeit − ein Keil, der sich weitertreibt und bohrt, weil er bohrt. Wo hinaus? Ich bohre, weil ich bohre − ich war ein Bohrer − ich bin ein Bohrer − und bleibe Bohrer! − − Graut euch nicht? Vor der Verstümmelung, die ihr an euch selbst anrichtet? . . . (ebd., 185)

Dabei läßt Kaiser die Arbeiter in einer Streikversammlung, in der sie als "Menschen", nicht als funktionierende Rädchen im Arbeitsprozeß zu Wort kommen, ihre eigene Verstümmelung und Funktionalisierung in einer eigentümlich überstilisierten Sprache aussprechen.[15] So klagt ein Mädchen über ihren Bruder: "Diese Hand war der Mensch! − Wo blieb mein Bruder?" (ebd., 201), klagt eine Mutter über ihren Sohn: "Sind zwei Augen, die starr wurden vom Blick auf Sichtglas, ein Sohn! − Wo war mein Kind . . ." (ebd., 202)

Kaiser versucht so den Widerspruch zwischen einer totalen Entfremdungskritik und der personalisierten Lösung des Problems wie der Absetzung des Ingenieurs appellativ an den Zuschauer heranzutragen. Der Milliardärssohn, der diesen Widerspruch auflösen möchte, indem er die Arbeiter zur bewußten Forderung nach einer nicht entfremdeten Form

---

[15] Die in der Sprachstilisierung intendierte Vorwegnahme einer nicht entfremdeten Sprachform, in der sich "der Mensch", nicht seine entfremdete Gestalt, zu Worte melden soll, ist in ihrem Scheitern so symptomatisch wie die Hohlheit der Rhetorik des messianischen Expressionismus (siehe Kap. 3).

des Menschseins bringen will und so zur Konsequenz ihrer eigenen Kritik — "... fordert euch!! ... fordert euch!!" —, dringt allerdings mit seinen Vorstellungen nicht durch, sondern prallt ab an der verselbständigten Arbeitswut der Arbeiter.

Allerdings ist es aufschlußreich, die vom Milliardärssohn entworfene Vorstellung einer positiven Utopie von der nicht entfremdeten Menschheit zu analysieren. Dieser will nämlich auf dem zerstörten Gaswerk eine Art Naturpark einrichten und erläutert das dem Ingenieur so:

> Grüne Linien — Straßen mit Bäumen gesäumt. Rote, gelbe, blaue Ringe — Plätze bewuchert mit Pflanzen, die blühen aus Grasfläche. Vierecke — hineingestellt Häuser mit kleinem Gebiet von Eigentum, das beherbergt. (ebd., 188)

Was sich hier als positive Utopie abzeichnet, ist eine rousseausche Idylle, durch den Entwicklungsstand der Produktivkräfte und der Urbanisierung jedoch heruntergekommen zu einer Schrebergartenvision. Die Kritik an den modernen, arbeitsteiligen Produktionsformen und an der modernen Technologie und Wissenschaft, die seit dem Ende des 18. Jahrhunderts deren Entwicklung auf dem Fuße folgt, muß im 20. Jahrhundert beim Stand der Dinge zur irrealen Ackerbau- und Landmannideologie mit kleinbürgerlichem Einschlag degenerieren: "Vierecke — hineingestellt Häuser mit kleinem Gebiet von Eigentum, das beherbert" und: "Über grünem Grund Siedler!".

So nimmt es nicht wunder, daß die Arbeiter dem Milliardärssohn die Gefolgschaft verweigern und sich ausgerechnet von jenem Ingenieur, dessen Kopf sie vordem gefordert hatten, zu einer imperialistischen Ausweitung und Steigerung der Technologie und Produktivität überreden lassen: "— — von Explosion zu Explosion! ! — — Gas! !" (ebd., 214)

Das destruktive Potential der Gasproduktion, das schon 'Gas I' enthüllt, wird in 'Gas II' gleichsam ins Apokalyptische gesteigert. Die Besetzung des Werks durch Militär schon am Ende von 'Gas I' und die auftauchende Vision eines selbstzerstörerischen Gebrauchs von Technologie findet ihre Fortsetzung in 'Gas II', in dem die zu bloßen Nummern reduzierten Personen als "Blau-" und "Gelbfiguren" in einem totalen Krieg sich gegenseitig vernichten. Der Krieg selbst wird gedeutet als Mittel, den durch Arbeitsmonotonie bedingten Produktionsrückgang aufzupeitschen und "zum Untergang" zu "fanatisieren" (ebd., 230). Am Ende bleibt nur ein Satz, wie er den Fanatikern des 3. Reiches am Ende des 'totalen Krieges' durch den Kopf gegangen sein mag: "Vernichtung auf beiden Seiten — aber Vernichtung" (ebd., 229). Zwar wird auch in diesem Drama die friedliche, christliche Motive säkularisierende Utopie beschworen: deren Abseitigkeit jedoch spricht ihr selbst das Urteil: "nicht von dieser Welt das Reich! ! ! !"

So steht am Ende nicht die Utopie, sondern — ähnlich wie in Carl Einsteins 'Bebuquin' (siehe 2.6.4.4 ff.) und Reinhard Goerings Drama 'Die

Seeschlacht' — das Ende aller Utopien in der Selbstzerstörung, bei Kaiser gesteigert in die apokalyptische Dimension eines dies irae:

> In der dunstgrauen Ferne sausen die Garben von Feuerbällen gegeneinander — deutlich in Selbstvernichtung. (ebd., 254)

Damit verlöscht — etwa gleichzeitig mit dem Haupttrend des messianischen Expressionismus — dessen naive Erlösungshoffnung.

2.3.6 Das Problem der totalen Zivilisationskritik

Die Stücke 'Gas I' und 'Gas II' (1917–1919), auch Reinhard Goerings Stück 'Die Seeschlacht' (1916) verweisen schon von ihrer Entstehungszeit her auf die Erfahrung des ersten Weltkriegs, die sinnlosen und vernichtenden Materialschlachten, in der Menschen wie Material massenhaft eingesetzt und vernichtet werden. Sie verweisen darüber hinaus visionär auf einen totalen Krieg' und damit auf totale Funktionalisierung, Materialisierung und Selbstvernichtung des Menschen.

Das Problem der expressionistischen Antikriegspolitik wird uns noch beschäftigen. An dieser Stelle ist jedoch der Hinweis wichtig, daß die Kriegskritik Kaisers wie der meisten Expressionisten sich nicht isoliert gegen den verblendeten Imperialismus und Nationalismus "Großdeutschlands" richtet, sondern die Konsequenz einer radikalisierten Zivilisationskritik ist. So kritisiert auch Ludwig Rubiner in einem 1912 in der 'Aktion' erschienenen Aufsatz 'Der Dichter greift in die Politik' die moderne "Civilisation" als totale Regression menschlicher Entfaltungsmöglichkeiten. Für ihn und viele andere Expressionisten war der Ausbruch des 1. Weltkrieges nur eine Bestätigung dieser Zivilisationskritik, dafür, daß die abendländische Rationalität am Ende sei. Die extreme Reduktion von Personen auf abstrakte Schemen, am Ende auf gesichtslose "Blau"- oder "Gelbfiguren" bei Kaiser, die entfremdende Gleichschaltung von Sprache und Denken, die sich seiner Meinung nach aus den modernen Lebens- und Arbeitsbedingungen ergibt, ist bereits eine Vernichtung des Menschen, die im Krieg nur sinnfällig zu Tage tritt.[16]

---

[16] Es ist interessant, daß Bert Brecht, dessen Anfänge ja in den Expressionismus reichen, das Motiv der totalen Fungibilität der Person in 'Mann ist Mann' als ein Komödienthema behandelt. Zur "lustigen Sache" kann das Identitätsproblem des Packers Galy Gay werden, weil er "eben keinen Schaden" nimmt, sondern Gewinn macht: "Herr Bertolt Brecht beweist auch dann / Daß man mit einem Menschen beliebig viel machen kann. / Hier wird heute abend ein Mensch wie ein Auto ummontiert / Ohne daß er irgend etwas dabei verliert" (723, 336). Gegenüber dem expressionistischen Drama eines Georg Kaiser verfügt Brecht — einmal abgesehen von den ideologischen Differenzen — bereits in diesem frühen Drama über die stilistische Vielschichtigkeit, das Thema auf den verschiedensten Ebenen durchzuspielen, zu kommentieren und eben auch im Song zu ironisieren.

So sind in Reinhard Goerings Drama 'Die Seeschlacht' sieben Matrosen eingeschlossen in den Panzerturm eines Kriegsschiffes, das in die Schlacht fährt: zugleich Symbol der Maschine als Gefängnis und Zerstörung. So zertrümmert der Arbeiter Albert in Ernst Tollers Drama 'Die Maschinenstürmer' die Maschine einer Textilfabrik und verkündet dann im Zustand visionären Wahnsinns:

> Albert: (visionär) Hihuhaha
> Ich aber sage euch, die Maschine ist nicht tot ...
> Sie lebt! sie lebt! ... Ausstreckt sie die Pranken,
> Menschen umklammernd ...
> Und es wachsen die steinernen Wüsten, die kindermorden-
> den,
>
> Und es leitet ein grausames Uhrwerk die Menschen
> In freudlosem Takte ...
> Ticktack der Morgen, ticktack der Mittag ... ticktack der
> Abend ...
>
> Einer ist Arm, einer ist Bein ... einer ist Hirn ...
> Und die Seele, die Seele ... ist tot ... (557, 385)

Allerdings hat Toller bereits in seinem Drama 'Masse Mensch' (1919) das Irreale einer derart maschinenstürmerischen Politik durchschaut. So sagt die Protagonistin des Dramas in einer Arbeiterversammlung:

> Denn seht: Wir leben zwanzigstes Jahrhundert.
> Erkenntnis ist:
> Fabrik ist nicht mehr zu zerstören.
> Nehmt Dynamit der ganzen Erde,
> Laßt eine Nacht der Tat Fabriken sprengen,
> Im nächsten Frühjahr wärn sie auferstanden
> Und lebten grausamer denn je.
> Fabriken dürfen nicht mehr Herr,
> Und Menschen Mittel sein.
> Fabrik sei Diener würdigen Lebens! (ebd., 306)

Auch in der expressionistischen Lyrik eines Alfred Wolkenstein, René Schickele, Karl Otten, Paul Zech, Franz Werfel, Johannes R. Becher, Wilhelm Klemm, Ludwig Rubiner u. a. sind die Begriffe "Seele" und "d e r Mensch" die eigentlichen Gegenbegriffe gegen die auch hier allenthalben beklagte Verdinglichung und Mechanisierung des Lebens (siehe Kap. 3.2).

Daß diese Art von Zivilisationskritik im Zusammenhang einer breiten geistesgeschichtlichen Strömung zu sehen ist, kann hier nur angedeutet werden. Bereits Schiller hatte in seinen 'Briefen über die Ästhetische Erziehung des Menschen' die Fragmentarisierung des Lebens beklagt, gegen sie richtet sich der Totalitätsbegriff der Frühromantik. Mit den Anfängen einer arbeitsteiligen modernen Industriegesellschaft setzt auch die Kritik an ihren Entfremdungserscheinungen ein.

Nun tritt Deutschland ja erst seit der Reichsgründung in die Phase eines breiten und rapiden industriellen take off. Ende des 19. Jahrhunderts, nach der 'Überwindung des Naturalismus' (H. Bahr) und seiner wissenschaftsfreundlichen Haltung, nimmt dann auch die Kritik an Deformationserscheinungen der Moderne zu.

Hier ist aber zwischen verschiedenen Strömungen wohl zu unterscheiden. In seinem 1890 erschienenen, in unzähligen Auflagen verbreiteten Buch 'Rembrandt als Erzieher' verbindet ein konservativer Kritiker wie Julius Langbehn seine Kritik am rationalen Maschinenwesen mit dem Appell an die irrationalen, "mystischen", "deutschen" Volkskräfte. Damit einher geht provinzielle Kritik an Berlin als dem "Sitz des Rationalismus" (644 b, 110), die auch F. Lienhard in seiner Kampfschrift 'Die Vorherrschaft Berlins' lautstark fortführt. Über Langbehn, der seinerseits national-konservative Einflüsse von Paul de Lagarde aufnimmt und wissenschaftsfeindlich auflädt, führt eine Linie zu Moeller van den Brucks antiliberalem, vernunftfeindlichen Buch 'Das dritte Reich' (1923), dem wohl wichtigsten Dokument einer antidemokratischen, deutsch-nationalen Gesinnung vor dem Nationalsozialismus. Auch die um die Jahrhundertwende aufkommende Jugend- und Wandervogelbewegung entspringt großstadt- und zivilisationsfeindlichen Impulsen. Auch hier wird das 'deutsche' Erbe ausgegraben.

Diese Autoren und Tendenzen leiten keineswegs direkt über in den Nationalsozialismus, aber werden doch in ihren vernunftfeindlichen, national-regressiven Tendenzen von ihm beerbt. Immer wird hier das Deutschtum, wird deutsches Wesen als Bastion gegen die Moderne und als Quelle der Neugeburt beschworen. "Wiedergeburt soll erstrebt werden", so liest es sich beim 'Rembrandtdeutschen' Langbehn und: "der Gang der Weltgeschichte bewegt sich nach einer kriegerischen Marschmusik. Krieg und Kunst gehören zusammen — auch in der Unendlichkeit ... das ist der Weg des Helden durch die Welt: Parademarsch, im Kugelregen, bei klingendem Spiel!" (644 b, 308) So zogen die deutschen "Helden" dann auch in den ersten Weltkrieg, das "klingende Spiel" verging ihnen bald dabei.

Von nationalregressiven Tendenzen ist die Zivilisationskritik des Expressionismus deutlich abzugrenzen. Gegenüber dem Rückzug aufs Deutschtümelnde hat der Expressionismus stets an einer friedlichen und universalen Gemeinschaft a l l e r Menschen festgehalten. Seine Zivilisationskritik findet ihre begriffliche Analogie, trotz einiger Berührungspunkte, auch nicht in Ludwig Klages' 'Der Geist als Widersacher der

Seele', sondern eher in bestimmten Aspekten des Verdinglichungsbegriffs von Georg Lukács. In seinem 1923 erschienenen Buch 'Geschichte und Klassenbewußtsein' hatte Lukács, wie in Kap. 2.2.4 erwähnt, auf der Basis der Marxschen Warenanalyse das Wesen der Moderne mit dem Begriff der "Verdinglichung" charakterisiert. Dabei meint der Begriff "Verdinglichung" mehr als die Universalisierung der Warenkategorie. Er meint, daß — mit einem Begriff von Max Weber — das Prinzip der "Kalkulation", des rechnenden Denkens, alle Bereiche der Gesellschaft und des Lebens so total durchdringt, daß am Ende nur noch die rational mechanisierte Arbeit, das funktionalisierte 'Subjekt' und das rationell-formalistische Denken übrig bleiben. Eine Form der totalen Entfremdung, von der Lukács allerdings glaubte, daß sie im identischen Subjekt-Objekt in der Gestalt der proletarischen Klasse aufgehoben würde, gerade weil die in dieser Klasse verkörperte Extremform der Entfremdung sie notwendig zum Umschlag führe. So bewahrt sich Lukács in der Kategorie des Proletariats eine Perspektive der Hoffnung und "die Möglichkeit, seine positiven Inhalte an die Stelle der entleerten und platzenden Hüllen zu stellen ..." (709, 355). Der Expressionismus lädt, wo er mit messianischem Verkündigungspathos auftritt, die Hoffnung einer revolutionären Umwälzung von Wirklichkeit vielfach dem Künstler auf. Autoren wie Toller, Werfel, Rubiner, Wolfenstein, in einigen Dramen auch Kaiser, glaubten an eine geistige Erneuerung des Menschen durch innere Wandlung des Menschen, ihr Protagonist sei der Dichter.

Das Irreale dieser Erneuerungsutopie wird zu kritisieren sein. Es resultiert nicht nur aus der idealistischen Fehleinschätzung von Kunst, sondern auch aus der übersteigerten Totalisierung der Zivilisationskritik. Karl Marx, der ja bereits in seinen Pariser Manuskripten die Entfremdung des Subjekts auf den entfremdenden Charakter der modernen arbeitsteiligen Produktionsformen zurückführt, kommt, anders als Kaiser und viele Expressionisten, bei aller Kritik an diesen Entfremdungserscheinungen doch nicht zu einer radikalen Ablehnung der modernen, funktionalisierten Produktionsformen und der modernen Zivilisation als ganzer. In einer berühmten Stelle im 'Kapital' wird der Bereich der "rationell geregelten" Arbeit als Reich der Notwendigkeit anerkannt:

Die Freiheit in diesem Gebiet kann nur darin bestehen, daß der vergesellschaftete Mensch, die assoziierten Produzenten, diesen ihren Stoffwechsel mit der Natur rationell regeln, unter ihre gemeinschaftliche Kontrolle bringen, statt von ihm als von einer blinden Macht beherrscht zu werden ... Aber es bleibt dies immer ein Reich der Notwendigkeit. Jenseits desselben beginnt die menschliche Kraftentwicklung, die sich als Selbstzweck gibt, das wahre Reich der Freiheit, das aber nur auf jenem Reich der Notwendigkeit als seiner Basis aufblühen kann. Die Verkürzung des Arbeitstages ist die Grundbedingung. (713, 828)

Kaiser sah in der Rationalisierung und Funktionalisierung des Subjekts dessen Zerstörung, hielt den Freiheitsraum jenseits der Arbeit im großstädtischen Amusement für ebenso entfremdet wie die moderne Arbeitswelt. Als utopisches Jenseits blieb daher nur die innere Emigration ('Die Koralle'), die rousseausche Idylle ('Gas I') oder gar der einzelne oder kollektive Selbstmord ('Von morgens bis mitternachts', 'Gas II'). Das ist die notwendige Konsequenz einer totalisierten Zivilisationskritik. Ihre gefährliche Einseitigkeit offenbart sich in ihrer selbstmörderischen Alternative: "Nicht von dieser Welt das Reich . . .". Die totale Negation jeder Form von Leben in der hochzivilisierten Wirklichkeit ist letztlich die notwendige Konsequenz eines Menschenbildes, das sich an dem Wunschbild eines paradiesischen, vorgeblich nicht entfremdeten naturhaften Dasein orientiert. Das Totale dieser Zivilisationskritik läßt nur den Sprung ins Jenseits offen.

Auf der anderen Seite hat die Gegenwart wieder den Blick geschärft für das Problem der modernen Technologie und Zivilisation als solcher. Daß die ins Unermeßliche gesteigerte Produktivität ein enorm selbstzerstörerisches Potential beinhaltet, ist spätestens durch die Vielzahl von ökologischen Appellen wieder ins allgemeine Bewußtsein gedrungen. Der Expressionismus und hier vor allem Georg Kaiser haben aber bereits auf dieses Destruktionspotential der modernen Technologie und Ökonomie nachdrücklich aufmerksam gemacht. Vom Stand der gesellschaftskritischen Dramen eines Bert Brecht — etwa der 'Heiligen Johanna der Schlachthöfe' — wäre den Expressionisten anzulasten, daß sie die gesellschaftlichen Verteilungs- und Organisationsmechanismen, mithin die soziale Ordnung der Gesellschaft zu wenig im Blick hatten. Diese Kritik wird z. B. von Hans Kaufmann in einem Buch über 'Krisen und Wandlungen in der deutschen Literatur von Wedekind bis Feuchtwanger' gegen die expressionistische Dramatik geltend gemacht. Andererseits — und das ist dieser Kritik entgegenzuhalten — kann nicht nur die soziale Ordnung, sondern auch die wuchernde industrielle Großproduktion und Technokratie, in welcher sozialen Ordnung auch immer, zur Ursache unmenschlicher Zustände werden. Daher ist die im Expressionismus geäußerte Kritik an der Verabsolutierung der Kategorie der Produktivität so ernst zu nehmen, wie seine Skepsis in Bezug auf die Fähigkeit der Vernunft, die ins Gigantische gewachsenen gesellschaftlichen Probleme schließlich doch lösen zu können.

Die Probleme der modernen Technologie und Ökonomie wird man sicher nicht einfach durch Zivilisationsfeindlichkeit bewältigen können, man wird aber doch überhaupt erst den Blick für die allgemeinen Probleme der Zivilisation und technologischen Produktion als solcher entwickeln müssen. Die expressionistische Vision einer sich — durchaus rational und kalkuliert — selbst zerstörenden Menschheit ist noch nicht aus der Welt.

2.4 Kalkulation und Wille zur Macht: Carl Sternheims bürgerliche Helden

2.4.1 Ist Sternheim ein Satiriker? Bemerkungen zur Sternheim-Forschung

Während der literarische Ruhm Georg Kaisers, der noch in den zwanziger Jahren zu den meist-gespielten Autoren gehörte, nach dem faschistischen Interregnum nicht mehr aufgeblüht ist, werden die Stücke des anderen großen Dramatikers des Expressionismus, Carl Sternheim, auch heute noch gespielt. Das mag u. a. wesentlich daran liegen, daß die Darstellungsmittel Sternheims: Komödieneffekte, satirisch zur Entlarvung der wilhelminischen Gesellschaft angesetzt, sich als zeitresistenter erwiesen haben als der blutige Ernst Georg Kaisers.

Aber mit einer solchen Deutung steht man schon mitten in der Kontroverse, die in der Sekundärliteratur zu Sternheim entbrannt ist. Sternheim gehört zu den umstrittensten Autoren des 20. Jahrhunderts, was sich, mit understatement, auch schon im Forschungsbericht zum Expressionismus 1952–1960 von Richard Brinkmann niederschlägt: "Über Carl Sternheims Bedeutung herrscht Uneinigkeit." (34, 63)

Ich will auf diese "Uneinigkeit" in der Sekundärliteratur hier nicht mit aller Ausführlichkeit eingehen, auch die Sternheiminterpretation selbst kürzer halten als die Interpretation Kaisers, weil sein Stück 'Die Hose' exemplarisch und ausführlich im Analyseteil behandelt wird (siehe Teil III, Kap. 4). Aber einige Bemerkungen zu diesem Autor sind in diesem Zusammenhang doch nötig, vor allem auch eine Rechtfertigung, warum seine 'Helden', die von Kraft, Selbstbewußtsein und Erfolg nur so strotzen, ausgerechnet unter dem Oberbegriff der 'Ichdissoziation' abgehandelt werden.

Worüber herrscht Uneinigkeit? Im wesentlichen über die Frage, ob man Sternheims Komödien, die er selbst unter dem Titel 'Aus dem bürgerlichen Heldenleben' zusammenfaßte, überhaupt als 'Satiren' ansehen soll. Es handelt sich um die Komödien: 'Die Hose' (1911), 'Der Snob' (1914), '1913' (1915) und 'Das Fossil' (1923), die das Schicksal der Familie "Maske" über drei Generationen hinweg verfolgen. Aber auch die Stücke: 'Die Kassette' (1912), 'Bürger Schippel' (1913), 'Tabula Rasa' (1916), 'Der Stänker' (1917); wahrscheinlich hat Wilhelm Emrich, der Herausgeber der Gesamtausgabe, Recht in der Annahme, daß Sternheim im Grunde a l l e seine Dramen als Gestaltungen eines bürgerlichen Heldenlebens verstand, selbst diejenigen, die in einem anderen Milieu spielen.

Diese "bürgerlichen Helden" werden von Sternheim alle als kaltschnäuzige und brutale Egoisten entlarvt; andererseits scheint ihnen der Autor dabei gleichsam auf die Schulter zu klopfen, indem er ihren ungeschminkten Macht- und Durchsetzungstrieb mit großem Erfolg belohnt sein läßt.

Ein Zyniker oder Satiriker also, das ist hier die Frage. An ihr hat sich auch die Forschungsliteratur gehörig abgearbeitet. Dabei kann man feststellen, daß Autoren wie Wolfgang Paulsen oder Winfried Sebald, die von der Biographie Sternheims ausgehen, eher dazu neigen, ihn als "Immoralisten" (Paulsen, 541), oder schlimmer noch: als "pathologischen Fall" (Sebald 547, 20) abzutun. Besonders die geistreiche, aber ungerechte Studie Sebalds ist über den Einzelfall hinaus aufschlußreich. Sebald ist schon auf S. 13 seiner Arbeit über Carl Sternheim mit der Analyse der Stücke fertig — "die wenig stimulierenden Stücke Sternheims" —, ohne sich auch davor oder danach genauer auf diese einzulassen. Dafür hat er es einfach, die pseudoaristokratische und stilisierte Lebensweise Sternheims — Sternheim lebte in schloßähnlicher Herrensitzen bei München, dann bei Brüssel — als "mißlungene Assimilationsversuche", seinen "Pseudokonservatismus" als Anbiederung an eine Gesellschaftsschicht, der er als Jude und Außenseiter nicht angehörte, zu deuten und gehörig zu verdammen. Dieses Verfahren eines biographischen Reduktionismus kann man leicht durch die autobiographischen Schriften stützen, nur: man kann es literaturwissenschaftlich nicht rechtfertigen. Dabei geht es nicht um die Wahrung des Handwerkes einer immanenten Interpretation, wie es Sebald insinuiert, sondern um die prinzipielle literaturtheoretische Einsicht, daß die Tragweite eines literarischen Werkes nicht bruchlos aus den biographischen Lebensbedingungen des Autors herzuleiten ist. Ja schlimmer, man kann zu schroffen Fehlurteilen kommen, wenn man sich zu ausschließlich auf Biographie und Selbstzeugnis des Autors stützt.

Warum? Muß nicht der Autor selbst am besten wissen, was er geschrieben hat, muß nicht sein Lebensstil geradestehen für das, was er literarisch zu gestalten imstande war? In der Tat gilt für einen Autor wie Goethe, daß hier Biographie und Werk eine relativ homogene Einheit bilden. Gerade diese Homogenität und Einheitlichkeit in der Totalität von Leben und Werk meint ja der Begriff der "Persönlichkeit". Das Phänomen der Ichdissoziation, das wir am Expressionismus exemplarisch studieren können, zerstört aber jene Homogenität und Einheitlichkeit, die es erlauben würde, die Biographie und Selbstinterpretation eines Autors so bruchlos als Schlüssel für die literarischen Texte zu nehmen. Georg Kaiser preist in seinen theoretischen Äußerungen den Rekordmenschen; sein Stück 'Von morgens bis mitternachts' entlarvt eben jenes Hetzen nach Rekorden als das, was es ist: Leerlauf. Carl Sternheim nimmt zeitweilig großbürgerlichen Lebensstil an, dessen dandyhaften Charakter Hohendahl differenzierter als "Bedürfnis, der eigenen Person eine originelle Form zu geben" (62, 75) interpretiert; seine Dramen aber entlarven jenes wilhelminische Bürgertum mit einer satirischen Schärfe, deren Augenmaß gerade auf das Konto der intimen Kenntnis eben jener Schicht geht, die seine Dramen attackieren.

Daher hat die neuere Forschung im Anschluß an ältere Arbeiten zu Sternheim zurecht den Begriff der "Satire", "Parodie" oder der "Entlarvung" in ihren Mittelpunkt gestellt. An die Ergebnisse dieser Arbeiten — etwa von Hohendahl (62), Wendler (549), Fehr (532), Karasek (536), Schwerte (545) — knüpfen auch die folgenden Überlegungen an, die Sternheims Komödien als dezidiert ideologiekritische Satiren interpretieren. Daß Sternheim selbst sich gegen den Begriff der "Satire" wehrt und Wilhelm Emrich in seinem 'Vorwort' zur Gesamtausgabe ihm dabei folgt, mag einmal zusammenhängen mit der positiven Interpretation, die Sternheim selbst seinen brutal egoistischen Geschöpfen angedeihen läßt. Sie verwirklichen nach Sternheim nur ihre eigene Bestimmung, ihre eigene, einmalige "Nuance", wenn sie als ungeschminkte Egoisten handeln und sprechen; der darin implizierte Abbau von Fremdbestimmung sei höchst lobenswert. Nach Sternheim ist das "einzig lohnende Ziel, eigener, originaler, einmaliger Natur zu leben . . ." (518, 38), ohne daß Sternheim und Emrich in ihren theoretischen Äußerungen allerdings genügend berücksichtigen, daß jene "originale Natur" nichts anderes als der gleichgeschaltete Egoismus, das auf ihm gebaute Kollektiv der Kampf aller gegen alle ist. In diesem Sinne meint die Darstellung der eigenen Nuance in Sternheims Dramen keine echte Selbstverwirklichung, sondern kritische Demonstration eines auf Machttrieb reduzierten Subjekts.

Das zweite Argument gegen den Satirebegriff leitet sich von Schillers Definition her, nach der in der Satire "die Wirklichkeit als Mangel dem Ideal als der höchsten Realität gegenübergestellt" ist. Von einem positiven "Ideal" ist aber in Sternheims Dramen nicht mehr die Rede. Andererseits ist Schillers Definition weitsichtig genug, um nicht auf eine Materialisierung des "Ideals" in einem modernen literarischen Text zu dringen. So kann eine satirische Kritik ein reduziertes Menschenbild bloßstellen, ohne eine positive Anthropologie in der Hinterhand zu haben, die nach der impliziten Einsicht Sternheims und einem Diktum Adornos selbst schon Ideologie wäre. Kritik also, die das Positive nur als Negativbild des Kritisierten andeutend entwirft. Der Effekt einer solchen Satire ist ähnlich, wie ihn nach Sternheim Molière, "Arzt am Leibe seiner Zeit", auf den Zuschauer ausübte: "ihn überwältigt zum Schluß die Sehnsucht nach einem schönen Maß, das der Bühnenheld nicht hatte, zu dem er selbst aber durch des Dichters Aufklärung nunmehr leidenschaftlich gewillt ist." (518, 31) In diesem Sinne wäre Sternheim Satiriker im vollen Sinne des Wortes, die Ambivalenz seiner Figuren — wie zu zeigen sein wird — wesentliches Mittel der Satire.

2.4.2 Die Selbstbegründung des Subjekts als kapitalistischer Kaufakt: 'Der Snob'

Wenn Kaisers Figuren die Funktionalisierung des Subjekts in der Moderne zur Darstellung bringen und dabei z. T. recht schemenhaft und abstrakt geraten, so strotzen — auf den ersten Blick — die Figuren Sternheims vor Kraft und Lebensfülle. Personen im Vollbesitz ihrer Kräfte einerseits, andererseits dissoziiert im Sinne einer Reduktion auf Egoismus und den puren Willen zur Macht. Der ungeschminkte Egoismus ist die Stärke der Sternheimschen Helden, nach dem Motto Christian Maskes in '1913':

Wiederhole vor aller Welt ein dutzendmal, kannst du's nicht leugnen: ich bin habgierig – so wird man's dir endlich als eine Qualität anrechnen. (513, 225)

Schon im Vater Theobald Maske in der 'Hose' wird diese Ambivalenz deutlich: Er ist ein "Riese" an kleinbürgerlicher Beschränktheit, die Reduktion gerade sein Mittel, alles, aber auch alles, was er will – allerdings in wohlproportionierten Kleinbürgermaßen – durchzusetzen. (Siehe die Einzelanalyse von 'Die Hose' in Teil III.)

Im "Snob", Theobald Maskes Sohn und literarischem Nachfahren von Wedekinds 'Marquis von Keith', ist nach einem Wort des Vaters "alles Maskesche um ein paar Löcher weitergeschnallt". (ebd., 201) Der bauernschlaue Egoismus des Vaters, der, ähnlich wie der Proletarier Schippel im 'Bürger Schippel', sein Glück eher instinktiv bei den Haaren packt, steigert sich hier zum titanischen Egoismus eines Subjekts, das sein Leben ab ovo durchkalkuliert, plant und dem einen Ziel der Macht und Karriere unterstellt. In diesem Sinne gilt das Wort des Vaters Theobald Maske: "der höhere Sinn von mir – bist du." (ebd., 201)

Der Snob, Christian Maske, vollzieht die in Fichtes 'Wissenschaftslehre' von 1794 dargestellte moderne Selbstsetzung des Subjekts im Grundsatz "Ich bin Ich" als kapitalistischen Akt. Auf der Höhe seines z. T. durch Kolonialspekulationen ergaunerten geschäftlichen Erfolges – Christian ist "Generaldirektor unseres größten wirtschaftlichen Konzerns" und kontrolliert so "einen fünften Teil des Nationalvermögens" (ebd., 205) – will er sich nun auch zu sozialer Anerkennung durchboxen. Das heißt im wilhelminischen Deutschland: Eingang finden in die Großaristokratie, die in der Gestalt des Grafen Palen zeittypisch erscheint: finanziell verarmt, aber mit dem Dünkel einer sozialen Clique, die gesellschaftlich absolut tonangebend war und zu dem auch die zu Geld und Macht, aber nicht entsprechendem Selbstbewußtsein gelangte Großbourgeoisie nur ehrfürchtig aufschaute.

Den Aufsteiger und Neureichen trennt aber der Odem des Parvenühaften von der sozialen Schicht, nach der er schielt. So unternimmt es Christian Maske, sich von seiner Vergangenheit loszukaufen, indem er seine Freundin Sybil, die ihn liebt – "Ich liebe dich, Christian. Du bist der Fehler in der Rechnung meines Lebens" (ebd., 145) – mit Geld abschiebt und seine Eltern für deren Zusage, aus seinem Leben zu verschwinden und in die Schweiz zu gehen, buchstäblich verhökert. Christian motiviert diesen Entschluß gegenüber Sybil folgendermaßen:

das Bewußtsein, überhaupt zu verdanken, sei es das Leben, ist in meiner Rüstung ein schwacher Punkt. Wie alles in meiner Welt aus mir entstand, wie ich nur auf mich beziehe, für mich hoffe und fürchte, muß ich frei sein von Rücksicht auf jedermann, um zu marschieren. Und so fürchte ich Vater und Mutter. (ebd., 144)

Dem Vater Maske wird der Einwand: "Erlaube . . . Wir haben uns zwanzig Jahre lang krumm gelegt . . . Denn wir liebten dich affenartig." (ebd., 149) durch eine Rechnung, die ihm präsentiert wird, im Munde erstickt. Christian quantifiziert und bilanziert "vergangenes Leben".

Was an Aufwendungen wirklich für mich geleistet ist, habe ich nach bestem Erinnern in dieses Buch aufgezeichnet. (ebd., 151)

Die zur Rechnung gewordene Vergangenheit kann sodann beglichen werden, das zur kapitalistischen Monade gewordene Ich − "wie alles in meiner Welt aus mir entstand . . ." − begründet sich durch einen Kaufakt aus sich selbst. Sternheim zeichnet in Christian Maske mit Witz und Ironie ein Subjekt, das die abendländische Selbstbegründung des Subjekts, wie sie in der neuzeitlichen Philosophie von Descartes über Fichte bis Hegel als Denkprozeß vollzogen wird, als materiellen Kaufakt vollzieht. Das bedeutet einerseits eine Steigerung des Subjekts, insofern es sich nicht nur in Gedanken setzt, sondern real, zum anderen aber satirische Parodie, denn das titanische Ich wird zugleich als der auf rechnendes Denken und Machttrieb reduzierte solipsistische Egoismus entlarvt. Der "höhere Mensch" ist der totale Egoist, dessen Machttrieb und radikal kalkulierendes Durchsetzungsvermögen rücksichtslos alle Widerstände aus dem Wege fegt. Gesellschaftlich motiviert wird solcher Wille zur Macht durch einen gesellschaftlichen Zustand, der sich nicht mehr als eine irgendwie ideell verbundene "Gemeinschaft" definiert, sondern als Kampfplatz atomisierter, egoistischer 'Individuen'.[17] So sagt Christian zum Vater Maske:

Hurtig, Vater, mir brennt's in den Eingeweiden. Der Kampf um die sichtbare Stelle im Leben ist gewaltig, der Menschen unzählige. Wo ich einen Fußbreit auslasse, drängt eine Legion den Schritt ein. (ebd., 159)

Vater Maske versteht den Sohn nur zu gut − ist es doch sein gesteigertes Ich, das ihm in Christian begegnet − und verschwindet samt Mutter von der Bildfläche. Schon im nächsten Gespräch mit dem Gafen Palen werden die Eltern schlicht für "Tot. Alles tot" erklärt, und Christian hält um die Hand der Tochter des Grafen an: das Einstiegsbillet in den ersehnten Adelskreis.

---

[17] Zur werthaften Bedeutung der Begriffe "Gesellschaft" und "Gemeinschaft" in der zeitgenössischen Soziologie von Ferdinand Tönnies siehe Kap. 3.2., S. 188.

Da taucht aus der Versenkung noch einmal Vater Maske auf, um den Tod der Mutter zu vermelden. Zur Stärke des Satirikers Sternheim gehört die Entlarvung klischeehafter Phrasen:

Christian: Niemand kann ich anvertrauen, wie ich an ihr gehangen. Vielleicht findet der Künstler den Ausdruck dafür. (ebd., 184)

Dabei kommt es zu einer für Christian kritischen Begegnung zwischen Vater Maske und dem Grafen Palen, die in dieser Form nicht vorauskalkuliert war und daher einen Strich durch die Rechnung Christians zu machen droht. Aber am Ende kann der absolute Sieger Christian nicht nur durch Heirat mit Marianne Palen zur Geldkarriere auch den sichtbaren Einstieg in die Aristokratie als Plus verbuchen. Es gelingt ihm auch, in der Hochzeitsnacht den inneren Widerstand der Aristokratin gegenüber dem Parvenü durch die Fiktion einer Adelsliaison seiner Mutter zu überwinden. Christian, der totale Sieger, hat auch den Rest von Vergangenheit abgewälzt und nicht nur die Wirtschaft, sondern nun auch die Aristokratie in Gestalt seiner Frau unter Kontrolle. Sie seufzt nur noch: "Süße Mutter Ehebrecherin" und: "Mein lieber Mann und Herr!" (ebd., 215)

2.4.3 Gesellschaft als Sozialdarwinismus und Kampf aller gegen alle

Das Stück '1913' zeigt die Fortsetzung des brutalen Daseinskampfes der Familie Maske. Im Gegensatz zur 'Hose' und dem 'Snob' stoßen hier im geadelten, aber gealterten "Freiherrn Christian Maske von Buchow" und seiner Tochter "Gräfin Sophie" zwei echte Antipoden aufeinander.

Machtkampf bis aufs Messer wird so in der Familie Maske selbst exemplarisch zur Darstellung gebracht und zugleich transparent gemacht aufs Allgemeine hin:

Christian: Fünfundsechzig Millionen Fresser in Deutschland auf fünfhundertvierzigtausend Quadratkilometer. Da wird ein Trieb im Wettkampf hypertroph: satt werden. (ebd., 223)

Der gealterte Christian Maske bringt es im Gespräch mit seiner Tochter Ottilie, die er gegen die an Machtgier und Durchsetzungsvermögen ihm gleichrangige Tochter Sofie aufbauen will, auch auf die Formel: "Magenhunger des Pöbels, Machthunger der Reichen." (ebd., 230) Eine Art Weltformel, die das Lebensprinzip der Maskes begrifflich komprimiert. Dabei will Sternheim am Familienmodell zweifellos eine weltgeschichtliche Situation zur Darstellung bringen: Gesellschaft als sozialdarwinistischer Machtkampf von jedem gegen jeden, aber auch – '1913', am Vorabend des ersten Weltkriegs also – der Nationen gegeneinander. Dem Kampf innerhalb der Familie um die entscheidende Position im gigantischen Konzern der Maskes entspricht der kollektive Machtkampf innerhalb der Gesellschaft und der Nationen gegeneinander. Dieser offene Machtkampf in der Familie zerreißt die naturwüchsigen Bande. Es gibt, das wäre die These des Stücks, gar keine andere Verbindung mehr zwischen Menschen als manipulative und den Kampf gegeneinander.

Daneben treten Randfiguren auf wie das verplemperte Bürgersöhnchen "Philipp Ernst", dessen Lebensmaxime — "Ach Didelchen, es ist gemütlich zu leben" (eb., 238) — Mode und Frauen sind, gibt es 'Idealisten' wie den Sekretär Christians, Wilhelm Krey, eine Mischung von Deutschnationalismus und Sozialismus. Er will gegen die Macht der internationalen Geldwirtschaft kämpfen und propagiert eine "heilige, allgemeine, vaterländische Verbrüderung" (ebd., 220).

Solche 'Idealisten' verschiedener Couleur und mit den unterschiedlichsten Idealen gehören zum Personeninventar der Stücke Sternheims. So macht sich Scarron in der 'Hose' zum Anwalt von Liebe und Poesie und wird entlarvt als ein "Buffo, der nach Veilchen roch" (ebd., 133). So vertreten in 'Tabula rasa', der neben '1913' politischsten Komödie Sternheims, der Agitator "Sturm" einen radikal revolutionären Sozialismus, sein Antipode "Artur Flocke" einen friedlich evolutionären Sozialismus, zusammen also die ideologischen Flügel der damaligen SPD, ohne zu merken, daß sie beide Marionetten eines Dritten sind, "Ständer", der für nichts als seine eigenen Interessen steht: "Für mich, Ständer, stehe ich." (514, 248) Ständer, der, wie alle Egoisten Sternheims, die sich ihre egoistischen Motivationen eingestehen und sie nicht idealistisch verbrämen, als eigentlicher Sieger auf dem Felde bleibt, analysiert seinerseits den Idealismus des radikalen Revolutionärs Sturm:

> In deiner Person verkörpert sich für mich der zähe Schleim der tausend Gemeinplätze und Redensarten, mit dem der nach Eigentümlichkeit durstende europäische Mensch betropft und zu einer klebrigen Masse geknebelt wird. (514, 242 f.)

Denn nach Sternheim stehen Ideale und Ideologie auch nur als Verbrämung von subjektiven Machtinteressen, daher erscheinen im allgemeinen Machtkampf die ungeschminkten Egoisten noch als die sympathischsten Figuren. Sie sind zugleich am erfolgreichsten, weil sie das Prinzip der Gesellschaft durchschaut haben und ihre Einsicht in skrupellose Manipulation umsetzen können. Der totale Egoist ist zugleich der beste Manipulator, weil er durch keine ideologischen Rücksichten beschwert überall nur seine Interessen verfolgen und alle gegen alle ausspielen kann. Die Idealisten aber entlarven sich zumeist selbst durch die falsche Patina ihrer Phrasen oder Widersprüche in ihrem Sprechen und Denken. Das gilt für das falsche Pathos Scarrons, gilt für die zur Phrase gewordene Rede von Liebe und Familienglück im Stück 'Die Kassette', deren

Quintessenz Peter Hohendahl zusammenfaßt: "Durch das Ding (die Kassette) wird die Wirklichkeit enthüllt. Im Grunde wollen alle Figuren nur die Befriedigung ihrer Triebe, und der Stärkere trägt über den Schwächeren den Sieg davon." (62, 160)

Es gilt auch für Wilhelm Krey im Stück '1913'. Die Verwaschenheit seines Idealismus wird sinnfällig, wenn er im modischen "Firlefanz" der Gesellschaftsschicht, die er zu verachten vorgibt, sich spiegelt: "Nicht, daß es übel ist . . ." (513, 291). Die positivste Figur des Dramas und Gesinnungsfreund Wilhelm Kreys, Friedrich Stadler — das Stück ist dem Dichter Ernst Stadler gewidmet —, führt zwar am Ende des Dramas ein großes Wort im Mund:

> Der Diener: Es ist schwarz. Ein Licht.
> Friedrich: Muß sich finden! Gebe Gott — Leuchte zum großen Ziel.
> (ebd., 294)

Aber die wohl positiv gemeinte Symbolik bleibt so hohl wie die andernorts entlarvten metaphysischen Phrasen. Das Symbol ist durch nichts vermittelt und im Kontext des Stücks eine Leerformel.[18]

Denn das eigentlich geltende Wirklichkeitsprinzip wird in diesem Stück durch Sofie Maske vertreten. Ihr Machthunger und ihre Skrupellosigkeit übersteigen noch die des alt gewordenen Christian Maske, dessen brutaler Egoismus im Angesicht des Todes angekränkelt und gebrochen erscheint. Gerade in Christian Maske gelingt Sternheim aber die groteske Figur eines ins Karikaturhafte gesteigerten Übermenschen. Nachdem er ein Rüstungsgeschäft der Tochter mit dem evangelischen Holland verpatzt hat, indem er katholisch wurde, tanzt er taumelnd nach diesem letzten Sieg im Machtkampf mit der Tochter, bis er tot zu Boden stürzt. Dabei ist interessant, daß gerade von ihm, kurz vor dieser Todesszene, grundsätzliche Zweifel an einer von ihm und seinesgleichen geschaffenen Welt geäußert werden. Gegenüber der auf Verschleiß und Massenproduktion dringenden Tochter bringt er die Vorstellung einer nicht nur quantitativen, sondern auch qualitativen Produktion ins Spiel und den Wunsch:

> möchte es diesem oder einem anderen gelingen, von Grund auf Zustände zu erschüttern, die wir geschaffen. (ebd., 286)

---

[18] H. Karasek führt in seiner Sternheiminterpretation an, daß die Komödie '1913' durch die Zeitgenossen wie eine prophetische Vorwegnahme des 1. Weltkrieges aufgenommen wurde, aber gerade die Gestalt Kreys Späteres und noch Schlimmeres antizipiere. "Die Prophetie der Komödie reicht gerade in dieser Gestalt weiter, als man es sich 1913 träumen lassen konnte: Eine Figur, die nationales Blech als deutsches Manneswort absonderte und sich einem falschen Führer anvertraute — hier geht des Stücks Vorausschau bis zur 'Machtübernahme'." (536, 46)

Es ist letztlich der Wunsch nach Transzendierung einer nur noch auf Egoismus und Machtinstinkt begründeten Gesellschaft, die sich schon zaghaft in der Frage Luise Maskes in der 'Hose' zu Wort meldete:

Daß aber kein Mitleid mehr sein soll? (ebd., 90)

In einer Welt der "moralischen Reduktion" (Hohendahl 62, 170) auf den Machtkampf aller gegen alle wäre für Mitleid, wäre für irgendein Gefühl oder gar Liebe kein Platz. Im Gegenteil, Gefühle erscheinen angesichts der wirklichen Welt des Machtkampf als lächerliche "Sentiments". Daß eine solche Gesellschaft, deren tragendes Prinzip einzig der Wille zur Macht ist, eigentlich keine Gesellschaft mehr ist, sondern "ein System konkurrierender Egoismen", in der jeder "im fremden Individuum den potentiellen Feind" sieht (62, 172), hat kein Autor so scharf und erbarmungslos wie Sternheim zu Bewußtsein gebracht. Daher entwickeln seine Gesellschaftssatiren im Bewußtsein des Zuschauers oder Lesers wohl den Wunsch "nach einem schönen Maß, das der Bühnenheld nicht hatte ..." oder das er nur angesichts des Todes und ganz dunkel antizipiert.

Dieser Sog, erzeugt durch die exzessive Darstellung einer nur auf Manipulation und Gewalt begründeten 'Gesellschaft', ist die 'positive' Seite der Sternheimschen Satiren. In diesem Sinne sind — nach einer Einsicht Franz Bleis — die Sternheimschen Komödien in ihrer ungeschminkten Darstellung des brutalen materiellen Egoismus als Endform eines spezifisch abendländischen Subjektivismus die zugleich spirituellsten ihrer Zeit.

2.4.4 Zum geistesgeschichtlichen Hintergrund: Der 'Wille zur Macht' und das Prinzip der 'Kalkulation'

Sternheims Helden als Endstufe einer spezifisch neuzeitlichen Form des Subjekts, das bedarf einer Erläuterung. Sowohl das Medium, in dem sich diese 'Helden' verwirklichen: das kalkulierend-manipulative Denken, als auch ihre Haupttriebfeder: egoistischer Machthunger sind ja nicht nur aus der Erscheinungsform der wilhelminisch-bürgerlichen Ökonomie und Gesellschaft, die Sternheim beschreibt, zu verstehen, sondern haben ihren, in dieser Gesellschaft bereits aufgehobenen, geschichtlichen Hintergrund.

Man hat in der Sternheimforschung hingewiesen auf Pareto, der "alles Geistige schlechthin zur Ideologie, d. h. jetzt, zum zweckdienlichen Mittel der Verhüllung und Rechtfertigung von Gruppeninteressen im sozialen Machtkampf" erkläre (Mennemeier 538, zit. 711) und auf Stirners Schrift 'Der Einzige und sein Eigentum' von 1845, die ihren Spott über alle Weltanschauungen — vom Katholizismus bis zum Kommunismus — in gleicher Weise ausgießt. Wolfgang Wendler hat in seiner umfassenden Studie über Carl Sternheim gezeigt, daß es in der Betonung des Wertes des einzelnen und der darin implizierten Auflehnung gegen die Unterdrückung des einzelnen Individuums durch kollektive Ideologie und Begriffe starke Parallelen zu Stirner gibt, daß aber Sternheim letztlich dem radikalen Anarchismus Stirners nicht folgt (549, 242 f.). Von unserem Interpretationsansatz her läßt sich das Verhältnis so abgrenzen: die Sternheimschen Helden stehen dem Radikalsubjektivismus Stirners nahe, insofern ihr ungeschminkter Egoismus positiv gesehen wird als Entlarvung einer Scheinwelt vorgeschobener Ideologien, Ideale, 'Metaphern', um einen Begriff Sternheims für die Scheinwelt zu gebrauchen. Sie werden aber auch wiederum abgehoben von einem anarchischen Subjektivismus durch die satirische Form der Darstellung, die den Machthunger und Egoismus des Helden letztlich nicht einfach affirmativ stehen läßt, sondern selbst kritisch entlarvt. In diesem Sinne wird man den seinerseits von Marx gegen "Sankt Max" Stirner erhobenen Vorwurf, er bleibe dem partikularisierenden Egoismus der bürgerlichen Gesellschaft verhaftet, nicht auf Sternheim übertragen dürfen. In der Form der Satire liegt die kritische Distanz.

Die literarische Sprache enthält hier gegenüber der philosophischen Sprache eine zusätzliche kritische Potenz, die selbst ein so literarischer Philosoph wie Nietzsche nicht hat. Zweifellos ist gerade Nietzsches Ideologiekritik die geistesgeschichtlich wichtigste Voraussetzung der expressionistischen Zivilisations- und Gesellschaftskritik. Seine zu Beginn des Jahrhunderts erschienenen Schriften aus dem Nachlaß 'Der Wille zur Macht' definieren mit diesem Begriff ein Lebensprinzip, das einerseits – wie schon die früheren Schriften Nietzsches – alle überlieferten und noch geltenden Werte, Ideale und Moralvorstellungen der Gesellschaft in ätzender Ideologiekritik zersetzt, andererseits setzen sie dieses Prinzip selbst positiv und affirmativ als eine neue Metaphysik. Auch Nietzsches Kategorie des "Übermenschen", die nicht als ihr gar noch faschistisches Zerrbild gedacht werden darf, sondern die Idee der Freiheit und radikalen Selbstverwirklichung des Subjekts meint, ist in diesem Sinne eine affirmative Kategorie. Sie ist letztlich Radikalisierung und zugleich Endstufe des neuzeitlichen Subjektbegriffs.

Auch hier übernimmt Sternheim die ideologiekritischen Impulse, ohne die Verwirklichung der "eigenen Nuance", die ja als das allgemein herrschende Prinzip des Egoismus und der Macht entlarvt wird, einfach affirmativ zu setzen. Die Egoisten Sternheims wirken positiv in Relation zu ihrer Umwelt, die ihren eigenen Egoismus verbrämt und verschleiert, aber werden als das, was sie sind, ungeschminkte Egoisten, selbst satirisch bloßgestellt. Das literarische Mittel der Satire ist die zusätzliche kritische Dimension, die der Philosophie mangelt. Der "Wille zur Macht", den die Helden Sternheims verkörpern, äußert sich als Wille zur materiellen Macht im Bereich des rechnenden, kalkulierenden Denkens. Ihr Symbol ist "Die Kassette", nach der im gleichnamigen Stück Sternheims die Figuren "Krull" und "Seidenschnur" geifern. Der 'Snob' 'bilanziert' vergangenes Leben, ja das Leben selbst ist für ihn eine einzige Erfolgsrechnung, in der alle, auch emotionale Faktoren nur als quantifizierbare Plus- oder Minuspunkte erscheinen. Die erfolgreichen Helden Sternheims sind so erfolgreich, weil sie alle Momente des Lebens durch keine Emotionen oder ideellen Rücksichten belastet berechnen, daher auch Menschen wie Figuren manipulativ in ihrem Planspiel einsetzen können. Die smarte Art des "Snob", sein Adelstick, der Witz Ständers in 'Tabula rasa' geben diesen Figuren ein besonderes Zeitkolorit und machen sie sogar zeitweilig sympathisch. Dahinter aber erscheint der Zynismus von Figuren, die an den Schaltstellen der Gesellschaft sitzen, weil sie die kaltschnäuzigsten Kalkulatoren und daher besten Manipulateure sind.

Es wäre einfach, diese Gesellschaftskritik geradlinig auf Ausbeutungsmechanismen der kapitalistischen Gesellschaft zurückzuführen, das kalkulierende Bewußtsein monokausal von der ökonomischen Basis herzuleiten. Diese Rechnung, die sich vielleicht auf Marx' Satz, daß Bewußtsein durchs ökonomische Sein bedingt sei, glaubt berufen zu können, weil sie ihn nicht als das liest, was er ist: polemische Antithese zur Bewußtseinsphilosophie Hegels, ist zu einfach, die Vermittlung zwischen gesellschaftlicher Praxis und Bewußtsein differenzierter.

Max Weber und nach ihm Georg Lukács haben das erkannt. Dabei hat Lukács in 'Geschichte und Klassenbewußtsein' das Prinzip der Kalkulation in der zunehmenden Rationalisierung des Arbeitsprozesses wie dem quantifizierenden Denken als e i n identisches durchschaut und so die naive monokausale Ableitung des Bewußtseins von seiner angeblichen Basis vermieden. Seine Verdinglichungsanalyse deckt die quantifizierenden, atomisierenden Tendenzen in Theorie w i e Praxis auf. Um so unverständlicher der Unverstand, mit dem Lukács später Sternheim, der wie kein anderer das Prinzip des kalkulierenden Denkens als gesellschaftsdeterminierendes Prinzip bloßlegt, abkanzelt: "... die Komödien Sternheims zeigen, daß es sich hier weniger um die Schwäche der Helden als um die der Schriftsteller handelt." (73, 33) Die auferlegte Verblendung durch einen dogmatischen undialektischen Marxismus, die sich auch in Lukács' Expressionismuskritik niederschlägt, betrübt bei einem Mann, der einmal weiter sah, um so mehr.

2.5   Akzeleriertes Tempo, die Massenmedien und ihr Einfluß auf den Expressionismus

2.5.1   *Akzeleriertes Tempo und der Futurismus*

Wir haben gesehen, daß der Expressionismus eine im wesentlichen zivilisationsfeindliche, technologiekritische Haltung vertritt. Die Kritik bezieht sich auf die arbeitsteiligen Produktionsformen einschließlich der Wissenschaften und der in ihnen zur Geltung kommenden einseitigen Herrschaft des rationalen Kalküls, auf Entfremdungsformen im privaten und öffentlichen Leben, Verdinglichung von Subjekt und Objekt.

Der Expressionismus steht so als Gesamtbewegung in schroffem Widerspruch zu literarischen Strömungen, die, wissenschaftsgläubig wie der Naturalismus, das Konzept einer verwissenschaftlichten Literatur vertreten oder gar, wie der Futurismus, naiv fasziniert von der modernen Technologie das akzelerierte Tempo dieser modernen Technologie rauschhaft genießen. Die poetologische Forderung nach einer wissenschaftlichen Literatur, einer Literatur also, die exakt wie die modernen Wissenschaften selbst arbeite, hatte bekanntlich Zola erhoben und mit seinem "roman expérimental" ein poetisches Äquivalent zu den neuen experimentellen Wissenschaften zu kreieren versucht. Von Michael Georg Conrads erstem Versuch, Zola in Deutschland zu propagieren, bis hin zu Arno Holz' Theorie eines "Konsequenten Naturalsimus" ist die Ästhetik des Naturalismus, noch in ihrer Kritik an Zola, geprägt von dessen Poetik, die ihrerseits den Geltungsanspruch und auch die Erfolge der positivistischen Wissenschaften des 19. Jahrhunderts widerspiegelt.

Wenn der europäische Naturalismus sich noch als eine selbst wissenschaftliche Kritik an den Auswüchsen moderner Zivilisation zu begreifen und zu artikulieren suchte, so entsteht zu Beginn dieses Jahrhunderts mit dem Futurismus in Italien eine künstlerische Bewegung, die mit einer rauschhaften Begeisterung das Tempo der modernen Verkehrstechnik, Großstadt- und Arbeitswelt feiert. Die literarischen Manifeste ihres wichtigsten Vertreters, Marinetti, sind inhaltlich und stilistisch Ausdruck des akzelerierten Tempos.

So heißt es im Gründungsmanifest des Futurismus von 1909:

> Wir erklären, daß sich die Herrlichkeit der Welt um eine neue Schönheit bereichert hat: die Schönheit der Geschwindigkeit. Ein Rennwagen, dessen Karosserie große Rohre schmücken, die Schlangen mit explosivem Atem gleichen ... ein aufheulendes Auto, das auf Kartätschen zu laufen scheint, ist schöner als die Nike von Samothrake. (727, 33)

Man sieht, daß hier die "Geschwindigkeit" nicht nur als "eine neue Schönheit" gepriesen wird, sie ist zugleich der Hebel, mit der die Geltungsnormen traditioneller Ästhetik, vor allem ihre wie auch immer vermittelte Orientierung an der Antike und deren vorbildhafter Darstellung des Schönen ausgestochen werden sollen. Die Moderne, ihr Lebenstempo ist 'schöner'. So wird schon die Aufzählung des ganzen Arsenals moderner Erfindungen und Lebensbedingungen zu einem Preisgesang auf sie:

> Wir werden die großen Menschenmengen besingen, die die Arbeit, das Vergnügen oder der Aufruhr erregt; besingen werden wir die vielfarbige, vielstimmige Flut der Revolutionen in den modernen Hauptstädten; besingen werden wir die nächtliche, vibrierende Glut der Arsenale und Werften, die von grellen elektrischen Monden erleuchtet werden; die

gefräßigen Bahnhöfe, die rauchende Schlangen verzehren; die Fabriken, die mit ihren sich hochwindenden Rauchfäden an den Wolken hängen; die Brücken, die wie gigantische Athleten Flüsse überspannen, die in der Sonne wie Messer aufblitzen; die abenteuersuchenden Dampfer, die den Horizont wittern; die breitbrüstigen Lokomotiven, die auf den Schienen wie riesige, mit Rohren gezäumte Stahlrosse einherstampfen und den gleitenden Flug der Flugzeuge, deren Propeller wie eine Fahne im Winde knattert und Beifall zu klatschen scheint wie eine begeisterte Menge. (ebd., 34)

1912 reist die erste futuristische Ausstellung von Paris über London, Berlin, Brüssel, Den Haag nach Amsterdam. Sie findet nicht überall gleiche Anerkennung, aber erregt großes Aufsehen. In Berlin macht sich Herwarth Walden mit seiner kurz zuvor gegründeten Galerie und Zeitschrift 'Der Sturm' zum Propagandisten der futuristischen Bewegung. Zusammen mit Marinetti selbst fuhr er im offenen Auto durch Berlin. Man verteilte futuristische Manifeste unter die Menge und rief: "Es lebe der Futurismus."
Diese happeningartigen Propagandaeffekte, Marinettis Reklamerhetorik und die provokative Aggressivität seiner Manifeste haben sicher wesentlich dazu beigetragen, daß der Futurismus rasch bekannt wurde. Aber letztlich ist sein Erfolg wohl nur zu erklären, weil Marinetti, wie naiv auch immer, einem neuen Lebensgefühl Ausdruck verlieh. Das Tempo der modernen Technologie war noch zu neu, die Literatur Europas gemessen daran zu altbacken, als daß nicht eine Ästhetik, die jenes neue Tempo auch in die Künste tragen wollte, Erfolg haben mußte.
1902 erreichte ein Automobil von Daimler die damals sagenhafte Spitzengeschwindigkeit von 100 km/h, und 1903 glückte erstmalig ein Motorflug. Die Gebrüder Wright propellerten mit ihrer Maschine zwar nur ganze 59 Sekunden über eine Strecke von 250 Metern durch die Luft, aber bereits am 25. Juli 1909 überflog Blériot den Kanal und ein Jahr später gelang das Überfliegen des Simplonpasses. Wenn also Marinetti im 'Technischen Manifest der Futuristischen Literatur' 1912 auf dem Benzintank eines imaginären Flugzeuges reitend bei surrendem Propeller die Zertrümmerung der traditionellen Syntax propagiert, dann scheint hier die ästhetische Theorie nicht nur in Einklang mit den neuesten Trends der Technologie, sondern geradezu von ihnen diktiert.
Von diesen neuesten Entwicklungen in der Verkehrstechnik war auch der Durchschnittsbürger betroffen. In Berlin wird etwa seit der Reichsgründung ein neues Verkehrsnetz über die Stadt gelegt. Vor allem Ringbahn und Stadtbahn ermöglichen einen raschen Pendelverkehr für Arbeiter, Angestellte und Beamte. Die erste elektrische Bahn baute Werner von Siemens in Berlin 1879, und bereits 1902 ist die Mehrzahl der Linien auf elektrischen Antrieb umgestellt. Das Automobil löst das beschauliche Tempo der Pferdedroschken und Pferdeomnibusse ab. Im August 1914 gibt es in Berlin 13 Autobuslinien mit mehr als zweihundert Omnibussen.

1903 wird das erste Auto mit Taxameter zugelassen, 1913 fahren schon 1300 Taxis in Berlin.[19]

Das sind natürlich Zahlen, die angesichts der heutigen Verkehrsdichte bescheiden wirken, aber sie signalisieren doch eine schroffe Umstellung in der Erfahrung von Raum, Zeit und Geschwindigkeit für den Durchschnittsbürger in einer Großstadt wie Berlin um die Jahrhundertwende. Die Beschleunigung im Stadtverkehr erfolgte sozusagen aus dem Fußgängerschritt oder dem Trott eines Pferdegespanns; darum mußte sie so rapide erscheinen. Die Erfahrung von Raum, Zeit und Geschwindigkeit ist ja selbst relativ.

Daß dieses neue Tempo der Großstadt gerade für den, der es nicht gewohnt war, etwas Verwirrendes hatte, macht u. a. Döblin in seinem Roman 'Berlin Alexanderplatz' deutlich. Dieser 1929 erschienene Roman gehört schon von seiner Entstehungszeit her nicht mehr zur expressionistischen Epoche, aber verarbeitet doch eine Vielzahl von expressionistischen Motiven, so die Darstellung eines von großstädtischem Tempo und ihren Exploitationsmechanismen nahezu aufgeriebenen Menschen. Als Franz Biberkopf, der Held des Romans, aus dem Gefängnis in Tegel entlassen wird, fängt ihn das neue Tempo sofort ein.

Er trat sich auf den Fuß. Dann nahm er einen Anlauf und saß in der Elektrischen. Mitten unter den Leuten. Los. Das war zuerst, als wenn man beim Zahnarzt sitzt, der eine Wurzel mit der Zange gepackt hat und zieht, der Schmerz wächst, der Kopf will platzen. Er drehte den Kopf zurück nach der roten Mauer, aber die Elektrische sauste mit ihm auf den Schienen weg, dann stand nur noch sein Kopf in der Richtung des Gefängnisses. Der Wagen machte eine Biegung, Bäume, Häuser traten dazwischen. Lebhafte Straßen tauchten auf, die Seestraße, Leute stiegen ein und aus. In ihm schrie es entsetzt: Achtung, Achtung, es geht los. Seine Nasenspitze vereiste, über seine Backe schwirrte es. 'Zwölf Uhr Mittagszeitung', 'B. Z.', 'Die neuste Illustrirte', 'Die Funkstunde neu', 'Noch jemand zugestiegen?' Die Schupos haben jetzt blaue Uniformen. Er stieg unbeachtet wieder aus dem Wagen, war unter Menschen. Was war denn? Nichts. Haltung, ausgehungertes Schwein, reiß dich zusammen, kriegst meine Faust zu riechen. Gewimmel, welch ein Gewimmel. Wie sich das bewegte. Mein Brägen hat wohl kein Schmalz mehr, der ist wohl ganz ausgetrocknet ... Draußen bewegte sich alles, aber, – dahinter – war nichts! Es – lebte – nicht! Es hatte fröhliche Gesichter, es lachte, wartete auf der Schutzinsel gegenüber Aschinger zu zweit oder zu dritt, rauchte Zigaretten, blätterte in Zeitungen. So stand das da wie die Laternen – und – wurde immer starrer. (200 a, 8 f.)

---

[19] Siehe dazu 'Berlin und die Provinz Brandenburg . . .', insbes. S. 309 ff (700).

113

Die Erfahrung innerer Leere des äußerlich akzelerierten Tempos ist eine spezifisch expressionistische Erfahrung. Wenn Kaisers Kassierer in 'Von morgens bis mitternachts' das Tempo der Sechstagefahrer durch unerhörte Geldsummen anheizt und das Ganze zugleich einen "Fabelhaften Blödsinn" nennt, dann wird auch hier das gesteigerte Tempo als Leerlauf durchschaut (siehe Kap. 2.3.2).

Trotz dieser expressionistischen Kritik an der inneren Leere und dissoziierenden Funktion des neuen Lebenstempos dürfte der akzelerierte Sprachrhythmus in expressionistischen Texten wesentlich von ihm geprägt sein. Ja, die Akzeleration des Sprachrhythmus ist eine wesentliche Bedingung der Mimeses der modernen Großstadt und ihres Lebenstempos. Kaisers Kassierer monologisiert in kurzen, gehetzten Satzfetzen, der Dialog im Sportpalast und in den 'Gas'-Dramen ist eine Art permanenter Stichomythie. Zweifellos soll hier die Hektik des Sportpalastes und der Gasproduktion selbst syntaktisch und dialogtechnisch durch extreme Verkürzung der Sätze und ihre rasche Abfolge nachgebildet werden. "Auf der Bühne", schreibt der amerikanische Kritiker Hugh W. Puchett, "haben die Repliken der Schauspieler in 'Von morgens bis mitternachts' den Rhythmus von Maschinengewehrsalven ...".[20]

Man könnte den auf Carl Sternheims Dramen gemünzten Begriff "Telegrammstil" auch auf die erwähnten Dramen Kaisers anwenden, auf Walter Hasenclevers Stück 'Die Menschen', auf die Lyrik August Stramms.

In einer Reihe von expressionistischen Gedichten werden die Erfahrungen mit den neuen Transportmedien unmittelbar artikuliert. Gerrit Engelkes 'Auf der Straßenbahn', Ernst Blass' 'Autofahrt', Gottfried Benns 'Untergrundbahn' und 'D-Zug', Ernst Stadlers 'Bahnhöfe' und 'Fahrt über die Kölner Rheinbrücke', Georg Heyms 'Vorortbahnhof' (alle zit. in 31 a) liefern Beispiele dafür. Die Gedichte machen zugleich deutlich, daß die expressionistische Erfahrung des modernen Lebenstempos ambivalente Züge aufweist. Einerseits wird das Verwirrende und innerlich Leere des modernen Tempos dargestellt. So auch in der 'Autofahrt' von Ernst Blass, das zugleich eine ironisch-sprachreflexive Komponente enthält:

Autofahrt
... rast weiter über menschenlosen Platz,
Gelb, keuchend, zwischen Träumen und Erwachen,
Rings Nebel, die Gebüsche blinder machen,
Das Auto dreht ... in einem Satz.

Ich liege nur, mein Herz ward ausgerenkt,
Bin ich hier nicht am Brandenburger Tor?
Rechts steigt der Himmel dunstig schief empor,
Wo klein der Mond, ein weißer Tropfen, hängt.

---

[20] Zitiert nach J. Toeplitz, 'Geschichte des Films' (692, 224).

Andererseits ist, wie bei Engelke, Benn, Stadler, auch die Faszination des neuen Lebensgefühls deutlich spürbar. Bei Benn und Stadler verbinden sich die Themen zudem mit einer sinnlich erotischen Motivschicht. Die Faszination erklärt vielleicht, wie stark der akzelerierte Sprachrhythmus – auch dort, wo seine Erfahrungsquellen nicht unmittelbar benannt werden – den Duktus expressionistischer Texte, insbesonders auch in der Prosa, prägt.

Allerdings droht die sprachliche Imitation des neuen Lebensrhythmus rasch zur Masche zu werden. In einer Romanparodie von Emil Aldor (zit. bei Arnold, 46, 19) und Heinrich Manns 'Drei-Minuten-Roman' wird sie auch bereits als solche bloßgestellt. Kasimir Edschmid spekuliert allerdings in seinen 1915 erschienenen Novellen 'Das rasende Leben' bereits im Titel deutlich und noch ungebrochen auf diese Masche. Im Vorwort zu den Novellen heißt es: "Sie sagen auch nicht: leben. Sie sagen rasend leben." Es ist heute kaum verständlich, daß ein so durchschnittlicher Autor wie Edschmid mit seiner zur primitiv-vitalistischen Kraftprotzerei deformierten Übermenschvorstellung lange Zeit als d e r Repräsentant der expressionistischen Prosa gelten konnte (siehe dazu Teil III, Kap. 5). Wahrscheinlich war es gerade die signalhafte Imitation von Oberflächenphänomenen der Moderne sowie das geschickte Reklametalent Edschmids, die im Bewußtsein der Öffentlichkeit zeitweilig zu solcher Fehleinschätzung führten. Auch Alfred Döblin ist in seinem Roman 'Die drei Sprünge des Wanglun' und seinem Marinetti imitierenden Roman 'Berge, Meere und Giganten', der im Gegensatz zum Expressionismus fortschrittsgläubig ein gigantisch technologisches Projekt wie die Enteisung Grönlands schildert, nicht frei von deformierten Kraft-, Tempo- und Übermenschvorstellungen.

Natürlich wäre es naiv, die nervöse Akzeleration des Sprachrhythmus nur auf die Revolution in der Verkehrstechnik zurückzuführen. Die nächsten Abschnitte werden zeigen, daß ein akzeleriertes Tempo auch die neu entstandene Bewußtseinsindustrie der Massenmedien Zeitung und Film kennzeichnet, daß die Hektik moderner Marktmechanismen selbst expressionistische Künstlerzirkel umtrieb. Aber die durch moderne Arbeits- und Verkehrstechnik veränderte Raum- und Zeiterfahrung wird man doch als einen konstitutiven Faktor unter anderen für den akzelerierten Sprachrhythmus verantwortlich machen können. Entscheidend ist ja, daß moderne Zivilisation sich in einer totalen Umwälzung aller Lebensbedingungen durchsetzt.

Wie wir gesehen haben, preisen die Futuristen ganz unkritisch diese Erscheinungsformen der modernen Zivilisation. Besonders das neue Tempo hatte es ihnen angetan, und seinem Ausdruck sollte ihre Kunst dienen. Im 'Technischen Manifest der Futuristischen Literatur' entwickelt Marinetti einen Katalog syntaktischer Regeln, mit dem dieses Ziel zu erreichen sei. Adjektiv, Adverb, Zeichensetzung und personale Formen des Verbums seien abzuschaffen. Warum? Weil sie Indizien eines denkenden, urteilenden Sprechens sind und als solche das Satztempo hemmen. Das denkende, urteilende Subjekt selbst soll abgeschafft werden.

Man muß das 'Ich' in der Literatur zerstören ... (727, 77)

lautet der elfte Grundsatz des Manifests.

Was hier als positiver Programmpunkt postuliert wird, ist die vom Expressionismus negativ erfahrene und kritisch dargestellte "Ichdissoziation". Natürlich ist Marinettis Annahme, er habe das Ich des Schriftstellers und "die ganze Psychologie" schon getilgt, wenn er dessen syntaktische Spuren löscht, naiv. Noch die wahllose Häufung von Nomina, die er empfiehlt, ist ja eine Form der Ichaussage, das Ich in Auswahl und Anordnung der Nomina präsent. Ebensowenig ist die beliebige Anordnung von Nomina – eine Form der Montage, die Marinetti am Kino vorbildhaft verwirklicht sah – schon Zerstörung der Syntax als solcher. Eher handelt es sich hier um eine extreme syntaktische Reduktion.

Dennoch muß man bei aller Kritik an Marinetti anerkennen, daß hier ein interessanter Gedankenschritt vollzogen und ein Nervenpunkt literarischer Bewegungen im 20. Jahrhundert getroffen wurde. Wie unkritisch auch immer, der Futurismus hat die moderne Zivilisation, insbesondere die durch sie vermittelte neue Erfahrung von Raum und Zeit und Geschwindigkeit ins Zentrum der Aufmerksamkeit gerückt.

Zweitens hat der Futurismus, im Zusammenhang mit diesem neuen Themenbereich, nicht nur die literarischen Gattungskonventionen, sondern die Sprache selbst, ihre Syntax, Wortwahl und übersatzmäßige Verknüpfungsformen radikal problematisiert. Die im 'Sturm'-Kreis entwickkelten sprachexperimentellen Texte und Sprachtheorien von August Stramm, Rudolf Blümner, Lothar Schreyer, die Sprachspiele Dadas[21], die ganze sprachexperimentelle Literatur der Gegenwart wäre, bei aller ideologischen Differenz, nicht denkbar ohne eine solche prinzipielle Problematisierung der traditionellen Syntax. Jene ist die Voraussetzung für Experimente mit dieser.

Aber die Unterschiede dürfen nicht übersehen werden. Nirgends läßt sich die Abgrenzung zwischen Futurismus und Expressionismus deutlicher machen als in deren Einstellung zum Krieg. Für die Futuristen ist der Krieg die letzte Steigerung des vitalen Lebens- und Kraftgefühls: "wir wollen den Krieg verherrlichen – diese einzige Hygiene der Welt –" (727, 34). Für die meisten Expressionisten aber bedeutet Krieg die letzte Konsequenz der inhärenten zerstörerischen Kräfte moderner Technologie und Zivilisation. So kommt Armin Arnold, der in seinem Buch 'Die Literatur des Expressionismus. Sprachliche und thematische Quellen' die "Linguistik des Expressionismus" einseitig vom Futurismus ableitet, zu einer

---

[21] Auf sie wird E. Philipp im nachfolgenden Band dieser Reihe über Dada und den Sturmkreis genau eingehen.

weitgehenden Fehleinschätzung der ganzen expressionistischen Bewegung. Arnolds direkte Ableitung in Kapitel 2 seines Buches 'Zur Linguistik des Expressionismus: Von Marinetti zu August Stramm' wird zwar nachträglich dadurch korrigiert, daß Stramms Werk als unrepräsentativ für den Expressionismus und das expressionistische Sprachbild insgesamt als uneinheitlich erkannt werden, aber der Gesamtansatz des Buches wird dadurch nur notdürftig korrigiert. Die abgründige ideologische Differenz zwischen Futurismus und Expressionismus hat Arnold nicht deutlich herausgearbeitet.[22]

Diese Differenz liegt in der gänzlich unterschiedlichen Haltung gegenüber der modernen Technologie und Zivilisation. Ihr Tempo, ihre zerstörerischen Potenzen werden im Futurismus gefeiert, vom Expressionismus insgesamt aber weitgehend kritisch gesehen und als eine Bedrohung des Ich dargestellt. Ichdissoziationen, die Marinetti als positiven Programmpunkt aufführt, stellt die expressionistische Literatur — wie unterschiedlich auch immer — kritisch dar.

Dennoch ist Marinettis 'Technisches Manifest' ein ausgezeichnetes Dokument für die bedrohte Situation des Subjekts. Indem Marinetti naiv und geradezu zynisch als Konsequenz der modernen Technologie und ihres akzelerierten Tempos die Zerstörung des Ich fordert, spricht er unmittelbar die Bedrohung des Ich aus. Ein Beleg für dessen objektive Schwächung bietet u. a. der schrille Gegensatz zwischen Marinettis programmatischer Forderung nach Ich-Zerstörung und einer heruntergekommenen Übermenschpose, in der er sich gerne selbst zelebrierte. Die Schwäche des Denkens zeigt sich real darin, daß Marinetti den Widerspruch nicht einmal wahrnahm.

2.5.2 Das neue Massenmedium Zeitung und die veränderte Struktur der Öffentlichkeit

Das akzelerierte Tempo wurde nicht nur durch die revolutionierte Verkehrstechnik zu einem bewußtseinsprägenden, die Primärwahrnehmung

---

[22] Auch in seinem Buch über 'Prosa des Expressionismus' kommt Arnold zu ähnlichen Fehleinschätzungen. Sieht man einmal davon ab, daß ein Buch dieses Titels wohl eine Auseinandersetzung mit expressionistischen Prosatexten von Heym, Benn, Einstein, Sack, Kafka erwarten ließe — statt dessen werden durchaus zweitrangige Autoren wie Franz Jung und Curt Corrinth breit abgehandelt, die erste Gruppe von Autoren aber nur recht oberflächlich gestreift —, wird auch hier die ganz entscheidende Differenz zwischen futuristischem Rauschgefühl und Expressionismus verwischt. Um eine Klärung des Expressionismusbegriffes bemüht sich Arnold erst gar nicht. So dankenswert Arnolds Spürsinn für vergessene und verschollene Autoren ist, so wünschenswert wäre doch ein solcher Versuch in seinem Buch über 'Prosa des Expressionismus', wenn nicht der Begriff zur nichtssagenden Hohlform verkümmern soll.

umwälzenden Faktor. Durch die neuen Massenmedien wurde es zu einem Phänomen der Bewußtseinsindustrie. Bekanntlich entwickelte sich das Kommunikationsmedium Zeitung erst Ende des 19. Jahrhunderts in Deutschland überhaupt zu einem Massenmedium, erst zu diesem Zeitpunkt werden Zeitungen in großindustriellem Rahmen geplant und hergestellt. Der Film, 1895 von den Brüdern Lumière erstmalig in Paris einem Publikum vorgeführt, tritt ab 1906/7 aus der Phase des Jahrmarkt- und Schaubudenkinos und entwickelt sich zu einem großkapitalistisch organisierten, große Publikumsmassen ansprechenden Medium. Erst jetzt kann man überhaupt von einer Bewußtseins-"Industrie" sprechen, die einen allerdings grundlegenden "Strukturwandel der Öffentlichkeit" (Habermas, siehe 684) bedingt und selbst schon von diesem bedingt ist. Dieser "Strukturwandel der Öffentlichkeit" hat nachhaltigen Einfluß auch auf literarische Produktions-, Darstellungs- und Rezeptionsformen, der – von einem Vorläufer wie Arno Holz abgesehen – zum ersten Male in der expressionistischen Ära auch in der Literatur durchschlägt.

Die Zeitung war, wie Jürgen Habermas in seiner grundlegenden Analyse gezeigt hat, zunächst ein Medium bürgerlicher Emanzipation. Gegen dogmatische Herrschaftsinteressen von Staat und Kirche entwickelte sich zunächst in den großen Handelsstädten ein vom Bürgertum getragener Waren- und Nachrichtenverkehr, der die traditionellen Herrschaftsformen aushöhlte. In ihrer entwickelten Form erfüllte die Presse als zentrales Organ bürgerlicher Öffentlichkeit im 18. Jahrhundert die dialektische Aufgabe, sowohl Mandator als auch Pädagoge eines bürgerlichen Publikums zu sein, das in seiner unreglementierten, auf vernünftiger Argumentation gründenden Kommunikation wesentlich dazu beitrug, den Abbau der durch Herrschaftspositionen festgehaltenen Dogmen voranzutreiben. Der permanente Kampf der frühbürgerlichen Presse mit der Zensur ist ein Indiz, daß dieser Kampf auch von der herrschenden Aristokratie als solcher begriffen wurde.

In Deutschland veränderten sich Funktion und Struktur der Presse in der zweiten Hälfte des 19. Jahrhunderts grundlegend. Das Bürgertum ist von einer revolutionären zu einer staatskonformen Klasse geworden, die sich in Weltanschauung und Lebensformen an der Aristokratie orientierte und zugleich die seit der Reichsgründung einsetzende Entwicklung Deutschlands zum Großkapitalismus als tragende Schicht vorantrieb. Zugleich veränderte sich mit der Industrialisierung auch die Erscheinungsform der Zeitung. Wiederum läßt sich diese Entwicklung prägnant am Beispiel Berlin nachweisen.[23]

Die technische Grundlage für die moderne Massenpresse lieferte einmal die Erfindung der Rotationsmaschine, zum anderen die Konstruktion der Zeilenguß-Setzmaschine ("Linotype") durch Ottmar Mergenthaler im

---

[23] Wichtigste Quelle für das folgende: 'Zeitungsstadt Berlin' (694).

Jahre 1884. Die wirtschaftliche Grundlage der modernen Massenpresse fand in Deutschland Rudolf Mosse. Er gründete in den Sechzigerjahren eine "Annoncenexpedition" in Berlin, die erstmalig Kunden im ganzen deutschen Sprachgebiet anwarb und mit deren Annoncen Zeitungen finanzierte. Die erste Zeitung Deutschlands, die nur vom Annoncengeschäft getragen war und inhaltlich den breit-räsonierenden Darstellungsstil der alten Zeitungen durch kurze sensationelle Neuigkeiten aus dem In- und Ausland ersetzte, war der 1883 von August Scherl gegründete 'Berliner Lokal-Anzeiger'. Er erschien einmal wöchentlich mit der immerhin stattlichen Startauflage von 200.000.

Das sich nun vor allem in der Tagespresse durchsetzende Aktualitätsprinzip entwickelt eine eigentümliche Dialektik: einerseits verlangt das Prinzip die Anschaffung von Schnelldruckmaschinen, um möglichst aktuelle Neuigkeiten aufnehmen zu können, andererseits zwingen die hohen Investitionskosten zur Gründung neuer, zu anderen Tageszeiten gedruckten Zeitungen, um die Investitionskosten zu amortisieren. "Ehe er es sich versieht, bringt der Verleger statt einer Zeitung drei heraus ... Von einem gewissen Augenblick an ist es nicht mehr das Produkt, das einer Maschine bedarf. Es sind die Maschinen, die nach Produkten verlangen." (694, 95). Das ist genau jene Verselbständigung der maschinellen Produktion, die ein expressionistischer Autor wie Georg Kaiser in seinen 'Gas'-Dramen kritisiert.

Als 1882 die Erfindung der Autotypie durch Georg Meisenbach gelang und die Erfindung der Momentphotographie das aktuelle Pressephoto ermöglichte, waren auch zwei wichtige technische Voraussetzungen der modernen Illustrierten gegeben. 1890 wurde die 'Berliner Illustrirte Zeitung' gegründet und ab 1904 nicht mehr nach dem Abonnementprinzip, sondern im Straßenverkauf vertrieben. Das neue Vertriebssystem, zu dem bald auch viele andere Zeitungen übergingen, bedeutete eine grundlegende Wandlung: sie erschloß neue, vor allem proletarische Leserschichten, die wohl in der Lage waren, 10 Pfennig für eine Zeitung zu bezahlen, aber nicht das Geld für ein ganzes Jahresabonnement im voraus aufbringen konnten. Die Zeitung konnte erst durch die Aufgabe des Abonnementprinzips zu einem Massenmedium werden. So hat die 'Berliner Illustrirte Zeitung' schon um 1906 eine Auflage von 800.000, zu Beginn des 1. Weltkrieges über 1 Million Exemplaren.

Wie wird eine Zeitung aussehen, die mit jeder neuen Nummer um die Käufer werben muß? Die 'Berliner Illustrirte Zeitung' warb mit reißerischen Titelblättern, mit aktuellen Bildserien, mit der Darstellung von Abnormitäten ("Menschenwunder", "Türkische Soldaten beim Photographen mit den Köpfen ihrer Opfer posierend"), neuen Erfindungen ("Das Automobil als Leichenwagen, eine neue Form des Bestattungswesens"), mit Preisrätseln, Karikaturen und Kolportageromanen (688). Entscheidend ist die Verlagerung des Prinzips der Aktualität auf das der Sensation. Sensationen sind die Anreißer für den Straßenverkauf. Das Schockante,

Interessante und Provokative, das bereits Friedrich Schlegel Ende des 18. Jahrhunderts als d a s Prinzip der Moderne erkannte, kommt erst in der modernen Massenpresse voll zum Durchbruch und kreiert eine kollektive Bewußtseinsform, die vornehmlich eben auf dieses Prinzip ausgerichtet ist.[24]

Ich möchte in diesem Zusammenhang noch eine Zeitung erwähnen, die im Herbst 1904 erstmalig in Berlin erschien und bald als die "schnellste Zeitung in der Welt" galt: die 'Berliner Zeitung am Mittag'. Sie wurde ausschließlich im Straßenverkauf vertrieben und war die erste Tageszeitung, die, ohne kontinuierlichen Abonnementstamm, auch ohne Kontinuität in der Berichterstattung einen diffusen, täglich wechselnden Leserkreis einfangen mußte. Das gelang ihr durch ein breites, aber auch diffuses Angebot an kurzen knappen Meldungen und Neuigkeiten. Dabei war "Schnelligkeit ... das oberste Gebot ... Mit dem Auftauchen der 'B. Z. am Mittag' begann das, was später in der Welt als das 'Berliner Tempo' bekannt, gerühmt und zuweilen auch ein wenig belächelt wurde." (694, 154 f.)

Was hat das alles mit der Literatur zu tun? Äußerlich gesehen nicht viel. In Jakob van Hoddis' Gedicht 'Weltende' wird eine Katastrophe ironisch als Zitat vermeldet, das aus einer Zeitung aufgelesen sein könnte:

Und an den Küsten — liest man — steigt die Flut.

Reinhard Sorges Stück 'Der Bettler' charakterisiert in einer Caféhausszene — Abonnement-Zeitungen las man wegen der hohen Abonnementpreise damals noch immer gerne im Café — die Sensationslüsternheit des neuen Zeitungspublikums:

Zweiter Vorlesender: Hören Sie: Erdbeben in Mittelamerika!
Stimmen: Halloh! Wieviel Tote?
Zweiter Vorlesender: Fünftausend.
Dritter Zuhörer: Puh Teufel! ... (469 II, 20)

Zum "schwirrenden" Tempo, in das Franz Biberkopf nach seiner Entlassung in Döblins 'Berlin Alexanderplatz' eintaucht, gehören auch: "'Zwölf Uhr Mittagszeitung', 'B. Z.', 'Die neuste Illustrirte', 'Die Funk-

---

[24] Schlegel beklagt zwar in seiner Schrift 'Über das Studium der griechischen Poesie' "das totale Übergewicht des Charakteristischen, Individuellen und Interessanten in der ganzen Masse der modernen Poesie" (670, 130), sieht im "Schokkanten, sei es abenteuerlich, ekelhaft oder gräßlich, die letzte Konvulsion des sterbenden Geschmacks" (ebd., 149), glaubte aber doch noch auf Grund einer vorausgesetzten Perfektibilitätstheorie, daß die moderne Vorherrschaft des Interessanten und Schockanten nur eine Übergangsphase zu einer objektiven und schönen Kunst sei.

stunde neu' ..." (200 a, 8). Sternheims "Bürgerlicher Held", Theobald
Maske liest in dem Stück 'Die Hose' seiner Frau aus der Zeitung vor:

> Druckknöpfe — mitunter macht die Menschheit auch eine wirklich
> hübsche, sinnfällige Erfindung.
> Das hab ich Dir wohl schon gelesen: die Seeschlange soll wieder in den
> indischen Gewässern aufgetaucht sein. (513, 134)

Ein Druckknöpfe willkommen heißender Sinn fürs Praktische und die
satte Selbstgenügsamkeit, die alles Befremdliche — symbolisiert in der fan-
tastischen Zeitungsmeldung — sich vom Halse hält, definiert ja die Weltanschauung des riesigen Kleinbürgers und kleinbürgerlichen Riesen Theobald Maske.

Wichtiger als solche positivistischen Nachweise ist aber etwas anderes:
mit dem Aufkommen der Massenpresse, ihrer Tendenz zur Aktualität
und der Aktualität zur Sensation, verändert sich die Publikumseinstellung
grundlegend. Dieser "Strukturwandel der Öffentlichkeit" aber hat Auswirkungen auf die Literatur, ihre Produktions- und Rezeptionsbedingun-
gen und auf ihre formale Struktur.

Schon die extreme Introvertiertheit neuromantischer Literatur, ihr Rückzug in den connoisseurhaften Kunstzirkel ist als Antithese zur aufkommenden Massenkultur durch diese vermittelt. Noch die Volksbühnen-
bewegung des Naturalismus hatte der modernen Literatur zumindest
zeitweilig eine breite Publikumsbasis geschaffen. Der George-Kreis ver-
achtete dieses breite Publikum. Die Künstler wollten nur noch unter sich
sein. So setzt auch hier ein 'Spezialisierungs'-prozeß ein, den Habermas
allgemein in der Moderne konstatiert. "Der Zerfall der literarischen
Öffentlichkeit faßt sich in dieser Erscheinung noch einmal zusammen:
der Resonanzboden einer zum öffentlichen Gebrauch des Verstandes er-
zogenen Bildungsschicht ist zersprungen; das Publikum in Minderheiten
von nicht-öffentlich räsonierenden Konsumenten gespalten. Damit hat
es überhaupt die spezifische Kommunikationsform eines Publikums ein-
gebüßt." (684, 210)

Die expressionistischen Autoren bemühten sich — von Einzelgängern
wie Kafka und Trakl abgesehen — wieder um eine breite Publikums-
resonanz. Es ging ihnen nicht nur um eine Darstellung der modernen
Entfremdungs- und Erneuerungsformen d e s Menschen, sondern wesentlich darum, daß ihr Appell auch d i e Menschen erreichte. Dadurch tritt
aber diese Literatur in ein Konkurrenzverhältnis zu den neuen, bewußtseinsprägenden Massenmedien. Zudem wird die literarische Bohèmeatmosphäre in den Großstädten selbst zu einem Markt, auf dem das
Neueste und Sensationellste wie auf einer Börse gehandelt wird. Über die
literarische Atmosphäre in Berlin beispielsweise berichtet Alfred Richard
Meyer: "Man kann sich heute beim besten Willen nicht mehr vorstellen,
mit welcher Erregung wir abends, im Café des Westens oder auf der Straße

vor Gerold an der Gedächtniskirche sitzend und bescheiden abendschoppend, das Erscheinen des 'Sturm' oder der 'Aktion' erwarteten, ... Wer stieg? Wer fiel? Alle Börsenberichte waren für uns von nebensächlicher Bedeutung. Wir selbst waren die Marktwerte! Und jeder wußte darum. Wie heißt der neue Mann? Alfred Lichtenstein-Wilmersdorf. Und sein Gedicht 'Die Dämmerung' betitelt. Verdrängt das 'Weltende' des Jakob van Hoddis?" (26, 55)

Die neuen Rezeptionsformen dringen in die literarischen Zirkel des Expressionismus selbst ein. Zweifellos befördern sie den Hang zu markanter Innovation und provokativen Darstellungsformen. Damit wirkt der "Strukturwandel der Öffentlichkeit" mittelbar auf die Substanz literarischer Formen, verändert diese Formen, die ihrerseits zurückwirken auf die literarische Öffentlichkeit. Das extrem Provokative und Schockante der Lyrik Gottfried Benns beispielsweise ist rein literaturimmanent nicht zu erklären. Bewußtseinsschocks, die diese Lyrik auslösen will, müssen mit extremen Mitteln provoziert werden, weil das Kollektivbewußtsein selbst schon unter dem dauernden Bombardement einer Bewußtseinsindustrie steht, die ihrerseits mit den Mitteln der Sensation und des Schocks ihren Absatz zu sichern und erweitern bemüht ist.

Reproduziert also die Literatur blindlings das ohnehin in den Massenmedien zur Herrschaft kommende Innovations- und Sensationsbedürfnis? Wir haben gesehen, daß die Lyrik Benns eine fundamentale Metaphysik- und Subjektkritik betreibt. Ihr Ziel ist also nicht die blindwütige Reproduktion des Sensationsprinzips, das seinerseits die Fähigkeit des Ichs zur gedanklichen Integration und damit zu einer Identitätsfindung eher erschwert als erleichtert, sondern ist die kritische Darstellung jener Ichdissoziation. Provokative Darstellungsformen dienen hier also einer umgreifenden Gesellschaftskritik, sie dienen, wie wir im Kap. 3 sehen werden, auch der Idee einer Erneuerung des Menschen. Noch in der kritischen Darstellung der Auflösung wird aber an der Autonomie des Subjekts festgehalten, nicht ihre Auflösung betrieben. Ein geschichtlicher Zusammenhang stellt sich her, nicht werden Gedankenzusammenhänge in unvermittelten Tagesmeldungen zerstreut.

Dennoch ergibt sich in der expressionistischen Ära ein Widerspruch zwischen Literatur und Massenmedien. Es geht ja vor allem im messianischen Expressionismus um eine Form von Literatur, die mit Rhetorik und weltumspannender Sprachgestik eine Erneuerung d e s Menschen anvisiert und daher auf breite Publikumsräsonanz angewiesen ist. Da aber die expressionistischen Kunstzirkel in Berlin, Leipzig und Prag nicht viel weniger isoliert waren von der Publikumsmasse als die neuromantischen Kreise, da die großen expressionistischen Zeitschriften 'Der Sturm', 'Die Aktion', 'Die Weißen Blätter' Zeitschriften für eine kleine literarische Avantgarde waren und keine Massenblätter, entsteht hier ein dialektisch nicht aufhebbarer Widerspruch zwischen gesellschaftsveränderndem Anspruch und effektiver Wirkungslosigkeit. Von diesem Widerspruch ist die in diesem Teil referierte Gesellschaftskritik expressionistischer Literatur nicht direkt betroffen. Die Darstellungsfunktion literarischer Sprache bemißt sich ja nicht an ihrer unmittelbaren Rezeption, ihre Wahrheit nicht an ihrer direkten Wirkung. Betroffen vom Strukturwandel der Öffentlichkeit und der durch sie gegebenen Wirkungsmöglichkeit von Literatur ist jedoch der Anspruch auf Wirkung selbst. Wir werden im nächsten Abschnitt sehen, daß einige Expressionisten, denen dieser Widerspruch bewußt wurde, durch Verlagerung des ästhetischen Anspruchs auf das neue Massenmedium Film den Anspruch einer ästhetischen Veränderung des Menschen zu retten und den Widerspruch so zu lösen suchten.

2.5.3 Film und expressionistische Literatur: Simultaneität des Disparaten und Ablösung der Literatur durch den Film

Am Beispiel Film läßt sich der eben aufgewiesene Zusammenhang zwischen den neuen Massenmedien und der Literatur noch deutlicher zeigen. Dieser Zusammenhang besteht im wesentlichen darin, daß expressionistische Literatur, in Konkurrenz mit den Massenmedien und der mit ihr korrespondierenden Rezeptionshaltung des Publikums, formal Elemente der Medien in sich integrierend aufhebt, um sie, umfunktioniert, als Mittel der Gesellschaftskritik einzusetzen, in ihrer Wirkung aber von den Massenmedien überholt und an den Rand gedrängt wird.

Es ist interessant, daß der frühe Stummfilm, selbst ein Produkt der modernen Technologie und ihres Tempos, mit naiver Lust eben jenes Tempo der modernen Technologie zur Darstellung brachte. Schon einer der ersten Filme der Brüder Lumière zeigte 'L'Arrivée d'un train à la Ciotat' (1895). "Nie fühlt sich der Film so in seinem Element, als wenn er Bewegung, Geschwindigkeit, Tempo darzustellen hat. Die Wunder und die Tücken der Instrumente, Apparate, Automaten, Fahrzeuge gehören zu seinen ältesten und wirkungsvollsten Motiven", schreibt Arnold Hauser in seiner "Sozialgeschichte der Kunst" (685, 1026 f.) und Heinrich Fraenkel in seiner Filmgeschichte: "In der Frühzeit des Stummfilms ... kam es einzig und allein darauf an, daß die Leute möglichst viel zu sehen bekamen ... Damals ... konnte man sich in der Darstellung der Bewegtheit nicht genugtun. Was an diesen Filmen am meisten auffällt, ist der Anblick von blitzschnell rasenden Lokomotiven und Automobilen und von Darstellern, die sich unentwegt im Laufschritt bewegten und dabei aufs heftigste gestikulierten." (682, 41)

In einer Zeit, als die Literatur in symbolistisch-neuromantischen Bahnen sich à part vom Leben hielt, das Schöne zu kultivieren und eine "reine" Kunstsprache zu konservieren suchte, wird hier im außerliterarischen Medium Stummfilm das moderne Lebenstempo selbst zur Darstellung gebracht. Während hohe Literatur um die Jahrhundertwende nur durch ihre Verweigerungsgeste sich auf die Moderne bezieht, spiegelt sie der Film naiv und direkt, ja, die unprätentiöse Naivität des neuen Mediums ist vermutlich die Voraussetzung einer solchen Form von Mimesis gewesen.

Dadurch wird aber das Kino sowohl zum Ausdruck als auch zum Inzitament einer neuen Rezeptionshaltung, die ihrerseits auf die Rezeption von Kunst Einfluß nehmen wird. In einer frühen, schon 1914 veröffentlichten Studie 'Zur Soziologie des Kino' konstatiert Emilie Altenloh, "daß beide, der Kino und sein Besucher, typische Produkte unserer Zeit sind, die sich durch ein fortwährendes Beschäftigtsein und durch eine nervöse Unruhe auszeichnen." Das Kino "wirkt mit so starken Mitteln, daß selbst erschlaffte Nerven aufgepeitscht werden, und die schnelle Folge der Ereignisse, das Durcheinander von verschiedenartigsten Dingen lassen keine Langeweile aufkommen." (679, 56)[25] Diese Kategorien entsprechen den in Kapitel 2.1. referierten wahrnehmungspsychologischen Begriffen von Simmel. Auch in Georg Simmels Aufsatz 'Die Großstadt und das Geistesleben' wird die psychologische Grundlage großstädtischer Wahrnehmungsstrukturen in der "Steigerung des Nervenlebens" gesehen, die sich u. a. aus der "raschen Zusammendrängung wechselnder Bilder" ergebe. Der Film — wie auch die Zeitung — ist aber nicht nur Gegenstand einer dissoziierten Wahrnehmungsstruktur, er ist zugleich das — wie auch immer unreflektierte — Medium ihrer Darstellung. Das hat in seinen Baudelaire-Studien bereits Walter Benjamin erkannt. Die "chokförmige Wahrnehmung", die er als Prinzip großstädtischer Wahrnehmungsstruktur erkennt, wird im Film zu einem Gestaltungsprinzip: "Im Film kommt die chokförmige Wahrnehmung als formales Prinzip zur Geltung." (740, 221)

Die Nervosität eines raschen Bildwechsels und seiner temporeichen Szenen werden aber nun von einem Autor wie Franz Kafka als ein ichdissoziierender Faktor begriffen. In seinen Gesprächen mit Gustav Janouch äußert sich Kafka zum Kino: "Ich bin ein Augenmensch. Das Kino stört aber das Schauen. Die Raschheit der Bewegungen und der schnelle Wechsel der Bilder zwingen den Menschen zu einem ständigen Überschauen. Der Blick bemächtigt sich nicht der Bilder, sondern diese bemächtigen sich des Blickes. Sie überschwemmen das Bewußtsein." (334, 93) Kafka beschreibt am Beispiel Film genau jene Umkehrung von Subjekt und Objekt in der Wahrnehmungsaktivität, die wir an Lichtensteins Gedicht 'Punkt' nachgewiesen haben und die ganz allgemein für den frühexpressionistischen Reihungsstil kennzeichnend ist (siehe Kap. 2.1).

Wir hatten den frühexpressionistischen Reihungsstil mit der veränderten Wahrnehmungsstruktur selbst korreliert. Wenn nun der Film nicht nur Gegenstand einer dissoziierten Wahrnehmung ist, sondern zugleich auch ihr Darstellungsmedium, dann nimmt es nicht wunder, daß die

---

[25] Ich habe die Arbeit von Altenloh ausführlicher herangezogen in meinem Aufsatz über 'Expressionistische Literatur und Film' (112).

wichtigsten Vertreter dieses Reihungsstils: Jakob van Hoddis und Alfred Lichtenstein den Film zum Gegenstand ihrer Darstellung machten.

Dabei parodiert van Hoddis' 'Kinematograph' weniger die in der Stummfilmzeit erst rudimentär entwickelte Montagetechnik als die in ihrer Diskontinuität groteske Filmzusammenstellung der frühen Stummfilmkinos. Bezeichnenderweise schließt sein Gedicht einen 'Varieté' überschriebenen Zyklus ab, in dem ein zirkusähnliches Programm vom "Athleten" über den "Humoristen" bis zur "Soubrette" beschrieben wird. Diese Zusammenstellung deutet auf die soziologische Struktur des Stummfilms, der ja bis etwa 1908 als Jahrmarktkino und Schaubudenattraktion auf Wandermärkten, -messen, in Varietés und Vorstadtkneipen eher ein kulturelles Randphänomen war, bis er, großindustriell produziert und verbreitet, in repräsentative Lichtspielhäuser einzog. Das Gedicht von van Hoddis lautet:

Kinematograph

Der Saal wird dunkel. Und wir sehn die Schnellen
Der Ganga, Palmen, Tempel auch des Brahma,
Ein lautlos tobendes Familiendrama
Mit Lebemännern dann und Maskenbällen.

Man zückt Revolver. Eifersucht wird rege,
Herr Piefke duelliert sich ohne Kopf.
Dann zeigt man uns mit Kiepe und mit Kropf
Die Älplerin auf mächtig steilem Wege.

Es zieht ihr Pfad sich bald durch Lärchenwälder,
Bald krümmt er sich und dräuend steigt die schiefe
Felswand empor. Die Aussicht in der Tiefe
Beleben Kühe und Kartoffelfelder.

Und in den dunklen Raum — mir ins Gesicht —
Flirrt das hinein, entsetzlich! nach der Reihe!
Die Bogenlampe zischt zum Schluß nach Licht —
Wir schieben geil und gähnend uns ins Freie. (310, 38)

Es ist interessant, daß hier der Kernbegriff des Reihungsstils selbst fällt. Der Autor van Hoddis erkennt im "Kinematograph" das Prinzip seiner eigenen Darstellungsform. Daher kann er den grotesken Charakter des frühen Stummfilms so bruchlos in seine eigene Sprache übersetzen.

Außerdem läßt sich an diesem Beispiel Grundsätzliches zum Verhältnis expressionistische Literatur — Film festhalten: innovative Darstellungsformen im Expressionismus wie der in seiner Bilderfolge diskontinuierliche Reihungsstil entsprechen zwar formal bestimmten Darstellungs- und Repräsentationsformen der modernen Massenmedien, spiegeln sie aber aus einer kritischen, z. T. ironischen Distanz oder verwenden sie als Elemente einer fundamentalen Subjekt- und Gesellschaftskritik. Zudem parodiert der bruchlose Übergang vom "Brahma" zu "Familiendrama", "Herr Piefke ohne Kopf" zu "Älplerin mit Kropf" in van Hoddis' Gedicht nicht nur die diffuse Zusammenstellung in einem Kinematographen, sondern auch die literarische Erbschaft eines Stefan George, der Reim, Rhythmus und dichterische Sprache insgesamt zu einer sakralen Sphäre hinaufstilisierte. Ein Befund, der auch für Lichtensteins 'Kientoppbildchen' gilt, das zudem den stereotypen Charakter des Bildmaterials selbst ironisiert:

Kientoppbildchen

Ein Städtchen liegt da wo im Land,
Wie üblich: altertümlich.
Und Bäume stehn am Straßenrand,
Die wackeln manchmal ziemlich ... (462, 39)

Man hat den Reihungsstil auch "Simultan"-Technik genannt. In der Tat schlägt sich in ihm eine neue simultane Zeiterfahrung nieder, die ihrerseits kennzeichnend für den Film ist. Das hat Arnold Hauser erkannt: "Denn in keiner Gattung drückt sich der neue Zeitbegriff, dessen Grundzug die Simultaneität ist und dessen Wesen in der Verräumlichung der Zeit besteht, so eindrucksvoll aus wie in dieser jüngsten, mit der Bergsonschen Konzeption gleichaltrigen Kunst. Die Übereinstimmung zwischen den technischen Mitteln des Films und den Kennzeichen des neuen Zeitbegriffs ist so vollkommen, daß man die Zeitkategorien der modernen Kunst wie aus dem Geiste der filmischen Form entstanden empfindet ... Diese Rhapsodik, die den neuen Roman von dem älteren am schärfsten unterscheidet, ist zugleich der Zug, der an ihm am filmischsten wirkt. Die Diskontinuität der Fabel und der Szenenführung, die Unvermitteltheit der Gedanken und Stimmungen, die Relativität und die Inkonsequenz der Zeitmaße ist es, was uns bei Proust und Joyce, bei Dos Passos und Virginia Woolf an die Schnitte, Überblendungen und Interpolationen des Films erinnert ..." (685, 1007 und 1013 f.)
Das ist in der Tat ein interessanter Befund: zu einem Zeitpunkt, da durch die Massenmedien, insbesondere die Zeitung, das Prinzip der Aktualität zu einem dominanten Bewußtseinsfaktor der Öffentlichkeit wird, beginnt sich eine spezifisch zeitliche Erfahrungsform im Sinne einer kontinuierlichen und finalen Entwicklung von Zeit zu zersetzen.
Man wird natürlich nicht sagen können, daß die geschichtlich-finale Erfahrungsform sich total auflöse. Aber sie wird überlagert von einer spezifisch modernen Erfahrung der Simultaneität des Disparaten. Hauser unterstreicht zurecht die Analogie zwischen dem neuen Zeitbegriff und seiner beispielhaften Darstellung im Medium Film einerseits, der modernen Weltliteratur andererseits. Wenn wir im expressionistischen Simultan- oder Reihungsstil dieselbe Zeiterfahrung wiederfinden, ist dieser Befund ein Indiz für die mimetische Funktion dieser Darstellungsform — sie ist eben nicht eine bloß subjektive Ausdruckskunst — und ordnet zu-

gleich diese Stiltendenz expressionistischer Literatur in eine umfassende gesamteuropäische Literaturströmung ein.

Auch für das expressionistische Drama ist das neue Medium Film von großer Bedeutung. Dabei sind auch hier, ähnlich wie beim Simultanstil und der im vorigen Abschnitt aufgewiesenen Relation von Zeitung und expressionistischer Literatur, formale Analogien wichtiger als positivistische Nachweise kausaler Abhängigkeiten des einen Kommunikationsmediums vom anderen. Sicher, expressionistische Literaten wie Hasenclever, Max Brod, Kurt Pinthus, Ludwig Rubiner, Paul Zech schrieben schon 1913 'Kinodramen'.[26] Ernst Tollers Stück 'Die Wandlung' läßt Kriegskrüppel wie in einem Film vor einer weißen Leinwand 'paradieren', Carl Einsteins 'Bebuquin' ironisiert in einer Figur namens " Frederonge Perlenblick" bereits Starkult und Reklame der Stummfilmzeit und Ivan Golls 'Methusalem', das in vieler Hinsicht bereits eine Parodie aus Rhetorik und Idealismus der messianischen Expressionisten ist, projiziert Wunschträume des "ewigen Bürgers" Methusalem auf eine Filmleinwand. Golls 'Die Chaplinade' ist eine "Filmdichtung" und ebenfalls eine Parodie auf expressionistische Ideologeme.

Wichtiger aber ist, wie gesagt, die strukturelle Analogie zwischen dem neuen Medium Film und innovativen literarischen Formen wie dem Reihungsstil, aber auch — im Drama — der Stationentechnik.[27] Die strukturelle Analogie, unabhängig von monokausalen Einflüssen, verbürgt ja eine größere Objektivität der mimetischen Funktion des Darstellungsprinzips, in diesem Falle der Darstellung einer neuen diskontinuierlichen Zeiterfahrung.

Das Drama, das sagt schon sein Name, ist von seiner Anlage her auf Handlungskontinuität hin angelegt. Die aristotelische Forderung nach Einheit von Raum, Zeit und Handlung ist, wenn wir einmal von der verengten Auslegung dieser Regeln in der französischen Tragédie classique absehen, der Gattung nicht von außen auferlegt, sondern mit ihr selbst zum Zeitpunkt ihrer Entstehung gegeben. Wenn nun, und das haben Peter Szondi und Volker Klotz nachgewiesen (109 und 749 a), die "geschlossene Form" des Dramas sich sukzessiv in der Moderne auflöst, so kommt in dieser Auflösung auch eine neue Zeit- und Wirklichkeitserfahrung zum Ausdruck.

---

[26] Zusammengefaßt in dem von Kurt Pinthus herausgegebenen 'Kinobuch' (21).

[27] Einen Epiker vom Range eines James Joyce, der jener Gleichzeitigkeit des Disparaten im Medium des Romans Ausdruck verlieh, hat der deutsche Expressionismus nicht. Döblins 'Berlin Alexanderplatz', der eine vergleichbare Intention verfolgt, gehört schon von der Entstehungszeit her, in der geradezu naturalistisch exakten Darstellung von Psychologie und Milieu seines Helden Franz Biberkopf sowie der Vieldimensionalität seiner Stilformen nicht mehr in den Expressionismus.

Kaisers Drama 'Von morgens bis mitternachts', das literaturimmanent auf der Stationentechnik Strindbergs beruht, entspricht zwar äußerlich gesehen der traditionellen Forderung nach Einheit der Zeit, aber bei genauem Hinsehen erweist sich die Folge der meisten Szenen als umkehrbar. Das widerspricht aufs schärfste der linearen Handlungsstruktur der traditionellen Dramatik. Dabei hätte der Handlungskern: Diebstahl in einer Bank durch den Kassierer und Verfolgung des Kassierers — eine lineare Handlungsführung geradezu gefordert. Wenn Szenen in ihrer Abfolge dennoch z. T. austauschbar sind, dann wird darin nicht nur das Beiherlaufende der Handlungsebene sinnfällig, sondern auch das Austauschbare der Szenenelemente selbst. Zeit ist umkehrbar, weil sich die Szenen nicht kausal auseinander entwickeln, und sie entfalten sich nicht kausal auseinander, weil in ihnen selbst die "Verräumlichung" (Hauser) und Erstarrung der Zeit vorgeführt wird, am deutlichsten in der endlosen Raserei des Sechstagerennens.

Auch hier wird das prinzipielle Verhältnis des literarischen Expressionismus zur Moderne am Verhältnis des Dramas zum Film deutlich: wenn Kaisers typisch expressionistisches Stück mit seiner "sensationellen" Themenwahl, mit seinem formal raschen Wechsel von Ort und Szene sowie der inneren Dynamik der einzelnen Szenen eine geradezu filmische Struktur aufweist, so dienen die formal filmverwandten Darstellungsmittel doch einem ganz anderen Darstellungsziel. Die Darstellung des berauschenden Tempos beim Sechstagerennen, die "Schnittechnik" des Stücks, das Unvermittelte seiner Szenenfolge sollen nicht, wie im frühen Stummfilm, den akzelerierten Lebensrhythmus glorifizieren, sondern im Gegenteil die Diffusität der großstädtischen Erfahrungswelt zur Darstellung bringen und zugleich die Erfahrungsqualität dieser Welt als die erstarrte Zeit und das immer gleiche leblose Leben käuflichen Amusements entlarven. Zurück bleibt ein desorientiertes, ausgebranntes Subjekt, die Gestalt des Kassierers, dessen Selbstmord am Ende nicht nur Konsequenz einer Erfahrung von Ichdissoziation ist, sondern auch die einzige Möglichkeit, die von ihm so erfahrene Sinnlosigkeit der Welt zu transzendieren.

Das filmische Verfahren und filmverwandte Szenen werden also hier in einer dezidiert gesellschaftskritischen Funktion eingesetzt, das in den frühen Großstadtfilmen naiv-fasziniert dargestellte Großstadttempo als ein Faktor der Ichauflösung und Erstarrung der Zeit erkannt. Die der modernen Technologie und Stadtwelt gegenüber grundsätzlich positive Einstellung des technischen Mediums Film kehrt sich um in eine fundamental zivilisations- und gesellschaftskritische Haltung.

In seinem wichtigen, nach formalen Kategorien gegliederten Buch 'Drama des Expressionismus' hat Horst Denkler eine Gruppe von "Filmverwandten Wandlungsdramen" ausgesondert. Er rechnet zu dieser Gruppe Johannes R. Bechers 'Arbeiter, Bauern, Soldaten', Ivan Golls 'Methusalem oder Der ewige Bürger', Walter Hasenclevers 'Die Menschen', Carl Hauptmanns 'Krieg', Franz Jungs 'Wie lange noch?' und Ludwig Rubiners 'Die Gewaltlosen'. Diese Dramen sind in ihrer Struktur sehr unterschiedlich, und es wird nicht ganz klar, unter welchen strukturellen Gesichtspunkten sie eine Einheit bilden und warum andererseits ein so filmisches Drama wie Kaisers 'Von morgens bis mitternachts' nicht unter dieser Gruppe aufgeführt wird. Andererseits hat Denkler richtig erkannt, daß expressionistische Dramen filmische Strukturmerkmale aufweisen.

Wie wenig allerdings die formal filmische Struktur eines Theaterstücks wie 'Von morgens bis mitternachts' durch die Zeitgenossen erkannt wurde, zeigt paradoxerweise gerade die Verfilmung des Stücks durch den damals berühmten Bühnenregisseur Karl Heinz Martin, der sich ansonsten um die Inszenierung expressionistischer Stücke sehr verdient gemacht hat. Martin stellt die Hauptfigur nicht, wie es das Stück selbst suggeriert, in den konkreten Zusammenhang des großstädtischen Amüsier- und Unterhaltungsbetriebs, sondern begreift sie als "Formelement(e) eines dekorativen Gedankens",[28] der das Großstadtstück in theatralisch-kostümhafter Ausstattung ersticken läßt. Der Film kam bezeichnenderweise nicht in die Lichtspielhäuser.

Dieses Mißverständnis ist kein Zufall, sondern verweist auf Strukturprobleme des Stummfilms. Während nämlich die expressionistische Literatur und hier vor allem die frühe Lyrik mit ihrem Reihungs- oder Simultanstil sowie Dramen eines Georg Kaiser, Ernst Toller, Walter Hasenclever, Ivan Goll, die z. T. selbst Filmskripten schrieben, formale Elemente verarbeiten, die den Film auszeichnen: das gesteigerte Tempo einzelner Szenen, lose Bild- und Szenenreihung – die natürlich ihrerseits schon eine spezifisch literaturimmanente Tradition hat –, Überspitzung szenischer Elemente ins Stummfilmhaft-Groteske, Bildprojektionen, Revuetechnik und direkte Filmeinblendungen, auch die Entdeckung des beweglichen Bühnenscheinwerfers entspricht ja der beweglichen Kameraführung, während also die avantgardistische Literatur filmische Strukturen integrierend 'aufhebt' und wirklich produktiv zu Medien der Kritik verarbeitet,[29] ist auf

---

[28] Siehe R. Kurtz, 'Expressionismus und Film' (687). Kurtz kannte die Aufführungen einer Vielzahl von expressionistischen Stücken und Filmen aus eigener Anschauung. Das macht sein Buch zu einer wichtigen Quelle. Auf der anderen Seite ist es weniger ergiebig als sein Titel verspricht, da der Autor in seinem Darstellungsstil selbst nicht analytisch-begrifflich vorgeht, sondern sich in eine stilisiert 'expressive' Sprachpose versteigt.

[29] An diese Tradition sollten dann Erwin Piscator und Bert Brecht anknüpfen. Aber auch der Surrealismus ist ohne diese Tradition nicht denkbar. Ivan Golls 'Manifest des Surrealismus' ist selbst ein Dokument des Zusammenhangs zwischen den den Surrealismus kennzeichnenden raschen Bilderfolge, die natürlich ihrerseits auch ganz andere Einflüsse, etwa die Traumdeutung Freuds, verarbeitet, und dem Film. "Wir sind im Jahrhundert des Films", das ist eine der Grundvoraussetzungen im Surrealismusmanifest Golls (258, 186).

der anderen Seite der Filmentwicklung ein Prozeß zu beobachten, den man 'Theatralisierung des Films' nennen könnte.

Schon vor der expressionistischen Ära begann der Stummfilm massenhaft Theaterstücke zu verfilmen.[30] Dabei verstößt der Film aber vielfach gegen seine immanente Eigengesetzlichkeit. Die Klagen darüber wollen nicht abreißen. So Kurt Pinthus schon 1913 in der Einleitung zum 'Kinobuch': "Denn dies ist der Hauptfehler des Kinos: daß es sein eigentliches Wesen zu mißachten beginnt. Das Kino will Theater werden ... Der Irrweg und Niedergang des Kinos begann in dem Augenblick, als das Kino sein eigentliches Wesen vergaß, unselbständig wurde, sich anschickte, vorhandene Werke der Dichtung zu verfilmen." (21, 1 und 3 f.) Pinthus selbst will in seinem Kinostück 'Die verrückte Lokomotive oder Abenteuer einer Hochzeitsfahrt' dem Kino wieder geben, was des Kinos ist, indem u. a. der Luxuszug Berlin–Rom durch einen vor Eifersucht rasenden Lokomotivführer selbst zum Rasen gebracht in "tobender Geschwindigkeit" durch die Landschaft saust, "wie eine Seeschlange" durch den Bodensee schwimmt und schließlich über die Berge sogar in die Luft abhebt. (ebd., 75 f.)

1920 schreibt der expressionistische Literat Carlo Mierendorff: "Sie nahmen dem Film das berauschende Tempo", und noch 1932 Fedor Stepun in seinem Buch 'Theater und Kino': "Unser Film ist in vielem noch nicht Film, sondern photographiertes Theater." (691, 60)

Der Grund für den Mißerfolg bei der Verfilmung des Theaterstücks von Kaiser liegt also letztlich darin, daß der Film nach einer unbewußt filmgerechten Anfangsphase sich seiner eigenen Dramaturgie und seiner eigenen Gesetze erst allmählich bewußt wurde und daß selbst nach der Entdeckung dieser Gesetze durch Regisseure wie David Griffith, Schauspieler wie Asta Nielsen und Komiker wie Charly Chaplin und Buster Keaton vor allem der literarische Film noch häufig gegen die immanenten Gesetze des Mediums verstieß. In seiner Schrift 'Hätte ich das Kino! !' erkennt Carlo Mierendorff, daß der Film "sein Gesetz in sich trägt", aber er muß auch feststellen: "Die Dramaturgie des Kinos ward noch nicht geschrieben." (482, 20 u. 34)

Dennoch gibt es einen expressionistischen Film, der ein großer Erfolg wurde: 'Das Cabinett des Dr. Caligari'. Gerade das theatralische Dekor mit seinen verzerrten Linien und den maskenhaft starr geschminkten Darstellern haben entscheidend zum Erfolg des Films beigetragen. Dieses 'irre' Dekor entsprach nämlich dem besonderen Sujet des Films. Es spielt z. T. im Irrenhaus. Diesen Zusammenhang hat Herbert Ihering in seiner Besprechung des Films richtig erkannt: "Es ist bezeichnend, daß das Filmspiel 'Das Cabinett des Dr. Caligari' von Carl Mayer und Hans Janowitz nur deshalb expressionistisch durchgearbeitet wurde, weil es im Irrenhaus

---

[30] Das dokumentiert vor allem W. Freisburger, Theater im Film (683).

spielte." (745, 374) Der Film hat bezeichnenderweise keinen Nachfolger gefunden.[31]

Trotz der temporär antifilmischen Phase des Films war die Entwicklung des Mediums zu einem Massenmedium nicht aufzuhalten. Dabei ist es bezeichnend, daß vor allem der Welterfolg Charly Chaplins, dessen Anfänge ja auch schon ins expressionistische Jahrzehnt reichen, für späte Expressionisten wie Carlo Mierendorff und Ivan Goll eine fundamental ästhetische Bedeutung hatte. Während Ernst Toller und mit ihm viele Expressionisten noch bis 1918 an die innere Revolutionierung des Menschen durch die Kunst glaubten, konstatiert Mierendorff 1920 die effektive Wirkungslosigkeit der Literatur in der Gegenwart und den Verlust einer breiten Publikumsbasis.[32] Der Gedanke einer ästhetischen Revolutionierung des Menschen wird aber nun nicht aufgegeben, sondern dem Kino aufgebürdet: 'Hätte ich das Kino!!' ist der Titel der Streitschrift Mierendorffs, und darin heißt es: "Die wahre Revolution beginnt jenseits der Klassenkämpfe", nämlich im angeblich klassenlosen Publikum des Kinos. Für Mierendorff wie für Ivan Goll repräsentiert der Film eine allgemeine Sprache d e s Menschen und ist damit letztlich Garant einer idealistischen Hoffnung auf Befreiung des Menschen durch Kunst, die im messianischen Expressionismus noch einmal aufgelebt war.

Hier ist also der Punkt präzise zu bezeichnen, wo der idealistische Glaube an die ästhetische Erneuerung des Menschen, der, wie wir in Kap. 3 sehen werden, noch ein treibender Faktor für viele Expressionisten war, sich zerschlagen hat, nicht aber um gänzlich unterzugehen, sondern um sich zu verlagern auf das neue Massenmedium Film. Die Literatur hat ihren zumindest fiktiv festgehaltenen Kontakt mit d e m Publikum verloren. Das neue ästhetische Massenmedium ist der Film. Noch Walter Benjamin hat, wie man oft bemerkt hat, einen eigentümlich irrealen Glauben an die aufklärerische Funktion des Mediums Film, unabhängig von seinen konkreten Gehalten. Der Grund liegt darin, daß auch Benjamin in seiner berühmten Schrift 'Das Kunstwerk im Zeitalter seiner technischen Reproduzierbarkeit' traditionelle Erwartungen an die Kunst auf das neue Medium Film überträgt, verdeckt allerdings durch seine vehementen Attacken gegen die traditionelle "auratische" Auffassung von Kunst und Ästhetik.

Wenn so der Literatur ihre fiktive Massenbasis, die sie real nie gehabt hat, verlorengeht, dann tangiert dieser Verlust nicht unmittelbar ihre Darstellungsfunktion. Über die Wahrheit literarischer Texte wird nicht durch ihre unmittelbare Wirkung entschieden. Indem expressionistische Literatur formale Strukturen, die den Film auszeichnen, zur kritischen Darstellung der Ichdissoziation und der Simultaneität des Disparaten an-

---

[31] Siehe dazu und zur interessanten politischen Vorgeschichte des Films: S. Kracauer, 'Von Caligari bis Hitler' (686).

[32] Ein Befund, zu dem Georg Lukács in seiner 'Soziologie des modernen Dramas' bereits 1909 gekommen war (Ludz 753, 261 ff).

setzt, verweist sie allerdings auf relevante Strukturveränderungen im Kollektivbewußtsein, die in dieser kritischen Form von den Massenmedien nicht reflektiert, auch von den Wissenschaften nicht erfaßt werden, wohl aber in der großen europäischen Romanliteratur des 20. Jahrhunderts. Auch das ist ein Indiz für ihre Wahrheit.

2.5.4 Zweite Wirklichkeit der Massenmedien. Montage und das Subjekt als Zitatensemble

Ich möchte zum Schluß dieses Kapitels noch auf eine Randerscheinung der expressionistischen Literatur eingehen, die jedoch mit dem Einfluß der Massenmedien unmittelbar zusammenhängt und zu einem zentralen Motiv der gesamteuropäischen Literatur im 20. Jahrhundert wurde: die literarische Kritik der verdinglichten Sprache. In seinem Buch 'Über Wedekind, Sternheim und das Theater' schreibt Franz Blei bereits 1915 zur Bedeutung der Massenmedien für den "modernen Menschen":

> Alles geschieht, was in der Zeitung steht, denn nichts geschähe in dieser bürgerlichen Welt, stünde nichts in den Zeitungen: alles was diese zerfallene Welt treibt, tut, fühlt, denkt, will, ambitioniert, wäre nicht ohne die Presse, denn dieser Mensch ist die Presse. Was er meint, meint er von Anfang an als öffentliche Meinung; was er urteilt, urteilt er von Anfang an als allgemeines Urteil; er inventarisiert sich, indem er die Zeitung liest. Er zitiert immer sich, indem er die Zeitung zitiert. Auf tausenden von Seiten hat Karl Kraus diesen 'modernen' Menschen beschrieben, indem er nichts sonst tat, als daß er die Presse beschrieb: aber so ganz ist dieser 'moderne' Mensch Presse, daß er meinte, es ginge hier nur um eine Zeitung. (526, 10 f.)

Karl Kraus ist einer der ersten Autoren, der mit dem Mittel der literarischen Collage den Sprachverschleiß der modernen Massenmedien kritisierte. Als sprachkritische Collage wären auch Teile seines Dramas zu interpretieren, dessen Titel bereits die expressionistische Endzeitthematik anschlägt: 'Die letzten Tage der Menschheit'. Eine erste Fassung dieses bereits von seinem Umfang her monströsen Dramas erschien 1918/19 in Kraus' eigener sprach- und gesellschaftskritischen Zeitschrift 'Die Fackel', die endgültige Fassung 1922. In über 200 Szenen mit mehreren hundert als Repräsentanten kollektiver Klischees und Stereotypen kenntlich gemachten Figuren, auf den Straßen Wiens, Berlins, in Hinterhöfen und Bürgerhäusern, Ministerien, Redaktionen, Amüsieretablissements, Exerzierplätzen, Wallfahrtskirchen, im Kriegsarchiv an der Front und auf dem Wurstelprater entfesselt das Stück das Geschehen des 1. Weltkriegs.

Mit einem so umfassenden Welttheater ist im neueren deutschen Drama nur Goethes 'Faust' zu vergleichen. Während aber Faust in der Vielfalt der Schauplätze, Zeiten, der Totalität der Welt, die er erfährt, Totalität und Identität seines eigenen Ich, entfaltet, sind die meisten Figuren des Dramas von Kraus, mit Ausnahme vielleicht des "Nörglers", in dessen Gestalt sich der Autor selbst zu Wort meldet, Marionetten und Abziehfiguren, ihre Sprache stereotyp und phrasenhaft. Die Gesellschaftskritik des Dramas wird so zu einer Bewußtseins- und Sprachkritik. Die Presse selbst als Hauptproduzent phrasenhafter Ideologeme und entleerter Schablonen rückt ins Zentrum der Kritik. "Nicht daß die Presse die Maschinen des Todes in Bewegung setzte – aber daß sie unser Herz ausgehöhlt hat . . .: das ist ihre Kriegsschuld!" (734, Bd. 2, 230) Wie F. H. Mautner in seiner Interpretation des Stücks richtig erkannt hat, ist die Sprache in allen Werken von Karl Kraus "nicht nur Mittel, sondern Gegenstand der Darstellung, Brennpunkt der Aufmerksamkeit, Beweismittel".[33] Die Sprache ist Medium und Gegenstand der Kritik. Kritisiert wird ihre eigene Deformation zum stereotypen Zitatmaterial und damit die Deformation der sprechenden Person zum Ensemble solcher Zitate.

Damit geht Kraus zugleich einen entscheidenden Schritt über die Zivilisations- und Gesellschaftskritik von Georg Kaiser hinaus. Auch bei Kaiser erschienen ja Personen reduziert zu bloßen Funktionsträgern, "Blau- und Gelbfiguren" beispielsweise in den 'Gas'-Dramen. Immer aber bleibt durch die entfremdeten Personen der Stilisierungswille des Autors spürbar, die Sprache eines stilisierenden Subjekts. Kraus' Figuren dagegen sprechen über weite Strecken tatsächlich in stereotypen Zitaten, in aufgelesenen Phrasen, entfremdete Sprache der Massenmedien. Die Sprachkritik tilgt hier tendenziell Sprechform und Stil des Autors.

Karl Kraus' Sprachkritik ist, wie gesagt, eher eine Randerscheinung des Expressionismus, der im wesentlichen sowohl in seiner Gesellschaftskritik als auch in seiner gesellschaftserneuernden Intention ein ungebrocheneres Verhältnis zur Sprache hatte. Es ist aber eine Erscheinung, die im Rahmen der gesamteuropäischen Literatur nicht vereinzelt dasteht. Von Lichtenberg über Arno Holz, Heinrich Mann, den Dadaismus, T. S. Eliot, Raymond Queneau bis hin zur jüngsten sprachexperimentellen Literatur eines Helmut Heißenbüttel und Peter Handke findet sich das Phänomen der Zitatcollage.

Allerdings haben bis heute weder die Literaturwissenschaft noch die Linguistik noch die Sozialwissenschaft oder die Psychologie das Phänomen der Sprachverdinglichung, das in den Sprachcollagen zumeist attackiert wird, theoretisch befriedigend analysiert und auf den Begriff gebracht, obwohl dieses Phänomen alle diese Wissenschaftsbereiche tangiert. Natürlich hängt das Phänomen aufs engste mit dem erwähnten Strukturwandel der Öffentlichkeit zusammen. Auf die Bedeutung der Presse weist ja Kraus selbst hin. Indem die Medien en masse und nach dem Prinzip

---

[33] In B. v. Wiese (Hg.), 'Das deutsche Drama' Bd. 2, Düsseldorf 1958, S. 375.

"don't talk back" Sprache produzieren und das Subjekt zu einem im wesentlichen passiven Rezipienten dieser Sprachproduktion wird, beginnt sich der Austausch zwischen Sprache und Wirklichkeit und zwischen Sprechern auf die Reproduktion vorgefertigter sprachlicher Versatzstücke zu reduzieren. Das Subjekt droht tendenziell selbst zum Zitatensemble zu werden. Ich werde in einem späteren Band dieser Reihe extensiv auf diesen Prozeß eingehen, möchte ihn aber hier immerhin erwähnen, weil ein Autor wie Karl Kraus und der expressionistische Gesellschaftskritik radikalisierende Dadaismus die Sprachstereotypisierung zum Gegenstand ihrer literarischen Kritik machten.

2.6   Die erkenntnistheoretischen Voraussetzungen des Expressionismus

2.6.1   *Nietzsches historische Nihilismusanalyse*

2.6.1.1   *Vorbemerkung*

Bei der problemgeschichtlichen Analyse des Expressionismus stießen wir auf das Phänomen der Ichdissoziation und hier immer wieder auf den Namen Nietzsche, auf die mit seinem Namen verbundene erkenntnistheoretische Ausgangssituation des Expressionismus. Wenn ein Mann das geistige Klima Ende des 19. Jahrhunderts radikal verändert hat, so ist es Nietzsche gewesen. Literaturgeschichtlich fällt diese Wende zusammen mit der 'Überwindung des Naturalismus' – dies der Titel einer 1891 erschienenen Streitschrift von Hermann Bahr –, mit der Kritik an der Wissenschaftsgläubigkeit und am Realitätsbegriff des Naturalismus.

Allerdings ist die geistige Position Nietzsches selbst so vielschichtig, die Rezeption seines Werkes so gebrochen und z. T. diffus, daß bis heute eine umfassende Darstellung seines Einflusses auf die literarische Moderne um die Jahrhundertwende aussteht.[34] "Nihilismus", die Vielheit des Ich, die Lehre vom "Übermenschen", der "Wille zur Macht", die Lebensphilosophie, Kunst als letzte Form der Metaphysik ..., das sind Bruchstücke einer Lehre, die der aphoristischen Philosophie Nietzsches entnommen, rasch in Umlauf gerieten und diskutiert wurden in avantgardistischen Zeitschriften, Literatenkreisen, Bohèmezirkeln.

Zu Beginn des expressionistischen Jahrzehnts lag Nietzsche, wie Ernst Blass die Atmosphäre im Berliner "Café des Westens" charakterisiert, "in

---

[34] Eine wichtige Grundlage dazu hat P. Pütz durch sein Buch über Nietzsche gelegt (660).

der Luft", sein Gedankengut wurde z. T. übertragen durch "Osmose" (W. Paulsen). Das aber macht die Analyse seiner Rezeption auch so schwer. Wenn Gottfried Benn in 'Nietzsche – nach fünfzig Jahren' schreibt:

> Eigentlich hat alles, was meine Generation diskutierte, innerlich sich auseinanderdachte, man kann sagen: erlitt, man kann auch sagen: breit-trat – alles das hatte sich bereits bei Nietzsche ausgesprochen … (162, 482)

ist dies sicher eine pointierte Formulierung; aber sie hält den immensen Einfluß Nietzsches fest und macht so zugleich die Diskrepanz zu den positivistisch aufweisbaren Quellen dieses Einflusses bewußt.

In dieser Situation empfiehlt es sich, auf Texte Nietzsches selbst einzugehen, Grundgedanken seiner Philosophie exakt herauszuarbeiten, um diese Ergebnisse mit den Ergebnissen einer konkreten Analyse expressionistischer Texte zu korrelieren. Was aufgenommen, wie es aufgenommen und verarbeitet wurde, ist letztlich nur den literarischen Texten des Expressionismus selbst zu entnehmen. Die Analyse Nietzsches erfolgt so natürlich schon mit Hinblick auf den Expressionismus, insbesondere die erkenntnistheoretische Reflexionsprosa des Expressionismus, wie umgekehrt dessen Analyse ein nicht nur schlagworthaftes, sondern vertieftes Verständnis von Nietzsche und der erkenntnistheoretischen Probleme seiner Zeit, die allerdings Nietzsche wie kein anderer klar artikulierte – das vor allem begründete seine Wirkung.–, voraussetzt.[35]

2.6.1.2 Interpretation von Nietzsches Aphorismus: 'Hinfall der kosmologischen Werte'

Einer der Aphorismen aus dem Nachlaß Nietzsches, der unter dem Titel 'Der Wille zur Macht. Versuch einer Umwertung aller Werte' nach Nietzsches Tod veröffentlicht wurde, ist überschrieben:[36] 'Hinfall der kosmologi-

---

[35] Ich gehe bei der folgenden Analyse mit Nietzscheforschern wie K. Löwith und H. Röttges aus von der wesensmäßigen Einheit des Gesamtwerks. Damit soll nicht die in der Forschung herausgearbeitete Akzentverlagerung von einer ersten Gruppe von Schriften (u. a. 'Die Geburt der Tragödie') über eine kritische Ernüchterung ('Menschliches, Allzumenschliches', 'Morgenröte' u. a.) zum Versuch einer positiven Antwort auf den Nihilismus ('Also sprach Zarathustra') geleugnet werden. Aber Röttges hat wohl recht, daß "jene Lehre vom mit der Aufklärung manifest werdenden Nihilismus und seiner Überwindung" sich durch das Gesamtwerk zieht (662, 30), mithin die Einheit des Werkes gerade in seiner durchgehenden Ambivalenz besteht.

[36] Vom Herausgeber der dreibändigen Nietzscheausgabe, Karl Schlechta, wurde dieser Nachlaß allerdings aufgelöst und durch eine "manuskriptgetreue-chronologische" ersetzt, die allerdings angegriffen wurde. Eine kritische Gesamtausgabe aller Schriften durch G. Colli und M. Montinari ist im Entstehen.

schen Werte'. Der Aphorismus exponiert in gedrängter Form zentrale Gedanken der Philosophie Nietzsches, insbesondere seinen Nihilismusbegriff. Der Einstieg bei diesem Aspekt der Philosophie Nietzsches erfolgt nicht willkürlich, sondern auf Grund derselben Hypothese, die dem ganzen problemgeschichtlichen Teil dieses Bandes zugrunde liegt: der Versuch eines Neuanfangs im expressionistischen Begriff des "neuen Menschen" oder Nietzsches "Übermenschen", die messianische Lehre des "Lebens" und seiner immanenten Steigerungsformen im "Willen zur Macht" und "Dionysischen" sind nur verständlich vor dem Hintergrund einer tiefgreifenden Strukturkrise des Ich, die ihrerseits die im Begriff des Nihilismus festgehaltene radikale Verunsicherung traditioneller Denkformen und Wertsysteme widerspiegelt. Was meint, genau besehen, der Begriff Nihilismus?:

"Hinfall der kosmologischen Werte

A.

Der Nihilismus als psychologischer Zustand wird eintreten müssen, erstens, wenn wir einen 'Sinn' in allem Geschehen gesucht haben, der nicht darin ist: so daß der Sucher endlich den Mut verliert. Nihilismus ist dann das Bewußtwerden der langen Vergeudung von Kraft, die Qual des 'Umsonst', die Unsicherheit, der Mangel an Gelegenheit, sich irgendwie zu erholen, irgendwoüber noch zu beruhigen — die Scham vor sich selbst, als habe man sich allzulange betrogen ... Jener Sinn könnte gewesen sein: die 'Erfüllung' eines sittlichen höchsten Kanons in allem Geschehen, die sittliche Weltordnung; oder die Zunahme der Liebe und Harmonie im Verkehr der Wesen; oder die Annäherung an einen allgemeinen Glücks-Zustand; oder selbst das Losgehen auf einen allgemeinen Nichts-Zustand — ein Ziel ist immer noch ein Sinn. Das Gemeinsame aller dieser Vorstellungsarten ist, daß ein Etwas durch den Prozeß selbst erreicht werden soll: — und nun begreift man, daß mit dem Werden nichts erzielt, nichts erreicht wird ... Also die Enttäuschung über einen angeblichen Zweck des Werdens als Ursache des Nihilismus: sei es in Hinsicht auf einen ganz bestimmten Zweck, sei es, verallgemeinert, die Einsicht in das Unzureichende aller bisherigen Zweck-Hypothesen, die die ganze 'Entwicklung' betreffen (— der Mensch nicht mehr Mitarbeiter, geschweige der Mittelpunkt des Werdens).

Der Nihilismus als psychologischer Zustand tritt zweitens ein, wenn man eine Ganzheit, eine Systematisierung, selbst eine Organisierung in allem Geschehen und unter allem Geschehen angesetzt hat: so daß in der Gesamtvorstellung einer höchsten Herrschafts- und Verwaltungsform die nach Bewunderung und Verehrung durstige Seele schwelgt (— ist es die Seele eines Logikers, so genügt schon die absolute Folgerichtigkeit und Realdialektik, um mit allem zu versöhnen ...). Eine Art Einheit, irgendeine Form des 'Monismus': und infolge dieses Glaubens der Mensch in tiefem Zusammenhangs- und Abhängigkeitsgefühl von einem ihm unendlich überlegenen Ganzen, ein modus der Gottheit ... 'Das Wohl des Allgemeinen fordert die Hingabe des einzelnen' ... aber siehe da, es gibt kein solches Allgemeines! Im Grunde hat der Mensch den Glauben an seinen Wert verloren, wenn durch ihn nicht ein unendlich wertvolles Ganzes wirkt: d. h. er hat ein solches Ganzes konzipiert, um an seinen Wert glauben zu können.

Der Nihilismus als psychologischer Zustand hat noch eine dritte und letzte Form. Diese zwei Einsichten gegeben, daß mit dem Werden nichts erzielt werden soll und daß unter allem Werden keine große Einheit waltet, in der der einzelne völlig untertauchen darf wie in einem Element höchsten Wertes: so bleibt als Ausflucht übrig, diese ganze Welt des Werdens als Täuschung zu verurteilen und eine Welt zu erfinden, welche jenseits derselben liegt, als wahre Welt. Sobald aber der Mensch dahinterkommt, wie nur aus psychologischen Bedürfnissen diese Welt gezimmert ist und wie er dazu ganz und gar kein Recht hat, so entsteht die letzte Form des Nihilismus, welche den Unglauben an eine metaphysische Welt in sich schließt, — welche sich den Glauben an eine wahre Welt verbietet. Auf diesem Standpunkt gibt man die Realität des Werdens als einzige Realität zu, verbietet sich jede Art Schleichweg zu Hinterwelten und falschen Göttlichkeiten — aber erträgt diese Welt nicht, die man schon nicht leugnen will ...

— Was ist im Grunde geschehen? Das Gefühl der Wertlosigkeit wurde erzielt, als man begriff, daß weder mit dem Begriff 'Zweck', noch mit dem Begriff 'Einheit', noch mit dem Begriff 'Wahrheit' der Gesamtcharakter des Daseins interpretiert werden darf. Es wird nichts damit erzielt und erreicht; es fehlt die übergreifende Einheit in der Vielheit des Geschehens: der Charakter des Daseins ist nicht 'wahr', ist falsch ..., man hat schlechterdings keinen Grund mehr, eine wahre Welt sich einzureden ... Kurz: die Kategorien 'Zweck', 'Einheit', 'Sein', mit denen wir der Welt einen Wert eingelegt haben, werden wieder von uns herausgezogen — und nun sieht die Welt wertlos aus ...

B.

Gesetzt, wir haben erkannt, inwiefern mit diesen drei Kategorien die Welt nicht mehr ausgelegt werden darf und daß nach dieser Einsicht die Welt für uns wertlos zu werden anfängt: so müssen wir fragen, woher unser Glaube an diese drei Kategorien stammt, — versuchen wir, ob es nicht möglich ist, ihnen den Glauben zu kündigen! Haben wir diese drei Kategorien entwertet, so ist der Nachweis ihrer Unanwendbarkeit auf das All kein Grund mehr, das All zu entwerten.

— Resultat: Der Glaube an die Vernunft-Kategorien ist die Ursache des Nihilismus, — wir haben den Wert der Welt an Kategorien gemessen, welche sich auf eine rein fingierte Welt beziehen.

— Schluß-Resultat: Alle Werte, mit denen wir bis jetzt die Welt zuerst uns schätzbar zu machen gesucht haben und endlich ebendamit entwertet haben, als sie sich als unanlegbar erwiesen — alle diese Werte sind, psychologisch nachgerechnet, Resultate bestimmter Perspektiven der Nützlichkeit zur Aufrechterhaltung und Steigerung menschlicher Herrschafts-Gebilde: und nur fälschlich projiziert in das Wesen der Dinge. Es ist immer noch die hyperbolische Naivität des Menschen: sich selbst als Sinn und Wertmaß der Dinge anzusetzen." (651/676)

Martin Heidegger hat zurecht darauf hingewiesen, daß der Titel 'Hinfall der kosmologischen Werte' nicht eine besonders eingeschränkte Klasse von Werten meint, etwa im Sinne der Dreiteilung traditioneller Philosophie in Kosmologie, Psychologie und Theologie, der die Dreiheit Natur, Mensch, Gott entspräche. "Diese Vermutung ist irrig. Kosmos bedeutet hier nicht 'Natur' im Unterschied zum Menschen und zu Gott, 'Kosmos' bedeutet soviel wie 'Welt', und Welt ist der Name für das Seiende im Ganzen." (655, 35)

Es geht in diesem Aphorismus um den "Nihilismus als psychologischen Zustand", d. h. um die Rückwirkung einer historischen Zustandsform von Wirklichkeit auf den Menschen, um eine geschichtsphilosophische Erfahrungsform von Wirklichkeit. Zudem formuliert der Aphorismus den Begriff Nihilismus gleichsam selbst als seinen Prozeß.

Der Abschnitt A gliedert sich in drei, den psychologischen Zustand des Nihilismus beschreibende Teile und eine quintessenzartige Zusammenfassung. Die erwähnten drei Teile vollziehen immer wieder denselben Gedankengang: "erstens, wenn wir einen 'Sinn' in allem Geschehen gesucht haben . . .", "zweitens . . ., wenn man eine Ganzheit, eine Systematisierung, selbst eine Organisierung in allem Geschehen und unter allem Geschehen angesetzt hat . . ." und drittens die "Ausflucht . . . eine Welt zu erfinden, welche jenseits derselben liegt, als wahre Welt". Es wird hier jeweils der Prozeß einer Sinngebung der Welt durch den Menschen beschrieben. Der Mensch legt etwas in die Welt hinein, deutet sie sinnvoll, zuletzt durch die Verlagerung der Welt der Wahrheit in ein Jenseits zur diesseitigen Welt. Diesen Formen von Sinnstiftung geschieht aber nun das immer Gleiche: sie erweisen sich, bloße Projektionen des Subjekts zu sein. Der "in allem Geschehen" gesuchte Sinn ist s e l b s t "nicht darin". Die Welt selbst ist gar nicht sinnvoll, sittlich, wahr; nur unsere Vorstellungen haben sie mit diesen Sinndeutungen überzogen. Die ersten drei Abschnitte beschreiben also einen sich mehrfach wiederholenden Prozeß der Projektion und ihre Entlarvung.

Nihilismus nun ist zunächst und vor allem der Prozeß der Selbstauflösung von Werten, nach deren Maßgabe sich der Mensch die Welt zurecht-"gezimmert" hat. "Was ist im Grund geschehen? Das Gefühl der Wertlosigkeit wurde erzielt, als man begriff, daß weder mit dem Begriff 'Zweck', noch mit dem Begriff 'Einheit', noch mit dem Begriff 'Wahrheit' der Gesamtcharakter des Daseins interpretiert werden darf ... Kurz: die Kategorien 'Zweck', 'Einheit', 'Sein', mit denen wir der Welt einen Wert eingelegt haben, werden wieder von uns herausgezogen – und nun sieht die Welt wertlos aus." Mit anderen Worten: Ideologiekritik als Medium der Auflösung umgreifender Weltdeutungen, als Zersetzungsprozeß übergreifender Werte – seien sie transzendent wie die Vorstellung eines höchsten guten und wahren Wesens: Gott, seien sie geschichtsimmanent wie die "Zunahme der Liebe und Harmonie im Verkehr der Wesen" – schafft zuletzt einen Zustand absoluter Sinn- und Zwecklosigkeit von Wirklichkeit, weil sich durch sie der Glaube an ein einheitliches sinnstiftendes, in der Wirklichkeit selbst wirkendes Prinzip zersetzt hat.

Der Abschnitt B eröffnet hier noch einen interessanten Aspekt. Er deutet "alle diese Werte ... psychologisch nachgerechnet" als "Resultate bestimmter Perspektiven der Nützlichkeit zur Aufrechterhaltung und Steigerung menschlicher Herrschafts-Gebilde: und nur fälschlich projiziert in das Wesen der Dinge." Mit anderen Worten: die großen Werte der Menschheit, die großen Begriffe, mit der ihre Geschichte leitbildhaft vorangetrieben wurde, sind selbst nur Fiktionen, die als Herrschaftsinstrumente eines permanenten "Willens zur Macht" fungieren. "Wille zur Macht": das ist für Nietzsche die Kategorie, nach deren Maßgabe Leben eigentlich sich vollzieht. Alle anderen Ideen, Begriffe und Vorstellungen sind aufgesetzt, bloße Fiktionen, die nur verschleiern, worum es eigentlich geht.

Man könnte sagen, daß hier ein trauriger Skeptizismus seinen kulturmüden Blick auf die Welt richtet, selbst nicht weniger perspektivisch verzerrt, ja im schlechten Sinne 'subjektiv' als die Perspektiven und Begriffe, die entlarvt werden sollen. Das hieße aber die Bedeutung Nietzsches gehörig unterschätzen, indem man den ideologiekritischen Geschichtsprozeß, in dem er wissend steht, unterschätzt. Nietzsches Nihilismusanalyse ist kein schrulliger Einfall eines schlechtweggekommenen kränkelnden Misanthropen. Sie hätte sonst schwerlich die Wirkung gehabt, die sie hatte und – inklusive seiner Analyse der ihrem Wesen nach nihilistischen Form von Selbstbetäubung in Rausch, Ersatzreligionen und Surrogatzielsetzungen – mehr unbewußt als bewußt immer noch hat: "Was ich erzähle, ist die Geschichte der nächsten zwei Jahrhunderte. Ich beschreibe was kommt, was nicht mehr anders kommen kann: die Heraufkunft des Nihilismus." (651, 634) "Was bedeutet Nihilismus? – Daß die obersten Werte sich entwerten. Es fehlt das Ziel. Es fehlt die Antwort auf das 'Wozu?'." (ebd., 557)

Entscheidend ist also, daß die Ursache des Nihilismus nicht in der Individualpsychologie Nietzsches oder gar seiner Krankengeschichte verankert ist, sondern in einem übergreifenden Geschichtsprozeß: einmal durch die Hypostasierung von und den Glauben an Vernunftkategorien. "Schon das Hineinlegen dieser Werte in die Welt ist Nihilismus." (Heidegger 655, 58) Zum anderen durch den ideologiekritischen, aufklärerischen Prozeß der Auflösung solcher Vernunftkategorien und letzter Werte.

2.6.1.3 Nietzsches Nihilismusbegriff als radikale Konsequenz der Ideologiekritik der Aufklärung

Das aber ist ein Prozeß, der seit der Renaissance durch die Wissenschaften und die Philosophie unaufhaltsam in Gang gekommen ist. Vor allem wird in ihm wie in einem Säurebad das Christentum als d i e abendländische Form von Metaphysik, d. h. einer Lehre von jenseitigen Welten, von einem höchsten Seienden, das zugleich die absolute Wahrheit sei, einem an die Wurzel gehenden Skeptizismus unterworfen.

Nach Nietzsche setzt das neuzeitliche philosophische "Attentat auf die Grundvoraussetzungen der christlichen Lehre" nachdrücklich bei Descartes ein. Sein fundamentaler Zweifel an der Gewißheit alles Seienden findet ja bekanntlich nicht mehr in Gott, sondern im zweifelnden Ich selbst das unumstößliche Fundament einer sicheren Erkenntnis. Die moderne Philosophie ist von hier an versteckt oder offen antichristlich. Daß Descartes letztlich eine christliche, d. h. metaphysische Denkweise beibehält, die trotz und vor allem Zweifel "an einen guten Gott als Schöpfer der Dinge glaubt", deutet nach Nietzsche auf eine Inkonsequenz der gesamten modernen Philosophie: So sehr sie einerseits kritisch an der Abschaffung von letzten metaphysischen Wahrheiten arbeitet, so heimtückisch baut sie doch Metaphysik wieder in ihr Denken ein. Insbesondere hätten die Deutschen "nach der (reformatorischen) 'Abschaffung' des theologischen den 'weiterentwickelten' Typus des philosophischen Priesters geschaffen, und nur ihre 'Instinkt gewordene Unsauberkeit in psychologicis' hat sie gehindert, die bloß scheinbare Emanzipation ihrer Philosophie bzw. deren Herkunft aus 'Theologenblut' zu durchschauen."[37] "Unter Deutschen versteht man sofort, wenn ich sage, daß die Philosophie durch Theologen-Blut verderbt ist. Der protestantische Pfarrer ist Großvater der deutschen Philosophie . . ." (650, 1171).

Der Prototyp dieser "unbewußten Falschmünzerei" ist Kant, indem er einerseits wissenschaftliche Erkenntnisse philosophisch begründet, zum anderen aber dem Wissen seine Schranken weisend nun geradezu wissenschaftlich ein Jenseits der Vernunft setzt, "ein Schleichweg zum alten Ideal". (ebd., 1171) Hegel gar war nach Nietzsche der "Verzögerer par excellence" des "unbedingt redlichen Atheismus".

Hegels Aufhebung des Absoluten als eines Transzendenten zugunsten einer Absolutsetzung des Subjekts und seiner Geschichte, seine Aufhebung der absoluten Vernunft in den endlichen Prozeß der Geschichte, der geradezu zur Anbetung des Wirklichen als des Vernünftigen führt, ist nun

---

[37] Diese Nietzschesätze zitiere ich aus der Arbeit von G. Grau über Nietzsche (653, 36), an dessen kluge Darstellung der Auflösung metaphysischer Kategorien in Nietzsches Philosophie ich mich auch im folgenden anlehne.

allerdings "der entscheidende Umschlag von der kritischen Restauration zur destruierenden". "Gleichwohl bedingt selbstverständlich diese Verabsolutierung des zwar modifizierten, aber gerade dadurch noch einmal umgreifend aktualisierten Christentums eine weitere Verzögerung im Prozeß der absoluten Aufhebung, bedeutet die geschichtsdialektische eine erneute Retardierung der logischen Selbstauflösung des Christentums in der Geschichte ... Am Ende hat es fast den Anschein, als finge sich die Macht der Religion in der Historie noch einmal in einer 'Religion der historischen Macht'." (Grau 653, 50 u. 51)

So hat alle große Philosophie in der Neuzeit ein janusartiges Doppelgesicht. Einerseits die Macht metaphysischer Weltordnung zerstörend, bleibt sie in einer Art Heimweh diesem Denken doch verhaftet. Allerdings wird Hegels Aufhebung der Religion in die Philosophie und der Rechtfertigung der Geschichte als der Offenbarung der absoluten Vernunft in dem Maße zu einer Herausforderung an die Kritik, als die realpolitischen Zustände zumal in Deutschland aller Vernunft ins Gesicht schlugen. Gerade diese Diskrepanz war ein treibender Faktor der Kritik, auch der durch Autoren wie Strauß, Feuerbach, Bauer, Marx, Stirner, entwickelten Religionskritik, Autoren, die Nietzsche allerdings nur z. T. kannte.

Nietzsche selbst versteht sich als der eigentliche Vollstrecker dieser aufklärerischen ideologiekritischen Tradition.

> Die historische Widerlegung als die endgültige. —Ehemals suchte man zu beweisen, daß es keinen Gott gebe, — heute zeigt man, wie der Glaube, daß es einen Gott gebe, entstehen konnte und wodurch dieser Glaube seine Schwere und Wichtigkeit erhalten hat: dadurch wird ein Gegenbeweis, daß es keinen Gott gebe, überflüssig. (649, 1073)

Nicht nur sieht sich also Nietzsche als Vollstrecker einer historischen Tradition, das historische Denken selbst wird ihm zum eigentlichen Instrument, mit dem er Religion und Metaphysik aus den Angeln zu heben glaubte. Der Satz "Gott ist tot", zum ersten Male im 125. Stück der 'Fröhlichen Wissenschaft' geäußert und ein Hauptbestandteil der Lehre Zarathustras, ist der Schlußstein unter den historischen Selbstauflösungsprozeß der Metaphysik, gehämmert mit den Mitteln des historischen Denkens. Der moderne Nihilismus ist also kein launischer Einfall eines 'Nihilisten', der an nichts glauben kann, sondern die logische Konsequenz des modernen Denkens, der modernen Naturwissenschaften und ihres Wahrheitsbegriffs — wahr ist, was sich im Experiment nachweisen läßt —, des modernen Historismus. Die Welt ist — nach Nietzsche — voll von Symptomen dieses gewußten oder unbewußten Nihilismus: "Am Sterbebette des Christentums. — Die wirklich aktiven Menschen sind jetzt innerlich ohne Christentum, die mäßigeren und betrachtsameren Menschen des geistigen Mittelstandes besitzen nur noch ein zurechtgemachtes, nämlich ein wunderlich vereinfachtes Christentum ..." (649, 1072). Erscheinungsformen des Nihilismus: "Die Arten der Selbstbetäubung. — Im Innersten:

nicht wissen, wohinaus? Leere. Versuch, mit Rausch darüber hinwegzu-
kommen . . . Versuch, besinnungslos zu arbeiten, als Werkzeug der Wissenschaft . . . die Mystik . . . die Kunst . . ." (651, 911) "Das Zugrunde-gehen
präsentiert sich als Sich-zugrunde-richten, als ein instinktives Auslesen
dessen, was zerstören muß. Symptome dieser Selbstzerstörung der Schlechtweggekommenen: die Selbstvivisektion, die Vergiftung, Berauschung, Romantik, vor allem die instinktive Nötigung zu Handlungen, mit denen
man die Mächtigen zu Todfeinden macht (– gleichsam sich seine Henker
selbst züchtend), der Wille zur Zerstörung als Wille eines noch tieferen
Instinkts, des Instinkts der Selbstzerstörung, des Willens ins Nichts."
(ebd., 855) "Der moderne Sozialismus will die weltliche Nebenform des
Jesuitismus schaffen: jeder absolutes Werkzeug. Aber der Zweck, das Wozu? ist nicht aufgefunden bisher" (ebd., 428); ". . . und in praxi bleibt es
bei der Falschmünzerei der Geschichte zugunsten des 'guten Menschen'
(wie als ob er allein der Fortschritt des Menschen sei) und dem sozialistischen Ideal (d. h. dem Residuum des Christentums und Rousseaus in der
entchristlichten Welt)." (ebd., 633)

In diesem Zusammenhang möchte ich nicht ausführlicher darauf eingehen, inwieweit Nietzsches Denken selbst noch im Horizont jener Metaphysik bleibt, die er zu erledigen glaubt. Ich schließe mich hier dem Urteil
und Hinweis von Heinz Röttges in seiner Arbeit 'Nietzsche und die Dialektik der Aufklärung' an, wenn er sagt: "Relevant in diesem Zusammenhang scheint mir besonders die Nietzschekritik Heideggers, der wohl die
am weitesten reichende Interpretation Nietzsches vorgetragen hat, in den
'Holzwegen' zu sein, wo er den Nihilismus schon in der Fragestellung
Nietzsches, nicht erst in der Antwort zu erblicken glaubt . . ." (662, 30)

In der Tat haben Heideggers Aufsatz 'Nietzsches Wort 'Gott ist tot'' und
seine späteren Nietzsche-Vorlesungen mit großer Klarheit herausgearbeitet, in welchem Maße Nietzsches eigener Denkansatz noch in einer von
ihm selbst undurchschauten Form neuzeitlich metaphysisch ist. Die Rede
von "Werten", die Lehre vom "Willen zur Macht" und vom "Übermenschen" können geradezu als die Radikalisierung des von Nietzsche analy-
sierten Nihilismus in Form des zur Herrschaft kommenden neuzeitlichen
Subjektivismus interpretiert werden. Auch der Begriff "Nihilismus" als
Konstatierung der Sinnlosigkeit ist ja orientiert an einem metaphysischen
Begriff von 'Sinn'. Der Begriff Nihilismus ist, als Negation von Metaphysik, ein selbst noch metaphysischer Begriff.

Die Metaphysikkritik Nietzsches, sein fundamentaler Zweifel an einem
letztlich Wahren, Guten, an den großen 'Idealen' "Gott, Tugend, Wahrheit, Gerechtigkeit, Nächstenliebe . . ." (649, 1015) schafft aber für eine
Generation, die ökonomisch und sozialpsychologisch ohnehin verunsi-
chert, in eine Situation "transzendentaler Obdachlosigkeit" – um einen
frühen Begriff von Georg Lukács aufzunehmen – sich gestoßen sieht,
einen Zustand erkenntnistheoretischer Bodenlosigkeit. Dies um so mehr,
als sie die Voraussetzungen dieser Kritik selbst nicht mehr durchschaute.

2.6.1.4 Ideologiekritische Auflösung des traditionellen Subjekt-begriffs

Denn auch das Subjekt, jene Kategorie, in der Descartes letztlich eine sichere Erkenntnis verankert weiß und die Hegel zum allein Wahren und Absoluten erklärt, wird bei Nietzsche als Residuum von Metaphysik entlarvt. Noch vor der Psychoanalyse entdeckt er, "daß all unser sogenanntes Bewußtsein ein mehr oder weniger phantastischer Kommentar über einen ungewußten, vielleicht unwißbaren, aber gefühlten Text ..." ist (649, 1095), daß der Begriff 'Subjekt' "die Fiktion" ist, "als ob viele gleiche Zustände an uns die Wirkung eines Substrats wären ..."

Meine Hypothese: Das Subjekt als Vielheit. (651, 473)

Die Einsicht in die Vielheit und Diffusität der Triebvorgänge im Subjekt, vor allem aber die Einsicht in die Diskrepanz zwischen der Unbewußtheit solcher Triebvorgänge und einer zurechtgemachten Oberflächeninterpretation im Bewußtsein zersetzen die Einheit des Subjektbegriffs und das Vertrauen auf die Möglichkeit einer gänzlich vernunftmäßigen Selbstdurchdringung und Steuerung des Ich. So geht es dem Subjektbegriff ähnlich wie den transzendent-metaphysischen Begriffen:

Das 'Subjekt' ist nur eine Fiktion: es gibt das ego gar nicht, von dem geredet wird, wenn man den Egoismus tadelt. (ebd., 534)

Wenn aber an diesem "Ego" die Erkenntnistheorie der modernen Philosophie und Wissenschaft selbst festgemacht war, dann wird diese Subjektkritik zu einem Todesstoß für jene Erkenntnistheorie, jedenfalls für die Sicherheit und Gewißheit, mit der sie glaubte, etabliert zu sein. Eine Konsequenz des Nihilismus scheint zu sein, daß jenes Ich, von dessen 'sicherer' Erkenntnisgrundlage aus sich die Aufklärung in ihrer Destruktion des mittelalterlichen Substanz- und Gottesbegriffs vollzog und das bei Hegel und Goethe als eine in sich vermittelte, mit sich identische und harmonische Totalität gedacht und erfahren wird, unter dem Zugriff der ideologiekritischen Reflexion sich auflöst in eine Vielheit, in ein Bündel undurchschauter Triebe, in einen klaffenden Abgrund zwischen Unbewußtem und Bewußtem. Diese Zerstörung des traditionellen Subjektbegriffs aber wird in der erkenntnistheoretischen Reflexionsprosa eines Gottfried Benn, Carl Einstein, Jakob van Hoddis zum zentralen Thema. Bei van Hoddis und dem Dadaisten Huelsenbeck wird der descartsche Grundsatz geradezu selbst parodiert:

DADADADADA – DIE DAME die ihre alte Größe erreicht hat
die Impotenz der Straßenfeger ist skandalös geworden
wer kann sagen ich bin seit er bin und du seid dulce et decorum
est pro patria mori oder üb immer Treu und Redlichkeit ... (733, 204)[38]

---

[38] Zur Kritik der Sprachklischees in der Zitatcollage siehe: S. Vietta (111).

2.6.2 Wissenschafts- und Erkenntniskritik um die Jahrhundertwende

2.6.2.1 Freud und Bergson: Entdeckung der Eigengesetzlichkeit psychischer Vorgänge

Zur Nihilismusanalyse Nietzsches und der aus ihr resultierenden weltanschaulichen Bodenlosigkeit kommt um die Jahrhundertwende die Verunsicherung, ja Zerstörung der vulgärmaterialistischen und mechanistischen Naturwissenschaften des 19. Jahrhunderts und ihres implizierten Selbstverständnisses. Man muß, wenn man das geistige Klima des Expressionismus verstehen will, auch diese Verunsicherung des naiven Selbstverständnisses der Naturwissenschaften erwähnen. Dabei möchte ich vor allem zwei Trends hervorheben. Zum einen die progressive Auflösung des Subjektbegriffs in der Psychoanalyse, die ja schon Nietzsche vorwegnimmt, und zum anderen die durch den Gang der Naturwissenschaften selbst verursachte, von der Philosophie vorangetriebene Auflösung der scheinbar gesicherten erkenntnistheoretischen Grundlagen der Naturwissenschaft.

Was die Psychoanalyse angeht, so kann ich mich hier kurz fassen, da Hans-Georg Kemper im Analyseteil dieses Buches noch näher auf Freud und die Psychoanalyse im Zusammenhang mit Techniken expressionistischer literarischer Praxis eingeht (siehe Teil III, Kap. 2). An Georg Trakl läßt sich beispielhaft nachweisen, daß die Subjektdissoziation − positiv gewendet − der Literatursprache ein gänzlich neues Erfahrungsfeld eröffnet. Die in der Psychoanalyse wie in der Literatur entdeckte Vielfalt, aber auch Dishomogenität des Subjekts wird von einem Autor wie Trakl ausgelotet und so auch die verdeckte "Seelenlandschaft" des Ich als ein neuer Erfahrungsbereich der literarischen Sprache erschlossen. Zeitgenossen haben um diesen Zusammenhang gewußt. So ist der Expressionist Karl Otten der Meinung, daß "Film und Psychoanalyse" den neuen Stil wesentlich beförderten (zit. in 34, 73). Auch Albert Soergel bestätigt in seiner damals berühmten Literaturgeschichte 'Dichtung und Dichter der Zeit': ". . . eine Lehre − Sigmund Freuds Psychoanalyse − gewinnt eine unheimliche Macht über die künstlerische Jugend . . ." (104, 395).

Die von der Psychoanalyse rational-wissenschaftlich vorangetriebene und durch praktische Heilerfolge bestätigte Einsicht in die irrationalen unbewußten Triebansprüche, in die Bedeutung der Traumsphäre, Freuds Auslotung des Reiches des Unbewußten insgesamt, übten wohl auch deshalb eine immense Faszination auf jene Generation aus, weil sie einerseits noch unter dem prägenden Eindruck der mechanischen vulgärmaterialistischen Naturwissenschaft stand, andererseits unter dem Zwang einer erstarrten bildungsbürgerlichen Tradition. Deren liebstes Kind aber war die klassisch-idealistische Vorstellung der bewußten, auf Vernunft begründeten "Persönlichkeit". "Geistesgeschichtlich gesehen liegt Freuds Bedeutung darin, die klassische These von der Vorherrschaft des Bewußtseins gebrochen zu haben, durch die die gesamte Tradition bedingt ist. Man denke insbesondere an Descartes, der Ich, Bewußtsein und Denken strikt gleicht." (671, 675) Zudem kann man, ohne auf Freuds eigene Vermitteltheit durch Denkansätze im 19. Jahrhundert einzugehen, ohne auch das komplizierte Zusammenspiel von Es – Ich – Überich, von Unbewußtem, Vorbewußtem, Bewußtsein in seiner Lehre hier auch nur im Ansatz explizieren zu wollen, die These aufstellen, daß Freud auch darum einen so ungeheueren Einfluß ausübte auf die Literaten der expressionistischen Generation, weil seine Lehre vom Unbewußten dem realen, durch eine Fülle anderer Motive bedingten Gefühl der Ohnmacht von Vernunft entsprach. Daß das Subjekt nicht Herr seiner selbst und schon gar nicht der vernünftige Regisseur seiner Geschichte, daß vielmehr die Geschichte Tummelplatz blind wütender Unvernunft ist, war die Erfahrung vieler Expressionisten – bestätigt vor allem durch den Ausbruch des 1. Weltkriegs.

In diesem Zusammenhang der Erschließung des Unbewußten als eines neuen literarischen Forschungsfeldes ist auch der Einfluß Bergsons zu erwähnen, seine kategoriale Trennung von 'Materie und Gedächtnis' – dies der Titel einer Schrift von 1896 – wobei die "Materie" den von individuellen Unterschieden absehenden Äquivalenzgesetzen der Physik überlassen, das "Gedächtnis" aber und seine Form von Zeiterfahrung (durée), in der nichts als dasselbe wiederkehrt, der Gesetzgebung der mechanischen Naturwissenschaften entzogen wird. Die Dualität der Seinssphären findet ihre Entsprechung in zwei Formen der Erkenntnis: dem rechnenden, analysierenden und synthetisierenden Verstand einerseits und einem intuitiven Denken andererseits, wobei der zweiten Denkform insofern die größere Bedeutung zugesprochen wird, als nur durch introspektive Intuition der Lebens- und Zeitstrom im Bewußtsein und damit Leben und Bewußtsein selbst adäquat erkannt werden können. Durch Freud und Bergson wird ein neuer Seinsbereich, der Bereich der psychischen Vorgänge, erschlossen, indem seine Eigengesetzlichkeit aufgedeckt wird. Vor allem Bergson entzieht diesen Bereich zugleich explizit dem Geltungsanspruch der mechanistischen Naturwissenschaften.

Bergsons Kritik an den Naturwissenschaften trifft in Deutschland auf eine erkenntnistheoretische Auseinandersetzung mit den Grundlagen dieser Wissenschaften. In seiner Einleitung zur 1908 veröffentlichten deutschen Ausgabe von Bergsons 'Materie und Gedächtnis' spricht Wilhelm Windelband diesen Zusammenhang aus. Sowohl Bergson als auch der Erkenntnistheorie in Deutschland gehe es darum, die Abhängigkeit von der einseitigen und ausschließlichen Herrschaft der Formen des naturwissenschaftlichen Denkens zu brechen. (637, IV.)

2.6.2.2 *Grundlagenkrise in den Naturwissenschaften und das Problem der wissenschaftlichen Erkenntnis von 'Wirklichkeit'*

Diese erkenntnistheoretische Verunsicherung der mechanischen Naturwissenschaften des 19. Jahrhunderts — ihre "Grundlagenkrise" — läßt sich in groben Zügen beschreiben als die Aufdeckung der diesen Wissenschaften selbst unbewußten erkenntnistheoretischen Voraussetzungen. Dabei mußte die fundamentale Einsicht Kants, daß Erkenntnis von Wirklichkeit immer durch das erkennende Subjekt und seinen Erkenntnisapparat vermittelt ist, mühsam und schrittweise wiederentdeckt werden. Nicht von ungefähr wird der Neukantianismus zur beherrschenden Strömung in der deutschen Schulphilosophie um die Jahrhundertwende. Zwar hatten schon Naturforscher des 19. Jahrhunderts wie Helmholtz betont, daß die Naturwissenschaften selbst einer erkenntnistheoretischen Durchdringung bedürfen, aber diese erkenntnistheoretische Selbstreflexion konnte ihrerseits nicht von einem Typus von Naturwissenschaftler geleistet werden, der vermeinte, philosophische Reflexion überhaupt in den Wind schlagen zu können.

Worum geht es? Neben der Einsicht in die Eigengesetzlichkeit der verschiedenen Seinsbereiche zunächst einmal um das Bewußtsein der Vermittlung von Subjekt und Objekt im Erkenntnisprozeß. Daß Erkennen, zumal wissenschaftliches Erkennen, nicht Abbilden einer 'an-sich' seienden Wirklichkeit ist, sondern Verarbeitung eingegebenen Materials unter den Bedingungen der Erkenntnisformen, mußte gegen den Vulgärmaterialismus in den Wissenschaften mühsam zu Bewußtsein gebracht werden. Dieser Prozeß selbst ist nicht deutbar von einem vulgärmaterialistischen Erkenntnisstandpunkt, wie ihn der spätere Lukács auf der Basis von Lenins 'Materialismus und Empiriokritizismus' vertritt. Sein Festhalten "an der Erkenntnis der objektiven, von uns, vom Menschen, unabhängigen, materiellen Wirklichkeit" (73, 14) enthält — wie jeder Vulgärmaterialismus — einen Widerspruch in sich: entweder jene Wirklichkeit ist "unabhängig" — oder mit Lenin zu sprechen: "außerhalb des Bewußtseins" —, dann wird sie auch nicht erkannt und man kann, streng genommen, über sie nichts aussagen; oder sie wird erkannt. Dann aber ist sie abhängig von unseren Erkenntnis- und Bewußtseinsformen und ist damit nicht mehr "außerhalb unseres Bewußtseins". Das ist kein Idealismus oder Agnostizismus, der behauptet, daß die Gegenstände der Erkenntnis selbst nur in unserem Kopf seien oder gänzlich im Unerklärbaren lägen, sondern eine Theorie der Vermittlung von Denken und Sein, die allerdings im Neukantianismus, etwa Hermann Cohens 'Logik der reinen Erkenntnis', einer Analyse der verschiedenen Urteilsformen, ein einseitiges Schwergewicht nach der Seite der formalen Bewußtseinsakte erhält.

Wichtig aber ist in diesem Zusammenhang die Einsicht in die erkenntnistheoretische Vermittlung. So bringt etwa Heinrich Rickert in seinem groß angelegten Band 'Die Grenzen der naturwissenschaftlichen Begriffsbildung' (1902) u. a. in Erinnerung, was beim heutigen Bewußtseinsstand der Naturwissenschaften selbstverständlich scheint: daß das wissenschaftliche Feststellen, Klassifizieren und Verarbeiten von Tatsachen eben selbst schon Theorie voraussetzt. "Da nun ohne Begriffe ein naturwissenschaftliches Denken überhaupt nicht möglich ist, so zeigt es sich niemals auf ein genaues Abbild der Wirklichkeit, sondern auf ein Erfassen allgemein gültiger Urteile gerichtet. Das bloße Faktum, so meint man wohl, soll der Begriff vertreten, und man stellt dann der Naturwissenschaft die Aufgabe, Fakta zu beschreiben. Aber das einzelne Faktum geht als solches, wie wir gesehen haben, auch in die naturwissenschaftlichen Urteile, die 'Tatsachen konstatieren', gar nicht ein. Insofern gilt für die Logik der Naturwissenschaften das Wort: 'Das Höchste wäre es zu begreifen, daß alles Faktische schon Theorie ist.'" (666, S. 89 f.)

Das Bewußtsein der theoretischen, d. h. bewußtseinsmäßigen Vermitteltheit der Wirklichkeit konnte auch in der Physik selbst sich um so leichter durchsetzen, als ihre eigene Begriffsbildung auf die relative Gültigkeit dieser Begriffe stieß. Man denke hier nur an Einsteins Relativitätstheorie (1905), an die moderne Theorie des Atoms, das nach einer späteren Definition von Heisenberg "seinem Wesen nach nicht ein materielles Gebilde in Raum und Zeit (ist), sondern gewissermaßen nur ein Symbol, bei dessen Einführung die Naturgesetze eine besonders einfache Gestalt annehmen."[39]

Theoretisch wird auch dieser neue Status des wissenschaftlichen Begriffs schon bei Nietzsche vorweggenommen und in H. Vaihingers z. T. schon 1876–78 niedergeschriebenen, 1911 erschienenen 'Philosophie des Als Ob' breit ausgeführt. Nach Vaihinger sind Erkenntnisse in den Wissenschaften nicht einfach Abbilder der Wirklichkeit, sondern Fiktionen, die z. T. sogar mit bewußt falschen und widerspruchsvollen Annahmen arbeiten. Sie haben die Funktion von "Kunstgriffen" oder "Hypothesen", um eine 'Wirklichkeit' begrifflich hantieren zu können, ganz unabhängig davon, wie sie 'an-sich' sei. Begriffe wie das "Atom" und die "Kraft" in der Physik, "Differential" in der Mathematik, der "Juristischen Person" in der Jurisprudenz, "Freiheit" in der Ethik, usw. seien nichts anderes als operationale Konstrukte, die 'an-sich' nicht wahr sind, aber doch einen Leistungswert besitzen, insofern sich praktisch im Rahmen wissenschaftlicher Begriffssysteme mit ihnen arbeiten läßt. Wenn Vaihinger in seiner Philosophie des "Als Ob" am Schluß auf Kant und Nietzsche sich beruft, so

---

[39] Zitiert nach Schulz, 'Philosophie in der veränderten Welt' (671, 110). Ich erinnere in diesem Zusammenhang auch an das Zitat des Dadaisten Hugo Ball in Teil I. Nach Ball sind es ja "drei Dinge . . ., die die Kunst unserer Tage bis ins Tiefste erschütterten . . .", nämlich: "Die von der kritischen Philosophie vollzogene Entgötterung der Welt; die Auflösung des Atoms in der Wissenschaft; und die Massenschichtung der Bevölkerung im heutigen Europa" (23, 136).

muß allerdings auf eine prinzipielle Verschiebung der erkenntnistheoretischen Probleme von Kant zu Nietzsche und auch Vaihinger hingewiesen werden. Wenn bei Kant 'Raum', 'Zeit' und die Kategorienlehre, also die Erkenntnisformen, unter denen wir die Wirklichkeit betrachten, nicht einfach den Dingen selbst zugeschrieben, sondern als Erkenntnisformen des erkennenden Subjekts interpretiert werden, so wird dort zugleich die Allgemeingültigkeit dieser Erkenntnisformen durch ihre intersubjektive Gültigkeit garantiert. Nietzsche deutet die Erkenntnisformen z. T. als bloßen "Schein", der mit der Wirklichkeit 'an sich' gar nichts zu tun habe. Dadurch aber werden Wirklichkeit und Erkenntnis in einer für Kant unzulässigen Weise auseinanderdividiert, weil so getan wird, als könne man über die Wirklichkeit 'an-sich' überhaupt eine Aussage machen.

Das läßt sich an Nietzsches Sprachkritik nachweisen. In der kleinen Schrift 'Über Wahrheit und Lüge im außermoralischen Sinn' schreibt er, "daß es bei den Worten nie auf die Wahrheit, nie auf einen adäquaten Ausdruck ankommt: denn sonst gäbe es nicht so viele Sprachen. Das 'Ding an sich' (das würde eben die reine folgenlose Wahrheit sein) ist auch dem Sprachbildner ganz unfaßlich ... Wir glauben etwas von den Dingen selbst zu wissen, wenn wir von Bäumen, Farben, Schnee und Blumen reden, und besitzen doch nichts als Metaphern der Dinge, die den ursprünglichen Wesenheiten ganz und gar nicht entsprechen." (651, 312 f.) So wird die Sprache selbst als die Basis und Grundform menschlicher Erkenntnis in einer totalisierten Ideologiekritik dem Verdacht ausgesetzt, eine bloße Als-Ob-Sphäre zu sein, eine bloße Metaphernwelt jenseits der eigentlichen Wahrheit der Dinge: ". . . und das ganze Material, worin und womit später der Mensch der Wahrheit, der Forscher, der Philosoph, arbeitet und baut, stammt, wenn nicht aus Wolkenkuckucksheim, so doch jedenfalls nicht aus dem Wesen der Dinge." (ebd., 313)

Dies ist nun allerdings eine ungeahnte Zuspitzung der Erkenntniskritik. Es geht Nietzsche nicht mehr nur um die Vermittlung objektiver und in diesem Sinne wahrer Erkenntnis mit subjektiven Erkenntnisformen, um die Relativierung des Begriffs Objektivität also, sondern vielmehr um den Nachweis, daß die subjektiven Erkenntnisformen, allen zu Grunde die Sprache, der Welt der Dinge so fremd sind, daß sie deren Wesen und Wahrheit nie begreifen können. Das Subjekt, der Mensch, ist eingeschlossen in seinem Sprach- und Begriffsgefängnis, ohne die Welt der Dinge je adäquat erfassen und begreifen zu können. Die Reflexion auf die subjektive Vermitteltheit von Wahrheit löst, in radikalisierter Form, den Wahrheitsbegriff selbst auf.

In seiner Arbeit über 'Nietzsche und die Dialektik der Aufklärung' hat Heinz Röttges zurecht darauf hingewiesen, daß Nietzsche hier im Grunde von einem falschen Sprachbegriff ausgeht. Er begreift Sprache als eine Art Fiktion, eine Hypothese über die Wirklichkeit, die der Wirklichkeit selbst nicht angemessen sei. Sprache ist aber nach Röttges "nicht eine Hypostase unter anderen, sondern die Hypostase schlechthin, die eine Welt entstehen läßt, innerhalb derer dann weitere Hypostasen wie die der Logik und Mathematik möglich sind. Nietzsche hält hier jedoch an dem Unterschied zweier Welten, der an sich seienden und der sprachlichen fest, d. h. er stellt nicht mehr die Frage, ob der Mensch von einer Welt je Erfahrung hätte ohne Sprache, oder anders ausgedrückt, ob das Reden von einer Welt unabhängig von der durch Sprache erzeugten Welt nicht selbst sinnvoll ist nur innerhalb dieser sprachlichen Welt. .... Wenn aber die Unterscheidung von 'Welt an-sich' und 'durch Sprache geschaffenen Welt' selbst wiederum nur durch Sprache möglich ist, dann kann die sprachliche Welt nicht wie ein Gegenstand von der an-sich seienden Welt unterschieden werden." (662, 84 f.) "Allgemein können die Aporien, in die Nietzsche im Verlauf seiner Sprachanalyse gerät, als Folge der Einengung der Philosophie der Sprache auf eine Theorie der Sprache als eines Zeichensystems für Gegenstände begriffen werden." (ebd., 86)

Das ist so klar gesagt, daß ich dieser Kritik nichts Wesentliches hinzufügen kann. Allerdings bleibt doch die Frage: wie kann eine solche Sprachtheorie überhaupt entstehen, wie konnte der Gedanke einer totalen Entfremdung von Sprache und Wirklichkeit eine solche Faszination ausüben, daß seit Hofmannsthals 'Brief des Lord Chandos', der dieselbe Entfremdung von Sprache und Wirklichkeit beklagt, die Sprachskepsis in der modernen Literatur, auch und gerade in der erkenntnistheoretischen Reflexionsprosa des Expressionismus, gar nicht mehr abreißt?

Die Frage drängt sich um so mehr auf, als ein offensichtlicher Zusammenhang besteht zwischen dieser Radikalisierung der Erkenntnistheorie in einer totalen Sprachskepsis und der Entwicklung der modernen Naturwissenschaften, die ihrerseits ihre Begriffe und Kategorien nur noch als Hypothesen oder "Symbole" einer 'an-sich' unbekannten Wirklichkeit verstehen.

In der 1955 erschienenen Schrift 'Das Naturbild der heutigen Physik' schreibt Heisenberg, daß zum erstenmal im Laufe der Geschichte der Mensch "nur noch sich selber gegenübersteht, daß er keine anderen Partner oder Gegner mehr findet. Das gilt zunächst in einer ganz banalen Weise im Kampf des Menschen mit äußeren Gefahren ... Am schärfsten aber tritt uns diese neue Situation eben in der modernen Naturwissenschaft vor Augen, in der sich, wie ich vorhin geschildert habe, herausstellt, daß wir die Bausteine der Materie, die ursprünglich als die letzte objektive Realität gedacht waren, überhaupt nicht mehr 'an sich' betrachten können, daß sie sich irgendeiner objektiven Festlegung in Raum und Zeit entziehen und daß wir im Grunde immer nur unsere Kenntnis dieser Teilchen zum Gegenstand der Wissenschaft machen können ... Auch in der Naturwissenschaft ist also der Gegenstand der Forschung nicht mehr die Natur an sich, sondern die der menschlichen Fragestellung ausgesetzte Natur, und insofern begegnet der Mensch hier wieder sich selbst." (641, 17 f.)

Die Parallelität zwischen Nietzsches Sprachkritik und den modernen Naturwissenschaften bestünde also in einer eigentümlichen Verselbständigung des Erkenntnissubjekts. Seine Sprache, sei es die Umgangssprache, seien es naturwissenschaftlich-mathematische Symbole, erscheint als eine verselbständigte, der Dingwelt so weit entfremdete Sphäre, daß diese Dingwelt 'an sich' vor dem Zugriff des erkennenden Subjekts sich verflüchtigt. Sowohl die Radikalisierung der Erkenntnistheorie im Fiktionsbegriff als auch der Fortschritt der Wissenschaften machen deutlich, daß wissenschaftliche Begriffe nicht einfach Abbilder einer Wirklichkeit sind, sondern Hypothesen, Konstrukte des Erkenntnissubjekts, die nur bis auf Widerruf Geltung haben. Natürlich basieren diese Hypothesen in den Naturwissenschaften auf Meßdaten; sie sind nicht einfach Phantasieprodukte, insofern muß der Fiktionsbegriff eingeschränkt werden. Aber die Meßdaten selbst sind noch keine Theorie. Die Kategorie der 'Theorie' erhält in der Neuzeit den Charakter, eine vom Subjekt gesetzte Hypothese für eine 'an sich' unbekannte Wirklichkeit zu sein. Der Begriff der "Entfremdung" steckt also in der modernen Theoriebildung der Wissenschaften selbst. Daß diese Wissenschaften sich in der modernen Technologie und den technologisch organisierten Arbeitsprozessen verobjektivieren, bringt die in ihnen angelegte Entfremdung von Subjekt und Objekt nur an den Tag. Die Kritik daran aber sollte nicht von den sekundären Erscheinungen ausgehen.

Es ergibt sich also die paradoxe Situation, daß Ende des 19. Jahrhunderts der traditionelle, in seiner Absolutsetzung immer noch metaphysische Subjektbegriff aufgelöst, andererseits die Herrschaft des Subjekts in Form seiner Vernunft- und Wissenschaftsbegriffe sich totalisiert. Die Ausweitung dieser Herrschaft des Subjekts über die Natur in Form von Wissenschaft und Technologie geht Hand in Hand mit der Aushöhlung eines substantiellen Subjektbegriffs. Beide Momente gehören wesensmäßig zusammen, denn es sind ja gerade wissenschaftlich-analytische Gedankenprozesse, die zur Auflösung von Metaphysik und so auch einer noch metaphysischen Subjektkategorie führen. Das ist die Ausgangslage des Expressionismus. Andererseits teilen Expressionisten wie Kafka, Einstein, Benn, van Hoddis nicht mehr den naturalistischen Glauben eines Conrad Alberti und Wilhelm Bölsche an die "mathematisch-induktiven Methoden der Naturforschung", sondern folgen wissenschaftskritischen Zeitströmungen, wenn sie die sich — nach Ablösung der Metaphysik des Absoluten — selbst absolut setzende Herrschaft wissenschaftlicher Vernunft einer scharfen Kritik unterziehen. Wie und in welcher Form sich diese problemgeschichtliche Ausgangslage im Expressionismus darstellt, muß nun untersucht werden.

2.6.3   Ausdrucksformen des Nihilismus im Expressionismus

Ich habe die Nihilismusanalyse Nietzsches und die um die Jahrhundertwende diskutierten Probleme der Erkenntnistheorie hier dargestellt, weil sie die weltanschauliche Bodenlosigkeit einer Generation deutlich machen, die um so irritierter sein mußte, als sie gleichzeitig in Schule und Elternhaus, Moral und Politik, mit den erstarrten und von ihrer Substanz her ausgehöhlten Normen traktiert wurden (siehe 2.7.1). Sowohl die in Nietzsches Wort "Gott ist tot" aufgehobene Erfahrung transzendentaler Obdachlosigkeit, als auch die Grundlagenkrise der Wissenschaften führen — wenn nicht die erkenntnistheoretischen Voraussetzungen dieser Theoreme selbst reflektiert werden, und das hat kein Expressionist geleistet — zu einer Verunsicherung des Subjekts, die sich allenthalben in der expressionistischen Literatur niederschlägt. Dabei möchte ich keinesfalls behaupten, daß Philosophie und Erkenntnistheorie der Zeit von den meisten expressionistischen Literaten explizit studiert wurden. Ich erinnere hier an den Satz von Paulsen, daß diese Gedanken in den Literatenkreisen eher durch "Osmose" aufgenommen wurden, wohl auch unabhängig von einer genauen begrifflichen Ausformulierung existentiell antizipiert wurden. Die Dinge lagen eher — nach dem Wort von Ernst Blass — "in der Luft". Es kann daher im Einzelnen nur um den Nachweis gehen, inwiefern sich die zunächst theoretisch dargestellte Erkenntnissituation der Zeit in der Literatur des Expressionismus widerspiegelt.

Die Situation spiegelt sich in der Literatur des Expressionismus sprachlich, stilistisch und gedanklich vor allem in dreierlei Formen wider:

1. in einer Reihe von Motiven, die im Medium literarischer Sprache der Erfahrung des Nihilismus und der transzendentalen Obdachlosigkeit Ausdruck verleihen.
2. in der Parodie auf traditionelle Werte, Ideale und religiöse Symbole, die im Sinne der Nihilismusanalyse als entwertet, hohl und schablonenhaft erfahren werden, und
3. in der 'erkenntnistheoretischen Reflexionsprosa des Expressionismus'.

Mit diesem letzten Begriff meine ich einen Typus von Prosa, der die erkenntnistheoretische Problematik der Zeit thematisiert. Hauptvertreter dieser Prosa sind Gottfried Benn, Georg Heym, Carl Einstein, Jakob van Hoddis, Franz Kafka. Auch die Prosa Gustav Sacks, Max Brods ist in diesem Zusammenhang zu erwähnen, ohne daß sie allerdings an Stringenz und Qualität mit der erst genannnten Gruppe von Autoren konkurrieren könnte.

Dabei lassen sich diese drei Momente nur analytisch trennen. In den Werken der Autoren sind sie aufs engste miteinander verquickt, auch der Sache nach: Ist ja doch die Parodie traditioneller Wertkategorien die unmittelbare Konsequenz der Nihilismuserfahrung und die erkenntnistheoretische Reflexion auf das Verhältnis von Subjekt zu Objekt, auf die Bedingungen von Erkenntnis und ihrer Wahrheit, in der gerade die fixen Begriffe 'Subjekt', 'Objekt' sich dissoziieren, Konsequenz einer Erfahrung transzendenter und erkenntnistheoretischer Bodenlosigkeit, die sich ihrerseits wechselseitig bedingen.

Bei der Darstellung der ersten beiden Aspekte kann ich mich hier kurz fassen und auf die Analyse vor allem in den Kapiteln 2.2 bis 2.4 verweisen. In diesen Kapiteln wurde der Zusammenhang zu Nietzsches Nihilismusanalyse explizit hergestellt. Wenn Georg Heym in seiner Lyrik eine geschlossene Metaphorik der Öde, des ewigen Winters, der Nacht, des Verfalls und des ziellosen Weges entwickelt und in mythischen Personenallegorien das zerstörerische Potential moderner Zivilisation bloßstellt, wenn die Klagen in seinen Tagebüchern über die "dumpfe Monotonie" und die "grauenhafte Öde" der Wirklichkeit nicht abreißen, dann steht hinter dieser Erfahrung und ihrer sprachlichen Gestaltung letztlich jener Metaphysikverlust, jene transzendentale Obdachlosigkeit, die Nietzsche mit nicht zu überbietender begrifflicher Schärfe, aber — beispielsweise im Aphorismus vom "tollen Menschen" (650, 126 f.) — auch schon mit ähnlichen literarischen Metaphern herausgearbeitet hat. Daß Gottfried Benns provokative Exponierung des Häßlichen, daß seine Reduktion des Subjekts auf Krankheits- und Verfallssymptome in der frühen Lyrik selbst Ausdruck einer Erfahrung totaler Negation von Metaphysik sind, macht am deutlichsten das Oxymoron:

Die Krone der Schöpfung, das Schwein, der Mensch . . .

In einer Vielzahl von expressionistischen Gedichten findet sich das Motiv des leeren Himmels als Ausdruck einer "leeren Transzendenz", um diesen Ausdruck Hugo Friedrichs aufzunehmen. So sieht der Himmel in Alfred Lichtensteins 'Die Dämmerung' "verbummelt aus und bleich, / Als wäre ihm die Schminke ausgegangen." (462, 44). In 'Die Nacht' liegt "Viel Himmel . . . zertrümmert auf den herben Dingen . . ." (ebd., 44), in 'Die Fahrt nach der Irrenanstalt' heißt es: "Der Himmel . . . heidenhaft und ohne Sinn" (ebd., 46). So deutet auch Oskar Loerkes 'Die Einzelpappel', — Symbol eines aufschreienden Bedürfnisses nach metaphysischer Sinngebung — in einen antwortlosen Himmel (467, 26 f.), heißt es in Albert Ehrensteins 'Verzweiflung':

Am Himmel zwitschert kein Stern.
Ich stürbe so gern. (22, 66)

Hand in Hand mit der noch metaphysisch vermittelten radikalen Metaphysikkritik geht die Parodie auf christliche Symbolik. So wird das Rosenkranzmotiv in Benns 'Mann und Frau gehn durch die Krebsbaracke' parodiert, das Kreuzigungsmotiv in der Szene 'Ithaka' (163, 298), das Kreuz- und Auferstehungsmotiv in Hasenclevers 'Die Menschen', in Kaisers 'Von morgens bis mitternachts' und Tollers 'Die Wandlung'. In Golls 'Die Chaplinade' heißt es ironisch:

Der Kontakt mit dem metaphysischen Raum ist unterbrochen . . .
Haben Sie auch ein Retourbillet nach Elysium? (258, 56)

Zweifellos geht der große Satiriker unter den Expressionisten, Carl Sternheim, in der Parodie auf traditionelle Metaphysik, auf Ideen, Ideale und leitbildhafte Werte am weitesten. In seiner Welt der "moralischen Reduktion" werden Ethik, politische Leitbegriffe, werden Moral, Kunst, Religion, auch die von einigen Expressionisten naiv übernommene Übermenschideologie parodistisch entlarvt als Verbrämung subjektiver Machtinteressen. Die Darstellung des brutalen materiellen Egoismus, den wir als Endform eines spezifisch modernen, abendländischen Subjektivismus interpretierten, ist Nietzsche doppelt verpflichtet: sowohl Nietzsches Ideologiekritik als auch sein Begriff des 'Willens zur Macht' als eigentliches Triebmotiv allen Lebens sind in ihrer Wechselbeziehung die wichtigsten gedanklichen Grundlagen des Sternheimschen Dramas (siehe Kap. 2.4).

Auch die Zivilisationskritik Georg Kaisers und anderer Expressionisten ist, wie wir gesehen haben, in ihrer Totalisierung noch an einem positiven Sinnbegriff orientiert (siehe Kap. 2.3). Daß moderne Wirklichkeit in ihrer Totalität als Lebensraum der Großstadt und als Arbeitswelt, daß der gesamte Prozeß moderner Technologie, Wissenschaft und Arbeit als ein Prozeß der sinnlosen Selbstzerstörung dargestellt wird, mußte selbst als eine perspektivische Verzerrung, aus der Perspektive eines positiven, aber positiv nicht mehr greifbaren Sinnbegriffs, kritisiert werden.

Wenn so gezeigt wurde, daß die Metaphysikkritik des Expressionismus selbst noch metaphysisch vermittelt ist — auch wenn im ironisch-parodistischen Säurebad der Dramen Sternheims Metaphysik sehr weitgehend sich zersetzt —, so sollte man andererseits sich hüten, die Bewegung daher selbst vorschnell abzukanzeln. Die ideologie- und zivilisationskritischen Impulse dieser Bewegung und ihre literarischen Ausdrucksformen werden in ihrer Bedeutung nicht schon dadurch erledigt, daß man ihre theoretischen Voraussetzungen aufzeigt. Im Gegenteil, ich möchte die These wagen, daß gerade der Expressionismus mit seinem geschärften Sinn für metaphysische Denkformen und ihren Substanzverlust das versteckte Fortleben von Metaphysik im totalitären Anspruch moderner Technologie und technologischer Rationalität einerseits, in surrogathaften Weltanschauungen andererseits aufzudecken imstande war.

2.6.4   *Die erkenntnistheoretische Reflexionsprosa des Expressionismus: Kritik der absoluten Vernunft und des Subjekts*

2.6.4.1 *Themenstellung der erkenntnistheoretischen Reflexionsprosa des Expressionismus*

Im Verlauf dieser problemgeschichtlichen Darstellung habe ich mehrfach betont, daß der Expressionismus in der Forschung vielfach zu einseitig von literarischen Phänomenen her definiert worden ist, die heute als Rand-phänomene der Bewegung erscheinen: die marktschreierische Rhetorik, die Massierung von Ausrufezeichen, das hohle 'O-Mensch'-Pathos, der Subjektivismus seiner Erlösungslehre. Bezeichnenderweise erschien es von diesen Definitionsansätzen her kaum möglich, einen Prosatypus mit dem als "visionär", als "ekstatische Ausdruckskunst" oder gar als form-zerstörerischer "Schrei" definierten Begriff von Expressionismus in Ein-klang zu bringen: die erkenntnistheoretische Reflexionsprosa des Expres-sionismus.

Hauptvertreter dieser Prosa sind Carl Einstein, Jakob van Hoddis, Gott-fried Benn, Georg Heym, Franz Kafka.

Wie in diesem Kapitel gezeigt, setzte Ende des 19. Jahrhunderts eine erkenntnistheoretische Diskussion ein, in deren Verlauf die Grundlagen der mechanistischen Naturwissenschaften des 19. Jahrhunderts, ihr Wahr-heits- und Wirklichkeitsbegriff problematisiert und zunehmend in Zwei-fel gezogen wurden. Die Diskussion versetzte u. a. auch einer Ästhetik den Todesstoß, die auf der Grundlage jener mechanistischen Naturwissen-schaften weitgehend ihr Bild von Wirklichkeit mit Wirklichkeit selbst identifizierte und dementsprechend auch einen literarischen Stil entwik-kelt hatte, der den Autor als Erkenntnissubjekt zumindest tendenziell zum Verschwinden brachte: der Naturalismus.[40]

Gegenüber dem Naturalismus nimmt nun der Expressionismus die er-kenntnistheoretische Diskussion auf und thematisiert explizit Grundla-gen, Wahrheits- und Geltungsanspruch der modernen Wissenschaften und der Erkenntnisformen des Subjekts überhaupt.

Er thematisiert das moderne, auf Rationalität und Vernunftbegriffen basierende Verhältnis des Subjekts zur Objektwelt insgesamt und proble-matisiert das in diesen Begriffen aufgehobene neuzeitliche Entfremdungs-verhältnis des Menschen zur Wirklichkeit. Der Expressionismus geht also nicht von einem starren und undialektisch-dogmatischen Begriff von Wirklichkeit aus, sondern erhebt die Dialektik von Erkenntnis und Wirk-lichkeit, Bewußtsein und Sein, Sprache und Welt zum Gegenstand litera-rischer Darstellung. Dies vor allem in der erkenntnistheoretischen Prosa, die einen bis heute in der Literatur kaum erreichten Grad philosophischer Reflexion aufweist.

---

[40] So hat nach der Theorie des 'Konsequenten Naturalisten' Arno Holz die Kunst "die Tendenz, wieder die Natur zu sein". "Reproduktionsbedingungen" und deren "Handhabung" erscheinen dabei nur als modifizierende Faktoren (Ruprecht 717, 211). Allerdings war schon zuvor im Naturalismus von Kritikerin-nen wie Franziska von Kapff-Essenther und Irma von Troll-Borostyiani auf die Bedeutung des Autors bei Auswahl und Arrangement des Stoffes nachdrücklich hingewiesen worden (ebd., S. 40 ff und 71 ff).

2.6.4.2 Georg Heyms Novelle 'Der Irre'

Ansatzweise und in einer im wesentlichen noch psychologisierenden Form wird der Begriff von Wirklichkeit problematisiert in Georg Heyms 1911 geschriebener Novelle 'Der Irre'. Die Novelle beschreibt den Heimweg eines aus der Irrenanstalt Entlassenen, insbesondere die Deformation und Überlagerung seiner Wahrnehmungswelt durch 'irrsinnige' Projektionen. So werden dem Wahnsinnigen die Halme eines Kornfeldes unversehens zu Menschenköpfen:

> Er verließ die Straße und bog in die Felder ab, mitten hinein in die Halme ... Was das für ein Vergnügen war, so in die dicken Halme zu treten, die unter seinem Fuß knackten und barsten.
> Er machte die Augen zu, und ein seliges Lächeln flog über sein Gesicht. Es war ihm, als wenn er über einen weiten Platz ginge. Da lagen viele, viele Menschen, alle mit dem Kopfe auf der Erde ... und jedesmal trat er dann rechts und links um sich, auf die vielen weißen Köpfe. Und dann knackten die Schädel; es gab einen Ton, wie wenn jemand eine Nuß mit einem Hammer entzweihaut. (280, 20 f.)

Die Halluzination wird von Anfang an psychologisch begründet. Der Irre schließt die Augen und überläßt sich damit seinen inneren Gesichten. Diese aber sind geprägt von der mit sadistischen Aggressionen aufgeladenen Irrenhausatmosphäre. Gleich zu Beginn der Erzählung heißt es:

> Und der Assistenzarzt, dieses bucklige Schwein, dem hätte er noch mal das Gehirn zertreten. Und die Wärter in ihren weiß gestreiften Kitteln, die aussahen wie eine Bande Zuchthäusler, diese Schufte, die die Männer bestahlen und die Frauen auf den Klosetts vergewaltigten. Das war ja rein zum Verrücktwerden. (ebd., 19)

Die Perspektive des Wahnsinnigen wird also psychologisch motiviert durch den 'wahnsinnigen' Sadismus und die Brutalität auf Seiten des Krankenpersonals in der Irrenanstalt. So wird der Heimweg, in dessen Verlauf der Irre in der Tat aus Rachemotiven zwei Kinder und mehrere Frauen ermordet, zur Anklage gegen eine Anstaltsatmosphäre, in der Aggression und Mordlust systematisch ausgebrütet werden. Durch die psychologische Rückführung des Wahnsinns auf die Vertreter der 'normalen' Gesellschaft, das Personal in der Heilanstalt und ihren Wahnsinn, wird aber die klare Abgrenzung von Wahnsinn und Normalität selbst problematisiert. Die Schizophrenie des "Irren", sinnfällig gemacht in einer Kette von Bluttaten, erscheint als die verlängerte Spur eines gesellschaftlichen Wahnsinns, repräsentiert in den von der Gesellschaft bestellten Aufsichtspersonen.

155

Der Begriff einer 'normalen' Realität wird dadurch in Frage gezogen. Indem Heym Wirklichkeit aus der verzerrten Perspektive eines Irren darstellt und diese Perspektive zugleich zurückführt auf die in der Anstaltsleitung und dem Personal vertretenen Norm – deren Verhalten sei, so heißt es wörtlich, "zum Verrücktwerden" –, enthebt er Wahnsinn und die ihm korrespondierende Realitätsdeformation der individualpsychologischen Sphäre und entlarvt sie als Ausdruck einer allgemein gesellschaftlichen Deformation. Der Wahnsinn und die durch ihn angerichtete Zerstörung sind in der 'verrückten' gesellschaftlichen Norm begründet. Für viele Expressionisten war der 1. Weltkrieg, den Heym selbst nicht mehr miterlebt hat, Bestätigung dieser Erfahrung. Zweifellos nimmt seine Novelle hier eine Einsicht vorweg, die in der Wissenschaft, etwa im sozialpsychologischen Ansatz eines Ronald S. Laing, erst sehr viel später festgehalten wurde: daß die Grenzen zwischen gesellschaftlicher Normalität und Wahnsinn fließend sind, und daß die Schizophrenie eines Individuums vielfach bedingt ist von kollektiven Formen des Wahnsinns und der ihr entsprechenden Deformation von Wirklichkeit.

Dennoch geht diese Geschichte nicht so weit, daß sie die intersubjektive Gültigkeit von Wahrnehmungs- und Sprachnormen aufhöbe. Als der Irrsinnige, zu Hause angekommen, die Wohnung leer findet, identifiziert er in doppelter Metaphorik seine Frau mit einer herumlaufenden Ratte:

So, seine Frau hatte sich also verkrochen ... Aber da war sie ja, da lief sie ja herum. Sie sah aus wie eine große graue Ratte. So also sah sie aus. Sie lief immer an der Küchenwand entlang, immer herum, und er riß eine eiserne Platte von dem Ofen und warf sie nach der Ratte. (ebd., 29 f.)

Ähnlich wie in der Feldszene wird ein Wahrnehmungsgegenstand (Halme, Ratte) identifiziert mit einem anderen (Köpfe, Frau), im letzteren Beispiel die Projektion noch einmal mit dem Ausgangszustand gleichgesetzt ("wie eine Ratte"), dies alles natürlich für den Schizophrenen undurchschaut. Nicht aber für den Leser. Die psychologisierende Beschreibung macht vielmehr die transformierenden Bewußtseinsprozesse durchsichtig; schon der Titel kennzeichnet die Perspektive des "Irren" als solche, Autor und Leser halten letztlich, zumindest als Orientierungssystem, an einer Realitätsform fest, die jenseits des geschilderten Wahnsinns liegt.

2.6.4.3 *Franz Kafkas erkenntnistheoretische Reflexionsprosa*

An dieser Norm hält, wie im Kapitel 2.2.4 und in der Einzelanalyse des 'Urteils' gezeigt, Franz Kafka nicht mehr fest. Insofern geht seine Prosa – abgesehen von anderen Unterscheidungsmerkmalen – einen Schritt weiter als die Prosa Heyms und stellt zugleich dem Interpreten eine schwierigere Aufgabe. Die Unfähigkeit der Helden Kafkas, ihre Situation noch zu deuten und zu verstehen, läßt sich psychologisch, etwa durch Hinweis auf eine wie auch immer gesellschaftlich vermittelte Perspektive des Wahnsinns, nicht erklären. In Kafkas Romanen geht es viel entschiedener als in den Novellen Heyms um eine erkenntnistheoretische, nicht mehr nur psychologische Grundsatzproblematik, die allerdings dissoziierende Rückwirkungen auf die Psyche der 'Helden' zeitigt und ja auch die Kafkaforschung nicht wenig beunruhigt hat. Hans-Georg Kemper hat in seiner Einzelanalyse genau aufgewiesen, mit welcher Bewußtheit Kafka Leerstellen in den Text hineinkomponiert, die auch für den Leser nicht mehr auflösbar sind.

Die Funktion dieser Leerstellen wird vor dem Hintergrund der hier erörterten erkenntnistheoretischen Problematik der Zeit nun noch deutlicher. Wenn Gregor Samsa in der 'Verwandlung' als ein Ungeziefer erwacht, wenn Joseph K. im 'Prozeß' von einer unbekannten Prozeßbehörde verhaftet wird, wenn Kafkas 'Helden' insgesamt unvermittelt und plötzlich in Situationen sich vorfinden, die sie zwar deuten und verstehen möchten, um sich in ihnen auch nur notdürftig zurechtzufinden, die sie aber nicht mehr begreifen können, weil Reflexion und Situation, Bewußtsein und Sein unendlich auseinanderklaffen, dann wird hier in einer bestimmten geschichtsphilosophischen Situation das Wesen moderner Reflexion selbst thematisiert als ein unendlicher, angesichts der Verschlossenheit der Welt nie zu einem Ende kommender Prozeß, als ein "stehender Sturmlauf" (siehe Kap. 2.2.4). Festgehalten wird eine erkenntnistheoretische Situation, in der — wie wir an der 'Verwandlung' gesehen haben — die vom Autor durch den Protagonisten angebotenen Deutungen in "progressiver Regression" abgebaut werden, so daß schließlich Situation und Sachverhalt immer rätselhafter, die Deutungen um so ratloser erscheinen.

Gerade durch das Auseinanderklaffen von Deutung und Sachverhalt, von Denken und Sein wird — das war unsere These — das Wesen von Verstehen thematisiert. Es geht bei Kafka nicht mehr nur um die verschrobene Perspektive eines "Irren", sondern darum, daß alle Reflexion, auch die des Lesers, ihr Ziel nicht mehr erreicht. Was die 'Verwandlung', was die Prozeßwelt, was die Schloßinstanz 'in Wirklichkeit' repräsentieren, was sie 'in Wahrheit' nun eigentlich sind, geben sie nicht preis. Die Geschichte der Kafkaforschung ist der schönste Beleg dafür. Sie hat die verschlossene Wahrheit so wenig lüften können wie die Romanhelden selbst, eben weil Wahrheit als eine wesensmäßig verschlossene in diesen Romanen zur Darstellung kommt.

So wird bei Kafka die Parabel — z. B. die Prometheussage — zur Sage von der Unsagbarkeit der Wahrheit:

Die Sage versucht das Unerklärliche zu erklären. Da sie aus einem Wahrheitsgrund kommt, muß sie wieder im Unerklärlichen enden. (330, 306)

Konkret: im Bild des verschlossenen "unerklärlichen Felsgebirges". Die Parabel 'Der Kreisel' beschreibt einen Philosophen, der sich immer dort 'herumtrieb', "wo Kinder spielten", um das Wesen eines Kreisels genau zu analysieren.

Er glaubte nämlich, die Erkenntnis jeder Kleinigkeit, also zum Beispiel auch eines sich drehenden Kreisels, genüge zur Erkenntnis des Allgemeinen. Darum beschäftigte er sich nicht mit den großen Problemen, das schien ihm unökonomisch. War die kleinste Kleinigkeit wirklich erkannt, dann war alles erkannt ... (ebd., 320)

Aber eben jene Kleinigkeit schon läßt sich nicht vollständig erkennen, und gerade der Versuch, größtmögliche klare Gewißheit in der Erkenntnis nur einer Kleinigkeit zu erlangen, wird zum Hohn auf den "Philosophen":

... hielt er aber dann das dumme Holzstück in der Hand, wurde ihm übel und das Geschrei der Kinder, das er bisher nicht gehört hatte und das ihm jetzt plötzlich in die Ohren fuhr, jagte ihn fort, er taumelte wie ein Kreisel unter einer ungeschickten Peitsche. (ebd.)

In der konkreten Metapher des selbst "wie ein Kreisel" Taumelnden wird so die Bodenlosigkeit einer erkenntnistheoretischen Situation festgehalten, die nicht einmal am geringsten Detail "Gewißheit" der Erkenntnis erlangen kann. Die Ironie besteht nicht nur darin, daß hier ein Philosoph, der das Wesen eines Kreisels ergründen will, selbst in Erkenntnisunsicherheit zu 'kreiseln' beginnt, sondern auch im Verweis auf das "Geschrei der Kinder", die von den Erkenntnisproblemen offensichtlich unberührt mit dem Kreisel einfach "spielen".

Noch sehr viel eingehender als die Kreiselparabel führen die 'Forschungen eines Hundes' vor, in welcher Form sich dem wissenschaftlichen Zugriff – und je genauer die Experimentanordnung, desto mehr – Wirklichkeit und vor allem deren grundlegende Erkenntnisvoraussetzungen entziehen. Die 'Forschungen eines Hundes' werden so zu einer durchgeführten Parodie auf einen durchs wissenschaftliche Experiment scheinbar gesicherten und begründeten Wahrheits- und Erkenntnisanspruch.

Und es zeigt sich dabei zwar nicht die Wahrheit – niemals wird man soweit kommen –, aber doch etwas von der tiefen Verwirrung der Lüge. (ebd., 337)

Eine von der Wahrheit und Wirklichkeit entfremdete Erkenntnis bedroht – das zeigen die Romane, Parabeln und Erzählungen Kafkas – das Ich und macht es zu einer ungesicherten, in der Unsicherheit angstvollen und tödlich bedrohten Existenz. Die Entfremdung zwischen Subjekt und Objekt bezeichnet – bei Kafka gerade in der Form mythischer, scheinbar geschichtsloser Parabeln – eine geschichtsphilosophische Situation, in der die Zerstörung aller Erkenntnissicherheit, die Unfähigkeit des Ich, die Wirklichkeit selbst noch zu erreichen, aufs Ich zurückschlägt, um das einmal scheinbar sichere, Erkenntnis verbürgende Subjekt selbst zu zerstören.

Kein Zweifel, daß hier die Erkenntniskritik des ausgehenden 19. Jahrhunderts ihre literarische Gestaltung findet. Auf den Zusammenhang zwischen Kafka und Nietzsche haben Heinz Politzer, Günther Anders, Walter Sokel, Klaus-Peter Philippi und neuerdings Wiebrecht Ries in einem Aufsatz über 'Kafka und Nietzsche' schon aufmerksam gemacht. Im wesentlichen wurde hier herausgearbeitet, daß Kafkas Parabeln als Standortbestimmungen "des Menschen in einer entgötterten Zeit" (Politzer) zu lesen seien, daß Nietzsches Einsicht in den Fiktionscharakter der Erkenntnisgrundlagen, die daraus resultierende Bodenlosigkeit, in Kafkas Prosa wiederzufinden sei. Wenn Nietzsche in der 'Morgenröte' schreibt, "daß all unser sogenanntes Bewußtsein ein mehr oder weniger phantastischer Kommentar über einen ungewußten, vielleicht unwißbaren, aber gefühlten Text ist ..." (649, 1095) und Kafka im Domkapitel des 'Prozeß'-Romans: "Die Schrift ist unveränderlich und die Meinungen sind oft nur ein Ausdruck der Verzweiflung darüber ...", dann gehen die Übereinstimmungen hier ja bis in die Metaphorik. Bei Nietzsche wie bei Kafka geraten Bewußtsein und Reflexion in den Verdacht, der Wirklichkeit entfremdet zu sein und in der "tiefen Verwirrung der Lüge" nur noch Scheinargumente zu produzieren.

Allerdings ist das Verhältnis Kafkas zu Nietzsche bis heute noch nicht gründlich genug untersucht worden.[40a] Auch die Frage, welche weiteren Quellen der Wissenschafts- und Erkenntniskritik um die Jahrhundertwende Kafka kannte und wie er sie verarbeitete, wäre in diesem Zusammenhang noch genauer zu klären.

Wenn die in Kap. 2.6.2 entwickelte These richtig ist, daß Nietzsches Bewußtseins- und Erkenntniskritik letztlich selbst Ausdruck eines modernen Subjektivismus ist, der zwar einerseits sowohl den Begriff einer 'objektiven' Realität und Wahrheit jenseits des Subjekts als auch den geschlossenen Begriff der Subjektivität auflöst, andererseits aber doch verdeckt an einer Wahrheit und Wirklichkeit jenseits der subjektiven Fiktionen festhält, so scheint dieselbe Ambivalenz auch an Kafkas erkenntnistheoretischer Reflexionsprosa aufweisbar. Je verzweifelter seine Helden sich bemühen, der Wahrheit auf den Grund zu kommen, desto abgeschlagener bleiben sie auf ihren fiktiven Deutungen sitzen angesichts einer nach diesen Helden greifenden, ihren Deutungen sich aber entzie-

---

[40a] Die neue Studie von P. Bridgewater 'Kafka and Nietzsche', Bonn 1974, lag mir bei Abfassung dieses Kapitels noch nicht vor.

henden allgemeinen Wahrheit. Die Aufhebung des konkreten Details ins Allgemeine, die erst dessen vollständige Erkenntnis wäre, gelingt, wie wir an der Kreiselparabel gesehen haben, nicht mehr. Der Wahrheitsgrund selbst ist zu einer universalen Leerstelle geworden, die in jedem Detail nach Bedeutung ruft, sich der Deutung aber nicht mehr preisgibt, und um so herausfordernder, desto weniger.

Die Metaphysik ist hier nicht aus der Welt, auch wenn ihre positiven Bestimmungen fehlen. Gerade als Entzug einer alles vermittelnden, allumfassenden Seinsbestimmung ist Metaphysik präsent. So nimmt es nicht Wunder, daß gerade Kafka einen Blick für das latente Fortleben von Metaphysik in modernen politischen Systemen hatte. (Siehe auch Kap. 3.4)

Allerdings versagten sich Kafka und auch Georg Trakl — anders als Nietzsche und als viele messianische Expressionisten — den Rückfall in eine positive Metaphysik, vermutlich weil beide Autoren deren radikalen Entzug und damit die totale Sinnverschlossenheit der Wirklichkeit als unaufhebbare Erfahrung durchlitten. "Erhalten bleibt", schreibt Klaus-Peter Philippi in seinem Kafkabuch, "als letztes Sagbares das Wissen um den Verlust." (365, 218)

Sowohl theologischen als auch politischen Interpretationen zugänglich ist aber die Prosa Kafkas, weil Kafka den Entzug theologischer Substanz zugleich als Verabsolutierung diesseitiger Herrschaftssysteme darstellt. Der Entzug von Metaphysik erscheint zugleich als ein in der Negation transzendenter Beglaubigung sich selbst absolut und totalitär setzendes Machtsystem als Strafsystem. Das aber beschreibt die Struktur totalitärer Staatsformen, die an absolutem Herrschafts- und Machtanspruch zulegen, was sie an Beglaubigung durchs Absolute dort verloren haben, wo die Macht des Absoluten selbst sich verlor. Je unlegitimierter, desto undurchschaubarer greifen die von Kafka beschriebenen Macht- und Strafsysteme nach den von ihnen verfolgten Protagonisten. Wenn ein Individuum Joseph K. eines Morgens verhaftet und eines Tages umgebracht wird, dann weiß er so wenig wie die Handlanger und Agenten der Prozeßwelt, wer eigentlich und zu welchem Zwecke hier verhaftet und tötet. Wenn Nietzsche begriff, daß die Macht der Religion in der Historie geschichtsdialektisch noch einmal in einer Religion der historischen Macht aufersteht, so hat Kafka diese Macht als das beschrieben, was sie politisch wurde: ein absolutes, das Individuum vernichtendes System 'absoluter', und das heißt totalitärer Herrschaft.

Und noch eine Bemerkung zur mythischen Form vieler Parabeln und Erzählungen Kafkas: sie verdecken einerseits den auf Rationalität und Kalkulation beruhenden Charakter moderner Technologie und Wissenschaft. Andererseits halten sie — prägnanter als die bei aller Literarisierung immer noch begriffliche Sprache Nietzsches — die in ihrer geschichtlichen Heraufkunft ungeplante und ihren Konsequenzen undurchschaute Herrschaft einer Denkform fest, die, Metaphysik auflösend, selbst zu einer quasi mythischen Macht zu werden droht.

Gewiß, die Wissenschaft schreitet fort, das ist unaufhaltsam, sie schreitet sogar mit Beschleunigung fort, immer schneller, aber was ist daran zu rühmen? (330, 340)

Immer wieder verweisen die Erzählungen Kafkas auf jenen geschichtlichen Punkt, "als unsere Urväter abirrten" (ebd., 341), auf jenen Punkt der "Ablenkung", der dem Jäger Gracchus nach seinem Tod die Fahrt ins Jenseits verstellt:

Mein Todeskahn verfehlte die Fahrt, eine falsche Drehung des Steuers, ein Augenblick der Unaufmerksamkeit des Führers, eine Ablenkung durch meine wunderschöne Heimat, ich weiß nicht, was es war, nur das weiß ich, daß ich auf der Erde blieb und daß mein Kahn seither die irdischen Gewässer befährt. (ebd., 287)

Beide Momente gehören zusammen: die Progression moderner Wissenschaft und der Abbau traditioneller Metaphysik, zu der auch die Vorstellung einer Erlösung nach dem Tode und Aufhebung ins Jenseits gehört. Was aber diesen Prozeß — den ja selbst nicht wissenschaftlich geplanten Beginn der Wissenschaft und die Destruktion von Metaphysik — eigentlich in Gang gebracht hat, der Anfang, bleibt im Dunkel, da an diesem Anfang ein selbstbewußt planendes Subjekt, das weiß, was es tut, nicht vorausgesetzt werden darf. Das Ende der Mythologie — das wäre der mythischen Darstellungsform Kafkas zu entnehmen — hat einen im doppelten Sinne selbst mythischen Charakter: der Anfang moderner Wissenschaft ist wissenschaftlich selbst so wenig wie andere fundamentale Fragen der Wirklichkeit transparent zu machen, und: die durch Wissenschaft aufgelöste Metaphysik droht in der verkappten Form absoluter Herrschafts- und Strafsysteme zu einer quasi mythischen Macht zu werden, nicht weniger undurchschaubar und angstvoll als die zerstörerischen Mächte der Mythologie.[41]

2.6.4.4 *Carl Einsteins 'Bebuquin': Kritik der absoluten Vernunft*

In literarisch gänzlich anderer Form, aber darum nicht weniger fundamental wird die Wissenschaft, werden die Erkenntnisformen des Subjekts in Carl Einsteins 1906–1909 geschriebenem, 1912 erschienenem Roman

---

[41] In seiner Benn-Studie weist Beda Allemann darauf hin, daß auch Benn die Geschichte "mythisch, nicht historisch" begreift (167, 29) und analysiert differenziert die eigentümliche Verquickung von mythischem und biologistischem Gedankengut in Benns Geschichtsauffassung. Allerdings wird aus der Studie von Allemann deutlich, daß der Geschichtsbegriff Benns gerade in seiner Übernahme zeitbedingter Theoreme aus der Wissenschaft vordergründiger ist als die Geschichtsauffassung Kafkas.

'Bebuquin oder die Dilettanten des Wunders' problematisiert. So wenig wie Kafkas Prosa ist Einsteins erkenntnistheoretische Reflexionsprosa noch psychologisch aufzulösen. Nur wird dies bei Einstein noch offensichtlicher. Während nämlich in Kafkas Romanen noch immer die Einheit der Person gewahrt scheint, löst sich hier, mit der Auflösung der fixen Begriffe von Raum, Zeit, Handlung auch die Kategorie der Person auf. Es gibt bei Einstein gar keine 'Personen' mehr im landläufigen Sinne. Die Figurengestaltung entspricht unmittelbar der erkenntnistheoretischen Problematik.

Die Figuren des Romans sind nämlich in erster Linie Repräsentanten erkenntnistheoretischer und philosophischer Positionen. Indem Einstein diese Positionen wörtlich nimmt und unmittelbar in Figuren übersetzt, entwickelt er dabei eine gänzlich neue Form der literarischen Groteske. Wer taucht da auf?

Als Randfigur, an der jedoch das Darstellungsprinzip vergleichsweise einfach sich erkennen läßt, ein Platoniker namens "Ehmke Laurenz". Irgendwann im 9. Kapitel des insgesamt 15 Kapitel umfassenden Romans ist er unvermittelt da, stellt sich in die Ecke einer Bar – der ganze Roman spielt im abgesunkenen Bohème- und Barmilieu – und litaneit:

Ehmke Laurenz, Platoniker gehe nur nachts aus, weil es da keine Farben gibt. (242, 215 f.)

Ehmke Laurenz sucht, wie es einem Platoniker ansteht, "die reine ruhende, einsame Idee". Solcher Platonismus, der Sinnlichkeit entsagend, kann ihr doch nicht entfliehen.

Ich bin eigentümlich, da ich von zwei Dingen ruiniert werde, einem höheren der Idee und einem niederen der Dame. (ebd., 216)

Sprich: Sinnlichkeit. Man hält ihm entgegen:

Ja, aber ruinieren Sie doch die beiden, die sich bedingen, zum mindesten Ihre blödsinnige Ideologie vom Sein ... Reißen Sie sich doch die Augen aus und die Ohren, dann haben Sie Ihren Platonismus zuwege gebracht. (ebd.)

Das Prinzip der Darstellung besteht also im wesentlichen darin, Denkfiguren unmittelbar in literarische Figuren zu übersetzen und durch den schon surrealen Charakter der literarischen Figur das gänzlich Abstrakte, Gewaltsame und in einem präzisen Sinne Surreale der Denkfigur zu entlarven. Wenn der Platoniker Laurenz Ehmke allein und mit dem Gesicht zur Wand in die Ecke gestellt wird – eine Parodie auf Platos Höhlengleichnis –, so steht diese literarische Figur für die Einsamkeit und zugleich die sinnliche Frustration solcher Abstraktion in der Ideenschau. In der plastischen Unmittelbarkeit, mit der das Abstrakte einer philosophischen Position vor Augen geführt wird, steckt die Groteske, die kritisch auf die jeweils dargestellte philosophische und erkenntnistheoretische Position zurückschlägt.

Eine der Hauptfiguren des Romans ist ein gewisser Nebukadnezar Böhm. Sein Kopf ist eine fein geschliffene Edelsteinplatte. Darin blitzte es zuweilen:

> Nebukadnezar neigte den Kopf über Euphemias massigen Busen. Ein Spiegel hing über ihm. Er sah, wie die Brüste sich in den feingeschliffenen Edelsteinplatten seines Kopfes zu mannigfachen fremden Formen teilten und blitzten, in Formen, wie sie ihm keine Wirklichkeit bisher zu geben vermochte. Das ziselierte Silber brach und verfeinerte das Glitzern der Gestalten. Nebukadnezar starrte in den Spiegel, sich gierig freuend, wie er die Wirklichkeit gliedern konnte, wie seine Seele das Silber und die Steine waren, sein Auge der Spiegel. (ebd., 194)

Eine doppelte Spiegelmetapher also: angesichts der prallen Realität vor den Augen beobachtet Böhm — in einem Spiegel — nur die vielfache Spiegelung und Brechung der Realität auf der Spiegelplatte seines Kopfes und findet sein Vergnügen vor allem an dieser narzistischen Form der Selbstbespiegelung.

Kein Zweifel, daß es sich hier um eine literarische Metapher für eine bestimmte Form von Bewußtsein handelt, das in seine Teilprozesse zerlegt wird: zum einen die Widerspiegelung und Brechung der Realität im Bewußtsein, zum anderen die Reflexion auf diesen Widerspiegelungsprozeß, und drittens den geheimen Narzismus des sich in erster Linie selbst spiegelnden modernen Reflexionssubjekts. Schließlich hält das Bild die Reduktion des Subjekts auf solche Reflexion fest: "wie seine Seele das Silber und die Steine waren, sein Auge der Spiegel". Nebukadnezar Böhm ist nichts anderes mehr als spiegelnde 'Re-flexion'.

In solcher Selbstbespiegelung ist das Bewußtsein unfähig, eine Wirklichkeit außer sich zu erreichen:

> Er erinnerte sich der Frau und merkte etwas beklemmt, daß er nicht mehr zu ihr dringen könne durch das Blitzen der Edelsteine, und sein Leib barst fast im Kampfe zweier Wirklichkeiten. (ebd., 194 f.)

Dabei ist die Figur des Nebukadnezar Böhm nicht nur eine literarische Metapher für den eingeschlossenen Subjektivismus einer narzistischen Bewußtseins- und Reflexionseinstellung. Der Text geht weiter:

> Dabei überkam ihn eine wilde Freude, daß ihm sein Gehirn aus Silber fast Unsterblichkeit verlieh, da es jede Erscheinung potenzierte, und er sein Denken ausschalten konnte, dank dem präzisen Schliff der Steine und der vollkommen logischen Ziselierung. (ebd., 195)

Mit anderen Worten: Böhm ist die Karikatur des verselbständigten, in sich selbst kreisenden, die Wirklichkeit nur als Brechung seiner eigenen Denkformen sehenden logischen Prinzips. Er versinnbildlicht so eine doppelte Form der Entfremdung: erstens die Trennung des sich selbst bespiegelnden logischen Prinzips von der Wirklichkeit und zweitens die Entfremdung des 'eigenen', individuellen Denkens vom logischen Automatismus des Denkens. In Nebukadnezar Böhm kritisiert Einstein eine Herrschaftsform: die der verselbständigten rationalen Logik.

> Ja, wenn uns die Logik losließe; an welcher Stelle mag die einsetzen; das wissen wir beide nicht ... (ebd., 195)

Der ganze Roman verfolgt so vor allem dieses Thema: die Entfremdung und Verselbständigung der rationalen Logik gegenüber anderen Denkformen und der Wirklichkeit. Im zweiten Kapitel räsoniert die Hauptfigur des Romans, Bebuquin, "daß das Logische nichts mit dem Seelischen zu tun habe, ... daß es eine gefälschte Zurechtmachung wäre." (ebd., 196) Eine Einsicht, die jener zu Beginn dieses Kapitels dargestellten erkenntnistheoretischen Auseinandersetzung Ende des 19. Jahrhunderts entspricht, in deren Verlauf der Geltungsanspruch logisch-naturwissenschaftlicher Denkformen eingeschränkt und die Eigengesetzlichkeit psychisch-seelischer Prozesse herausgearbeitet wurde.

Auch der erkenntnistheoretischen Kritik am Wahrheitsanspruch der Logik, die wir insbesondere an Nietzsche und Vaihinger dargelegt haben, ist der Roman gedanklich verpflichtet. Wenn Bebuquin sagt:

> Der Fehler des Logischen ist, daß es noch nicht einmal symbolisch gelten kann. Man muß einsehen, ihr Dummköpfe, daß die Logik nur Stil werden darf, ohne je eine Wirklichkeit zu berühren. Wir müssen logisch komponieren, aus den logischen Figuren heraus wie Ornamentkünstler. Wir müssen einsehen, daß das Phantastischste die Logik ist. (ebd., 196)

dann korrespondiert diese These in auffallender Form Nietzsches und Vaihingers Begriff von Logik und Wissenschaft als "Hypothese" und "Fiktion". Logisch-wissenschaftliche Begriffe sind "Kunstgriffe", die eine Wirklichkeit manipulierbar machen, Herrschaftsformen des Denkens – wie Nietzsches Aphorismus über den 'Hinfall der kosmologischen Werte' aufwies –, ohne Anspruch auf Übereinstimmung dieses Denkens mit der Wirklichkeit 'an sich'. "Wir müssen einsehen, daß das Phantastischste die Logist ist ...", heißt es bei Einstein und: "Die Welt ist das Mittel zum Denken." (ebd., 199)

Daß die Herrschaftsform des rational-kalkulierenden und mit einer gewissen Automatik systematisierenden Denkens in den Naturwissenschaften am augenfälligsten ist und hier auch in einem speziellen Theoriebegriff ihre Entsprechung findet – Theorie als Hypothese des Erkenntnissubjekts über eine 'an sich' unbekannte Wirklichkeit –, müssen wir ebenfalls noch einmal erwähnen, um den spezifisch neuzeitlichen Charakter der Denkformen zu unterstreichen, die Expressionisten wie Kafka, Benn, Einstein mit ihrer Kritik im Auge halten.

Der Kritik an der entfremdeten und in der Wirklichkeitsentfremdung abstrakt gewordenen Vernunft entspricht in Einsteins Roman eine Tendenz zur abstrakten Sprache. Der Roman Einsteins gehört u. a. darum zu den interessantesten Sprachdokumenten im 20. Jahrhundert, weil er präzise den erkenntnistheoretischen Ort bezeichnet, an dem eine abstrakte und in der Abstraktion surreale Kunst entstehen konnte. Er muß daher durchaus im Zusammenhang mit ähnlichen Tendenzen in der bildenden Kunst: dem Durchbruch zu einer abstrakten Malerei durch den Expressionisten Kandinsky einerseits, einer surrealen Malerei andererseits gesehen werden.[42] Ein Beispiel dieser Sprachtendenz:

Euphemia saß über allen, Emil, den phosphoreszierenden Embryo, auf dem Schoß und rief: 'Herrschaften, heute wird schwarz weiß.
Wir werden so wütend, daß wir hintennach kein Wort mehr reden werden.
Oh, ich bin ja nur die Wachspuppe aus der billigen Erstarrnis.' . . .
'Wir müssen auf die Sinne', rief Böhm.
'Kinder, im Himmel gibt's nur verzückte Augen. Wir müssen so genau sehen, daß darin alles Wissen steckt.'
Aufgeregt starrte das Volk auf der Straße nach dem großen Tier, das in der Luft torkelte und schrie:
'Es kommt der Lebendige.'
Der Vogel schrie in Graurot:
'Ich bin ein Beweis, es kann auch anders zugehen.'
Die meisten Menschen klapperten vor Angst, ob sie es ertragen konnten. Meistens bleibt man ja im dilettantischen Schrecken stehen. Und endet mit dem Schlaganfall auf dem Plüschsofa. (ebd., 214)

Von den expressionistischen Literaten sind nur Jakob van Hoddis und August Stramm in der Entwicklung einer 'surrealen' Sprachform ähnlich

---

[42] Die Frage, wer das erste abstrakte Bild malte, ist nicht ganz unumstritten. Wie immer bei derart umwälzenden Neuerungen in der Kunst gibt es eine Reihe von Vorläufern und vorbereitenden Stufen – in diesem Falle die Studien Adolf Hölzels, das Bild 'Der Heuhaufen' von Claude Monet, Bilder des Engländers Turner –, die als Glieder in einer Entwicklungskette der Kunst allerdings auch erst von der später erreichten Stufe voll gewürdigt werden können. Im allgemeinen wird aber die Entstehung der abstrakten Malerei mit einem 1910 entstandenen Aquarell von Kandinsky datiert.

weit vorgedrungen. Diese Autoren haben unmittelbar auf den Dadaismus und über ihn auf den Surrealismus eingewirkt.[43]

Und in der Tat nimmt beispielsweise das Bild des überdimensionalen Vogels Bilder von Max Ernst vorweg. Die elliptische Sprache ("heute wird schwarz weiß") verweist auf sprachexperimentelle Texte eines Helmut Heißenbüttel oder Franz Mon. Indem die Sprache nicht mehr beschreibend am Wirklichkeitsdetail hängt, beginnt sie ihre eigenen Ausdrucksformen zu reflektieren und aufzubrechen. Einstein geht im Experiment keineswegs so weit wie die moderne sprachexperimentelle Literatur, aber es läßt sich aus seinen Ansätzen erkennen, daß die moderne sprachexperimentelle Literatur die Entbindung der Sprache von ihrer unmittelbaren Darstellungsfunktion voraussetzt. In diesem Sinne sind Abstraktion — die ja gleichzeitig auch in der Malerei eines Kandinsky zum Durchbruch kommt — und Konkretion komplementäre Begriffe.

Wie gesagt: die Tendenz zum abstrakt-konkreten Sprachgebrauch findet sich bei Einstein nur im Ansatz. Dagegen dominiert eine surreal-visionäre Sprachform als Ausdruck phantastischer Phantasie. Sie ist das Korrektiv zur kritisierten absoluten Herrschaft von Vernunft und ihrer Begriffswelt. Beide Sprachformen prallen im Roman hart aufeinander, durchdringen sich und lösen die festen Grenzen von Vernunft- und Begriffssprache auf. Zeigt doch der Roman den surrealen und grotesken Charakter philosophischer Systeme, indem er sie wörtlich nimmt und in literarische Bilder übersetzt. Das im präzisen Sinn 'Surreale' des Platonismus und der neuzeitlichen Vernunftphilosophie als Negation der sinnlichen Erscheinungswelt gerinnt zum surrealen Bild.

Die Groteske als wesentliches Merkmal dieser Sprache ist somit letztlich Funktion einer Welt von Theorien, an denen der Roman sich abarbeitet. Und darin liegt — bei aller Tendenz zum Surrealen — seine Beschreibungsfunktion. Er ist nicht phantastisch im Sinne wild wuchernder und ungerichteter Phantasieproduktion. Vielmehr verweist das Phantastische und Groteske in ihm auf das Phantastische von Theoriebildungen, die nichtsdestoweniger Grundlage moderner Wirklichkeit sind.

Eine Literatur, die den phantastischen Charakter einer Wirklichkeit aufweist, die nicht mehr naturwüchsig gewachsen, sondern durch und

---

[43] Wie bereits erwähnt wird E. Philipp auf diese Sprachexperimente des Sturmkreises und des Dada im nachfolgenden Band dieser Reihe eingehen. Ich möchte aber unabhängig davon auf den herausragenden Aufsatz von Richard Brinkmann über 'Abstrakte Lyrik im Expressionismus' hinweisen (48).

In Bezug auf die expressionistische Malerei habe ich in Kap. 2.2.1 zu zeigen versucht, daß es ihr schwerpunktmäßig um die Gestaltung einer intensivierten, nicht entfremdeten Perspektive der Wirklichkeit geht. Sie ist also noch weitgehend an Erscheinungswirklichkeit rückgebunden, obwohl sich in der Intensivierung von Farb- und Formgebung die Entdeckung ihrer Eigengesetzlichkeit und damit die Ablösung der Gestaltungsmittel von einer auf Außenwelt gerichteten Darstellungsfunktion abzeichnet.

durch theoretisch vermittelt ist, ohne daß die Grundlagen der Theorien selbst theoretisch gesichert wären, wird — das zeigt das Beispiel Einstein — allerdings phantastisch.[44] Zudem sieht der auf einer abstrakt-erkenntnistheoretischen Ebene gewonnene Blick für das Phantastische von Vernunftbegriffen dieses Phantastische auch den Dingen der Erscheinungswirklichkeit an:

> Eine blaue Hutfeder Euphemias besoff sich blitzend im grünen Chartreuse. (ebd., 205)

Oder:

> Die Frauen lagen verzückt unter den starren, stechenden Dolchen der Bogenlampen. (ebd., 211)

Das Schicksal der Vernunft, des logisch-kalkulativen Denkens demonstriert der Roman Einsteins auf eigene Weise. Im dritten Kapitel erzählt Böhm in einer Parabel die Dialektik von Subjekt und Objekt, genauer gesagt: das Ende dieser Dialektik:

> Ich stand vor einem großen Stück Sackleinwand und schrie: 'Knoten seid ihr.'
> ... Bald merkte ich, daß niemand anders die Sackleinwand sei, als ich. (ebd., 198)

Das Ich selbst ist also zum Gefängnis für das Ich geworden. Das Denken bewegt sich in Tautologien — "wir sind in unser Gedächtnis eingeschlossen, auf Tautologien angewiesen . . ." (ebd., 204 f.) —, es vermag den Übergang zur Welt der Dinge nicht mehr zu leisten. Die Konsequenz:

> 'Ich sagte mir, Böhm werde dich los.' (ebd., 199)

Im 6. Kapitel hält das Vernunftprinzip Böhm dann auch seine Abschiedsrede auf die Vernunft:

> Man hat bis jetzt die Vernunft benutzt, die Sinne zu vergröbern, die Wahrnehmung zu reduzieren, zu vereinfachen. Im ganzen, die Vernunft verarmte; die Vernunft verarmte Gott bis zur Indifferenz; töten

---

[44] Leider ist die Sekundärliteratur zu Einstein — so das Alternative-Heft über ihn (245) — vielfach erst in vordergründigen Deutungsansätzen stecken geblieben und nicht bis zu jener Erkenntnisproblematik, um die die expressionistische Reflexionsprosa Einsteins als ihren Nervenpunkt kreist, vorgedrungen. Um Interpretation und die Auffindung der Schriften Einsteins hat sich S. Penkert sehr verdient gemacht. Sie entdeckte 1963 den lange verschollenen Nachlaß Einsteins. Siehe dazu auch die kluge Rezension von H. Anz in den 'Göttingischen Gelehrten Anzeigen', 1973, S. 156 ff. Auch auf die wichtige Arbeit von Herbert Kraft (247) möchte ich hinweisen.

wir die Vernunft; die Vernunft hat den gestaltlosen Tod produziert, wo es nichts mehr zu sehen gibt. (ebd., 209)

Wenig später schon ist er tot:

Der tote Böhm tanzte dankend auf Euphemias Hut und versank im Büfett; er legte sich wieder in eine seltsame Kognaksorte, die er von jeher geliebt. (ebd., 209)

2.6.4.5 *Der Zusammenhang von Erkenntniskritik und Kritik der ökonomischen Produktionsformen im Expressionismus*

Dieser Abgesang der logisch-rationalen Vernunft auf sich selbst ist nun in der Tat einer der interessantesten Bezugspunkte zu anderen expressionistischen Autoren wie van Hoddis, Benn und Kaiser, er steht im großen Zusammenhang der Erkenntnisskepsis und Kulturkritik der Zeit. Wenn Georg Kaiser in seinen 'Gas'-Dramen die ins Irrationale umschlagende Herrschaft der Rationalität kritisiert, die sich dort als total automatisierter Produktionsprozeß darstellt, so entspricht diese Kritik der Skepsis an der einseitig logisch-kalkulativen Vernunft bei Einstein und Benn. Sie findet, neben den genannten erkenntnistheoretischen Voraussetzungen, ihre begriffliche Entsprechung auch in Lukács' mehrfach erwähnter Verdinglichungsanalyse in 'Geschichte und Klassenbewußtsein', die bezeichnenderweise am Ende des 'expressionistischen Jahrzehnts' geschrieben wurde. Lukács kritisiert hier ja das Phänomen der Verdinglichung als Entfremdung subjektiver Tätigkeit von einer dem Subjekt fremd gegenüberstehenden Gegenständlichkeit sowohl im entfremdeten Arbeitsprozeß als auch im Prinzip des kalkulatorisch-rechnenden Denkens.

Wesentlich ist, daß hier der Zusammenhang zwischen Arbeit und Bewußtseinsform, Theorie und Praxis festgehalten wird. Lukács geht in dieser Frühphase nicht undialektisch von einer sogenannten "Basis" aus, sondern erkennt, daß in Basis wie Überbau, Theorie wie Praxis des Subjekts im Verhältnis zur Wirklichkeit d a s s e l b e Prinzip wirksam ist. Dieser Zusammenhang bedingt den Zusammenhang zwischen expressionistischer Kritik an entfremdeten Produktions- und Lebensformen einerseits, Denk- und Bewußtseinsformen andererseits. Auch hier kann nicht undialektisch ausgegangen werden von den Arbeits- und Produktionsformen einer Gesellschaft als einem quasi absoluten ersten Prinzip, vielmehr drückt sich in der materiellen Produktionssphäre wie in den 'Überbau'-phänomenen einer Gesellschaft dasselbe Verhältnis des Menschen zur Wirklichkeit aus. Theorie und Praxis einer Gesellschaft sind nicht nur nachträglich durch- und miteinander vermittelt, sondern durch dasselbe geschichtliche Verhältnis des Menschen zur Wirklichkeit geprägt.

So wirkt — das ist die kulturkritische These des Expressionismus — sowohl in der Produktionssphäre wie in der Bewußtseinsphäre dasselbe rationalisierende Vernunftprinzip, das der Wirklichkeit seine Gesetze aufzwingt. Verdinglichung als das vom Subjekt der Objektwelt aufgezwungene Prinzip der Kalkulation schlägt auf das Subjekt selbst zurück, verdinglicht das Subjekt zum Objekt, wobei Lukács glaubt, im Begriff des Proletariats noch die Perspektive eines integren "Subjektes der Geschichte" retten zu können (siehe auch Kap. 2.2.4).

Expressionisten und vor allem auch die expressionistische Malerei haben dagegen eine unentstellte Form des Menschen z. T. in vorzivilisatorischen, exotischen Kulturen zu finden gehofft. Von solcher Flucht aus der abendländisch-rationalen Zivilisation träumen Helden Georg Kaisers — ist doch schon der Titel des Stückes 'Die Koralle' ein Symbol exotischer Natur — und die Matrosen in Reinhard Goerings Stück 'Seeschlacht'. Ein positiver Aspekt dieser Sehnsucht ist die vor und während des Expressionismus sich vollziehende Aufwertung außereuropäischer Kunst, dies um so mehr, als die außereuropäischen Länder von den imperialistischen Großmächten primär unter dem Aspekt der Kolonialisierungsmöglichkeiten gesehen wurden. Damit einher ging die Zerstörung vieler fremdländischer Kulturen, die Verachtung und z. T. Versklavung ihrer Einwohner.

Von der Position der avantgardistischen Kunst her aber werden nun die Kunst der Südsee, die Negerplastiken aus Afrika nicht mehr als 'primitiv' im Sinne des Unterentwickelten abqualifiziert, sondern mit neuen Augen als Ausdruck einer nicht entfremdeten Form des Menschseins allererst entdeckt. Die avantgardistische Kunst läuft also entgegen dem Haupttrend des politischen Imperialismus der Zeit. Carl Eintein imitiert 'Negerlieder' (242, 155 ff.) und in der berühmten und einflußreichen Dissertation von Wilhelm Worringer: 'Abstraktion und Einfühlung' von 1908 wird "das Kunstwollen" der Naturvölker, der japanischen Holzschnitte, der Romantik und Gotik sowie der altägyptischen Kultur in seiner Eigenrealität gegenüber der vor allem durch die Romantik vermittelten 'einfühlenden' Kunsthaltung abgegrenzt und aufgewertet. Daß überhaupt "jeder Stil" aus einem eigenen psychischen Bedürfnis entstanden und daher in seiner Eigenheit zu würdigen ist, wird hier begrifflich verankert, zudem ein spezielles Sensorium für die vom Zeitgeschmack verachteten 'abstrakten' Kunstformen der erwähnten Kulturen und Epochen entwickelt. Worringer und der Expressionismus leisten einen wesentlichen Beitrag zur Abnabelung vom idealisierten Schönheitsmaß der Antike und der mit ihm gegebenen Blindheit gegenüber Kunstformen, die sich mit ihm nicht in Einklang bringen lassen.

2.6.4.6 *Deformierte Sinnlichkeit und Wahnsinn als Antithesen zur absoluten Vernunft*

Als Antithese zur hypertrophen und einseitigen Herrschaft von rationaler Vernunft führt die Sinnlichkeit ein kümmerliches Dasein. Einsteins 'Bebuquin' spielt im schmuddeligen Barmilieu abgesunkener Bohème, in dem Euphemias "massiger Busen", "Bufettdamen" und "Hetären" das erkenntnistheoretische Palaver umrahmen. Ein Zusammenhang von "Idee und Hurerei" (242, 227 f.) wird konstatiert. Der einseitigen Herrschaft von Vernunft entspricht eine entfremdete Form der Sinnlichkeit. An ihrer Negation, die von der griechischen bis zur modernen Philosophie ihre eigene Geschichte hat, rächt sich Sinnlichkeit durch ihre Rückkehr in entfremdeter Form. Dieser Zusammenhang zwischen hypertropher Ratio und entfremdeter Sinnlichkeit wäre auch an der Lyrik Lichtensteins, Benns und Albert Ehrensteins zu belegen.

Auch das vom Vernunftgesetz ausgeschlossene Individuelle und Originelle kommt nur in Deformationsformen noch zur Geltung: im Wahnsinn. Im Gegensatz zur psychologisierenden Wahnsinnsanalyse in Heyms Novelle 'Der Irre' erkennt Einsteins 'Bebuquin' einen Zusammenhang zwischen der absoluten Herrschaft von Vernunftgesetzen einerseits, kollektiven Formen von Wahnsinn andererseits. Den Tod der Vernunft und das Entstehen kollektiver Massenhysterie beschreibt das 16. Kapitel in 'Bebuquin'. Der Wahnsinn kommt als Massenspektakel. In einem Zirkus sehen die Zuschauer sich mit einem Trick konfrontiert:

Während eines Radlertricks fuhr eine spiegelnde Säule in die Arena, blitzend; eine Flötenbläserin ging nebenher in einer Nonnenkutte. Die Bürger sahen sich darin, bald strahlend übergroß, bald verzerrt; diese Spiegel zwangen, immer wieder hineinzuschauen. Mäuler schluckten die Arena, und die Finsternis aufgerissener Gurgeln verdunkelte sie. Die Blicke versuchten, die hohe Spiegelsäule zu durchbrechen ...

Die Menschen verwandelten sich in sonderliche Zeichen in den Spiegeln; das Publikum wurde leise irrsinnig und richtete in drehendem Schwindel seine Bewegungen nach denen der Spiegel; um die Spiegel sausten farbige Reflektoren. (242, 235)

Man denke an die Spiegelmetapher im ersten Kapitel des Romans. Ähnlich wie Böhm im Gefängnis seiner subjektiven Erkenntnisreflexion eingesperrt ist, wird hier das Kollektiv Opfer seiner Selbstbespiegelung. Das Subjekt – als einzelnes oder Kollektiv – sieht nichts anderes mehr als sich selbst. 'Wahnsinn' ist diese Situation der Entfremdung wie auch die Ausbruchversuche in Ersatzreligionen, repräsentiert in Prozessionen "irgendwelcher neuen Sektierer", "verschiedener Messiasse" und im kollektiven Blutrausch. Dieser Wahnsinn greift um sich. "Die Paralyse zog in die Stadt ein.":

Die Raserei wurde dermaßen schmerzlich, daß man begann zu töten. (ebd., 236)

Vernichtet sich so das Kollektivsubjekt im Wahnsinn, so stirbt Bebuquin einsam in einer gleichsam unterkühlten Form. "Sein Kopf", hieß es schon zuvor, "ein Gestirn, das erkaltete." (ebd., 225)

Damit werden — ähnlich wie bei Kaiser — alle positiven Utopien, auch die des neuen Menschen, in der Vision einer kollektiven Selbstzerstörung des Subjekts vernichtet. Das sich selbst als Herrschaftsform setzende Vernunftprinzip, jeder nicht nach seinem Gesetz funktionierenden Wirklichkeit entfremdet, schlägt zerstörerisch aufs Subjekt zurück. Die Selbstzerstörung des Subjekts, der kollektive Wahnsinn, ist die Kehrseite der in ihrem irrationalen Herrschaftsanspruch selbst irrationalen Vernunft. Bei Einstein heißt es: "am Ende eines Dinges steht nicht sein Superlativ, sondern sein Gegensatz, und die Erkenntnisse gehen zum Wahnsinn." (ebd., 234)[45]

2.6.4.7 Darstellung der Ichdissoziation bei Benn und van Hoddis. Totalisierung der Vernunftkritik und die Sehnsucht nach dem Irrationalen

Diese an Einstein aufgewiesene Dialektik findet sich ähnlich auch bei van Hoddis und Gottfried Benn. Insbesondere die gegenüber Einstein sehr viel besser erforschte frühe Prosa Benns, in deren Mittelpunkt der Arzt und Wissenschaftler Dr. Rönne steht sowie einige kurze Dramenszenen ('Ithaka', 'Der Vermessungsdirigent. Erkenntnistheoretisches Drama') kreisen um das Problem des Wirklichkeitsverlustes, der Ichauflösung angesichts der von Nietzsche begrifflich festgehaltenen erkenntnistheoretischen Situation.[46]

In 'Ithaka' (1914) wird die Auseinandersetzung zwischen dem verabsolutierten Herrschaftsanspruch rationaler Vernunft und der Auflehnung dagegen in Form eines Dialoges zwischen einem Professor der Medizin auf der einen Seite, dem Assistenzarzt Dr. Rönne sowie Studenten der Medizin auf der andern Seite ausgetragen. An diesem Dramenfragment wird auch die Gefahr der expressionistischen Kritik besonders deutlich. Rönne und der Student Lutz schleudern dem Professor in expressionistisch-antiautoritärer Form ihre Verachtung für die Wissenschaft ins Gesicht:

---

[45] Siehe zu dieser Problematik Theodor W. Adorno und Max Horkheimer, 'Dialektik der Aufklärung' (634).

[46] Bei keinem Autor des Expressionismus läßt sich der Einfluß Nietzsches so unmittelbar nachweisen wie bei Benn, einfach weil Benn selbst Nietzsche so häufig zitiert. So wurde denn auch die Bedeutung Nietzsches für Benn in der Forschung oft betont und herausgearbeitet. Ich erwähne hier in der neueren Forschung nur die Arbeiten von Balser (168), Haller (175), Hillebrand (178), Lohner (183) und Wirtz (193).

Rönne: ... Erfahrungen sammeln, systematisieren — subalternste Gehirntätigkeiten! ...

Lutz: Denn was schaffen Sie eigentlich? Hin und wieder buddeln Sie eine sogenannte Tatsache ans Licht. Zunächst hat es ein Kollege vor zehn Jahren bereits entdeckt, aber nicht veröffentlicht. Nach fünfzehn Jahren ist alles beides Blech. Was wissen Sie eigentlich? (163, 296)

Mit dieser Schelte auf die moderne Wissenschaft, die keine absoluten Wahrheiten mehr zuläßt, genügt sich die revoltierende Kritik keineswegs. Attackiert wird letztlich die alleinige Herrschaft von Logik und Vernunft, die von Rönne nicht mehr als Befreiung und Emanzipation erfahren wird, sondern als ein Kreuz, an das er geschlagen ist:

Aber ich sage Ihnen, wagen Sie es, noch ein einziges Mal Ihre Stimme zu erheben zu den alten Lügen, an denen ich mich krankgefressen habe: mit diesen meinen Händen würge ich Sie ab. Ich habe den ganzen Kosmos mit meinem Schädel zerkaut! Ich habe gedacht, bis mir der Speichel floß. Ich war logisch bis zum Kotbrechen. Und als sich der Nebel verzogen hatte, was war dann alles? Worte und das Gehirn. Worte und das Gehirn. Immer und immer nichts als dies furchtbare, dies ewige Gehirn. An dies Kreuz geschlagen. (ebd., 298)

In der Bennforschung ist vor allem auf den Einfluß des Nihilismusgedankens Nietzsches immer wieder hingewiesen worden. In der Tat ist der Nihilismus als Abwertung metaphysischer Werte eine Schlüsselerfahrung Benns gewesen. In 'Ithaka' klagt Rönne in unmittelbarer Anlehnung an Nietzsche: "Wohin? Wohin? Wozu der lange Weg? Um was soll man sich versammeln?" (ebd., 299) (Siehe auch Kap. 2.2.3)

Vom erkenntnistheoretischen Standpunkt gravierender aber erscheint, daß Nietzsches Nihilismus als radikale Konsequenz des modernen Subjektivismus, der gerade auch in Logik und Wissenschaft zur Herrschaft kommt, die absoluten Begriffe von 'Wahrheit' und 'Wirklichkeit' in Frage stellt. Da Benn, wie auch Nietzsche an einem undurchschauten und letztlich metaphysischen Begriff einer absoluten Wirklichkeit und Wahrheit festhalten, muß die Einsicht in den Hypothesencharakter moderner Wissenschaften fatale Konsequenzen haben. Wissenschaft wird pauschal abgekanzelt zu "alten Lügen", die Logik provoziere "Kotbrechen". Übrig bleibt das in sein Gehirn und seine Denkformen tautologisch eingeschlossene Subjekt, bei Einstein dargestellt im Spiegelgehirn Nebukadnezar Böhms.

Der Zweifel an der Vernunft und ihrem Geltungsanspruch bewirkt, daß der Dr. Rönne der Erzählungen Benns die Denkleistungen der Vernunft gar nicht mehr vollziehen kann, weil er sie nicht mehr vollziehen will. Symptome: die Unfähigkeit, seinem Beruf geregelt nachzukommen, Ichauflösung ("Wo bin ich hingekommen? Wo bin ich? Ein kleines Flattern, ein Verwehn." (163, 16); "es entsank fleischlich sein Ich — . . ." (ebd., 55); "Weil ich kein Ich mehr bin, sind meine Arme schwer geworden." (ebd., 79); ". . . diesen viertausendjährigen Schwindel des angeblich kontinuierlichen Ich" (ebd., 90)) und Wirklichkeitsverlust ("Er sei keinem Ding mehr gegenüber; er habe keine Macht mehr über den Raum, äußerte er einmal;" (ebd., 18) "heran wogte das Ungeformte, und das Uferlose lag lauernd." (ebd., 33)).

Die Belege ließen leicht sich mehren. Das Subjekt, seine Denkformen als bloß gesetzte Herrschaftsformen des Denkens über eine 'an sich' unbekannte Wirklichkeit durchschauend, gibt das logische Gerüst dieser Denkformen preis und löst sich im Prozeß dieser Selbstreflexion auf. Anders gewendet: Selbstreflexion des Subjekts als Kritik an den eigenen Denkformen und ihrer Entfremdung von der Wirklichkeit hebt den Geltungsanspruch dieser Denkformen auf und wendet sich in Selbstdestruktion gegen den Träger dieser Denkformen. Der moderne Subjektivismus, seit Descartes "cogito ergo sum" die feste und unbezweifelte Grundlage von Erkenntnis, tritt Ende des 19., Anfang des 20. Jahrhunderts in eine Phase der Selbstauflösung. Die erkenntnistheoretische Reflexionsprosa des Expressionismus ist eine literarisch extreme Form der Darstellung dieser Selbstauflösung.

Um noch ein wichtiges Beispiel zu nennen: Jakob van Hoddis' Prosa, insbesondere den Text 'Von Mir und vom Ich'. Darin heißt es:

Cogito ergo sum. Das Denken ist kein Beweis für das Ich, sondern das Ich ein Postulat des Denkens. (310, 77)

Der Text selbst zerlegt dieses postulierte Ich in ein "Ur-Ich" als "Postulat des Denkens" und eine "Ich-Idee" als ihr "Objekt des Denkens". Bezeichnend, daß ein Ich als Subjekt des Denkens im Text explizit gar nicht mehr vorkommt. Gegen die Vorstellung eines konstanten Ich hält van Hoddis:

Wir aber sind uns in jedem Augenblick ein Anderes, stets Unbegreifliches. (ebd., 79)

Schließlich parodiert ein Postskript die ganze Ichreflexion in einer ähnlichen Groteske wie Einstein erkenntnistheoretische Positionen parodiert:

Das Ur-Ich und die Ich-Idee
Gingen selbander im grünen Klee;
Die Ich-Idee fiel hin ins Gras,
Das Ur-Ich wurde vor Schreck ganz blaß.
Da sprach das Ur- zur Ich-Idee:
'Was wandelst du im grünen Klee?'
Da sprach die Ich-Idee zum Ur-:
'Ich wandle nur auf deiner Spur.' —

Da, Freunde, hub sich große Not:
Ich schlug mich gegenseitig tot. (ebd., 79)

"Ich schlug mich gegenseitig tot." Benns Rönne treibt die Selbstzerstörung voran in sexuellem Rausch, frei wuchernden Assoziationen — "Die Konkurrenz zwischen den Assoziationen, das ist das letzte Ich" (163, 43) — und Regressionswünschen. Zu einem Zeitpunkt, da der Mensch "Herr der Welt" (ebd., 100) zu werden sich anschickt, hat sich der Glaube an die Substanz des Ich in der expressionistischen Literatur gründlich zersetzt.

So sehnt sich Rönne nach dem Dasein der Quallen ("Aber wegen meiner hätten wir Quallen bleiben können ..." (ebd., 299)); eine Schlamm-, Meer-, und Strommetaphorik symbolisiert jenen Lebensstrom, zu dem er sich, von ihm abgeschnitten, zurücksehnt.

"Traum und Rausch" (ebd., 301) sind die Gegenbegriffe gegen die Herrschaft der Vernunft und das "große fressende herrschsüchtige Tier", den "erkennenden Menschen" (ebd., 300). Dabei werden Motive der Lebensphilosophie Nietzsches und Bergsons verarbeitet. Es ist nur konsequent, daß der Professor in der Szene 'Ithaka' am Ende in einer Art Blutrausch ermordet wird. Seine letzten Worte hätten allerdings späteren Generationen zur Warnung dienen können:

Professor (gurgelnd): Ihr grünen Jungen! Ihr trübes Morgenrot! Ihr werdet verbluten, und der Mob feiert über eurem Blut ein Frühstück mit Prost und Vivat! ... Hier siegt die Logik! Überall der Abgrund: Ignorabimus! Ignorabimus! (ebd., 302)

Hier ist genau der Punkt bezeichnet, wo der Haß gegen eine totalitäre Form von Vernunftherrschaft umschlägt in eine ebenso totalitäre Sehnsucht nach Rausch, bei der letzten Endes "der Mob feiert". Benns Position ist also ambivalenter als es die marxistische Expressionismuskritik wahrhaben wollte. Einerseits — "Traum und Rausch" feiernd — entspricht Benn einem irrationalen vernunftfeindlichen Bedürfnis, das, als kollektive Bewußtseinslage vom Faschismus erkannt und angeheizt, allerdings in den "Abgrund" geführt hat; andererseits nimmt aber Benn eben dieses Ende vorweg: die Perversion von Logik im ausgeklügelten Geschäft mit ihrer Verunglimpfung, Herrschaft, die umso irrationaler schalten und walten kann, als sie rationales Denken abschafft — das ist die in den Worten des Professors angedeutete kritische Perspektive.

2.6.4.8 *Kritik an der erkenntnistheoretischen Reflexionsprosa des Expressionismus*

Dennoch kann man Benn den Vorwurf nicht ersparen, die Gefahr einer totalisierten Vernunftkritik nicht klar genug erkannt zu haben. Außerdem geht es für Benn nicht nur wie für van Hoddis und Einstein darum, den absoluten Herrschaftsanspruch rationaler Vernunft kritisch einzuschränken, vielmehr verschreibt er sich der neuen Metaphysik von "Traum und Rausch". Das aber ist eine trübe Ersatzmetaphysik, die einem höchst rational kalkulierenden Machtwillen um so willkommener sein mußte, als sie dessen Herrschaftsanspruch rationaler Kontrolle entzog. Da ist die Position Sternheims ehrlicher, insofern er in allen Handlungsmotiven den Willen zur Macht selbst als das eigentliche Handlungsmotiv aufdeckt.

An Gottfried Benn ist genau zu studieren, wie Motive der radikalisierten Aufklärung: die Kritik aller metaphysischen Herrschaftsansprüche und schließlich auch an der absoluten Herrschaft rationaler Vernunft des Subjekts umschlägt in eine neue Metaphysik des Irrationalen, der nun aber — wie die Geschichte gezeigt hat — der ganze Apparat moderner Wissenschaft und Technologie als Instrumente der Zerstörung zur Verfügung steht.

Die Gefahr eines solchen Umschlags liegt schon in der Totalisierung der Kritik. Diese Totalisierung selbst wäre zu kritisieren. Wenn Kaiser in seinen 'Gas'-Dramen den modernen funktionalisierten Produktionsprozeß als Vernichtungsapparat darstellt und wenn in der erkenntnistheoretischen Reflexionsprosa des Expressionismus die jenem Produktionsprozeß entsprechende rational-kalkulatorische Denkform in toto kritisiert wird, läßt eine derart totalisierte Zivilisationskritik nur den Weg ins Irrationale offen. Totale Vernichtung ist die letzte Perspektive dieser Kritik sowohl bei Kaiser als auch bei Einstein. Die letzte Form der Selbstauflösung des Subjekts wäre dessen reale und totale Selbstdestruktion.

Nun ist diese Perspektive wahrhaftig noch nicht aus der Welt, und es ist das Verdienst des Expressionismus, daß er die latenten und offensichtlichen Zerstörungspotenzen moderner Zivilisation, Industrialisierung und rationaler Vernunft bloßgelegt hat. Andererseits — und das ist eine der Lehren der Geschichte — ist der Gefahr nicht durch Zivilisationsfeindlichkeit und Irrationalität zu begegnen, sondern nur durch rationale und kritische Wachsamkeit. Mit anderen Worten: durch Vernunft. Gerade weil der Herrschaftsanspruch rationaler Vernunft — wie der Expressionismus erkannt hat — totalitär ist, kann man sich der Verantwortung ihrer rationalen Kontrolle nicht mehr entziehen.

Das aber ist nur durch ein — bei allen Dissoziierungstendenzen — kritisch und selbständig denkendes Subjekt möglich. Der Expressionismus hat auf der Grundlage der Subjektkritik Nietzsches den selbst noch metaphysischen Begriff eines Subjekts aufgelöst, das einmal als feste und unbezweifelbare Grundlage der Erkenntnis galt. Der literarische Expressionismus gehört damit in eine Tradition von Aufklärung, die, zunächst auf der Basis dieses Subjektbegriffs, metaphysische 'Kosmologie' auflöste, um schließlich jene 'sichere' Basis als Fiktion zu entlarven.

Diese Einsicht in die Auflösung metaphysischer Sinngebung und eines noch metaphysischen Subjektbegriffs war für viele Expressionisten eine geradezu vernichtende Erfahrung. Sie war vernichtend, weil der Expressionismus selbst noch wie der große Kritiker der Metaphysik, Nietzsche, an metaphysische Denkformen gebunden war. Der Begriff einer flexiblen, vielfältigen und multiplen Subjektivität, die gerade in einer Vielfalt von Denk- und Erfahrungsformen sich verwirklicht, nicht nach weltumspannenden metaphysischen Sinngebungen Ausschau hält, sondern mit einer vernünftigen Gestaltung der Welt — wozu allerdings auch noch die Selbsteinschränkung des totalitären Herrschaftsanspruchs von Vernunft gehört — sich bescheidet, war für die expressionistische Generation nicht denkbar. So trägt auch die positive Utopie des Expressionismus, dort, wo sie entwickelt wird, deutlich metaphysisches Gepräge. Wie die positive Utopie des Expressionismus, die Vorstellung eines 'neuen Menschen', aussah, soll das Kap. 3 zeigen. Bevor wir uns diesem Problemkomplex zuwenden, ist es aber notwendig, noch einige sozialpsychologische Überlegungen zum Expressionismus einzubringen, um die Kategorie der Ichdissoziation abschließend auch von dieser Seite zu beleuchten.

2.7 Einige sozialpsychologische Überlegungen zum Vaterkonflikt, Wahnsinn- und Selbstmordmotiv in der expressionistischen Literatur

2.7.1 *Die Kritik am bürgerlichen 'Bildungsphilister'. Der Vaterkonflikt*

Wenn in der Literatur einer Epoche in gehäufter Form Familienkonflikte, Wahnsinn- und Selbstmordmotive auftauchen, ist dies zumeist ein Indiz für extreme Spannungen in der Gesellschaft selbst. Diese Hypothese wäre leicht an der Literatur des "Sturm und Drang" und des "jungen Deutschland" nachzuweisen; sie läßt sich aber gerade auch an der Literatur des Expressionismus belegen.

Ich habe bisher zu zeigen versucht, daß die expressionistische Literatur sensibel auf Erscheinungsformen der modernen, veränderten Wirklichkeit reagierte, und diese veränderte Wirklichkeit — ihre wahrnehmungspsychologische Struktur, ihre Arbeitsformen, ihr verändertes Menschenbild, ihre gewandelte Form von Öffentlichkeit, ihre erkenntnistheoretischen Grundsatzprobleme — literarisch darzustellen und zu bewältigen suchte. Die in diesem Komplex von Zusammenhängen entwickelte Kategorie der Ichdissoziation bliebe ohne einige sozialpsychologische Überlegungen fragmentarisch. Sie decken zugleich einen Motivkomplex ab, der eine zentrale

Rolle in der expressionistischen Literatur spielt, jedoch im Rahmen dieser problemgeschichtlichen Darstellung noch zu wenig berücksichtigt wurde: Vaterkonflikt, Wahnsinn, Selbstmord.

Wie kommt es – sozialpsychologisch gesehen – zu jenem Vaterkonflikt, der in Hasenclevers Drama 'Der Sohn' – zugleich der erste große Bühnenerfolg des Expressionismus (1914) –, Arnolt Bronnens 'Vatermord', in Kafkas Geschichte 'Das Urteil', Werfels 'Nicht der Mörder, der Ermordete ist schuldig' im Zentrum steht und in der vermittelten Form des Generationskonflikts auch in Hanns Johsts 'Der junge Mensch' und Gottfried Benns 'Ithaka'? Die Autoren des Expressionismus stammen zum überwiegenden Teil aus gutbürgerlichen Verhältnissen. Jenes Bürgertum aber war, wie mehrfach erwähnt, in der zweiten Hälfte des 19. Jahrhunderts zu einer ambivalenten Macht geworden. Einerseits die Industrialisierung und Urbanisierung und somit revolutionäre Veränderungen der Wirklichkeit vorantreibend, klammerte es sich andererseits konservativ und staatshörig an überkommene Leitbilder. Kulturpolitisch wurden insbesondere die 'großen Klassiker', Goethe und Schiller, zu Integrationsfiguren wilhelmischer Deutschtümelei uminterpretiert. Derart verschandelt stehen sie schon in der 'Familie Selicke' von Arno Holz und Johannes Schlaf als "Gipsstatuetten" neben dem Kaiser und Bismarck im abgesunkenen Kleinbürgermilieu.

Mit anderen Worten: das deutsche Bürgertum der wilhelminischen Ära neigte dazu, die kulturelle Tradition auf jene Momente zu reduzieren, die ihm ins deutschnationale Konzept paßten. Der einmal unter größter Gedankenanstrengung erarbeitete Freiheits- und Versöhnungsbegriff eines Friedrich Schiller geriet ihm so zur Harmonieschablone, mit der die Konflikte verkleistert wurden. Die Repräsentationsfigur eines derart kulturkonservativen Denkens, das, der Wirklichkeit entfremdet, die traditionellen 'Bildungsgüter' predigte, ohne sie noch mit Leben füllen zu können, war der deutsche Gymnasiallehrer. Was die kulturelle Tradition in ihrer wilhelminisch-bürgerlichen Konzeption an Substanz verloren hatte, schlug er an Autorität und Strenge zu.

Die Erfahrung dieser grundlegenden Diskrepanz zwischen ideologischen Verbrämungen und gesellschaftlicher Praxis, zwischen entleerten Kulturgütern und einer Wirklichkeit, die unter ihren Schablonen nicht mehr zu subsumieren war, vollzogen die verschiedenen Autoren der expressionistischen Generation sicher sehr unterschiedlich. Der aus einem evangelischen Pfarrhaus stammende Gottfried Benn hat einen besonders schroffen Affekt gegen die moralischen und theologischen Normen seines Elternhauses entwickelt. Nietzsches Radikalkritik an christlicher Moral und Metaphysik wurde von ihm, der sich auch durch sein Medizinstudium aus den häuslichen Vorstellungen befreite, besonders begierig aufgegriffen. Ein Autor wie Franz Kafka lebte unter den besonderen Bedingungen des deutschen Judentums in Prag. Er hat zudem nie das schlechte Gewissen gegenüber den bürgerlichen Normerwartungen seines Vaters ablegen können.

Bezeichnenderweise endet 'Das Urteil' mit dem Tod des Sohnes Bende-mann.

Allgemein aber war für die expressionistische Generation die Erfahrung der Diskrepanz zwischen entleerten Kultur-, Moral- und Religionsvor-stellungen einerseits, einer diesen Begriffen nicht mehr entsprechenden Wirklichkeit andererseits. Nietzsche, der große Kritiker des verlogenen wilhelminischen Überbaus, seiner Verdrängungs- und Rationalisierungs-mechanismen, hat mit viel Scharfblick bereits 1873 in der ersten 'Unzeit-gemäßen Betrachtung' den Typus des wilhelminischen Bildungsphilisters analysiert: "er wähnt selber Musensohn und Kulturmensch zu sein; ein unbegreiflicher Wahn . . ." (649, 142). Der Bildungsphilisters ist nach Nietz-sche ein Epigone, der die gedankliche Arbeit des Suchens ersetzt durch Besitzkategorien:

> Wir haben ja unsere Kultur, heißt es dann, wir haben ja unsere 'Klas-siker', das Fundament ist nicht nur da, nein auch der Bau steht schon auf ihm gegründet – wir selbst sind dieser Bau. Dabei greift der Philister an die eigene Stirn.
> Um aber unsere Klassiker so falsch beurteilen und so beschimpfend ehren zu können, muß man sie gar nicht mehr kennen: und dies ist die allgemeine Tatsache. Denn sonst müßte man wissen, daß es nur eine Art gibt, sie zu ehren, nämlich dadurch, daß man fortfährt, in ihrem Geiste und mit ihrem Mute zu suchen. (ebd., 144)

Der Bildungsphilister 'sitzt' auf der geistigen Tradition, als deren An-walt er sich wähnt, statt sie lebendig und kreativ fortzuführen. In einer Zeit, da die überkommenen Begriffe von Realität, Moral, Religion selbst wanken, hat er sich in den sicher gewähnten Ruinen dieser Normen häus-lich eingerichtet. Das u. a. macht den Fassadencharakter seiner eigenen Existenz aus.

Die angemessenste Form der literarischen Kritik am Bildungsphilister ist wohl die Parodie. Schon Arno Holz macht sich über die Goethe-Rezep-tion seiner Zeit lustig:

> Der alte Prachtpapa aus Weimar
> dient heute nur noch als Polizeimahr.
> Sein Schlafrock flattert, seine Zipfelmütze weht,
> überall, wos nach rückwärts geht.

Jakob van Hoddis parodiert im Zyklus 'Italien' die Bildungsreisen und das Italienbild Goethes. Auch hier das Schlafrockmotiv:

> 'Entschließe dich, auf Goethes Pfad zu schreiten
> mit Männertritt und würdig froh gelaunt!

Sein weißer Schlafrock glänzt durch die Gezeiten.'
Sprach der Palast. Ich war nicht schlecht erstaunt.
Der Reisende van Hoddis geht andere Wege:
Wir tranken Wein in Kinematographen ...

Und gaben manchmal uns den ungestümen
Fassaden hin, Gewölben und Kapellen,
schlanken Pilastern und den ungetümen
und dicken süßen Leibern in Bordellen. (310, 33 f.)

Das Gedicht 'He!' mit seiner kabarettistischen Gassenhauerstrophe ironisiert einen "Stadtherrn", der vor der Kulisse exerzierender Soldaten seinem Sohn den Rat gibt, "Die unerhörte Tat zu tun, / Endlich ein Genie zu sein." (ebd., 13), das Gedicht 'Der Oberlehrer' (ebd., 14) parodiert den Schulunterricht an Gymnasien. Der auch in Musils frühem Roman 'Die Verwirrungen des Zöglings Törleß' und in Wedekinds 'Frühlings Erwachen' gezeigte Zusammenhang zwischen schulisch-strenger Anstaltsatmosphäre und geheimem Sadismus, zwischen entfremdeten Bildungsnormen und pervertierter Sexualität wird in van Hoddis' Gedicht 'Der Oberlehrer' festgehalten.

Was sich hier in der literarischen Parodie darstellt: die Kritik an traditionellen, aber ausgehöhlten Bildungsnormen und Bildungserwartungen, repräsentiert durch Schule und Elternhaus, dokumentieren auch die biographischen Zeugnissen vieler Expressionisten. Georg Heym klagt in seinem Tagebuch: "Ich habe heute einen Aufsatz zurückbekommen: Frieden und Streit in Goethes Herrmann und Dorothea ... Was das für eine Qual ist unter einem solchen hölzernen Kerl von Pauker zu arbeiten." (281, 10). Es ist der Vater Heyms, der das Studium bestimmt und ihn schließlich zu den Soldaten schicken will. Ernst Tollers Autobiographie 'Eine Jugend in Deutschland' beschreibt den wilhelminischen Schulbetrieb an Gymnasien — "die unverfälschte Pflanzstätte des klassischen Idealismus" — als eine Abrichtungsmaschinerie, die auch noch den lieben Gott für ihre autoritären Denkmuster einspannte: "Gottesfurcht und Untertanensinn, Gehorsam soll er lernen." (557, 46) Carl Sternheim konstatiert in 'Berlin oder Juste milieu' die Pervertierung der philosophischen und literarischen Klassiker zu behördlichen Mitteln der Disziplinierung (518, 112 f.).

Die Beispiele ließen beliebig sich mehren. Vor ihrem Hintergrund, aber auch vor dem Hintergrund der durch ähnliche Erfahrungen motivierten, etwa um die Jahrhundertwende aufkommenden Jugendbewegung als Revolte gegen Bürgertum und Zivilisation ist der Vaterkonflikt der Expressionisten zu sehen. Diese in der überwiegenden Mehrzahl selbst dem Bürgertum entstammende Generation erkennt die innere Brüchigkeit, ja Verlogenheit der Bildungsnormen, der Moral und Religion, und vermag sich so von den geltenden Normen des wilhelminischen Bürgertums zumindest zeitweise zu emanzipieren.

So macht Hasenclevers Drama 'Der Sohn' mit seiner typisch expressionistisch-abstrakten Figurengestaltung – gegenüberstehen sich die Protagonisten "Der Sohn" und "Der Vater" – deutlich, daß die Entwicklung des Sohnes zu einem autonomen Ich nur durch Überwindung des Vaters möglich ist. Der in kerkerähnlicher Haft gehaltene Sohn wird im zentralen 3. Akt von Fremden aus den Fesseln des Vaterhauses befreit und spricht dann vor einer großen Zuhörerschaft gegen "die Väter, die uns peinigen", gegen Unfreiheit und Dekadenz der alten Welt. Der Auftritt mündet im Aufruf "zum Kampf gegen die Väter". (267, 137)

Daß der symbolisch vollzogene Vatermord dieses Dramas während des 1. Weltkriegs nicht aufgeführt werden durfte, mag die Rigidität und Engstirnigkeit der wilhelminischen Kulturpolitik verdeutlichen, die noch von der ganz abstrakt und in dieser Form vielfach hohl formulierten Forderung nach "Freiheit" sich bedroht fühlte. Eine Forderung, die übrigens in Arnolt Bronnens Stück 'Vatermord' noch aufgesetzter wirkt, weil das Stück in den Gestalten von Vater, Mutter und Sohn Walter "Fessel" nur noch animalische Macht- und Triebinstinkte aufeinanderprallen läßt und so die innere Entfaltung eines sich befreienden Ich nicht mehr vorbereitet.

Der Vaterkonflikt im Expressionismus verdeutlicht, auch wenn der Mord an der Vaterfigur bei Hasenclever, Bronnen, Werfel, auch in Gottfried Benns Dramenfragment 'Ithaka' (siehe 2.6.4.7) gerechtfertigt wird, die Unsicherheit der gegenbürgerlichen Revolte. Insbesondere in der Stereotypie der Sprache Hasenclevers und Bronnens verrät sich die Substanzlosigkeit ihres Emanzipationspathos. Der 'neue Mensch', dessen Durchbruch sie darstellen wollen, soll zur Begeisterung mitreißen, erstarrt aber doch in allgemeinen Phrasen. Eine Kritik, der sich Kafkas Erzählwerk in dem Maße entzieht, als er der Versuchung einer Ersatzmetaphysik, auch der Lehre vom 'neuen Menschen', nie verfallen ist.

2.7.2 Antibürgerliche Lebensformen und das großstädtische Literatencafé

Bei der Emanzipation von bürgerlichen Normen spielt die Großstadt, insbesondere Berlin und München, eine besondere Rolle, insofern ihre unbeaufsichtigte Anonymität einen sehr viel größeren Freiraum zur Verfügung stellt. So schreibt der Dadaist Richard Hülsenbeck: "Hugo Ball und ich haben uns für nichts als den Expressionismus interessiert ... Wir huren hier herum, um die Tauentzienstraße, wir trinken, auch sitzen wir manchmal in den Tavernen und den Liqueurstuben zwei Tage lang, bis uns die Polizei hinauswirft. Wir halten alles das für Expressionismus, da wir weniger auf die Bilder sehen als auf den Lebensstil." (6, 68 f.) Die Literatencafés, so das "Café des Westens" in Berlin, das "Café Stefanie" in München wurden zu Zentren der literarischen Avantgarde, die in lockeren Bohèmezirkeln antibürgerliche Lebensformen und Gedanken entwickelte. Wie wichtig die Funktion dieser Zentren in den Städten für die literarische Bohème war, hat Helmut Kreuzer in seinem Buch über 'Die Bohème' eingehend dargelegt. Das "Intellektuellencafé" "fungiert als 'Wärmehalle', als 'Meinungsbörse' und intellektuelle Nachrichtenzentrale ... Es ersetzt den Nichtakademikern in mancher Hinsicht das Universitätsseminar; es entprovinzialisiert ... vermittelt Anregungen und vor allem das Bewußtsein, 'wieviel Uhr Kunst es immer ist'." (707, 205 f.) Dabei wurde das Literatencafé – so für Else Lasker-Schüler – zu einer "Ersatztotalität", zum 'romantischen' Gegenpol des unwirtlichen Lebens; es konnte aber auch zum Faulplatz eines "apathisch-passiven, quietistisch-fatalistischen Nihilismus" (ebd., 210) werden. Die literarischen Cabaretts und Varietés, deren "épater le bourgeois" der Dadaismus auf die Spitze treiben sollte, gehören ebenfalls in den Rahmen dieser gegenbürgerlichen, subkulturellen[47] Bohèmeatmosphäre in der Großstadt.

Dennoch bildeten diese Bohèmezirkel nur lockere Assoziationen, die bei nächster Gelegenheit auch wieder zerfielen. So waren die Mitglieder dieser gegenbürgerlichen, subkulturellen Gruppen letztlich nicht weniger einsam als jene großen Expressionisten, die den Caféhauszirkeln oder literarischen Gruppierungen nie sich anschlossen: Franz Kafka, Georg Trakl, Carl Sternheim, Georg Kaiser u. a.

Die bürgerlichen Normen werden durchschaut. Die Rückkehr in die 'gesicherte' bürgerliche Rollenidentität ist damit verbaut. Diese 'Sicherheit' wurde ja gerade als Lüge entlarvt. An ihre Stelle tritt die eigentümlich instabile, freischwebende Existenzform des literarischen Bohémien, wie ihn, mit valistischen Zügen, Brechts 'Baal' verkörpert, des Dandy (Carl Sternheim), der isolierten und vereinzelten Existenz eines Franz Kafka, Georg Trakl, Georg Kaiser.

Diese Einsamkeit aber produziert die Sehnsucht nach Gemeinschaft. Die expressionistische Utopie des neuen Menschen hat hier ihre sozial-psychologischen Voraussetzungen. Noch die Schockierung des Publikums im Dadaismus wird von Franz Kafka als "Sehnsucht nach Gemeinschaft" begriffen (334, 96). Kafka selbst hatte sich jahrelang mit dem Gedanken getragen, eine Familie zu gründen. Autoren wie Johannes R. Becher und Hanns Johst haben mit ihrem Übertritt zum Kommunismus bzw. Faschismus diese Sehnsucht nach einer gemeinschaftlichen Bewegung, in der das Individuum aus seiner Vereinzelung befreit und aufgehoben wäre, befriedigt. Van Hoddis, Franz Werfel, Hugo Ball versuchten sich in den Glauben zu retten. Das ist zumindest bei van Hoddis gescheitert.

All diese Entscheidungen markieren, abgesehen von ihrer Bewertung und dem Zeitpunkt, Endpunkte des Expressionismus. Der Expressionismus als literarische Bewegung war die Kritik an der herrschenden Denk-,

---

[47] Zum Begriff der Subkultur siehe R. Schwender: 'Theorie der Subkultur', Neuwied 1973.

Produktions-, Lebensform, an geltenden Normen der Moral und Religion, aber dies alles von einer weltanschaulich nicht festgelegten Warte aus.

Auch dies ist ein Faktor der Ichdissoziation. Die Kritik am Allgemeinen integriert sich nicht in eine allgemeine Bewegung. Die im Vaterkonflikt symbolisch ausgetragene Auseinandersetzung mit dem allgemeinen, als zwanghaft erfahrenen System desintegriert das Ich aus diesem System, aus sozialen Bindungen und Normen, ohne jedoch eine klar definierte neue Identität anzubieten.

Das ist bei keinem Autor so deutlich wie bei Ernst Toller. In seinem 1919 in Gefangenschaft geschriebenen Drama 'Masse Mensch' steht "Die Frau", der bürgerlichen Klasse entstammend und mit einem Mann dieser Schicht verheiratet, aber für die Sache des Proletariats engagiert, so ausweglos zwischen Bürgertum und Proletariat, wird so auseinandergerissen durch den Widerspruch zwischen ihrer ethischen Maxime der Gewaltlosigkeit und dem gewaltsamen Mittel des Klassenkampfes, daß eine politische Solidarisierung mit keiner sozialen Gruppe mehr möglich ist (siehe Kap. 3.4). Diese ausweglose Situation repräsentiert, wie wir sehen werden, Tollers eigene Lage und stellvertretend in Toller die Strukturkrise des Expressionismus gegen Ende des expressionistischen Jahrzehnts. War es doch die politische Polarisierung am Ende der Wilhelminischen und zu Beginn der Weimarer Ära, die wesentlich zur Auflösung der Bewegung des Expressionismus beigetragen hat.

2.7.3   Das Wahnsinn- und Selbstmordmotiv im Expressionismus

In einer solchen sozialpsychologischen Situation ist ein sensibles und labiles Ich besonders gefährdet. Und in der Tat weist die Häufigkeit des Wahnsinn- und Selbstmordmotivs auf diese Gefährdung hin. Georg Heym spricht von Menschen, "drinnen der Wahnsinn krallt" (279, 431); "Selbstmörder gehen nachts in großen Horden" (ebd., 440). Ein Gedichtzyklus ist überschrieben 'Die Irren' (ebd., 253 ff.), ein anderes Gedicht 'Die Selbstmörder' (ebd., 472). In 'Die Dämmerung' von Lichtenstein heißt es lapidar: "Ein blonder Dichter wird vielleicht verrückt" (462, 44), zwei weitere Gedichte sind überschrieben: 'Die Fahrt nach der Irrenanstalt'. Bei van Hoddis finden sich die Verse:

> 'Ist es Irrsinn, ist's Erleben,
> Daß man so ins Leere rennt?
> Darf man wie 'ne Sonne schweben
> Brennend hoch am Firmament.' (310, 42)

Woher die Häufigkeit dieser Motive? Die Eingangsverse von van Hoddis zeigen die Ambivalenz der Bedrohung. Der Autor war sicher auch, wie Erwin Loewenson feststellt, "ein Opfer seines waghalsigen Experimentierens mit sich selbst." (ebd., 117)

Viele Autoren stellen jedoch, so Wilhelm Klemm im Gedicht 'Meine Zeit', den wohl noch wichtigeren Zusammenhang her zwischen der eigenen, "so namenlos zerrissenen" Zeit und des "Wahnsinns Abgrund" (22, 40), zwischen der Erfahrung entfremdeter Wirklichkeit und Mord-, Selbstmord-, Wahnsinnsmotivik. So entwickelt Hasenclevers Drama 'Die Menschen' in einer Folge surrealer Szenen groteske Wirkungen, indem es das Motiv des "zerrissenen Menschen" sozusagen wörtlich nimmt. Der ermordete Alexander läuft mit seinem Kopf im Sack auf der Bühne herum und konstatiert lakonisch: "Wir liegen im Grabe." (267, 205) Vor einem Schwurgericht aussagend: "Alle sind Mörder", antwortet ihm der Ruf: "Ins Irrenhaus!" (ebd., 214) Die Sprache des Kurzdramas ist über weite Strecken eine selbst zerrissene Kette von Einwortsätzen.

Tollers Drama 'Die Wandlung' beklagt als Ausgangslage "diese Zerrissenheit" und führt sie konkret in der Form kriegsverkrüppelter automatenhafter Menschen vor. Georg Heyms 'Der Irre' (siehe 2.6.4.2) und Alfred Döblins 'Die Ermordung einer Butterblume' beschreiben die Mordprojektionen eines Irren bzw. Psychopathen als eine selbst gesellschaftlich motivierte Form von Aggression und Mordrausch. Die Dialektik von kerkerhafter Eingrenzung des Subjekts durch sich selbst in der modernen Gesellschaft und einem 'Außer-sich-sein' erkennt Ernst Wilhelm Lotz im Gedicht 'Nachtwache . . .':

> Wir sind umragt von uns . . .
> . . . wir sind außer uns: Vor unsrer Enge . . . (1, 125)

An Stelle einer Vielzahl von Belegen, die hier leicht noch anzuführen wären, möchte ich eine erschütternde Briefstelle von Georg Trakl zitieren. Trakl schreibt 1913 an Ludwig von Ficker:

> Es [ist] ein so namenloses Unglück, wenn einem die Welt entzweibricht. O, mein Gott, welch ein Gericht ist über mich hereingebrochen. Sagen Sie mir, daß ich die Kraft haben muß noch zu leben und das Wahre zu tun. Sagen Sie mir, daß ich nicht irre bin. Es ist steinernes Dunkel hereingebrochen. (577, 186)

Für viele Expressionisten war der 1. Weltkrieg radikaler Ausdruck dieser inneren Zerrissenheit der Zeit. Nach der Schlacht von Grodek, an der er als Sanitäter teilgenommen hatte, nahm sich Trakl im November 1914 das Leben.

In seiner frühen, noch ganz undogmatischen 'Theorie des Romans' hat Georg Lukács den Zusammenhang zwischen moderner Wirklichkeitsproblematik einerseits, Verbrechen und Wahnsinn andererseits erkannt: ". . . Verbrechen und Wahnsinn sind Objektivationen der transzendentalen Heimatlosigkeit." (754, 59) Insbesondere für den so radikal ideologiekritischen Expressionismus gilt diese Einsicht. Die Auflösung von

Metaphysik und die damit verbundene Zerstörung eines 'absolut' gesicherten Weltbildes mußte auf eine Generation, die an einem solchen Weltbild noch orientiert war, zerstörerisch wirken. In diesem Sinne sind die Motive Wahnsinn, Selbstdestruktion und häufig auch Mord in erster Linie Ausdruck der Erfahrung einer "zerrissenen Zeit" und nicht etwa nur individualpsychologisch zu interpretieren.

Insbesondere der bereits von Nietzsche erkannte Zusammenhang zwischen absoluter Vernunftherrschaft und Wahnsinn würde eine Reduktion auf individualpsychologische Faktoren verbieten, obwohl, bei genauen Fallstudien, natürlich von ihnen nicht zu abstrahieren ist. In Nietzsches 'Zarathustra' heißt es:

Nicht nur die Vernunft von Jahrtausenden — auch ihr Wahnsinn bricht an uns aus. Gefährlich ist es, Erbe zu sein. (650, 338)

Ich habe den Zusammenhang zwischen hypertropher Rationalität und kollektiven Formen von Wahnsinn insbesondere am Werk Carl Einsteins und Gottfried Benns zu zeigen versucht (siehe 2.6.4.5 ff.). Gerade diese Autoren haben ja kritisch aufmerksam gemacht auf die innere Dialektik zwischen einer totalitären, sich selbst einschnürenden Rationalität und aufbrechenden Formen von Irrationalität, ja Wahnsinn, die ihren vernichtendsten Ausdruck im Weltkrieg finden sollten. So kritisiert auch Tollers Drama 'Die Wandlung' mit einem gespenstischen Auftritt von Kriegskrüppeln, die künstlich von einem Medizinprofessor zusammengeflickt worden sind, zugleich Kriegspolitik und das 'Synthese'vermögen rationaler Wissenschaft. Immer geht es jedoch primär um gesamtgesellschaftliche Phänomene, nicht nur um psychologische Kategorien.

Die Psychologie, z. B. die Schizophrenieforschung, hält nur unzureichende Modelle für die hier angedeuteten Phänomene parat. Wenn die von Bateson u. a. entwickelte "double-bind-Theorie" und die von Lothar Krappmann beschriebene 'Soziologische Dimension der Identität' prinzipiell bereits den Sozialisierungsprozeß in die Schizophrenieforschung einbeziehen, so wird hier doch immer noch zu wenig auf die Historizität sozialer Normen reflektiert. Zu Recht weist Hans Kilian in 'Das enteignete Bewußtsein' auch auf die Grenzen der Psychoanalyse bei der Erforschung und Behandlung von Identitätsstörungen. Diese Grenzen bestünden u. a. darin, "daß sie (die Psychoanalyse) nicht in der Lage ist, die historische Identitätsstruktur der Subjekt-Objekt-Spaltung des menschlichen Bewußtseins oder — besser gesagt — des bewußten menschlichen Seins und Werdens ins Auge zu fassen und durch Analyse aufzuheben. Die Psychoanalyse ist ein systemimmanentes Bezugssystem unserer Kultur, das an deren Subjekt-Objekt-Spaltung teilhat." (643, 42) Sie kann, mit anderen Worten, so wenig wie jede andere Psychologie, die auf der unbefragten Grundlage des modernen Subjektbegriffs operiert, die historische Identitätskrise jenes Subjektbegriffs voll begreifen, eben weil sie weder die historischen Entstehungs- noch die Krisenbedingungen dieses Begriffs in ihre Überlegungen bewußt genug einbezieht. Kilian schreibt dementsprechend und konsequent "Sozialgeschichte als Metapsychologie".

Die Häufigkeit des Selbstmord- und Wahnsinnmotivs in der expressionistischen Literatur ist in erster Linie Ausdruck einer historischen Strukturkrise des modernen Subjekt- und Wirklichkeitsbegriffs, die ihrerseits durch eine Vielzahl von Faktoren bedingt ist: die Entwicklung der materiellen Produktivkräfte, der Medien, der Wissenschaften, der speziellen politischen und sozialen Bedingungen des wilhelminischen Bürgertums in Deutschland. So notwendig es ist, die spezifische Klassenlage und die individualpsychologischen Voraussetzungen bei der Analyse zu berücksichtigen, so falsch, weil einseitig, wäre es andererseits, die in der expressionistischen Literatur sich niederschlagende Krise des Subjekts – die Ichdissoziation – nur auf einen dieser Faktoren zurückzuführen. Ichdissoziation im Expressionismus ist nicht einfach auf die labile Psyche überspannter Literaten oder auf die Klassenlage von bürgerlichen Intellektuellen, die, ihrer Herkunft entlaufen, nicht zum Proletariat finden, reduzierbar. Vielmehr weist die hier zu Tage tretende Strukturkrise des Subjekts auf prinzipielle, durch gesamtgesellschaftliche Entwicklungen bedingte Schwierigkeiten, eine autonome, mit sich identische und der Objektwelt versöhnte Form von Subjektivität noch zu verwirklichen.

Der Expressionismus ist zugleich – und das soll das folgende Kapitel zeigen – der wohl eigenwilligste Versuch in der Geschichte der modernen Literatur, eine autonome Form des Menschseins noch einmal, und dies in der Form der Utopie, zu retten. Die Idee des 'neuen Menschen' ist zugleich die Antithese zur dialektisch nicht mehr aufhebbaren Ichdissoziation. Somit ist noch das Scheitern dieser Idee und der Sprache, in der sie propagiert wird, lehrreich. Das Scheitern bezeichnet ex negativo nicht nur den geschichtsphilosophischen Ort des modernen Subjektbegriffs, sondern, damit verbunden, auch den von Literatur und ihren sprachlichen Ausdrucksmöglichkeiten zu Beginn dieses Jahrhunderts.

3. MESSIANISCHER EXPRESSIONISMUS: DIE LEHRE VOM NEUEN MENSCHEN

3.1 Zur 'Dialektik' von Ichdissoziation und Menschheitserneuerung im Expressionismus

Das Kapitel 2 dieses problemgeschichtlichen Teiles exponierte den Begriff der Ichdissoziation. Unter ihn subsumierten wir die im Expressionismus zur Darstellung kommende grundlegende Strukturkrise des modernen Subjekts, eine Krise, die — wie wir gesehen haben — vielfältig begründet ist: ökonomisch, politisch, sozialpsychologisch, wahrnehmungspsychologisch, weltanschaulich und wesentlich erkenntnistheoretisch. Ich habe die Darstellung dieses Aspektes im gegebenen Rahmen relativ ausführlich gehalten, weil mir seine Analyse in der bisherigen Expressionismusforschung vernachlässigt schien.

Demgegenüber hat sich die Forschung in aller Ausführlichkeit mit dem "messianischen Expressionismus", seiner Ideologie und Rhetorik, beschäftigt.[48] Beide Aspekte: Strukturkrise des Ich und der Versuch einer Erneuerung des Menschen gehören aber wesensmäßig zusammen. Erst die 'Dialektik' von Ichdissoziation und Icherneuerung kennzeichnet die Signatur dieser Epoche in ihrer ganzen Komplexität. Erst die Grundlagenkrise des modernen Subjekts führt zu den typisch expressionistischen Aufbruchs- und Erneuerungsversuchen.[49]

Aufbruchs- und Erneuerungsversuche, die allerdings scheiterten. Und in diesem Sinne ist der Begriff 'Dialektik' hier nur mit Vorsicht zu gebrauchen. Zwar werden im messianischen Expressionismus Impulse der Moderne verarbeitet, aber eine positive Aufhebung dieser Impulse gerade nicht mehr geleistet. Dadurch aber regrediert Dialektik zur bloßen Antithetik. Der vermeintlich substanz- und wesenlosen Wirklichkeit wird von

---

[48] Siehe W. Sokel, 'Der lit. Expressionismus' (105), E. Lämmert, 'Das express. Verkündigungsdrama' (72), W. Riedel, 'Der neue Mensch' (94), W. Rothe, 'Der Mensch vor Gott: Express. und Theologie', in: Express. als Lit. (95, 37 ff). — Den Begriff "messianischer Expressionismus" gebraucht W. Sokel in seinem Expressionismusbuch eher beiläufig, aber zur Bezeichnung der nämlichen Tendenzen im Expressionismus, die auch hier unter diesem Begriff analysiert werden (105, 201).

[49] Die Sehnsucht nach einem neuen, nicht naturalistisch-mechanistisch verstandenen Menschenbild läßt sich bereits Ende der naturalistischen Ära bei Leo Berg, Heinrich Hart, Richard Dehmel u. a. nachweisen. Der große Stimmungsumschwung und die Abkehr von der naturalistischen Vererbungs- und Milieutheorie ist natürlich entscheidend durch Nietzsche ermöglicht worden.

vielen Expressionisten in rhetorisch aufgebauschter, pathetischer Form die Beschwörung des 'Wesens' von Mensch und Wirklichkeit entgegengehalten, wobei dieses 'Wesen' in den meisten Fällen verstanden wird als ein zwar modifiziertes, aber immer noch metaphysisches 'Wesen'. Die innere Wandlung und Einkehr, zu der viele Expressionisten im Ton heilbringender Propheten aufrufen, vollzieht sich nach dem Muster religiöser Erweckungs- und Bekehrungserlebnisse, am deutlichsten im 'expressionistischen Verkündigungsdrama'. Die Sprache dieser Dichtungen ist daher voll von religiösen Symbolen, Motiven, Bildern.

Es fällt nicht so schwer, diese expressionistische 'O-Mensch-Dichtung', ihre Ideologie und Rhetorik zu kritisieren, und das ist in der Forschung auch oft genug und mit der wünschenswerten Deutlichkeit geschehen. Ich kann mich daher bei der Darstellung dieses Komplexes sehr viel kürzer fassen als im Kapitel 2, zumal er sehr viel einheitlicher und leichter zu durchschauen ist. Allerdings scheint es mir doch wichtig, auch hier noch einmal darauf hinzuweisen, daß der Expressionismus keinesfalls auf die 'O-Mensch-Pathetik' zu reduzieren ist. Vielmehr stellt der literarische Expressionismus selbst einen Erkenntnisstand bereit, der den Rückfall in metaphysische Wesensbestimmungen und die ihr entprechende hohle Phraseologie als solche kritisch zu erkennen gibt. Lukács und mit ihm viele andere Expressionismuskritiker haben es sich zu einfach gemacht, wenn sie ihre Kritik einseitig am "hohlen Pathos" des Expressionismus festmachten. In seinen besten Vertretern erreicht der Expressionismus einen Sprach- und Erkenntnisstand, der von der Kritik überhaupt erst einmal aufzuarbeiten ist, weil mit Rückgriff auf ihn, nicht einfach von außen, Ideologie und Pathos des messianischen Expressionismus zu kritisieren sind.

Schon bei Nietzsche, dem großen Anreger des Expressionismus, verbinden sich, ähnlich wie im Expressionismus selbst, ideologiekritische Motive mit Ideen, denen die eigene Ideologiekritik eigentlich schon das Licht ausgeblasen hat. Hat doch kein Denker nachdrücklicher als Nietzsche im Begriff des Nihilismus das Ende der traditionellen Metaphysik einschließlich des modernen Subjektbegriffs erkannt, andererseits ist seine Lehre vom "Übermenschen" selbst noch Ausläufer und zugleich Radikalisierung jener Metaphysik und der modernen Subjektphilosophie. Das hat am deutlichsten wohl Martin Heidegger in seiner Nietzschekritik herausgearbeitet.

Weder für das Verständnis von Nietzsche noch für das des Expressionismus genügt es, mit der Lehre vom Übermenschen oder Neuen Menschen zu beginnen. Der z. T. anmaßende Subjektivismus dieser Lehre ist selbst bereits Reaktion auf Entfremdungs- und Dissoziationserfahrungen, ist der Versuch, verlorene Substanz wieder zurückzugewinnen. Das hat für den Expressionismus R. Hinton Thomas in seinem wichtigen Aufsatz über 'Das Ich und die Welt: Expressionismus und Gesellschaft' erkannt: "Die Intensität der Sehnsucht nach einem nicht mehr geschwächten und bedrohten Ich steht in einem Verhältnis zu dem Grad, mit dem man die dagegen arbeitenden Faktoren unmittelbar erlebt. Je mehr man den Zerfall des Ich aus eigener Erfahrung kennt, desto pathetischer proklamiert man den Willen zu einem endgültigen Sieg. Beide Aspekte sind komplementär." (95, 25)

Wenn im folgenden der messianische Expressionismus, seine Lehre vom neuen Menschen kritisch dargestellt werden, dann im Bewußtsein, daß die "dagegen arbeitenden Faktoren" im Expressionismus selbst zur Darstellung kommen und daß noch im Scheitern der Intention, Worte wie "Wesen", "Seele", "Herz" zu reaktivieren, Wahrheit sich zu erkennen gibt. Der geschichtsphilosophische Ort des modernen Ich bestimmt sich auch durch seine Verluste.

3.2   Beispiele für den messianischen Expressionismus in der Lyrik

1912 erschien die zweite Auflage eines Buches, das — wie viele andere seiner Zeit — der kulturkritischen und zivilisationsfeindlichen Stimmung seiner Zeit Ausdruck verlieh: Ferdinand Tönnies' 'Gemeinschaft und Gesellschaft'. Der erste Abschnitt des ersten Buches enthält eine "Theorie der Gemeinschaft" mit weitgehend positiv gemeinten Begriffen wie "Gemeinschaft des Blutes — des Ortes — des Geistes. Verwandtschaft — Nachbarschaft — Freundschaft ..." und geht von der "vollkommenen Einheit menschlicher Willen als einem ursprünglichen oder natürlichen Zustande aus ..." (676, 9), während die "Theorie der Gesellschaft" im zweiten Abschnitt diese durch ihre wesentlich "negative Grundlage" der Herrschafts-, Markt- und Tauschverhältnisse definiert. Das Buch ist u. a. interessant, weil hier noch in der Wissenschaftssprache der Soziologie jene auch die Jugend- und Wandervogelbewegung der Zeit prägende Sehnsucht nach einer vorindustriellen Form von Gemeinschaft sich nachweisen läßt, auch wenn deren Konkretisierung bei Tönnies und in der Jugendbewegung sich wesentlich von der expressionistischen Sehnsucht nach Gemeinschaft unterscheidet.[50]

"Eine große Begierde nach Gemeinschaft geht durch alle Seelen seelen-

---

[50] So denkt Tönnies u. a. an Hegels Begriff des "Volksgeistes", während die Expressionisten an die übernationale Gemeinschaft der Menschen appellierten. Zur Abgrenzung gegenüber der Jugendbewegung siehe Kap. 2.3.6. — In diesem Zusammenhang zu erwähnen ist auch Gustav Landauers damals sehr viel gelesene Schrift 'Aufruf zum Sozialismus' (1911). Landauer forderte in ihr die Wiedergeburt der Völker aus dem 'Geist der Gemeinde'.

hafter Menschen ...", schrieb Martin Buber in der expressionistischen Zeitschrift 'Neue Erde' (zit. in 54, 28). Das Bedürfnis nach 'Gemeinschaft', nach Erlösung von einer als entfremdet und wesenlos erfahrenen Wirklichkeit, nach Selbstbesinnung des Menschen, prägt beinahe alle Gedichte, die jene berühmte Lyrikanthologie des Expressionismus, 'Menschheitsdämmerung', unter den selbst bereits programmatischen Titeln 'Erweckung des Herzens', 'Aufruf und Empörung' und 'Liebe den Menschen' zusammenfaßt.

Der zunächst unter dem Einfluß neuromantischer Autoren wie Hofmannsthal und George stehende Ernst Stadler, dessen Gedichtband 'Der Aufbruch' (1914) ein Leitmotiv des messianischen Expressionismus als Titel führt, greift in seinem Gedicht 'Der Spruch' auf die mystische Tradition eines Angelus Silesius zurück:

> ... Der Welt entfremdet, fremd dem tiefsten Ich,
> Dann steht das Wort mir auf: Mensch, werde wesentlich!
>
> (22, 196)

Der Appell an das 'Wesen' mit seinen religiösen Implikationen richtet sich gegen die Entäußerung, Sinnentleerung, auch die Abstumpfung der Wahrnehmung. Die metaphysische Dimension des Expressionismus wird hier wie auch in den Gedichten 'Anrede' ("Ich bin nur Flamme, Durst und Schrei und Brand ..."), 'Zwiegespräch' ("Mein Gott, ich suche dich ...") aus dem Band 'Menschheitsdämmerung' programmatisch beschworen.

Wird bei Stadler und auch bei Else Lasker-Schüler — ähnlich wie in der Dramatik Barlachs und Reinhard Sorges — ein Bezug zu einem transzendenten Du gesucht und damit immerhin der Versuch gemacht, die wesentlich dialogische Funktion der religiösen Sprachschicht zu wahren,[51] so verselbständigt sich andererseits jene Sprachschicht bei einer Reihe von Autoren, die von Metaphysik und Religion gleichsam nur den Stimmungs- und Erlebnisreflex beibehalten. Ein Beispiel: Kurt Heynickes 'Aufbruch':

> Es blüht die Welt.
> Ja, hocherhoben, Herz, wach auf!
> Erhellt die Welt,
> zerschellt die Nacht,
> brich auf ins Licht!

---

[51] Zur religiösen Du-Beziehung in der expressionistischen Literatur, siehe W. Rothe: 'Der Mensch vor Gott: Expressionismus und Theologie', in: 'Express. als Literatur' (95, 48 ff).

In die Liebe, Herz, brich auf.
Mit guten Augen leuchte Mensch zu Mensch.
Händefassen.
Bergentgegen gottesnackt empor.
O, mein blühend Volk!
Aus meinen Händen alle Sonne nimm dir zu.
Erhellt die Welt,
die Nacht zerbricht.
Brich auf ins Licht!
O Mensch, ins Licht! (ebd., 224)

Interessant ist der Widerspruch zwischen formaler Modernität: offene Strophik, reimlose freie Rhythmen — und der klappernden Metaphorik. Das Inventar mystischer, metaphysischer Motive, insbesondere die im Expressionismus so häufige Licht-/Nachtmetaphorik und das Aufbruchsmotiv, ist fadenscheinig geworden, weil die Substanz dieser Sprache sich in eine verblasene allgemeine Menschlichkeitsbeschwörung verflüchtigt hat: "Mit guten Augen leuchte Mensch zu Mensch./Händefassen."

Der Autor des messianischen Expressionismus sieht sich gerne in der Rolle des prophetischen Führers, der 'sein Volk' anredet. Das Hohle und Verblasene des religiösen Pathos entspringt auch der irrealen Einschätzung des eigenen Ich. Der Dichter als Führer eines "ins Licht" aufbrechenden Volkes: da überplustert eitles Wunschdenken die eigene Bedeutungslosigkeit. Das Gedicht ist eher Ausdruck eitler Selbstvergottung als Aufbruch "...ins Licht".

Es ist jedoch nicht untypisch. Phrasenhafte, der traditionellen Metaphysik entlehnte Bildsymbolik, die sich gedanklich vielfach an Astralmythen und Gnosis anlehnt,[52] und der Dichter in der Pose des Propheten, das kennzeichnet eine Vielzahl von Gedichten des messianischen Expressionismus.

Dazu kommt ein betonter, der Verkündigungspose entsprechender Sprachduktus:

Tritt mit der Posaune des Jüngsten Gerichts
Hervor, o Mensch, aus tobendem Nichts! (ebd., 252)

dichtet Walter Hasenclever, und Johannes R. Becher geht in seinem Gedicht 'Mensch stehe auf!' nicht gerade zurückhaltend mit den Ausrufezeichen um, deren Häufung wie auch die Häufung der Wörter der Intensität des Appells entsprechen soll:

---

[52] Auch auf diesen geistesgeschichtlichen Hintergrund macht Rothe aufmerksam.

Noch ist's Zeit!
Zur Sammlung! Zum Aufbruch! Zum Marsch!
Zum Schritt zum Flug zum Sprung aus kananitischer Nacht!!!
Noch ist's Zeit –
Mensch Mensch Mensch stehe auf stehe auf!!!
Noch ist's Zeit! (ebd., 258)

In Ludwig Rubiners 'Der Mensch' gar "Sprang der Mensch in die Höh." (ebd., 273) Aber laute Emphase, extreme Bildlichkeit, die vor allem und immer wieder die steil aufsteigende 'Empor'-Bewegung und die Lichtmetaphorik bemüht, können über das Ungerichtete und daher Ziellose der Appelle und Ausrufe nicht hinwegtäuschen. Das eben bedingt den Klischeecharakter der religiösen Wortschicht in diesen Gedichten: ihr Inhalt hat sich verflüchtigt, geblieben ist die bloße Beschwörungsgeste. An die Stelle der Religion ist, wie Eberhard Lämmert mit Bezug auf das expressionistische Verkündigungsdrama sagt, "das E r l e b n i s der Religiosität" getreten und "die Leidensekstase, eine sublime Form der Selbstbefriedigung". (72, 149)

Die erkennbare gedankliche Grundlage hinter den 'Empor'-, 'Ins Licht'-, 'O Mensch'-Aufrufen ist letztlich nichts anderes als ein relativ vages Gemeinschaftspathos. Der Mensch soll seine innere Gemeinsamkeit mit d e m Menschen entdecken, ein Gedanke, der angesichts des in chauvinistische Nationalinteressen zerrissenen Europas immerhin eine positive Funktion hatte.

Dabei geht aber die Darstellung eines derart aufbrechenden Gemeinsinnes unter Menschen zuweilen nicht ohne unfreiwillige Komik ab. So beschreibt der einstmals gefeierte Dichterfürst Franz Werfel in 'Die Träne' die typische Caféhausatmosphäre Prager, Berliner oder Münchener Literaten: "Unter dem vogellosen Himmel wilder Cafés/Sitzen wir oft, wenn die Stunde der Schwermut schwebt!" (22, 185) Die Erfahrung der Entfremdung und Einsamkeit, der er auch dort begegnet, wird aber nun aufgehoben in eine sentimentalische Tränenorgie, in der Gäste, Kellner und das lyrische Ich die "Alleinheit" erfahren:

Plötzlich erklingend
Weint sich das Fräulein in seine Hände hin.

Was noch Alleinheit war, wirft sich einander zu.
Und die weinende Stimm' bindend wird zum Gesetz.
Die Menschen stehen alle und weinen,
Strömen heilig,
Selbst das Tablett in der Hand des Kellners bebt. (ebd., 185)

Die unfreiwillige Komik dieser nassen Szene entspringt aus der Diskrepanz zwischen gewaltigem Ausdruckswollen – der Leser selbst soll gleichsam zum Beben gebracht werden – und den sprachlichen Bildern: heulendes Fräulein und zitterndes Kellnertablett. Es ist letztlich die Diskrepanz zwischen dem Inhalt: Beschwörung der gemeinsamen Gefühlswelt im Menschen und der im Grund ganz rational und platt auf Wirkung berechneten Rhetorik und Allegorese. So werden im folgenden die Tränen zum "Ozean", die Menschen zu "Barken", die "ewig . . . auf dem Weltmeer des Herzens" hinfahren, werden schließlich die Tränen zu: "Der Gottheit liebliches Blut", das uns das Paradies eröffne. So rasch und so unvermittelt eröffnet sich aber nicht das Paradies, sondern nur eine sentimentale Stimmung, die sich − ähnlich auch in Wolfensteins Gedicht 'Das Herz' − in eine Mensch-, Herz-, Erweckungsthematik kleidet, auch wenn diese subjektiv echt empfunden sein mag. Die klischeehafte Sprache verrät den Autor und wird zum Indiz für die gedankliche und ideelle Substanz dieser Lyrik.

Gerechterweise muß man sagen, daß Werfels ekstatische Welterfahrung, die auf eine mystische Alleinheit zielt und ihn schließlich zu einem gnostischen Christentum führte, Gedichte von unterschiedlichem Niveau hervorbrachte. Durchaus repräsentativ für den messianischen Expressionismus ist aber die im Gedicht ausgedrückte Stimmung der Menschheitsverbrüderung, die aus den irrationalen Gründen des Ich zu schöpfen sucht. So heißt es in Werfels 'Revolutions-Aufruf':

> Ach nur das Weinen reißt uns zum Reinen hin. (ebd., 252)

So sind auch die sozialkritisch-aktivistischen Tendenzen dieser Lyrik: Karl Ottens 'Für Martinet', seine 'Thronerhebung des Herzens', Walter Hasenclevers 'Jaurès Auferstehung', Ludwig Rubiners 'Die Ankunft' und sein programmatischer Prosatext 'Der Mensch in der Mitte', Johannes R. Bechers 'Mensch stehe auf!' und 'Hymne auf Rosa Luxemburg', Alfred Wolfensteins 'Der gute Kampf' und Rudolf Leonhards 'Prolog zu jeder kommenden Revolution' − um nur einige zentrale Gedichte dieser Autoren aus der 'Menschheitsdämmerung' aufzuzählen[53] − letztlich Ausdruck jenes vagen und allgemeinen Gemeinschaftspathos. Aus ihm heraus, nicht aus akkuraten politischen Analysen, wachsen die revolutionären Impulse dieser Autoren. Die Umkehr einer nach innen gekehrten Mystik in den sogenannten Aktivismus ist in der Ideologie und Pathetik von innerer Erweckung und Menschheitsverbrüderung selbst angelegt, wie umgekehrt jene Ideologie letztlich die gedankliche Grundlage des expressionistischen Aktivismus blieb.

Dabei wird in der Lyrik des messianischen Expressionismus weder die gedankliche Schärfe und Luzidität, die für Expressionisten wie Kafka, Kaiser, Sternheim, Trakl, Benn, van Hoddis und Lichtenstein kennzeichnend ist, noch der Stand der Metaphysikkritik dieser Autoren erreicht. Die Lyriker des messianischen Expressionismus wollen an das Wesen des ganzen Menschen rühren, aber sie geben objektiv ein Indiz für dessen

---

[53] Mit Ausnahme natürlich von Rubiners Text.

Dissoziation. Ihr gefühlsseliges Pathos, ihr lärmender Appell an Herz und Seele hat den Reflexionsstand der kritischen Vernunft nicht mehr in sich integriert, sondern ist nur noch die blanke Antithese dazu. So ist, was sie für utopische Zukunftsmusik halten, selbst regressiv. Nicht das autonome Subjekt, sondern dessen verkümmerte Emotionalität und Religiosität bringen sie — wider ihren Willen — objektiv zur Darstellung.

In diesem Zusammenhang ist es interessant, daß in einer Reihe von expressionistischen Gedichten die Regression des Ich geradezu herbeigesehnt wird. Dem extremen Subjektivismus, wie er in der Auffassung des Künstlers als Führer und Prophet seinen Niederschlag findet — Nietzsches Zarathustra ist hier das Vorbild — korrespondiert ein Überdruß am Ich, der sich wie Gottfried Benns 'Gesänge', vitalistisch-regressive Zeitströmungen aufnehmend,[54] zurück in den Urschlamm wünscht ("O daß wir unsere Ururahnen wären./Ein Klümpchen Schleim in einem warmen Moor" [22, 186], oder in den pantheistischen Zügen der privaten Mythologien eines Theodor Däubler oder Franz Werfel in umgreifende Lebenszusammenhänge aufheben will.

Auch diese schon vor der Jahrhundertwende an die Oberfläche tretenden vitalistisch-mythologischen Tendenzen haben in Nietzsche, seiner Lebensphilosophie und seinem Begriff des Dionysischen eine wichtige Voraussetzung. Wenn Nietzsches Nihilismusanalyse kulturkritisch die Destruktion idealer Werte und Normen betrieben hat, so war ja der Begriff des "Lebens" und seiner immanenten, im Begriff des "Dionysischen" und des "Willens zur Macht" gedachten Steigerungsformen der große "Gegenwert" [Martens 76 a, 34 ff.]. Daß Nietzsches Mythisierung d e s Lebens selbst einem breiten Zeitbedürfnis, einem durch das bewußt oder nur halb bewußt wahrgenommene Vakuum des Nihilismus entstandenen Bedürfnis nach Mythologie entsprach, wird u. a. durch die Breitenwirkung lebensphilosophischer Gedanken und einer vom Jugendstil auch in den Expressionismus kontinuierlich sich fortsetzenden mythologisch-lebensphilosophischen Motivkette und Formtradition deutlich (siehe Teil III, Kap. 2.5].

Rückkehr des Ich in den Lebenszusammenhang oder totale Besitznahme der Welt durch den Menschen: zuweilen läßt sich allerdings die Differenz nicht mehr klar ausmachen. So verwischt der Gegensatz in Lichtensteins Vers "Mir ist, als ob mein Körper die ganze Erde wär." [22,126] oder in Oskar Loerkes 'Nächtlicher Körpermelancholie': "Mein Leib ist Nacht, verfließt mit Nacht im Kalten ..." [467, 103]. Die Ambivalenz entsteht nicht von ungefähr. Sind doch totale Vergesellschaftung der Welt und der Wunsch des Subjekts, aus dem selbst geschaffenen Gefängnis auszubrechen und sich mit der Natur zu verbinden, komplementäre Phänomene.

---

[54] Zum Einfluß vitalistischer Strömungen auf den Expressionismus siehe die umgreifende Studie von G. Martens [76a].

Das Moment der Regression unterscheidet die ekstatische Empor- und Ins-Licht-Metaphorik des Expressionismus aufs deutlichste von entsprechenden Vorbildern in der Gnosis und Mystik. So subjektiv ernst und ehrlich die Ausbruchsversuche aus einer von Metaphysik entkleideten, vergesellschafteten, auf dem Prinzip rationaler Kalkulation basierenden Welt gemeint sein mögen, hinter den Stand kritischer Rationalität und der Idee eines sich selbst bestimmenden Subjekts ist nur um den Preis der Regression zurückzukehren. Die Sprache hält dies fest und nicht nur — wider den Willen der Autoren — im Klischeecharakter der Metaphorik, sondern auch in der bewußten Form der Parodie. Eine solche Parodie auf kosmische Ichentgrenzung findet sich in Ivan Golls 'Die Chaplinade' und auch in van Hoddis' Gedicht 'Am Morgen'. Van Hoddis ironisiert einen kosmischen Literaten:

> Er spricht: 'Nicht ängstlich an Gestaden
> Auf offnem Meere will ich baden
> Ha! der Vergleich ist ein gewagter!:
> Ich werde frei vom Fron der Zeiten
> Zum Kosmisch-schöpferischen schreiten.' —
> Kosmisch, sagt er.
> Er wandelt kühn um seinen Tisch, er wandelt schon die
>   ganze Nacht
>
> Wohl in dem gelben Lampenlicht
> Das jetzt am blauen Tag zerbricht
> Die ganze Nacht hat er umgebracht!
> So ein Kerl! (310, 39)

Der ironische Funke zündet durch die Rückführung kosmischer Schwärmerei auf die Realsituation des Literaten, die Diskrepanz zwischen phantastischen Ausflügen "zum Kosmisch-schöpferischen" und der Enge einer Bude, in der Freiheit zum blassen Verbalakt geworden ist. "So ein Kerl", das ist durchaus auch selbstironisch gemeint, denn auch van Hoddis' Gedichte sind geprägt durch einen Drang nach ekstatisch-visionärer Welterfahrung, der allerdings gerade nicht mehr ungebrochen ist. Die Diskrepanz zwischen universalem Anspruch und Realsituation wird in dieser Lyrik ausgetragen, das unterscheidet sie — wie auch die Gedichte Alfred Lichtensteins — von der ungebrochen schwärmerischen Naivität des messianischen Expressionismus.

3.3 Das expressionistische Verkündigungsdrama

3.3.1 *Georg Kaisers 'Die Bürger von Calais' und Ernst Barlachs Gottsucherdramen*

Seine literarisch entwickeltste Ausprägung findet der messianische Expressionismus im Drama. Es entsteht hier ein Dramentypus, den die Forschung treffend mit dem Begriff 'Verkündigungsdrama' belegt hat. Eines der hervorragendsten Beispiele dieses expressionistischen Verkündigungsdramas ist Georg Kaisers 'Die Bürger von Calais'.

Den Stoff zu diesem Drama lieferte die mittelalterliche Chronik des Dichters Froissart (geb. 1337). Demnach überlieferten sich sechs Bürger der belagerten Stadt Calais dem englischen König, um ihre Mitbürger vor dem Tode zu retten. Nun hat sich Georg Kaiser, wie die Forschung vielfach anmerkte, um die Historientreue wenig bekümmert. Er griff nach dem Stoff, weil sich an ihm eine Idee, die Idee des neuen Menschen, sichtbar machen ließ.

Nur den Preis massiver Eingriffe allerdings. So läßt Kaiser statt sechs sieben Bürger sich melden. Er rückt in den Mittelpunkt nicht die Rettungsaktion, sondern die innere Läuterung dieser Bürger zu 'neuen Menschen'. Die reinste Verkörperung des neuen Menschen ist eine Figur namens Eustache de Saint-Pierre. Er führt innerhalb des Dramas gleichsam die Regie in diesem Läuterungsprozeß, indem er nicht nur den Verteidigungswillen des Patrioten und Mannes der Tat, Duguesclins, überwindet, sondern auch den spontanen Hingabewillen der übrigen sechs Bürger kunstvoll zur dauernden und von jedem Egoismus befreiten Opferbereitschaft entschlackt. Indem er sich selbst am Ende tötet und damit die Hoffnung eines jeden der opferwilligen Bürger, vielleicht doch noch dem ungewissen Schicksal der Übergabe zu entgehen — sechs Bürger wurden ja nur zur Auslieferung verlangt —, entspricht er am reinsten der selbstlosen Tat und Opferbereitschaft, deren Ethik das Stück verkündet.

Der streng hierarchisch-geometrisch aufgebaute Szenen- und Sprachstil des Dramas ist in der Forschung häufig beobachtet worden. Wir wollen uns in diesem Rahmen nur auf die Zentralidee des Stückes konzentrieren. Dabei fällt auf, daß sich die Idee der Erneuerung des Menschen in einer gänzlich impersonalen Sprache darbietet. Die Figuren sind Verkörperungen und Mundstücke der Idee. Das wird vom Vater Eustache de Saint-Pierre direkt ausgesprochen:

Sucht eure Tat — die Tat sucht euch: ihr seid berufen! — Das Tor ist offen — nun rollt die Woge eurer Tat hinaus ... Die neue Tat kennt euch nicht! — Die rollende Woge eurer Tat verschüttet euch ... Durch euch roll euer Werk ... Schreitet hinaus — in das Licht — aus dieser Nacht. (390, 167 f.)

Die "neue Tat", das "Werk", definiert sich geradezu als Auslöschung des Individualsubjekts, versinnbildlicht in der Metapher der Woge oder des Meeres. Der ganze Dramenablauf drückt sich bildkonsequent in dieser Metapher aus: das Werk (der Hafen von Calais), gegen die Wellen geschaffen, von den "Wellen der Lüge" und dem "Raubfisch" von England bedroht, verlangt nach der "rollenden Woge" der Tat, die den Feind besiegt, indem sie das Ich selbst zur reinen Opferbereitschaft läutert. Die Tat im eigentlichen Sinne ist dieser Läuterungsprozeß als Auslöschung der individuellen Subjektivität bis hin zur Todesbereitschaft.

Die Bildkonsequenz deutet auf die Einheit des Ideengefüges. Die Bilder sind rational übersetzbar, das nähert sie der Allegorie an. Dennoch: großer Sprachgestus und stilisiertes Vokabular können nicht darüber hinwegtäuschen, daß die "Tat" oder das "Werk", die sich hier durchs Ich vollziehen sollen, letztlich eigentümlich unausgefüllt bleiben. Das ist um so problematischer, als die Auslöschung der Individualsubjektivität, die das Werk fordert, letztlich die religiöse Erhöhung des Ich meint. Wenn der Vater des Eustache in der Volksversammlung vom Selbstmord seines Sohnes berichtet, spricht er "einen Arm hoch gegen sie erhebend . . . seherisch belebt" in Haltung und Tonfall des religiösen Propheten. Und Eustache selbst ist die prophetische Verkörperung dieses zukünftigen religiösen Menschen, das von ihm im 2. Akt zelebrierte Abendmahl Kontrafaktur zum Abendmahl Christi.

Die entpersonalisierte Sprache, die sich so gleichgültig erweist gegen individualpsychologische und schichtenspezifische Eigenheiten, meint also eigentlich die Steigerung des Ich zu einem quasireligiösen Heilsbringer, durch den hindurch die weltumfassende Idee visionär und ekstatisch zum Ausdruck kommt. So setzt Kaiser gegen die in 'Von morgens bis mitternachts' und in den 'Gas'-Dramen zur Darstellung kommende Funktionalisierung und Entpersonalisierung des Ich (siehe Kap. 2.3) eine Erneuerungsvorstellung, die nicht auf das autonome, selbstverantwortliche Subjekt abzielt, sondern auf eine ebenfalls impersonale, ersatzmetaphysische Propheten- und Heilsbringergestalt.

Das Gefährliche solcher Ersatzmetaphysik wird geradezu überdeutlich am Schluß eines anderen Verkündigungsdramas: Georg Kaisers 'Hölle Weg Erde' (1918/19). Schon der an das Zarathustramotiv "Brüder bleibt der Erde treu" angelehnte Titel rückt die "Erde" durch semantische Opposition in die Rolle eines Ersatzhimmels. "Hölle": das ist zunächst der "goldrote Rundsalon" eines Grandhotels, ist die Großstadtwelt, in der eine Figur mit Namen "Spazierer" ein Telegramm eines Unbekannten findet, der zu seiner Errettung tausend Mark bis zum Abend braucht. Der Rettungsweg, ironischerweise an den Prozeß der Geldbeschaffung gebunden, führt Spazierer, der sich humanitär des Unbekannten annimmt, aber dabei zunächst ohne Erfolg bleibt, über die Kriminalisierung – er beraubt einen Juwelier – in die Haftanstalt, wo durch die Gefangenen stellvertretend für die Menschheit eine kollektive Purifikation sich vollzieht. Auch hier wieder die Wogen- und Lichtmetaphorik als literarische Konkretisierung des Reinigungsgeschehens; und dieser denkwürdige Dialog:

> (Neuer Lichtstrahl verbreiternd.)
> Entwichener Sträfling: Wo ist der Führer?
> Juwelier (mit Stock nach Spazierer weisend.): Der marschierte
> vor uns.

> Spazierer: Wie Tropfen im Strom rinnt!
> Freudenmädchen (vorkommend): Wo ist der Führer?
> Anwalt (zu Spazierer): Sie werden sich nicht verleugnen.
> (Voller Ruf über die Ebene: 'Wo ist der Führer?!')
> Spazierer (schallend): Euer Ruf löscht mich aus!
> Entwichener Sträfling: Wir suchen ins Licht!
> (Rufen über die Ebene: 'Wir suchen ins Licht! !') (385, 141)

Spazierer, der wie Eustache selbst den Reinigungsweg exemplarisch vorausgegangen ist, kann den Weg weisen: "Wo Erde ist! — Baut die Schöpfung ... Baut die Schöpfung, die ihr seid — im Aufbruch zu euch, wer ihr seid!" (ebd., 142) Wie Eustache rückt er selbst ein in den kollektiven Reinigungsprozeß, wird Teil des gereinigten Kollektivs — "Wie ich in allen vergehe — seid ihr schon Teil von mir — und mitgeteilt!" (ebd., 143) — und ist so gerade nicht die über den Köpfen schwebende ersatzreligiöse Figur des Führers, dem blind zu folgen der Faschismus vorschrieb. Man muß sich also vor eiligen Analogien hüten. Auch die Ideologie des Deutschtums und Nationalismus, die der Faschismus ausbeutete, ist ja gerade nicht Ideengut des Expressionismus, sondern viel eher das Erbe konservativ-nationalistischer Autoren wie Paul Lagarde, Julius Langbehn und Moeller van den Bruck; dessen 1923 erschienenes Buch 'Das dritte Reich', nicht der Expressionismus, kann in seinen radikal antiliberalen, antidemokratischen und antiaufklärerischen Tendenzen als Dokument einer politischen Ideenwelt gelten, die der Faschismus unmittelbar beerbte. Was aber vom Faschismus ausgebeutet werden konnte, ist dieses in expressionistischen Verkündigungsdramen ekstatisch-exklamativ sich artikulierende Bedürfnis nach Metaphysik, das nur noch surrogathaft sich befriedigen kann in einer vagen Religion der 'Erde', des 'neuen Menschen', der 'Tat', des 'Werkes'. Man zelebriert die sakrale Pose, aber meint der Sache nach nur noch eine vage Opferbereitschaft. Eberhard Lämmert hat in seiner umsichtigen Interpretation der 'Bürger von Calais' darauf hingewiesen, daß ein Opfermut, der an seiner Reinheit, nicht an der Sache gemessen wird, sich zum Mißbrauch geradezu anbietet: "Menschen, denen man anstelle der Sache die Intensität der Opferbereitschaft zum Maßstab des Handelns setzt ... verbluten hingegeben für die Idee der Menschheit, des Proletariats, der Nation — für den, der ihnen die Parole gibt. Die Sache wird zur bloßen Dekoration ihrer Hingabe." (407, 323)

So sind die messianischen Verkündigungsdramen Kaisers — wie der ganze messianische Expressionismus – ein "sehr ernstzunehmendes Dokument der Wirklichkeiten des 20. Jahrhunderts". (ebd., 324) Nicht weil diese Form des Expressionismus, wie Lukács und Kurella kurzschlüssig vermeinten, direkt in den Faschismus mündete, sondern weil er einer kollektiven Sehnsucht nach geistiger Erneuerung Ausdruck verlieh, mit denen Nationalismus und Faschismus ihr kalkuliertes Geschäft betreiben konnten. Was Autoren wie Kafka, Einstein, Benn, Sternheim und andernorts auch Kaiser kritisch zur Darstellung brachten: daß Metaphysik in der verkappten Form surrogathafter Ersatzreligionen und Zielvorstellungen in der Politik ihr Wesen oder besser Unwesen treibt, wird hier im messianischen Expressionismus, ihm selbst unbewußt, gleichsam dokumentarisch belegt.

Allerdings gilt diese Kritik nur eingeschränkt für einen Dramatiker, der zu den interessantesten Randerscheinungen des literarischen Expressionismus gehört: Ernst Barlach. Wenn der Hauptakzent des messianischen Expressionismus auf der Sakralisierung und Steigerung des Menschen selbst liegt – Ludwig Rubiners Schrift 'Der Mensch in der Mitte' gibt hier schon im Titel das Programm vor –, so steht Barlachs Schaffen ganz im Zeichen einer Rückbindung des Menschen an eine metaphysische Instanz.

Sein frühes Stück 'Der tote Tag' (1912), das in vielem Becketts 'Warten auf Godot' vorwegnimmt und sprachlich eine für den Expressionismus untypische Mischung von Alltagssprache und Sakralsprache darstellt, endet mit dem Satz: "Sonderbar ist nur, daß der Mensch nicht lernen will, daß sein Vater Gott ist." (121, 95) Um das Problem der Gottkindschaft, des von der metaphysischen Dimension abgeschnittenen 'toten Lebens' im Diesseits, um christliches Passionsgeschehen kreist auch 'Der arme Vetter' (1918). In der 'Sündflut' (1924) wird der eigentliche Gegenspieler Gottes, der sich selbst zum Gott aufwerfende Mensch Calan, von der vernichtendsten Form Gottes heimgesucht:

Das ist der Gott der Fluten und des Fleisches, das ist der Gott, von dem es heißt, die Welt ist winziger als Nichts, und Gott ist Alles. Ich aber sehe den andern Gott, von dem es heißen soll, die Welt ist groß, und Gott ist winziger als Nichts – ein Pünktchen, ein Glimmen, und Alles fängt in ihm an, und Alles hört in ihm auf. Er ist ohne Gestalt und Stimme. (ebd., 383)

Die beiden Gottesbegriffe, die Calan hier anführt, haben eine lange Tradition und finden etwa in der Mystik eines Meister Eckhart ihre begriffliche Fundierung.[55] Ohne diesen Zusammenhängen hier genauer nach-

---

[55] So in der Lehre vom "Seelenfünklein" (scintilla animae), die ihrerseits bis in die Spätantike zurückreicht. Bei Meister Eckhart wird unterschieden zwischen zwei "Kräften" der Seele: einerseits der nach außen, der kreatürlichen Welt zugewandten, zum anderen der von aller geschaffenen Welt abgewandten Intro-

gehen zu können, ist doch der Hinweis wichtig, daß im messianischen Expressionismus durch das Dramenschaffen Barlachs eine Position vertreten ist, die um eine Reaktivierung der metaphysischen Beziehung des Menschen zu Gott bemüht ist.

Daß Barlachs Position innerhalb des messianischen Expressionismus wiederum nicht ganz untypisch ist, verdeutlicht immerhin die Entwicklung von expressionistischen Dramatikern wie Johannes Sorge und Paul Kornfeld. Auf einem literarisch viel geringeren Niveau als bei Barlach sind auch die Dramen dieser Autoren geprägt von der Suche nach Gott. So gestaltet Kornfeld in seinem Mysterienspiel 'Himmel und Hölle' (1919) eine Art Himmelfahrt: die Seelen dreier Frauen und eines Mannes entweichen – "Heimwärts, heimwärts ... Von meinen Schmerzen so süß entführt/Fühl ich mich sanft vom Jenseits schon berührt!" – in überirdische Gefilde, und Sorge wendet sich explizit von der Übermenschenlehre Nietzsches ab ('Gericht über Zarathustra. Vision.'). Er schrieb fortan Dichtungen mit Titeln wie 'Werden der Seele', 'Mystische Zwiesprache', 'Der Sieg des Christos', 'Preis der Unbefleckten' (alle 1914; Sorge fiel 1916 in Flandern).

Das metaphysische Bedürfnis führt hier im messianischen Expressionismus also zu einer ausgesprochen theozentrischen Haltung, auch wenn im einzelnen nicht leicht zu entscheiden ist, inwieweit diese Haltung orthodox christlich ist. Geht doch auch die christliche Theologie im 20. Jahrhundert selbst verschlungene Wege.[56]

3.3.2 *Würdigung und Kritik des einpoligen expressionistischen Verkündigungsdramas. Beispiel: Ernst Tollers 'Die Wandlung'*

Wie bereits an Kaisers 'Die Bürger von Calais' ersichtlich, verquicken sich im expressionistischen Verkündigungsdrama religiöse und politische Motive aufs engste. Die wahre Rettung der Stadt Calais besteht nicht in der Abwehr ihrer Zerstörung, sondern in der inneren Wandlung ihrer Bürger, repräsentiert durch die sechs Opferwilligen und insbesondere Eustache de

---

spektion im selbst göttlichen, d. h. nicht geschaffenen "Seelenfunken". Diesen Kräften der Seele entsprechen zwei Erscheinungsformen Gottes: der sich in seiner Schöpfung sichtbar offenbarende – Calans "Gott der Fluten und des Fleisches" – und der unvorstellbare, weil nicht in gegenständlichen Vorstellungsinhalten faßbare gestaltlose Gott. In Ihm gibt es nach Meister Eckhart "weder Bild noch Form"; Calan: "Er ist ohne Gestalt und Stimme". (Siehe insbes. die Predigten 2, 7, 11 von Meister Eckhart sowie den Traktat 'Von der Abgeschiedenheit und vom Besitz Gottes').

[56] Siehe dazu Rothe, 'Der Mensch vor Gott...' (Fußnote 51), der mit Karl Barth, Friedrich Gogarten, Paul Tillich, Emil Brunner einige wichtige Positionen der modernen Theologie zitiert. – Eine Sichtung und kategoriale Gliederung religiöser Motive im Expressionismus findet sich bei Eykman (54, 63 ff).

Saint-Pierre. Solche innere Wandlung der Menschen und eigentlich nur sie revolutioniert, so die expressionistische Utopie, die Politik.

Das ist nun freilich, trotz aller expressionistischen Kritik an der literarischen Tradition der deutschen Klassik, eine traditionell klassisch-idealistische Vorstellung. Schillers 'Über naive und sentimentalische Dichtung', seinen Briefen 'Über die ästhetische Erziehung des Menschen ...' fehlt zwar jenes ekstatisch visionäre Pathos, das im expressionistischen Verkündigungsdrama hervorbricht und das auch die meisten Programme des messianischen Expressionismus kennzeichnet, aber auch Schillers Schriften teilen den Glauben an eine politische Revolutionierung des Menschen durch seine innere Befreiung. Hier wie dort ist die Kunst Antizipation und Agens der versöhnten Gesellschaft, vornehmlich der Dichter ihr Künder.

Wenn Schiller in solcher Verinnerlichung des Freiheitsbegriffs die frustrierenden Erfahrungen der Französischen Revolution verarbeitet, aber so, daß die idealistische Idee einer versöhnten und harmonischen Gesellschaft erhalten bleibt, müssen für den expressionistischen Dramatiker Ernst Toller die Erfahrungen des Krieges und insbesondere der fehlgeschlagenen Münchener Revolution so vernichtend gewesen sein, daß sich sein anfänglich idealistisches Pathos in eine deutlich resignative Haltung umkehrt.

Toller ist der wohl wichtigste Dramatiker eines in politischen Aktivismus mündenden expressionistischen Verkündigungsdramas. An seiner Entwicklung ist die Ernüchterung abzulesen, die einer Reihe von Expressionisten widerfuhr.

Dabei war der Idealismus seines 1917/18 entstandenen dramatischen Erstlings 'Die Wandlung' der Zeit durchaus abgerungen. Liest man die autobiographische Schrift Tollers 'Eine Jugend in Deutschland', so wird rasch deutlich, daß der in Tollers Dramen exemplarisch zum Ausdruck kommende expressionistische Wunsch nach Menschheitsverbrüderung, nach einer Menschen verbindenden Liebe nicht nur abstrakte Humanitätsethik war, sondern der konkreten Erfahrung eines Menschen entsprang, der als Sohn deutsch-jüdischer Eltern in einer Kleinstadt im deutsch-polnischen Grenzgebiet aufgewachsen, zwischen den Rassen und Nationen stand. Da sind Polen "Polacken" (557, 32), Juden "Jiddchen", hinter denen die Kinder herlaufen und singen: "Jiddchen, Jiddchen, schillemachei,/Reißt dem Juden sein Rock entzwei,/Der Rock ist zerrissen,/Der Jud hat geschissen." (ebd., 36)

Der Deutschjude Toller hat daher zunächst den Wunsch, integriert zu sein, ganz integriert in eine Gemeinschaft, die ihn fortwährend von sich stößt. Der Ausbruch des Krieges 1914 schien eine solche Gelegenheit zu bieten. Toller, damals beim Studium in Frankreich, möchte ein guter Patriot sein und meldet sich sofort, wie der überwiegende Teil der deutschen Jugend, als Kriegsfreiwilliger. Er zieht gegen Frankreich in den Krieg. Über diese Fronterfahrung berichtet er:

Am zweiten Fernrohr steht der Leutnant.
— Sehen Sie die Franzosen? fragt der Leutnant.
— Ja.
— Wollen ihnen Zunder geben. Granate zweiundzwanzighundert, ruft der Leutnant hinüber zum Telephonisten.
— Granate zweiundzwanzighundert, wiederholt der Telephonist.
Ich starre durchs Scherenfernrohr. Eine rote Fieberwelle überspült mein Hirn, Erregung befällt mich wie vorm Spieltisch, wie auf der Jagd, mein Herz trommelt, die Hände zucken. In der Luft hohles Gurgeln, drüben steigt eine braune Staubsäule auf.
Die Franzosen stieben auseinander, nicht alle, etliche liegen am Boden, Tote, Verletzte.
— Volltreffer! ruft der Leutnant.
— Hurra! schreit der Telephonist.
— Hurra! schreie ich. (ebd., 63)

Irgendwann im Verlauf des Stellungskrieges pickelt er in der Erde: "Die stählerne Spitze bleibt hängen, ich zerre und ziehe sie mit einem Ruck heraus. An ihr hängt ein schleimiger Knoten, und wie ich mich beuge, sehe ich, es ist menschliches Gedärm. Ein toter Mensch ist hier begraben. Ein — toter — Mensch." (ebd., 70 f.) Toller berichtet, daß ihm bei diesem Erlebnis schlagartig die eigene Blindheit und der Irrsinn einer in Nationalinteressen zerrissenen Menschheit bewußt wurde; es wurde ihm bewußt, "daß alle diese Toten, Franzosen und Deutsche, Brüder waren, und daß ich ihr Bruder bin." (ebd.)
Man muß sich das Zeitkolorit vergegenwärtigen, muß sich das Vorherrschen der chauvinistisch-rassistischen Denkformen nicht nur in Deutschland, sondern auch in den Nachbarländern vor Augen halten, um das objektiv Revolutionäre einer Denkform würdigen zu können, die auf die Gemeinsamkeit der Menschen und ihre friedliche Koexistenz pochte. Dieses Verständnis für die Ideologie des messianischen Expressionismus kann uns auf der anderen Seite nicht von der Kritik an seiner irrealen Einschätzung der politischen Lage entbinden.
Tollers autobiographischer Dramenheld Friedrich in 'Die Wandlung' durchläuft — wie Toller selbst — in einer Reihe von "Stationen" einen inneren Wandlungsprozeß. Wie Toller meldet sich Friedrich bei Ausbruch des Krieges 'fürs Vaterland' als Freiwilliger und verdient sich, aufgehetzt von seinen Kameraden — "Bleibst doch der Vaterlandslose" —, bei einem lebensgefährlichen Patrouillengang Meriten. Das allmählich erwachende Bewußtsein wird durchaus bühnenwirksam vorgeführt: in einem totentanzähnlichen Gespräch von Skeletten ("Nun sind wir nicht mehr Freund und Feind./Nun sind wir nicht mehr weiß und schwarz./Nun sind wir alle gleich." (ebd., 252) und einer nicht minder gespenstischen Lazarettszene, in dem Lazarettarzt und Kriegskrüppel gleich automatenhaft entmenscht agieren. In der vierten Station zertrümmert der Künstler Friedrich in einer

allegorischen Geste die von ihm geschaffene, den "Sieg des Vaterlands" verkörpernde allegorische Statue und macht sich nun auf den Weg zu den "Menschen", denen er in Mietskasernen und Fabriken begegnet, um dann in einer großen Volksversammlung zugleich das christliche Gebot der Liebe zu predigen und vor überstürzten politischen Umsturzversuchen zu warnen. Die "Revolution" soll den Menschen nicht gewaltsam von außen aufoktroyiert werden, sondern aus ihnen selbst hervorbrechen. Am Ende geschieht dies auch: "Ein Jüngling stürzt vor: 'Daß wir vergaßen! Wir sind doch Menschen!'" (ebd., 285) Der Funke ist übergesprungen, die große "Revolution" der Liebe und Menschenverbrüderung bricht aus dem Menschen selbst hervor und greift um sich. Damit endet das Drama.

"Die fromme, große Naivität, mit der der Dichter hier noch an die Möglichkeit der Menschenwandlung glaubt, bleibt das einzige, das den Leser stärker anrührt. Es ist typisch appellative 'O Mensch-Dichtung'," schreibt Carol Petersen in einem Aufsatz über Ernst Toller (564, 577). Dabei wird die ideologische Schwäche des Dramas auch dramentechnisch sichtbar: das Drama ist ein typisch "einpoliges Protagonistendrama" (Denkler), vergleichbar also Strindbergs 'Nach Damaskus', Sorges 'Der Bettler', Kaisers 'Von morgens bis mitternachts', aber mit dem aktivistisch gesteigerten Anspruch, innere Wandlung des Ich in die Menschheit zu tragen. Der diesem Aktivismus entsprechende appellative Sprachduktus, den wir ja auch in der Lyrik des messianischen Expressionismus beobachteten, überbrandet nicht nur die Grenzen zwischen Protagonisten und Mitspielern zu einer "Alle" umfassenden Menschenpyramide, er sprengt potentiell auch die Grenzen zwischen Bühne und Publikum. Die "Menschheit" soll sich der auf der Bühne stellvertretend hergestellten Communio anschließen, soll sich aufheben in die große Verbrüderungsbewegung. So wenigstens verstand Toller selbst den Anspruch seines eigenen Dramenschaffens.

Eben diese Vermittlung zwischen Protagonisten und Kollektiv ist aber in dem von seiner Struktur her monologischen Protagonistendrama, das weder dramatische Handlung, noch Dialog im eigentlichen Sinne kennt, nur als ein pathetischer Rausch vollziehbar. Das Ich wird in seiner Wandlung gezeigt, die Umwelt dabei als Material dieses Wandlungsprozesses 'verbraucht', am Ende aber soll nicht nur das Ich, sondern die ganze Welt gewandelt sein. Aus diesem Dilemma des expressionistischen Verkündigungsdramas hilft auch nicht der Hinweis auf die stellvertretende Funktion des Protagonisten. Die Dialektik zwischen Ich und Welt kann sich nicht entfalten, weil die Welt selbst auf das Ich und seine Wandlung, wie immer repräsentativ verstanden, reduziert ist. Daher muß die Wandlung der Menschen, der "Sieg der Menschheit" (557, 282), unvermittelt und unglaubwürdig erscheinen. Das rauschhafte Pathos soll Ersatzbrücken schlagen, wo die reale Vermittlung, ausgetragen in Handlung und Dialog, fehlt.

Diese Schwächen sind im Typus des einpoligen Protagonistendramas selbst angelegt. Von Strindbergs 'Nach Damaskus', über Sorges 'Der Bett-

ler', Hasenclevers 'Der Sohn', Johsts 'Der junge Mensch', Fritz von Un-
ruhs 'Platz' bis hin zu Tollers 'Die Wandlung' lassen sich diese Schwächen nachweisen. Immer steht hier die auf Innerlichkeit und Subjektivität ausgerichtete Strukturform der appellativen Funktion entgegen. Lautstarkes und lärmendes O-Mensch-Pathos, mit dem die Autoren Brücken
zu schlagen hoffen, wird so eher zum Indiz für die objektive Entfremdung des Dichters und seines Protagonisten von "den Menschen".

Der Typus des einpoligen Protagonistendramas ist bereits eine Re-
gressionsstufe. Sie zeigt, daß die Vermittlung zwischen Ich und Welt verkümmert ist zur inneren "Wandlung", die sich zudem an mystisch-
metaphysischen Vorbildern orientiert. Nicht umsonst begegnet man in
diesen Dramen auf Schritt und Tritt einer ihrer ursprünglichen Substanz
beraubten christlichen Heilssymbolik. So wird das zurecht kritisierte hohle
Pathos dieser Dramen wider ihre Intention zum Dokument der politischen Isolierung und metaphysischen Einsamkeit. Ihre Sprache klingt
pathetisch und hohl, weil die Gemeinschaft, die sie beschwört, nicht einmal als Möglichkeit gegeben ist.

Bei aller Kritik wird man allerdings anerkennen müssen, daß Tollers
erstes Drama eine Reihe von dramentechnisch hervorragenden Szenen
enthält. Ich erwähnte das totentanzähnliche Gespräch der Skelette, die
gespenstische Invalidenszene im Lazarett. Auch das Vorspiel, in dem
"Kriegstod" und "Friedenstod" mit ihren Toten voreinander protzen –
der Kriegstod läßt Soldatenskelette ihre Kreuze wie Gewehre schultern
und in strammer Haltung aufmarschieren –, und die surreale Szene der
Kriegstransportzüge enthalten eine Strindbergsche Techniken weiterent-
wickelnde traumhaft-groteske Qualität, die gerade in ihrer allegorischen
Überspitzung geeignet ist, das Unmenschliche und normales Vorstellungs-
maß Sprengende des modernen Krieges zur Darstellung zu bringen.

In Tollers zweitem Drama 'Masse Mensch' schildert ein "Traumbild"
die Börsenatmosphäre, in der der Krieg als Mittel der Spekulation ein-
kalkuliert und zugleich ein Wohltätigkeitsfest anberaumt wird. Es zeigt
sich, daß die expressionistische Sprachballung, die traumhafte Überspitzung dem selbst grotesken Charakter moderner Kriegs- und Ausbeutungsmechanismen angemessener sein kann als eine bieder naturalistische Ab-
schilderung es wäre. Aus diesen Erfahrungen des Expressionismus sollte
auch Brecht lernen. Tollers Börsenszene geht über in einen Tanz:

> Die Bankiers: 'Wir spenden!
> Wir tanzen!
> Erlös
> Den Armen!'
> Musik klappernder Goldstücke. Die Bankiers im Zylinder
> tanzen einen Foxtrott um das Börsenpult. (557, 305)

Das Surreale und Groteske, das wäre den expressionistisch gesteigerten
Dramenszenen Tollers, auch Kaisers und Sternheims zu entnehmen, ist

eine Qualität der modernen Wirklichkeit selbst. Wir stoßen hier auf einen ähnlichen Befund wie bei der erkenntnistheoretischen Reflexionsprosa des Expressionismus (siehe Kap. 2.6.4 ff.). Die surreale und groteske Qualität der expressionistischen Literatur ist, in ihrer geglückten Form, nicht einfach, wie in der Forschung immer wieder behauptet, visionär subjektiv, sondern durchaus eine Form von Mimesis objektiver Wirklichkeit. In seinen besten Szenen verwirklicht Toller, worum sich der spätere Surrealismus in seiner politischen Phase bemühte: Traum und Politik literarisch so zu vermitteln, daß die traumhafte Qualität von Literatur politische Erkenntnis ermöglicht.

3.4 Politische Polarisierung und Kritik der marxistischen Expressionismuskritik

Der Dramatiker Ernst Toller hatte bereits bei der Novemberrevolution Gelegenheit, Erfahrungen zu sammeln, die den Optimismus seines ersten Dramas 'Die Wandlung' gründlich dämpften. Bei Ausbruch der Revolution 1918 weilt Toller in Berlin. Er eilt nach München, wird zweiter Vorsitzender der Arbeiter- und Soldatenräte und nach der Ermordung Eisners Vorsitzender der USPD in München, später erster Vorsitzender im Zentralrat der bayerischen Arbeiter-, Bauern- und Soldatenräte. Während der Wirren und des Zusammenbruchs der Räterepublik ist er vor allem bemüht, Greuel- und Bluttaten zu verhindern. Nach dem Sieg der Nosketruppen steckbrieflich gesucht, wird er am 4. 6. 1919 verhaftet und zu fünf Jahren Festungshaft verurteilt.

Schon im nächsten, 1919 im Festungsgefängnis Niederschönhausen geschriebenen Stück 'Masse Mensch' ist der Glaube an Menschheitserneuerung und Menschenverbrüderung in Liebe sehr viel gebrochener. Dieser Glaube wird hier verreten durch eine der bürgerlichen Klasse entstammende, der proletarischen Bewegung zugekehrte "Frau", gegen die der "Namenlose" steht als Repräsentant der proletarischen Masse und ihres Machtanspruchs. Während die Frau Liebe als regulative Handlungsmaxime predigt, vertritt der Namenlose eine rücksichtslose, auch vor Mord, Krieg und eigenen Opfern nicht zurückschreckende Machtpolitik. Während sie Rache, Mord, Krieg als Elemente der "verwesten Zeit" verbannen möchte, will der Namenlose "Rache am Unrecht der Jahrhunderte". (557, 317)

Das Drama ist also kein einpoliges Verkündigungsdrama mehr, sondern hat in der "Frau" und dem "Namenlosen" echte Antagonisten. Der Konflikt entspricht den realen Erfahrungen, die Toller selbst während und nach der Novemberrevolution machen mußte. Seine Situation spiegelt sich wieder in der Situation der Frau. Deren Grundkonflikt ist nur in zweiter Linie durch den Klassengegensatz bedingt; in erster Linie ist es der Widerstreit zwischen dem ethischen und letztlich christlichen Grundprinzip der Gewaltlosigkeit und Liebe, für das sie eintritt, und dem in den Kämpfen, in die sie gerät, dominierenden Gewalt- und Machtprinzip. Sie will Gerechtigkeit für die Unterdrückten, ruft auf zum Generalstreik, setzt aber selbst damit Machtkämpfe in Gang, gegen deren Eigendynamik sie sich dann hilflos stemmt. "Hört mich ... Ich will nicht neues Morden." (ebd., 309) Sieht sie, zwischen den Klassen stehend, ja auch im Klassengegner nicht in erster Linie den Feind, sondern den Menschen:

> Gestern standst du
> An der Mauer.
> Jetzt stehst du
> Wieder an der Mauer
> Das bist du,
> Der heute
> An der Mauer steht.
> Mensch
> das bist du. (ebd., 314)

Entgegen der Bereitschaft zum rücksichtslosen und zudem aussichtslosen Kampf mit den übermächtigen Bataillonen, vor dem der Namenlose nicht zurückschreckt, sucht sie immer wieder die Idee der Versöhnung und Gewaltlosigkeit wach zu halten. Sie gerät dabei immer tiefer in eine unauflösliche Schuldverstrickung. Am Ende aber steht ihre distanzierte Haltung gegenüber jeder Form von Gewalt, auch den Kampfprinzipien des Namenlosen, die ihr nur als Perennierung der in der Geschichte immer schon herrschenden Gewalt erscheinen:

> Ich sehe keine Unterscheidung:
> Die einen morden für ein Land,
> Die andern für die Länder alle.
> Die einen morden für tausend Menschen,
> Die andern für Millionen.
> Wer für den Staat gemordet,
> Nennt ihr Henker.
> Wer für die Menschheit mordet,
> Den bekränzt ihr, nennt ihn gütig,
> Sittlich, edel, groß. (ebd., 327)

Das Ziel heiligt ihr nicht die Gewalt. Vielmehr sind ihr die Ziele: Gott, Staat, Masse, um derentwillen in der Geschichte gekämpft und gemordet wird, "Moloch" (ebd., 328). Ähnlich wie bei Sternheim schlägt hier eine fundamentale ideologiekritische Skepsis durch:

> Machtgier! Lustgier! Der irdische Rhythmus. (ebd., 330)

Auch der neue Idealismus einer 'Befreiung der Massen' wäre letztlich

Machtkampf, "Wille zur Macht", nicht aber das, worum die "Frau" eigentlich kämpfte, Befreiung von Krieg, Macht, Gewalt. Nur daß Sternheims Helden das Machtprinzip ungeschminkt verfechten, sich von ihm nach oben schwemmen lassen, während Tollers 'Helden' an ihm leiden und letztlich von ihm aufgerieben werden.

Toller verficht hier einen u. a. durch Gustav Landauer beeinflußten ethischen Idealismus und zeigt dessen Scheitern im politischen Machtkampf. Man kann seine Position und das notwendig Irreale in der Einschätzung der politischen Lage kritisieren, aber dies wohl nicht wie Martin Reso in 'Ernst Toller und die Novemberrevolution' von einem vorgeblich materialistischen Standort aus, der in seiner Harmonisierung der Konflikte letztlich selbst nur verkappter Idealismus ist. Ist doch für Reso — zwei Jahre vor dem Bau der Berliner Mauer — immer schon klar, daß im bestehenden Sozialismus die Partei nur die Interessen der Arbeitermassen vertritt und die positiven Ziele der Arbeiter in einer Art prästabilierten Harmonie von ihren Führern wahrgenommen und verfochten werden. Von einer derart unrealistischen Position aus kann man schwerlich einen Blick entwickeln für die realen Spannungen zwischen Individuum und Kollektiv, zwischen Arbeitermasse und Führung, zwischen gewalt- und machtpolitischen Überlegungen und dem langfristigen Ziel einer versöhnten, gewaltlosen Gesellschaft, die zu den tragenden Spannungen des Tollerschen Stückes gehören.

Tollers Haltung entwickelt sich von einem idealistischen Sozialismus in 'Die Wandlung', der Individuum und Kollektiv relativ problemlos in eine Allbewegung vermittelt, zu einer skeptischen Einstellung in 'Masse Mensch'. Wird in 'Die Wandlung' ein Agitator, der die Masse zur blutigen Revolution aufruft, von Friedrich überwunden, so kommt es in 'Masse Mensch' zu diesem Blutvergießen, und es zeigt sich der "Frau", daß die Eigendynamik politischer Gewalt mit ihrem ethischen Ziele nicht mehr zu vereinbaren ist. Die Idee des neuen Menschen, im expressionistischen Verkündigungsdrama propagiert und u. a. von Ernst Toller mit einem politisch-aktivistischen Akzent versehen, macht einem gründlichen Skeptizismus breit, der letztlich die Idee eines gewandelten, neuen Menschen tilgt. Das expressionistische Verkündigungsdrama selbst macht also eine Entwicklung durch, in deren Verlauf die idealen Zielsetzungen des messianischen Expressionismus als irreal und undurchführbar durchschaut werden.

Eine weitere Stufe in dieser Entwicklung stellt Tollers nachexpressionistisches Drama 'Hinkemann' dar; es beschreibt das Schicksal eines im Krieg seines Geschlechts beraubten Mannes, der sich aus Liebe zu seiner Frau und um ihr bescheidene Vergnügen zu ermöglichen, an einen Budenbesitzer verkauft:

Ihre Nummer: Beißen in jeder Vorstellung einer Ratte und einer Maus die Kehle durch. Lutschen ein paar Züge Blut. Geste! Weg! Volk rast vor Lust ... Könige, Generale, Pfaffen und Budenbesitzer, das sind die einzigen Politiker. Die packen das Volk an seinen Instinkten! (557, 404 f.)

Von seiner Frau, für die er sich derart bestialisiert, betrogen und von der Kleingeisterei und Herzlosigkeit abstrakter Weltverbesserer innerlich zerstört, entwickelt Hinkemann sich zu einer tragischen Figur, der seine Enttäuschung und Verzweiflung auch politisch artikuliert:

Ihr Toren! Was wißt ihr von der Qual einer armseligen Kreatur? Wie müßt ihr anders werden, um eine neue Gesellschaft zu bauen! Bekämpft den Bourgeois und seid aufgebläht von seinem Dünkel, seiner Selbstgerechtigkeit, seiner Herzensträgheit! Einer haßt den andern, weil er in ner anderen Parteisekte ist, weil er auf'n andres Programm schwört! Keiner hat Vertrauen zum andern. Keiner hat Vertrauen zu sich. Keine Tat, die nicht erstickt in Hader und Verrat. Worte habt ihr, schöne Worte, heilige Worte vom ewigen Glück ... (ebd., 418)

Das Leitmotiv der geschlagenen und geschundenen Kreatur zieht sich durch das ganze Drama und begräbt die Erlösungsvorstellungen des messianischen Expressionismus:

Ich bin durch die Straßen gegangen, ich sah keine Menschen ... Fratzen, lauter Fratzen. Ich bin nach Haus gekommen, ich sah Fratzen ... und Not ... sinnlose, unendliche Not der blinden Kreatur ... Ich habe die Kraft nicht mehr. (ebd., 433)

So ist dies Drama, ähnlich wie das spätere Drama Tollers 'Hoppla, wir leben' (1927) —, und das markiert deutlich den Abstand zur Ära des messianischen Expressionismus — zugleich eine Allegorie des Nachkriegsdeutschlands, eine Allegorie der zerschlagenen Träume und Hoffnungen. Seiner ersten Buchausgabe des 'Hinkemann' stellte Toller folgende Widmung voran:

Dir widme ich dieses Drama, namenloser Prolet, Dir, namenloser Held der Menschlichkeit, von dem kein Ruhmesbuch meldet, keine Revolutionsgeschichte, kein Parteilexikon. Nur irgendein Polizeibericht im Winkel der Presse weiß von Dir unter der leidenschaftslosen Rubrik: 'Unfälle und Selbstmorde' zu sagen. Eugen Hinkemann ist Dein Symbol. Immer littest Du, in jeder Gesellschaft, in jedem Staat und wirst, von dunklem Schicksal gezeichnet, selbst leiden müssen, wenn in hellerer Zeit die sozialistische Gemeinschaft erkämpft und gewachsen ist.[57]

Absage an den großen Menschheitsoptimismus ist das Ende des expressionistischen Verkündigungsdramas, sein messianischer Glaube an d e n Menschen, an eine Menschheitsverbrüderung in Liebe und Gewalt-

---

[57] Zitiert nach dem Nachwort zur Reklamausgabe des Dramas. Stuttgart 1971, S. 82.

losigkeit endet in der resignativen Einsicht, daß Isoliertheit und Leiden des Individuums auch in einer "sozialistischen Gemeinschaft" nicht gänzlich aufzuheben wären. So endet der messianische Expressionismus Tollers an einem ähnlichen Punkt, den der ideologiekritische Expressionismus eines Georg Kaiser ('Gas'-Dramen), Kafka, Einstein, van Hoddis, Trakl in anderer Form schon vorher anvisiert hatte: bei der Einsicht in die Isoliertheit und Dissoziation des Ich.

Mündet hier der messianische Expressionismus Tollers in einen grundlegenden geschichtsphilosophischen Skeptizismus, der letztlich allen polischen Erlösungsvisionen mißtraut, so finden andererseits eine Reihe von Autoren des Expressionismus auch zu weltanschaulichen Bewegungen, die das politische Leben Deutschlands in den nächsten Dezennien nachhaltig und aktiv beeinflussen sollten. Als Extreme wären hier Johannes R. Becher auf der einen Seite, Hanns Johst auf der anderen Seite zu nennen. Aktivisten wie Becher, Frank, Rubiner, auch Brecht, dessen Anfänge ja in den Expressionismus fallen, gehen den Weg des Kommunismus. Ebenso steht die Zeitschrift 'Die Aktion' von 1919 an immer eindeutiger unter dem Diktat kommunistischer Parteipolitik, auch wenn ihr Herausgeber, Franz Pfemfert, sich einen individuellen Spielraum freizuhalten suchte.[58]

Andere expressionistische Aktivisten wie Toller, Unruh, Schickele, Brod "konnten die Gewalttätigkeiten und den Militarismus der Kommunisten nicht mit ihren pazifistischen Idealen in Einklang bringen. So waren sie bald gezwungen, Abrechnung mit der proletarischen Revolte und schließlich mit sich selber zu halten. Ihre tiefe Enttäuschung ist ebenso symptomatisch für den Expressionismus wie die Illusion, die ihr voraufging." (105, 234 f.) Zu Sokels Darstellung dieser Entwicklung muß man vielleicht nur anmerken, daß sie nicht linear über die "Revolte" zum "Rückschlag" führte. Nur innerhalb des messianischen Expressionismus läßt sich eine solche zeitliche Entwicklung nachweisen, während Skeptizismus und Ideologiekritik bei Autoren wie Sternheim, Kafka, Trakl, van Hoddis, Heym, Lichtenstein, auch Benn, deren expressionistische Werke ja zeitlich noch vor dem Haupttrend des messianischen Expressionismus liegen, immer schon vorherrschten.

Gegenüber den oben genannten Autoren suchte Hanns Johst und zeitweilig auch Benn sein Heil in der Verbindung zum Faschismus. Dabei ist der "Fall Benn" interessanter als die Entwicklung Johsts, der nach relativ einhelliger Meinung der Forschung expressionistischen Stil ohnehin nur als Modeströmung mitmachte. Benn aber war in der marxistischen Expressionismusdebatte[59] der Kronzeuge dafür, daß der Expressionismus weltanschaulich in den Faschismus münden mußte.

---

[58] Zur politischen Entwicklung der 'Aktion' siehe L. Peter, 'Literarische Intelligenz und Klassenkampf' (89).

[59] Diese Expressionismusdebatte wurde jüngst herausgegeben von H. J. Schmitt. Allerdings grenzt Schmitt die Debatte auf jene Beiträge ein, die in der Zeitschrift

Nun hat schon Ernst Bloch in seiner 'Diskussion über Expressionismus' 1938 darauf hingewiesen, daß Alfred Kurellas These, Benns Nihilismus lasse nur einen Salto mortale in das Lager Hitlers zu, selbst eine Art gedanklicher Salto mortale ist. Nur damit läßt sich eine direkte Entwicklung von der expressionistischen Erfahrung und Darstellung der Entfremdung von Subjekt und Objekt, der Dissoziation der Objektwelt wie des Subjekts und der Entwertung der traditionellen Leitwerte des Abendlandes — das meint ja u. a. der Begriff 'Nihilismus' — zu der primitiven und nur um den Preis extremer Regression zusammengeflickten heilen Welt des Faschismus herleiten.[60]

Der Nihilismus als Abwertung metaphysischer Werte ist eine Schlüsselerfahrung des Expressionismus gewesen, während der Faschismus mit seiner Rückkehr zu primitiven vorindustriellen Parolen u. a. zu beschreiben wäre als eine regressive Ersatzreligion. Nicht zuletzt darum konnten die Erzählungen Kafkas nachträglich als eine ahnungsvolle Vorwegnahme des Faschismus interpretiert werden. Stellt doch Kafka den Entzug an theologischer Substanz zugleich als Verabsolutierung diesseitiger Herrschaftssysteme dar. Der Entzug von Metaphysik erscheint in seinen Erzählungen zugleich als ein in der Negation transzendenter Beglaubigung sich selbst absolut und totalitär setzendes Machtsystem als Strafsystem. Begriffe wie "Rasse", "Volk", "Vaterland", "Führer", "Vorsehung" und die berühmte "Blut und Boden"-Formel erfüllten im Faschismus die Funktion, eine absolute Sinnsetzung, für die der einzelne restlos sich zu opfern bereit sein sollte, vorzugaukeln, obwohl diesen ersatzhaften Sinnsetzungen nur noch politisch manipulative Bedeutung zukam. Dabei hatte schon Kafka erkannt, daß totalitäre Macht- und Strafsysteme um so gewaltsamer und für das Individuum undurchschaubarer ihre Machtansprüche verfolgen, je unlegitimierter ihre Macht eigentlich ist (siehe 2.6.4.3). Subjektive Machtinteressen sah auch Carl Sternheim, der große Satiriker unter den Expressionisten, als eigentlichen Triebfaktor moderner Politik und entlarvte dementsprechend die diesen Interessen vorgeschobenen Ersatzideale, Ideen und moralischen Werte als solche (siehe 2.4 ff.).

Von der ideologiekritischen und in diesem wohlverstandenen Sinne 'ni-

---

'Das Wort' erschienen. Der grundlegende, aber in der Zeitschrift für 'Internationale Literatur' erschienene Aufsatz über 'Größe und Verfall des Expressionismus' von Georg Lukács fällt dabei heraus. Da sich aber viele Beiträge auf diesen Aufsatz beziehen, ist die Argumentation dieser Aufsätze in der Edition von Schmitt z. T. nicht recht verständlich. Mir scheint daher die Ausgabe von Raddatz, die sich auf die wesentlichen Beiträge der Expressionismusdebatte, wo immer sie auch erschienen sind, konzentriert, hilfreicher (92).

[60] Dieser Vorwurf von Kurella wurde dann auch im Rahmen der Expressionismusdebatte von Kurt Kersten, Klaus Berger, Peter Fischer, Werner Ilberg aufs schärfste bestritten und schließlich auch von Kurella in seinem 'Schlußwort' zurückgenommen.

hilistischen' (zur genaueren Analyse des Begriffs siehe 2.6.1 ff.) Tendenz
des Expressionismus wird man also kaum eine Brücke zum Faschismus
und seiner plumpen Form, mit regressiven und zugleich barbarischen
Ersatzsinnsetzungen zu ködern, schlagen können.

Allerdings konnte sehr wohl die expressionistische Überspitzung der
Vernunftkritik und die ihr korrespondierende Sehnsucht nach den sub-
rationalen Triebmächten des Lebens, auf die wir in Benns Dichtungen
verwiesen, politisch mißbraucht werden, konnten Isolation und Dissoziation des Subjekts eine Sehnsucht nach 'Aufhebung' in größere Zusammenhänge entstehen lassen. Aber auch hier ist, wie wir gesehen haben, die
Dichtung Benns — im Gegensatz zu einigen seiner politischen Reden —
vielschichtiger, als es die marxistische Expressionismuskritik wahrhaben
wollte. Bezeichnet doch sein Dramenfragment 'Ithaka' genau und kritisch
den Punkt, wo der Haß gegen die totalitäre Form von Vernunftherrschaft
umschlägt in eine ebenso totalitäre Sehnsucht nach Rausch, womöglich
Blutrausch, bei der letzten Endes "der Mob feiert". Einerseits "Traum
und Rausch" verherrlichend, entspricht Benn einem irrationalen, vernunftfeindlichen Bedürfnis, mit dem der Faschismus allerdings sein wohl kalkuliertes politisches Geschäft betrieben hat, andererseits nimmt aber Benn
dessen Ende vorweg. Sein Dramenfragment 'Ithaka' deutet in den Worten
des sterbenden Professors kritisch auf die Perversion von Logik im ausgeklügelten Geschäft mit ihrer Verunglimpfung, Herrschaft, die um so
irrationaler und zerstörerischer schalten und walten kann, als sie rationales Denken abschafft (siehe 2.6.4.7).

Leider geht kaum einer der an der marxistischen Expressionismuskon-
troverse beteiligten Vertreter genauer auf die ideologiekritischen Impulse
des Expressionismus ein. Das allzu oberflächliche, an signalhaften Erscheinungen der Epoche orientierte Expressionismusbild rächt sich in der
Oberflächlichkeit der Kritik. Der mit Abstand fundierteste Kritiker des
Expressionismus im marxistischen Lager, Georg Lukács, schöpft, wie bereits Bloch gezeigt hat, sein Expressionismusbild vor allem aus sekundären Quellen, "Literatur über den Expressionismus", zudem aus Quellen,
die vornehmlich im "hohlen Pathos" des messianischen Expressionismus
tönen. So läßt sich Lukács sein Expressionismusbild wesentlich durch die
Auswahl in der Lyrikanthologie 'Menschheitsdämmerung' vorgeben, die,
aus der Freundschaft ihres Herausgebers Pinthus zu messianischen Expressionisten wie Werfel und Hasenclever verständlich, dem messianischen
Expressionismus weit breiteren Raum gewährt als den ideologiekritischen
Tendenzen in der Lyrik dieser Epoche.

Ideologisch reduziert sich die Kritik von Lukács vor allem auf den Vorwurf, das expressionistische Engagement sei "doch nur ein Schein-
kampf ... nämlich ein Kampf gegen den Krieg überhaupt und nicht gegen
den imperialistischen Krieg ..." (73, 21) Die in der Nähe der USPD-
Politik stehende Antigewaltideologie reiche "von der scheinrevolutionä-
ren Phrase bis zum offen gegenrevolutionären Kapitulantentum vor dem

weißen Terror der Bourgeoisie." (73, 30) Der Faschismus als "Sammel-ideologie" beerbe aber "alle Strömungen der imperialistischen Epoche, soweit in ihnen dekadent-parasitäre Züge zum Ausdruck kommen; auch alles Scheinrevolutionäre oder Scheinoppositionelle gehört dazu." (ebd., 18)

Nun ist in der Tat, wie wir gesehen haben, ein zentrales Anliegen des messianischen Expressionismus der Kampf gegen Gewalt, Mord und für eine Form der Koexistenz von Menschen in Liebe. Die eingehende Arbeit von Eva Kolinsky, 'Engagierter Expressionismus', hat im Detail nachge-wiesen, daß auch wichtige expressionistische Organe wie die von René Schickele herausgegebenen 'Weißen Blätter' oder die in der Aktionsbüche-rei veröffentlichten 'Verse vom Schlachtfeld' während des Krieges im we-sentlichen einem Pazifismus das Wort redeten.

Man kann der Antigewaltsideologie des messianischen Expressionismus eine gewisse Naivität in der Einschätzung der politischen Lage vorwerfen, die weitgehend in der Form der Erlebnislyrik gehaltenen 'Verse vom Schlachtfeld' machen das besonders deutlich, aber Antigewaltsideologie mit der Gewaltideologie des Faschismus einfach zusammenzuwerfen, geht doch wohl nur um den Preis einer sehr gewaltsamen und reichlich undifferen-zierten Interpretation. "Sie rechnet fast alle Oppositionen gegen die herr-schende Klasse, die nicht von vornehrein kommunistisch sind, der herr-schenden Klasse zu ... Im Zeitalter der Volkfront scheint eine Fortsetzung dieser Schwarz-Weiß-Technik weniger als angebracht; sie ist mechanisch, nicht dialektisch." (Bloch 47, 54 f.) Zudem dürfte auch eine Gesellschafts-theorie, die den Begriff der Versöhnung auf ihre Fahnen geschrieben hat, das Problem der Gewalt, auch wenn sie diese schon vorfindet, nicht er-findet, nicht so schnell für erledigt halten. Zwischen "Kapitulantengewim-mer" (Lukács) und Tollers Einsicht, daß die Anwendung von Gewalt, auch in der Form des Klassenkampfes, selbst noch Strukturformen der "verwesten Zeit" perpetuiert und nicht das schon antizipiert, was die Idee, für die er vorgeblich ausgetragen wird, meint, liegt ein breites Spek-trum, das Lukács' allzu grobes Interpretationsraster nicht wahrnimmt.

Abschließend noch ein Wort zu Lukács' Kritik an der "schöpferischen Methode" des Expressionismus. Sieht man einmal davon ab, daß seine Kritik vielfach episodischen Charakter hat, insofern er sich, zumeist auch noch aus zweitrangigen literarischen Werken oder gar Literatur über den Expressionismus, episodisch diesen oder jenen inhaltlich ergiebig erschei-nenden Satz herausgreift, zudem auch allzu naiv inhaltliche Aussage in literarischen Werken mit der Meinung des Autors identifiziert, so läßt sich doch sein grundlegender Vorwurf, der Expressionismus mystifiziere die Wirklichkeit, er gehe mithin von einem falschen Wirklichkeitsbegriff aus, auch auf die hervorragenden Vertreter dieser Epoche beziehen.

Insbesondere die im Kap. 2 herausgearbeitete Kategorie der Ichdissozia-tion muß seiner Kritik unterliegen. Nun basiert die Kritik von Lukács erstens auf der Voraussetzung "der Erkenntnis der objektiven, von uns, vom Menschen, unabhängigen, materiellen Wirklichkeit" (73, 14). Zweitens wird diese Wirklichkeit als geschlossenes System, nämlich als das durch seinen "inneren allseitigen Zusammenhang" vermittelte System des Kapitalismus vorgestellt. Bloch, der seinerseits vorsichtig darauf hinweist: "vielleicht ist die echte Wirklichkeit auch – Unterbrechung. Weil Lukács einen objektivistisch-geschlossenen Realitätsbegriff hat, darum wendet er sich, bei Gelegenheit des Expressionismus, gegen jeden künstlerischen Versuch, ein Weltbild zu zerfällen." (47, 56) –,wird von Lukács zurechtgewiesen: Bloch identifiziere fälschlich das literarische Bewußtsein der Zerrissenheit und Diskontinuität mit der Wirklichkeit selbst, "statt durch Vergleich des Bildes mit der Wirklichkeit das Wesen, die Ursachen, die Vermittlungen des verzerrten Bildes konkret aufzudecken." (92, 65)

Die in der Forschung vielfach bemängelte Rückständigkeit der Kategorien des späteren Lukács, sein Festhalten an einem "Erzähl"-typus des 19. Jahrhunderts entspricht seinem Wirklichkeitsbegriff, der geschichtsphilosophisch genau auf jenen Stand des Materialismus zurückfiel, den die Entwicklung der Wissenschaften vom 19. ins 20. Jahrhundert überwunden hat. Was sich beispielsweise in der erkenntnistheoretischen Reflexionsprosa des Expressionismus niederschlägt (siehe 2.6.4 ff.), kann so nicht mehr verarbeitet werden. In den modernen Naturwissenschaften ist längst zur Selbstverständlichkeit geworden, daß eine "von uns, vom Menschen, unabhängige materielle Wirklichkeit" nicht einfach vorausgesetzt werden darf. Eine "von uns" unabhängige Wirklichkeit läßt sich streng genommen nicht einmal denken, weil die Kategorie der Wirklichkeit durch unsere Erfahrungs- und Denkformen bedingt und die Erkenntnis von Wirklichkeit durch das Beobachterschema des Subjekts vermittelt ist. Der undialektische Materialismus des späten Lukács hat das nicht mehr aufgenommen. Auf Marx wird er sich dabei nicht berufen können, denn Marx kritisiert in der 'Deutschen Ideologie' gerade in der ersten These über Feuerbach als "Hauptmangel alles bisherigen Materialismus . . . daß der Gegenstand, die Wirklichkeit, Sinnlichkeit nur unter der Form des Objekts oder der Anschauung gefaßt wird; nicht aber als sinnlich-menschliche Tätigkeit, Praxis, nicht subjektiv."

Eben jene Erkenntnistätigkeit des Subjekts, ihre Vermittlung mit der Wirklichkeit ist ein zentrales Thema des Expressionismus (siehe 2.6 ff.). Es ist kein Wunder, daß ein Kritiker, der dieses Problem von vornherein aus seinem Problemkreis gestrichen hat, keinen Sinn entwickelt für eine Literatur, die sich zentral damit beschäftigt.[61]

---

[61] In seiner Kritik an Lukács hat Adorno darauf hingewiesen, daß "jener Realismus", für den sich Lukács stark macht, "nicht sowohl, wie es den kommunistischen Klerikern paßte, aus einer gesellschaftlich heilen und genesenen Welt, als aus der Zurückgebliebenheit der gesellschaftlichen Produktivkräfte und des Bewußtseins in ihren Provinzen" stammte (738, 169 f). Adorno spricht dementsprechend auch unverhohlen von "erpreßter Versöhnung" in Bezug auf den Realismusbegriff von Lukács.

Zudem übersieht Lukács, bei seinem Festhalten an einem geschlossenen Systembegriff, daß gerade die auf dem Prinzip rationaler Kalkulation, Tausch und Arbeitsteilung basierende Moderne wesenhaft geprägt ist durch das Prinzip der Dissoziation und Zerrissenheit. Dies sind nicht nur, wie Lukács will, Oberflächenphänomene, sondern machen das Wesen moderner Wirklichkeit selbst aus. Daß die Kategorie der Dissoziation nicht anarchisches Chaos meint, sondern Vermittlung von Subjekt und Objekt und der Subjekte untereinander auf dem Prinzip rationaler, quantifizierender Kalkulation, daß mithin Dissoziation als berechnetes System und systemhafter Kalkulationszusammenhang in Erscheinung tritt, hat gerade Lukács in seiner vordogmatischen Phase erkannt. Er selbst prägte für diesen nur noch auf dem Prinzip quantifizierenden Denkens gegründeten Zusammenhang der modernen Wirklichkeit den Begriff der "Verdinglichung".

Auch die Verdinglichung ist, wie wir gesehen haben, ein zentrales Thema des Expressionismus. Es ist die Frage nach dem totalen Herrschaftsanspruch einer technologisch-rationalen Denk- und Produktionsform, die in Deutschland Ende des 19., zu Beginn des 20. Jahrhunderts sich durchzusetzen beginnt.

Weniger die Lösungsversuche des messianischen Expressionismus, sein Versuch, einen neuen Menschen zu kreieren, sein Pathos und seine Rhetorik, dürften heute — wenn man überhaupt davon reden will — zum bleibenden Erbe des Expressionismus gehören, auch wenn das Scheitern dieser Versuche sehr wohl Aufschluß gibt über den geschichtsphilosophischen Ort des modernen Subjekts. Als anhaltender Denkanstoß aber sollten die ideologiekritischen Tendenzen des Expressionismus aufgenommen werden, seine Auseinandersetzung mit den modernen Produktions- und Denkformen, dem Strukturwandel der Öffentlichkeit, den überlieferten Werten der Metaphysik. In der Auseinandersetzung mit dieser Auseinandersetzung könnte der Expressionismus produktiv fortwirken.

TEIL III

ANALYSEN

Hans-Georg Kemper

1. METHODISCHE VORÜBERLEGUNGEN

1.1 Zur Funktion der Analysen

Im folgenden wird es darum gehen, das, was zuvor in abstrahierend-systematischer Absicht an grundlegenden Kategorien zum Verständnis der Epoche des Expressionismus erarbeitet wurde, durch detaillierte Analysen einzelner Werke aus diesem Zeitraum zu überprüfen, zu differenzieren und zu ergänzen.

Diese Analysen sind keine Interpretationen im herkömmlichen Sinne, weder werkimmanent noch von jener in sich abgerundeten Kunstfertigkeit, die dem untersuchten literarischen Zeugnis ein wissenschaftliches Kunstwerk an die Seite stellt, bei dessen Lektüre sich der Leser fragen mag: Auf welchem Wege sind die Ergebnisse eigentlich zustande gekommen? Diese Frage soll nach Möglichkeit beantwortet werden. Dazu sind die einzelnen methodischen Schritte und Verfahren zu erläutern, damit der Leser der Untersuchung kritisch folgen kann. Indem die einzelnen Analysen jeweils ihre Erkenntnisabsichten und die einzuschlagenden methodischen Wege offenlegen, öffnen sie sich selbst der Überprüfbarkeit, Relativierbarkeit und Korrigierbarkeit, und sie suchen damit Wissenschaftlichkeit herzustellen, die in diesen Kategorien gründet. Dazu gehört ferner das nicht leicht "operationalisierbare" Kriterium der Gründlichkeit: ein möglichst genaues Lesen und das Bestreben, einen Text eingehend und zugleich umfassend zu untersuchen. Darüberhinaus wird der Prozeß der wissenschaftlichen Begriffsbildung selbst offengelegt, und dazu gehört die Auseinandersetzung mit anderen Kategorien, welche die Forschung bereits zur Analyse der hier ausgewählten Texte verwendet hat.

Ein solches Verfahren erfordert einen Umfang, der zur Beschränkung in der Anzahl der zu untersuchenden Texte nötigt. Die im folgenden ausgewählten Werke mußten mehreren Auswahlkriterien genügen. Zunächst sollten sie eine Überprüfung und Vertiefung der im vorhergehenden Teil des Buches erarbeiteten Kriterien ermöglichen. Indem sie nun detaillierter in ihrer Relevanz für das Verständnis der Epoche an einzelnen Werken erprobt werden, zeigt sich ein grundsätzliches methodologisches Problem der Literaturwissenschaft: Diese muß einerseits ihren Gegenstandsbereich — in diesem Fall eine literaturgeschichtliche Epoche — als ganzen zu erfassen und zu beschreiben versuchen und deshalb vom einzelnen Kunstwerk auch dann abstrahieren und verallgemeinern, wenn sie die Kategorien selbst aus der Analyse einzelner literarischer Zeugnisse gewinnt. Sie ist andererseits und zugleich auf das einzelne Werk verwiesen, dessen

Eigentümlichkeit und unverwechselbare "Physiognomie" sie zu kennzeichnen hat. Die daraus resultierenden Divergenzen und Spannungen sind nicht vermittelbar, auch dann nicht, wenn man eine einheitliche Literaturtheorie zugrundelegen würde, die das Individuelle immer schon auf das Allgemeine hin befragen und den darin nicht aufgehenden "Rest" außer Betracht lassen müßte. Die Spannungen, die zwischen den beiden Teilen dieses Buches sichtbar werden, dienen gleichwohl der gegenseitigen Korrektur, indem sie den Grad der Differenz oder Übereinstimmung verdeutlichen, der zwischen der allgemein beschriebenen Tendenz und dem ihr subsumierten Einzelwerk besteht. Zugleich sollen sie eine unkritische Adaption und Anwendung der hier als Verstehenshilfen explizierten Kategorien verhindern (vgl. dazu auch Teil II, Kap. 1).

Deshalb wurden eine Erzählung Kafkas und eine der frühen Komödien Sternheims für eine gründlichere Analyse ausgesucht: Ihr Werk wurde bereits im vorhergehenden Teil gewürdigt, und es stellt jeweils eine extreme Ausprägung der unter der Zentralkategorie der Dissoziation gefaßten Phänomene dar. Da beide Autoren zudem in mehrfacher Hinsicht in ihrer Zuordnung zum Expressionismus infragegestellt wurden, können die Analysen diese Zugehörigkeit nochmals überprüfen. Sowohl 'Das Urteil' wie auch 'Die Hose' nehmen eine besondere Stellung im Werk ihrer Autoren ein: mit ihnen gelingt beiden – nach einem zumindest bei Sternheim dem Umfang nach nicht unbeträchtlichen Jugendwerk – der entscheidende Durchbruch zu ihrem Stil, und von da ab läßt sich auch ihre Zugehörigkeit zum Expressionismus datieren und diskutieren. Der "Durchbruchscharakter" beider Werke manifestiert sich unter anderem darin, daß in ihnen wichtige Tendenzen vorangegangener Literaturepochen und -strömungen kritisiert und negiert werden. Dies gibt uns die Möglichkeit, die Abgrenzung des Expressionismus gegenüber den vorherigen und zum Teil zeitlich parallelen Literaturströmungen in einigen Aspekten genauer als bisher zu erörtern. Dazu gehört insbesondere die sich vor allem von Nietzsche herleitende dithyrambische Lebensbejahung von Autoren des Naturalismus, des Symbolismus und insbesondere des Jugendstils, die sich – auch bei Autoren des Frühexpressionismus, etwa bei Werfel oder Stadler – fortzusetzen scheint und die in Sternheims Lustspielfigur des Scarron die Lächerlichkeit preisgegeben werden.

Die Aufnahme von Georg Trakl und Kasimir Edschmid in den 'Analyse'-Teil entspringt der Absicht, hier bislang noch nicht betrachtete Autoren und ihre Werke darzustellen. Kasimir Edschmids Erzählungen wurden bis in die jüngste Gegenwart hinein als 'Expressionismus' schlechthin betrachtet. Ihre Aufbruch-Ideologie weist indessen triviale und latent faschistische Züge auf, die das von Silvio Vietta gezeichnete Bild des "messianischen Expressionismus" ergänzen. Hatte der Frühexpressionismus die dionysische und weitgehend irrationale Lebensverherrlichung durch erkenntniskritische, sprachskeptische und pessimistische Tendenzen kritisiert, die sich – wie Vietta gezeigt hat – ebenfalls von Nietzsche herleiten lassen, so vollziehen die "Aufbruchs"-Pathetiker eine Rück-wendung in einen reflexionslosen Irrationalismus, der bei Edschmid aufs deutlichste auf die Ideologie des "Dritten Reichs" vorausweist. Edschmids Novellen stehen zugleich in ihrer holzschnittartigen Erzähltechnik und in ihrem Pathos stellvertretend für viele andere Durchschnittswerke des Expressionismus, und ihre Analyse mag – gleichsam als Kontrastfolie – die in diesem Band erkennbare und begründete Konzentration auf die literarisch bedeutsamen Vertreter dieser Epoche und auf den Frühexpressionismus zusätzlich rechtfertigen.

Mit Georg Trakls Lyrik wird ein Gedichttypus vorgestellt, der sich, obgleich er sich offensichtlich ebenfalls der Kategorie der Ich-Dissoziation subsumieren läßt, gleichwohl von den bisher vorgestellten Arten expressionistischer Lyrik erheblich unterscheidet und nicht zuletzt deshalb auch nicht zureichend von jenen Phänomenen her begriffen werden kann, die Vietta für das Entstehen der frühexpressionistischen Lyrik verantwortlich gemacht hat. Die detaillierte Analyse eines Traklschen Gedichts wird uns auf weitere Faktoren führen, die auch für die Genese von Simultangedichten, Reihungsstil und Zeilenkomposition wichtig sind. Die Einzelanalyse zielt also auch hier auf Grundsätzliches, und sie will verdeutlichen, daß sich dieses mitunter nur durch den nahezu mikroskopischen Blick auf ein einzelnes Werk gewinnen läßt. Dies mag die Ausführlichkeit dieser Analyse zusätzlich rechtfertigen.

Die Aufgabe, das im problemgeschichtlichen Teil Erarbeitete zu überprüfen, bedeutet in methodischer Hinsicht zweierlei. Zum einen muß den Analysen ein Verfahren zugrundegelegt werden, das es erlaubt, die zuvor entwickelten Kategorien und Thesen auf kategorial gleicher Ebene aufzugreifen, zum andern aber muß sich die Tragfähigkeit dieser Einsichten gerade darin zeigen, daß sie auch mit Hilfe bisher nicht angewandter methodischer Verfahren nachweisbar sind. Weder ein ganz anderes, noch ein mit dem vorherigen identisches Verfahren kann diese Überprüfung leisten.

Es ist nicht leicht, einen solchen Ansatz zu finden. Eine Variation in der Perspektive ergibt sich – abgesehen von der Darstellungsform zwischen beiden Teilen und der Konzentration auf jeweils ein Einzelwerk – vor allem in zweierlei Hinsicht. Zum einen orientieren wir uns stärker als dies im problemgeschichtlichen Teil möglich und nötig war, an Gattungsgesichtspunkt, zum anderen verbinden wir die darstellungsästhetische Betrachtungsweise des ersten Teils mit einer wirkungsorientierten Analyse. Beides ist voneinander nicht zu trennen. Dies gilt es noch kurz zu erläutern.

Die Gattungstheorie ist in der gegenwärtigen Methodendiskussion in Mißkredit geraten. Das lange Festhalten der Literaturwissenschaft an der systematisierenden Abstraktion von drei Hauptgattungen hat ihr den Vorwurf eingetragen, die Vielfalt der Textsorten, die sich im Lauf der Literaturgeschichte entwickelt hat, zu wenig beachtet und der Gattungseinteilung überhaupt eine Bedeutung beigemessen zu haben, die dieser angesichts des in den Werken erkennbaren Selbstverständnisses, angesichts der prinzipiellen Erkenntnisleistung solcher weitgehend von der Historie abstrahierender und somit ungeschichtlicher Typologien und angesichts wichtigerer – z. B. soziologischer – Fragestellungen gar nicht zukommen dürfte. Solche Einwände sind – vor allem im Blick auf die Gegenwartsliteratur – bedenkenswert. Sie dürfen aber nicht dadurch unglaubwürdig werden, daß sie unhistorisch auf sämtliche Epochen ausgedehnt werden, auch auf solche also, in denen die Gattungen noch unumstößliche literarische Gliederungsprinzipien – auch im Bewußtsein des Publikums – darstellten. Der hier behandelte Zeitraum gehört zu jener Übergangsphase, in der die Gattungen problematisch werden und sich aufzulösen beginnen.

Dieser Prozeß ist möglicherweise selbst als Dissoziationsphänomen zu interpretieren. Das ist aber zureichend nur dann erkennbar, wenn man von den Gattungen als Orientierungsgröße ausgeht.

Die Kenntnis von Gattungsgesetzmäßigkeiten darf man auch bei dem damaligen wie dem heutigen Publikum voraussetzen. Das zeitgenössische Publikum mußte nicht nur die allmähliche Auflösung der Gattungen, sondern Inhalt und Form der neuen Literatur im Sinne einer Desorientierung seiner Vorerwartungen erfahren, und es sah sich offenbar im Vollzug der Rezeption der von der Dissoziation gekennzeichneten Werke selbst einem Dissoziierungsprozeß ausgesetzt. Es fragt sich, was der Begriff der Dissoziation im Blick auf den Leser bedeuten kann. Dazu ein Beispiel. Silvio Vietta hat sich gegen die Tendenz der Expressionismus-Forschung gewandt, den neuen Reihungsstil nur mit negativen Kategorien als metaphysische Destruktion oder Formnegation zu beschreiben (111, 354 ff.), und er hat demgegenüber – auch in diesem Band (vgl. Teil II, Kap. 2.1) – plausibel gemacht, daß der expressionistische Reihungsstil "als literarische Mimesis einer neuen, historisch vermittelten kollektiven Wahrnehmungs- und Bewußtseinsnorm" zu begreifen sei (111, 361). Gleichwohl: Der Leser solcher Gedichte erfährt diese Mimesis als Destruktion seiner Vorerwartungen, die sich in nicht genau zu bestimmender Weise aus der Kenntnis der dem Expressionismus vorangehenden Literatur und aus seiner eigenen Wirklichkeitserfahrung zusammensetzen. Daß die expressionistische Lyrik nicht mehr wie die weitverbreitete epigonale Lyrik des 19. Jahrhunderts sich in wirklichkeitsferne Themen flüchtete – in die Verherrlichung des Tages- und Jahreszeiten, des Mythos und der Heimat, der persönlichen und öffentlichen Feiern und Feste –, sondern daß sie – wie Roman und Drama und wie ansatzweise die Lyrik des Naturalismus – empirische Realität wie die Großstadtwelt in bedrängenden und wahrnehmungspsychologisch "richtigen" Bildern und Gedichten darzustellen versuchte: dies war die als Destruktion der tradierten Gattungsinhalte erfahrene Irritation, die sich mit einer weiteren verband. Nach Vietta erheben diese Gedichte offenkundig den Anspruch, die kollektiven Wahrnehmungsstrukturen der Großstadtwelt formal im Reihungsstil selbst abzubilden, und er stützt diese These durch Äußerungen von Simmel und Milgram (111, 359 ff.; vgl. Teil II, Kap. 2.1). Im Blick auf den Leser stellt sich dieser Sachverhalt indessen anders dar. Die Erkenntnisse von Simmel und Milgram besagen, daß sich die Wahrnehmungen des Menschen in normalen – also in gewohnten – Situationen weitgehend automatisiert vollziehen und daß sie im Blick auf gewisse Ziele – das heißt teleologisch – selektiert sind. Was der Erreichung eines Zieles dient oder ihr entgegensteht, wird bewußt wahrgenommen, anderes demgegenüber vernachlässigt. Wenn nun wie im Lebensraum der Großstadt eine "Überfülle des Erlebens" (Pinthus) und damit eine "Überbelastung" des Wahrnehmungsapparates (Milgram) auftreten, dann wehrt sich das Subjekt dagegen, indem es "Inputs von geringerer Priorität nicht mehr beachtet" (111, 360), und dies Phänomen bezieht sich nicht nur auf die Wahrnehmungen, sondern auch auf gewisse Sozialisierungsformen, etwa auf die Gleichgültigkeit gegenüber dem Mitmenschen. Indem sich das Subjekt aber gegen die Fülle des Sensationellen wehrt – und wehren muß –, nimmt es die mit Hilfe des Reihungsstils sichtbar gemachte Heterogenität, Gleichwertigkeit und Fülle der Großstadtwelt nicht bewußt wahr. Indem es aber durch die Simultangedichte dazu genötigt wird, erfährt es diese Simultaneität zugleich als Destruktion der von ihm gegenüber dieser Heterogenität und Überfülle entwickelten Abwehr. Die Gedichte nötigen den Leser zu einer Rezeption der Realität, die er im Alltag ständig zu verdrängen gezwungen ist, wenn er nicht in die Gefahr einer totalen Desorientierung geraten will. Die gegenüber der Wirklichkeit funktionierenden Abwehrmechanismen versagen indessen bei der Rezeption der Gedichte, sie äußern sich allenfalls in anderer Form, am radikalsten in der empörten Ablehnung dieses Typs der expressionistischen Lyrik. Ihre Wirklichkeitsdarstellung – dies sollte gezeigt werden – impliziert und intendiert immer auch Destruktion, und dies sowohl im Blick auf die "literarische Reihe" wie auch auf die von dieser wie von der Realitätserfahrung bestimmte Erwartungshaltung des Publikums. Dennoch besteht ein kategorialer Unterschied zwischen der Darstellung der Ich-Dissoziation und einem Leser, dessen Ich diese Dissoziationsphänomene nicht aufweist, sondern mit ihnen erst konfrontiert wird. Die dargestellte radikale Dissoziation tendiert zwar mit der Bewußtmachung dieses Zustands zur Desorientierung des rezipierenden Ichs und damit zur Herstellung eines Bewußtseins, das die dargestellte Deformation des Subjekts nachvollzieht, gleichwohl kann sich diese monokausal aus der Darstellung destillierte Intention auch dialektisch in ihr Gegenteil verkehren – so wie die totale Metaphysik- und Erkenntniskritik als Zustand einer "tabula rasa" bereits die Elemente zu einem Neubeginn – und das heißt im Blick auf den späteren Expressionismus: das irrationale 'große Ja zum Leben' – impliziert: sie kann, ohne dies zu beabsichtigen, zu einer Bestärkung und Sicherung des Ich-Bewußtseins auf Seiten des Rezipienten führen.

Diese theoretische Überlegung ließe sich durch eine Fülle zeitgenössischer Rezensionen dieser Lyrik durch die bürgerliche Kritik historisch konkretisieren. Pfemferts 'Aktion' und Waldens 'Sturm' — um nur die beiden wichtigsten Zeitschriften zu nennen — demonstrieren aufs anschaulichste solche Auseinandersetzungen.

Solche Einsichten stellen uns hinsichtlich der Einbeziehung der Rezeption von Literatur in die Analysen vor schwierige methodische Probleme. Daß die vom Werk intendierte Wirkung in die Analyse einzubeziehen ist, weil sie zusätzliche Aspekte zu seinem Verständnis beizubringen vermag, haben wir am Beispiel der Wahrnehmung des Reihungsstils gesehen. Daß die tatsächliche Rezeption der intendierten nicht entsprechen muß und nicht entspricht, zeigt ein Blick auf die Rezeptionsgeschichte der Werke. Beide Erkenntnisse scheinen sich gegenseitig zu relativieren. Ideal wäre ein methodischer Ansatz, der intendierte und tatsächlich erfolgte Wirkung miteinander verknüpfen könnte. Soweit ich sehe, gibt es diesen bislang nicht, jedenfalls nicht in einer praktizierbaren Form und in erprobten Beispielen. Wir sind deshalb genötigt, einen Ansatz zu entwickeln, der zumindest tendenziell beide Aspekte vereinigt. Dies gilt es im folgenden aufzuzeigen. Im Blick auf die Überprüfung des problemgeschichtlichen Teils läßt sich schon jetzt konstatieren, daß wir uns mit der Frage nach der Wirkung der Werke grundsätzlich auch am Bereich der Darstellung orientieren und diesen gleichwohl unter einer weitergehenden Perspektive betrachten. Damit können wir die Thesen von der Ich-Dissoziation überprüfen und zugleich in einem neuen Bereich auf ihre Tragfähigkeit hin erproben.

1.2   Appellstruktur und Lektüreprozeß

Wirkungsästhetik und Rezeptionsgeschichte sind als Problemkomplexe erst Ende der sechziger Jahre ins Bewußtsein der Forschung gerückt. Bereits nach wenigen Jahren scheint sich die Beschäftigung mit solchen Fragen zu einer Modeerscheinung zu entwickeln: die 'Neuen Ansichten einer künftigen Germanistik' sind ohne Berücksichtigung solcher Fragen offensichtlich kaum noch vorstellbar, und die Anzahl der Publikationen zu diesem Bereich ist sprunghaft angestiegen. Gerade im Blick auf die hier zu besprechende Literatur des Expressionismus verdienen diese Fragen indessen ein grundsätzlicheres und langlebigeres Interesse, als es das abqualifizierende Etikett des Modischen auszudrücken scheint. In diesem Zusammenhang ist daran zu erinnern, daß einer der entscheidenden Anstöße zur wirkungsästhetischen Betrachtungsweise der Literatur in der Mitte des vergangenen Jahrzehnts aus der Philosophie kam: Es ist offenkundig, daß Dieter Henrich mit seinen von Hegel ausgehenden 'Überlegungen' zu 'Kunst und Kunstphilosophie der Gegenwart' (743 b) den entscheidenden Anstoß für das methodische Konzept Isers geliefert hat. Für Henrich ist u. a. die Reflexion ein entscheidendes Konstituens der modernen Literatur. Das Werk bildet nicht mehr Wirklichkeit ab, sondern reflektiert sich selbst, indem es sich zum Thema macht: "Nicht in der Ordnung der Dinge, sondern im Hervortreten der Ordnung und in ihrem Zusammenhang offenbart sich sein Sinn." (743 b, 28 f.) Daraus folgert Henrich: "Solche Kunst muß zugleich die Beziehung des Werkes zu seiner Anschauung verändern. Da es die Illusion verweigert, scheint es zunächst die Autonomie in seiner Rezeption zu sichern. Denn es erklärt sich selbst und beansprucht somit die Reflexion des Betrachters, die schon ins Spiel kommen muß, wenn das Werk gewahrt wird, nicht erst, wenn das Gewahrte ausgelegt werden soll." (743 b, 29) Dies ermöglicht einerseits die Freiheit der Reflexion, schränkt sie andererseits aber auch wieder ein: "Indem nämlich das Werk sich selber auslegt, ist die Reflexion, die es fordert und die es auslöst, von ihm determiniert. Die Freiheit der Betrachtung kann nur in einer zweiten Stufe wiederhergestellt werden, die noch die Reflexion zu einem Element in der Anschauung depotenziert. Das Werk stößt freilich dazu an, auch diesen Übergang zu vollziehen. Denn eine Reflexion, die in Gang gekommen ist, neigt dazu, sich aus jeder Determination zu befreien und sich in den ihr eigenen Abstand zur reflektierten Sache zu bringen. Dennoch bleibt alles Wissen, das sich der Reflektiertheit des modernen Werkes schließlich entwindet, ihm auf andere Weise als in früherer Kunst verwandt und verhaftet." (743 b, 29) Moderne Kunst realisiert sich in einem ständigen Oszillieren zwischen Form und Formbruch als Ausdruck und Äquivalent einer nur gebrochenen Vermittlung zwischen Subjekt und Objekt, zwischen Selbst und Sein, die nicht mehr wie in der Literatur früherer Jahrhunderte "die Versöhnung des Bewußtseins mit dem ihm Entgegengesetzten in der Anschauung eines Absoluten" leisten könne. (743 b, 30) "Die Vermittlung, welche faktisch allerdings erfolgt, geschieht in dem Bewußtsein, daß die Indifferenz von Selbst und Sein ebenso die Selbstlosigkeit des Selbst wie die Selbsthaftigkeit des Seins bedeuten kann." (743 b, 30) Indem so gleichsam die äußersten Möglichkeiten des Subjekt-Objektverhältnisses im Werk selbst im Sinne einer tiefgreifenden Ambivalenz in Inhalt und Form und ihrer Beziehung zueinander gestaltet sind, enthält das Werk zugleich alle Möglichkeiten der Reflexion auf Seiten des Betrachters: "Es zwingt das Bewußtsein zu einem Vollzug, der nicht mehr in die ästhetische Distanz gebracht werden kann. Denn alle Reflexionen, mit deren Hilfe das geschehen könnte, sind in das Werk einkomponiert und damit als Mittel der Distanzierung abgetan." (743 b, 30 f.)

Dies läßt sich wiederum am Reihungsstil des expressionistischen Simultangedichts illustrieren. Die Form der Aneinanderreihung heterogener Bilder impliziert zwei völlig entgegengesetzte Deutungsmöglichkeiten. Diese Form kann als entsubjektivierte, mechanisch und automatisch ablaufende Registratur der Realität verstanden werden, die gerade auch durch die Zufälligkeit des Heterogenen die ordnende und sinnstiftende Perspektive des wahrnehmenden Subjekts auszuschalten scheint, so daß sich hier offenbar das "Sein" in seiner "Aseität" selbst zur Anschauung bringt. Indem diese der teleologisch orientierten Wahrnehmungsstruktur des Ichs widerspricht, weil jedes der Dinge und Bilder bezugslos für sich zu stehen scheint, nötigt sie den Betrachter zur Reflexion auf die Struktur der Wahrnehmung selbst. Damit initiiert und determiniert sie zugleich den Vorgang der Rezeption. Die Radikalität des Gegensatzes zwischen den normalen Wahrnehmungsaktivitäten des Subjekts und der mechanisierten Addition disparater Elemente der Realität ist dabei ästhetisch nicht vermittelbar: alle Versuche einer Sinnkonstituierung sind durch das Werk selbst sowohl herausgefordert wie abgewiesen, und damit sichert es seine Autonomie gegenüber der Rezeption und determiniert diese zugleich. − Im Blick auf die Subjekt-Objekt-Dialektik lassen sich diese Gedichte aber auch genau entgegengesetzt verstehen. Der expressionistische Reihungsstil − dies hat Vietta mit Recht betont − *ist* ja ein *Form*prinzip: "Gerade die Diskontinuität ist hier das einheitliche, kohärenzstiftende Formprinzip." (111, 356) Und dies verweist wiederum auf ein ordnungsstiftendes Subjekt, das, wie Vietta gezeigt hat, eine neue Wahrnehmungsstruktur verwirklicht. Diese ist nun aber nicht nur als unmittelbarer Ausdruck einer neuen Realitätserfahrung von dieser ableitbar, sondern − im Sinne der Thesen Henrichs − als Ausdruck für die uneingeschränkte Autonomie des Subjekts gegenüber jeder Realität zu interpretieren. Das Subjekt schafft sich mit dem Reihungsstil eine Form, mit deren Hilfe es souverän und nach Belieben über die Wirklichkeit verfügen kann, indem es heterogene Realitätselemente in einem Gedicht vereinigt. So verstanden zeigen diese Gedichte gleichzeitig die grundsätzliche Trennung von Subjekt und Objekt, von Sein und Selbst, und gerade darin liegt die Möglichkeit ihrer dialektischen Vermittlung begründet. Diese geschieht indessen im ständigen Bewußtsein der Indifferenz, die paradoxerweise im selben Formprinzip − dem Reihungsstil − zur Anschauung gelangt. Dasselbe formale Element erweist die prinzipielle Diskrepanz und zugleich die prinzipiell identische Struktur von Subjekt und Objekt. Sowohl in der Diskrepanz als auch in der Identität manifestiert sich die Dissoziation sowohl des Subjekt- wie des Objektbereichs als entscheidendes gemeinsames Merkmal. Die Radikalität der Dissoziation determiniert die Reflexion des Rezipienten und verweigert ihm ästhetische Distanz. Die inhaltliche und formale Radikalität der Gedichte weist alle harmonisierenden Deutungsversuche ab.

Henrichs auf die moderne Kunst allgemein bezogenen Ausführungen lassen sich, wie dies Beispiel zeigt, auch für das Verständnis expressionistischer Literatur fruchtbar machen. Sie verdeutlichen, daß Fragen nach der Wirkung von Literatur keine modischen Accessoires sind, sondern zur modernen Kunst und Literatur gehören, weil sie in der Struktur der Werke verankert sind. Wolfgang Iser hat diesen Ansatz aufgegriffen und vor allem im Bereich des Romans erprobt. Seine methodischen Prämissen sind vor allem durch zwei Aussagen Henrichs bestimmt: zum einen durch die These, daß die Reflexion des Betrachters nicht erst bei der Auslegung eines Werkes ins Spiel kommen müsse, sondern bereits, "wenn das Werk gewahrt wird", und zum andern dadurch, daß diese Reflexionen des Rezipienten vom Werk selbst gesteuert werden. Iser betont "die Notwendigkeit, die Entfaltung des Textes durch die Lektüre zu betrachten" (746, 6). Statt einen Text als abgeschlossenes Ganzes auf seinen Sinn hin zu befragen, sollte die Literaturwissenschaft ihn im Sinne einer Leseoperation untersuchen, ihn gleichsam im Vollzug der Lektüre analysieren, als ein Geschehen, das einen Erwartungshorizont anspricht oder erst herstellt, bestätigt oder durchkreuzt. Diesen Vorschlag greifen wir bei den Analysen auf, allerdings mit bestimmten Modifikationen, die im folgenden noch deutlich werden. Die Einsicht, daß die Texte die Art und Weise ihrer Rezeption selbst vorzuschreiben trachten, hat Iser mit dem Begriff "Appellstruktur" gekennzeichnet (746). Er nennt dies an anderer Stelle "den im Text selbst vorgezeichneten Aktcharakter des Lesens" (747, 9) oder "die dem Leser zugemutete Tätigkeit für die jeweilige Sinnkonstitution des Romans" (747, 60). In diesen Formulierungen wird deutlich, daß Iser bei seinen Analysen grundsätzlich werkimmanent verfahren kann. Und darin liegen die Stärken und Schwächen seines Konzepts. Durch genaue Analyse der Textstruktur gelingt ihm eine Fülle überzeugender Beobachtungen von in den Werken verschiedener Epochen verankerten "Bauformen des Lesens". Diese beschreiben indessen immer nur, wie ein Text jeweils – nach Ansicht des Interpreten – gelesen werden will, aber schon kaum noch, wie er zu seiner Entstehungszeit gelesen werden wollte oder gar wie er tatsächlich gelesen worden ist. Es liegt offenbar an der Dynamik dieses Ansatzes, daß Iser ständig von "dem Leser" spricht, der an bestimmten Textstellen auf eine vom Text vorgegebene Weise reagiert. Dieser Leser ist streng genommen nur die Hypostasierung der Textintention, der Appellstruktur, wie sie der Interpret auf Grund seiner Interpretation dem Text unterstellt. Gleichsam unter der Hand aber erhält dieser "Leser" bei Iser auch reale Konturen, er wird zum Leser der Entstehungszeit des Werkes – so spricht Iser bei der Analyse von Bunyans Roman 'Pilgrim's Progress' vom "puritanischen Leser", der im Pilger des Romans "seine eigenen Seelenkämpfe gespiegelt" sah (746, 29) –, er ist gelegentlich offenbar ein "naiver" Leser, meist aber besitzt er die Fähigkeiten eines Literaturwissenschaftlers und stellt solchermaßen die Projektion des Interpreten in die Textstruktur dar. Ebensowenig unterscheidet Iser zwischen damaliger und heutiger Leseweise. Auch dort, wo er den historischen Kontext in die Analyse miteinbezieht, unterstellt er dem Text jeweils ein höchst aktuelles, modernes Reflexionsvermögen und ein Wissen um die Determinierbarkeit des Lesers, die er selbst in ihrer ganzen Vielfalt allererst entdeckt. Was für Henrich spezifisches Kennzeichen der modernen Kunst ist, ist für Iser prinzipiell schon in der Literatur früherer Jahrhunderte angelegt und entwickelt sich kontinuierlich in Richtung auf eine immer stärkere Einbeziehung der Leseraktivität und damit des reflexiven Charakters der Literatur.

Um eine gewisse Beliebigkeit zu vermeiden, die Isers Ergebnissen anhaftet, muß man drei Faktoren genauer kontrollieren: die Figur und die Funktion des Lesers sind präziser zu fassen, der Lektüreprozeß selbst ist näher zu bestimmen, und es ist deutlicher zu unterscheiden zwischen den Wirkungsintentionen der Entstehungszeit und der gegenwärtigen Lektüreerfahrung. Dies gilt es näher zu erläutern.

In dem zuletzt genannten Problem verbirgt sich zugleich die Frage nach der Bedeutung, die wir dem Leser für die Aktualisierung des Textsinnes zusprechen können. Für Iser konstituiert sich die Bedeutung eines Textes erst im Lektürevollzug, sie ist also nicht unabhängig vom Rezipienten im Text vorhanden. Jeder Leser "generiert" die Bedeutung eines Textes in je individueller Gestalt. Die Voraussetzung dafür liegt nach Iser im Text selbst: "Offensichtlich aber muß der Text einen Spielraum von Aktualisierungsmöglichkeiten gewähren, denn er ist zu verschiedenen Zeiten von unterschiedlichen Lesern immer ein wenig anders verstanden worden." (746, 8) Vor allem die Unbestimmtheitsstellen haben die Funktion, "die Adaptierbarkeit des Textes an höchst individuellen Leserdispositionen zu ermöglichen." (746, 13) Ähnlich argumentiert Jauß, wenn er u. a. das " 'Urteil der Jahrhunderte' " als "die sukzessive Entfaltung eines im Werk angelegten, in seinen historischen Rezeptionsstufen aktualisierten Sinnpotentials" bezeichnet und damit zugleich die Notwendigkeit der Rezeptionsforschung unterstreicht (748, 186; man vergleiche dazu auch die Auffassung des russischen Formalisten Sklovskij: 758, XXXV).

Demgegenüber halte ich daran fest, daß jeder Text im Blick auf seine Entstehungszeit hin konzipiert ist. Seine Genese und das, was er aussagen und wodurch er wirken möchte, ist von den Zeitumständen, von der betreffenden Welterfahrung, von der Literatur und dem Publikum seines Entstehungszeitraums nicht zu trennen. Es gibt also einen ursprünglichen und damit auch verbindlichen Sinn des Textes, aber er ist nicht in und mit den Zeichen des Textes gegeben, wie E.-D. Hirsch anzunehmen scheint (744, 23), sondern er erschließt sich erst vor der "Situation", vor dem gesamten Hintergrund der Zeit. Indem das literarische Werk aber weiterlebt und in späteren Epochen noch rezipiert wird, gerät — zumindest für den "normalen", d. h. für den nicht-professionellen Leser — der ursprüngliche historische Kontext, die auf ihn bezogene Bedeutung und Appellstruktur mehr und mehr in Vergessenheit, das Werk wird ihm mehr und mehr zur "Textur", deren Sinn sich ihm nur noch aus den in ihm enthaltenen Zeichen zu erschließen scheint. *Scheint:* denn obgleich er den Text vielleicht als autonom und zeitenthoben unmittelbar konsumiert, überträgt er seine eigene Situation und die Bedingungen und Verhältnisse seiner

Zeit auf die semantischen Verhältnisse des Werkes. Er aktualisiert also den Text, indem er den ursprünglichen Kontext und Sinn durch einen neuen – zeitgenössischen – ersetzt. Der Text kann für ihn dabei eine völlig andere "Appellstruktur" gewinnen als er für einen früheren oder späteren – oder auch für einen gleichzeitigen Leser – hat. Solche Änderungen der Appellstruktur und des vom Leser aktualisierten Sinnes kann man deshalb nicht als "im Werk angelegt" bezeichnen. Vielmehr sind sie Ausdruck des geschichtlichen Wandels, dem Autor, Werk und Rezeption unterworfen sind. So betrachtet gibt es also einen ursprünglichen, im Werk angelegten verbindlichen Sinn. Dieser ist zwar historisch nicht objektiv rekonstruierbar, weil er als zu erschließender jeweils erst vom auffassenden Subjekt herzustellen ist, doch unter dieser – für alles historische Verstehen geltenden – Voraussetzung ist er mit jenem Grad an Plausibilität aufzusuchen und darzustellen, wie dies mit Hilfe der Hermeneutik möglich erscheint. Erst wenn sichtbar wird, was ein literarisches Werk "auf der Höhe seiner Zeit" stehend und als jeweils letztes einer literarischen Reihe möglicherweise an – wie Hans Günther formuliert – "potentieller gesellschaftlicher Wirkintention" (743, 177) besaß, läßt sich auch ein Kriterium für die Beurteilung der Rezeptionsgeschichte gewinnen. Dies nicht im Sinne eines Urteils über die Richtigkeit oder Falschheit einer Rezeption, sondern in der Beförderung der Einsicht, warum ein Text möglicherweise in seiner Zeit und erst recht später anders rezipiert wurde als er wirken wollte.

Natürlich gibt es im Bereich der modernen Literatur – auch und gerade im Bereich von Expressionismus und Dadaismus – Autoren, welche ihre Texte viel- oder mehrdeutig anzulegen versuchen. Dann aber würde jede Einzelfestlegung, jede Aktualisierung im Sinne einer der angelegten Verständnismöglichkeiten den Sinn des Textes verfehlen, dann müssen die "Leerstellen" nicht in der Lektüre oder Interpretation beseitigt, sondern als Leerstellen in ihrer Bedeutung hinsichtlich des Textganzen gekennzeichnet werden. Im übrigen sind Leerstellen und Verschiedenverstehbarkeit nicht – wie Iser meint – entscheidende Kennzeichen der fiktionalen gegenüber den nicht-fiktionalen Texten. Die Existenz der verschiedenen Kirchen beispielsweise läßt sich als Stein und Geschichte gewordener Beweis für die Verschiedenverstehbarkeit auch nicht-fiktionaler Texte ins Feld führen. Die Bibel sowie die Philosophen des Altertums mögen als Beispiele dafür genügen, daß auch die Fähigkeit eines Textes, von späteren Generationen neu aktualisiert zu werden, keine allein oder überhaupt im literarischen Werk angelegte Qualität, sondern eben Ausdruck des historischen Wandels ist.

Die ursprüngliche Appellstruktur also gilt es im folgenden zu rekonstruieren. Dies nötigt uns dazu, die Signatur der Epoche in die Analysen miteinzubeziehen, und dies gestattet und erleichtert uns die angestrebte Überprüfung und Ergänzung des problemgeschichtlichen Teils.

Angesichts der Bedeutsamkeit der ursprünglichen Wirkungsintention scheint es konsequent zu sein, auch den Lektüreprozeß zu "historisieren", und es liegt nahe, dazu einen Leser zu rekonstruieren, der nicht lediglich der im Text vorgezeichnete Aktcharakter des Lesens, sondern ein tatsächlicher historischer Leser ist. Dies ist zwar theoretisch postulierbar, indessen methodisch nicht durchzuführen. Auch die Rezeptionsgeschichte hilft da nicht viel weiter. Die von ihr gesammelten Dokumente geben über den tatsächlichen Ablauf des Lektüreprozesses keine Auskunft. Kritiken, Rezensionen, Briefe oder Tagebuchaufzeichnungen fixieren — wie Interpretationen auch — lediglich Ergebnisse einer Kommunikation, die zwischen Text und Leser immer schon stattgefunden hat. Der Kommunikationsvollzug selbst läßt sich daraus nicht rekonstruieren. Zudem sind solche Dokumente mehr oder weniger zufällig überliefert, und sie stammen fast durchweg von Lesern, die nicht gerade den breiteren Publikumsgeschmack repräsentieren. Dieser aber wäre zu rekonstruieren, weil die Werke in der Regel für ein größeres Publikum geschrieben sind — und nicht nur für Dichterkollegen oder Philologen.

Jauß hat zur Rekonstruktion des "Erwartungshorizontes" der Leser früherer Epochen eine Analyse vorgeschlagen, die "Aufnahme und Wirkung eines Werks in dem objektivierbaren Bezugssystem der Erwartungen beschreibt, das sich für jedes Werk im historischen Augenblick seines Erscheinens aus dem Vorverständnis der Gattung, aus der Form und Thematik zuvor bekannter Werke und aus dem Gegensatz von poetischer und praktischer Sprache ergibt." (748, 174) Wie ein neuerdings dazu von ihm vorgelegter Analyseversuch am Beispiel von Racines und Goethes 'Iphigenie' zeigt (748 a), kann er mit einem solchen Verfahren weitgehend auf rezeptionsgeschichtliche Dokumente verzichten: der Erwartungshorizont ist angeblich aus den Werken selbst rekonstruierbar. Dies führt aber zu höchst problematischen Ergebnissen. Im entscheidenden Stadium seiner Analyse schrumpft für Jauß die rezeptionsästhetische Methode auf den Aspekt einer Rezeption früherer Werke durch nachfolgende Autoren zusammen, welche in einem rein innerliterarischen Prozeß offengebliebene Fragen früherer Autoren — über Ländergrenzen und Jahrzehnte hinweg — neu beantworten. Damit rückt Jauß inhaltlich und methodisch in die Nähe traditioneller geistesgeschichtlicher Untersuchungen, mit dem Unterschied allerdings, daß diese nicht den Anspruch erhoben, den er gleichwohl aufrechterhält: durch letztlich von aktuellen Fragestellungen und Aktualisierungswünschen bestimmte Erkenntnisinteressen — die sich u. a. schon durch die Auswahl nicht nur der Stücke, sondern auch von Roland Barthes und Adorno als deren Interpreten verraten — sollen die wirklichen Fragen einer vergangenen Zeit und ihres Publikums allein aus partialen Deutungen motivgleicher, aufeinander folgender Werke erkannt werden. Nachdem Jauß schon — wie Gerhard Kaiser ihm vorhielt — "in Gefahr" stand, "das Verhältnis Literatur-Gesellschaft, soweit es nicht Verhältnis Literatur-Leser ist, in den Hintergrund zu drängen, wohin es nicht gehört" (749, 62), scheint er nun auch noch im Begriff, den Leser selbst zu eliminieren, und damit wäre von dem Anspruch, mit dem die rezeptionsästhetische und -geschichtliche Methode erst vor kurzem angetreten ist, nicht einmal mehr eine 'Partialität' übriggeblieben.

Es zeigt sich somit, daß sich ein historischer Leser weder aus rezeptionsgeschichtlichen Dokumenten noch aus der literarischen Reihe rekonstruieren läßt. Doch auch der Versuch, für die Analysen einen Leser der Gegenwart heranzuziehen, stößt auf erhebliche Schwierigkeiten. Dies illustriert eine Freiburger Autorengruppe, die das Leseverhalten der Gegenwart mit Hilfe eines Fragebogens am Beispiel der Rezeption von Paul Celans Gedicht 'Fadensonnen' zu eruieren suchte (738 a). Die Verfasser haben einen kaum noch zu überbietenden positivistischen Aufwand getrieben, um das Rezeptionsverhalten statistisch zu ermitteln. Das Verfahren indessen ist fragwürdig: Die Psychologie hat seit langem erkannt, daß Antworten auf Fragebögen nicht ohne weiteres als bare Münze zu nehmen sind. Die geforderten Ansprüche an Selbsterkenntnis, Ehrlichkeit und Ernsthaftigkeit – hier vor allem bei Schülern, die im Rahmen des Unterrichts interviewt wurden –, die Versuchung, die Fragen so zu beantworten, wie sie nach Meinung des Befragten vom Fragensteller möglicherweise erwartet oder gewünscht werden oder wie sie der Bezugsgruppe beziehungsweise der communis opinio entsprechen: diese und andere Faktoren hat die Arbeitsgruppe bei der Anlage und Auswertung des Tests offenbar kaum beachtet, zumindest nicht kontrolliert. Ja sie hat sogar einen erheblichen Beitrag zur "Meinungsmanipulation" geleistet, indem sie im Fragebogen Fragen und vorgegebene Antwortmöglichkeiten zur zeitgenössischen Lyrik stellte, welche die Erwartungen und schließlich auch die Antworten der Versuchspersonen einseitig prädisponieren mußten. Aus dem Sonderfall Celan lassen sich ohnehin nur mit größter Vorsicht Verallgemeinerungen ziehen. Aber selbst wenn solche methodischen Fehler vermeidbar wären, so bliebe doch ein prinzipielles Dilemma: Man kann einen Rezeptionsprozeß in seinem wahren Ablauf nicht empirisch erheben. Ebensowenig wie der Autor – wie sich aus verschiedenen 'Werkstattberichten' der letzten Jahre ergibt – den Entstehungsprozeß etwa eines Gedichts vollziehen und zugleich protokollarisch festhalten oder reflektieren kann, ebensowenig vermag der Leser ein Werk zu rezipieren und gleichzeitig darüber Bericht zu erstatten. Der eine Vorgang verfälscht immer schon den anderen. Und das Problem wird dadurch noch komplizierter, daß sich Entstehungs- wie Rezeptionsprozeß in mehrere Schritte gliedern, die auf kategorial anderer Ebene verlaufen: der erste Einfall oder die erste Lektüre werden korrigiert durch die Überarbeitung oder die Lektürewiederholung.

Dies ist aber immerhin ein Ansatz zur Differenzierung: Man sollte bei der Analyse des Lektürevollzugs eines Werkes die verschiedenen Lesephasen im Sinne divergierender und qualitativ unterscheidbarer Rezeptionsstufen unterscheiden. Das erste Kennenlernen eines Textes verläuft unter kategorial anderen Bedingungen als eine zweite Lektüre, die bereits auf der Textkenntnis basiert — dies hat Iser gesehen, ohne daraus aber methodische Konsequenzen zu ziehen (746, 15 f.).

Eine zweite Differenzierung resultiert aus der Beobachtung, daß literarische Texte in der Regel nicht für Philologen geschrieben worden sind. Das bedeutet: Ihre Funktion und ihr Sinn liegen offenbar nicht allein in dem Gehalt, den ihnen die Interpreten nach vielleicht gründlicher Besinnung und mit Hilfe von zum Teil nuancierten Analysekategorien zusprechen. Dieser Sinn mag einem "naiven", nicht professionellen Leser verborgen bleiben, den der Text gleichwohl fasziniert. Auch diese Differenz wäre zu beachten und mit den Rezeptionsstufen methodisch zu verknüpfen. Natürlich kann sich ein Fachmann nicht mehr einfach in den Stand wissenschaftlicher Unschuld versetzen und einen "naiven" Leser simulieren, den es im übrigen unter den Liebhabern "höherer" Literatur — und zu dieser zählen weitgehend auch die literarischen Zeugnisse des Expressionismus — ohnehin nicht geben dürfte. Wer zur "Dichtung" greift, bringt in der Regel bereits ein mehr oder weniger breites Vorwissen für die Lektüre und eine daraus resultierende Leseerwartung mit. Individuelle Aktualisierungen, die sich daraus ergeben, kann und soll der Fachmann nicht rekonstruieren. Vielmehr ist es seine Aufgabe, einen typischen Lesevorgang zu vollziehen: Er muß auf Seiten des Rezipienten jene — nicht transzendentale, sondern reale — "synthetische Einheit der Apperzeption" herstellen, die auf Seiten des "Senders" in der für alle Adressaten verbindlichen Textgestalt vorliegt, die aber je nach Lektürephase, nach Lesertyp und nach der historischen Epoche, in der der Text gelesen wird, divergieren kann.

Wenn in den folgenden Analysen von "dem Leser" gesprochen wird, so ist damit weder wie bei Iser die Appellstruktur der Texte noch auch ein wirklicher historischer oder ein gegenwärtiger Leser und auch nicht der Interpret selbst gemeint, sondern dieser Leser entspricht dem, was man als jeweils expliziertes hermeneutisches Vorverständnis bezeichnen könnte. Dieses setzt sich im wesentlichen aus drei Komponenten zusammen: aus der Kenntnis traditioneller literarischer Formen und Gattungen, aus der Kenntnis literarischer Stoffe und Motive, die infolge ihrer häufigen Gestaltung und ihres Bekanntheitsgrades zu dem gehören, was man als "allgemeines Bildungsgut" bezeichnen könnte (wobei das, was man dazu rechnen kann, selbst — wie sich zeigen wird — in hohem Maße dem historischen Wandel unterliegt), und schließlich aus Bestandteilen des jeweiligen historischen Kontextes, in dem das Werk entstand und die im Einzelfall festzulegen sind.

Ein derart in die Analyse introduzierter Leser bietet mehrere methodische Vorteile. Er erlaubt es, die Verschiedenheit der Vorgänge des Rezipierens und der Rezeptionsbeschreibung bewußt zu machen und festzuhalten — und zugleich ihr Aufeinanderverwiesensein: einerseits ist die Beschreibung eines Rezeptionsvorgangs bereits ein Verfahren, das das "naive" Lesen auf kategorial anderer Stufe erfaßt und begrifflich fixiert, andererseits aber ist der Lektürevorgang methodisch auf keine andere Weise bewußt zu machen. Indem der Leser so als Objekt der Beschreibung die Rezeption vollzieht, gestattet und erleichtert er zugleich die Kontrolle über die einzelnen Rezeptionsschritte, weil die Bedingungen und Voraussetzungen seines Verstehens offenliegen. Ferner ermöglicht er die Darstellung einer "literarischen Kommunikation". Es kennzeichnet diese — im Unterschied zur alltäglichen Kommunikation —, daß das "Gespräch" ausschließlich vom "Sender" — dem Text — zum "Empfänger" verläuft. Rezeption ist immer Re-sonanz, Re-aktion. Insofern determiniert auch in unseren Analysen der Text die Rezeption. Das heißt: Auch unser Leser versucht, den Anweisungen des Textes zu folgen. Er vollzieht also, was Iser "die dem Text zugemutete Tätigkeit für die jeweilige Sinnkonstitution" des Textes nennt (747, 60). Indem wir ihn indessen als der Appellstruktur des Textes zwar folgende, gleichwohl aber selbständige Bezugsgröße definieren, gewinnen wir die Möglichkeit, die zuvor genannten verschiedenen Lesephasen und Lesertypen und die durch den geschichtlichen Wandel bedingten unterschiedlichen "Aktualisierungen" zumindest annäherungsweise in die Analyse miteinzubeziehen. Außerdem können wir damit verschiedene Stufen der Reflexion methodisch unterscheiden. Die erste Lektüre eines "naiven" Lesers ist natürlich nur als unterste Stufe, als erster Schritt der Analyse zu betrachten und entsprechend zu transzendieren. Jene Freiheit der Reflexion, die nach Henrich notwendigerweise zum Charakter der Rezeption von moderner Kunst gehört, können wir dagegen nur bedingt in Anspruch nehmen, weil es uns um historische Rekonstruktion geht und weil selbst die höheren Grade der Reflexion noch im Dienst der Erhellung der Epoche des Expressionismus stehen. Mit dem von ihr gesetzten größeren Rahmen allerdings überschreiten wir die engeren Grenzen, die der Wortlaut des Textes der Reflexion des Lesers im Blick auf die jeweilige Konstitution *seines* Sinnes möglicherweise setzen könnte.

2.1 Die Destruktion des traditionellen Lyrik-Vorverständnisses bei der ersten Lektüre

Das schmale Werk Georg Trakls gilt heute nicht nur — neben demjenigen Gottfried Benns — als wichtigstes Zeugnis für die Lyrik des Expressionismus, sondern darüberhinaus als einer der bedeutendsten deutschsprachigen Beiträge zur Lyrik des 20. Jahrhunderts. Trakl hat zahlreiche Lyriker nachhaltig beeinflußt — so nachweislich vor allem Ingeborg Bachmann, Johannes Bobrowski, Paul Celan, Günter Eich, Peter Huchel, Karl Krolow und Heinz Piontek —, seine Werke sind in nahezu alle wichtigen Kultursprachen übersetzt, und es gibt kaum einen bedeutenden Literaturwissenschaftler, der sich nicht an einer Deutung seines Werkes oder wenigstens eines seiner Gedichte versucht hätte. Zu seinen Lebzeiten indessen war Trakl kaum über seine engere österreichische Heimat hinaus bekannt. Sein Freund Karl Röck notierte sich einmal seine Äußerung: "Mitteilen könne man sich auch nicht mit Gedichten. Man kann sich überhaupt nicht mitteilen." (600, 227) Trotz der imponierenden Wirkungsgeschichte ist man geneigt, Trakl recht zu geben. Denn die Auslegungsgeschichte seiner Werke hat eine Fülle von unterschiedlichen, ja widersprüchlichen Aussagen über den Sinn seiner Gedichte hervorgebracht, die häufig mehr über den weltanschaulichen und wissenschaftstheoretischen Standort des jeweiligen Interpreten und seiner Zeit als über die Poesie Georg Trakls aussagen.[63]

Versuchen wir dies im Blick auf unsere eigene Analyse zumindest dahingehend zu korrigieren, daß wir im Sinne des im vorherigen Kapitel Explizierten die Bedingungen unseres Verstehens festlegen und damit der Kontrolle öffnen. Dazu gehört zunächst die Begründung für die Wahl des zu untersuchenden Gedichts 'Geburt'. Trakl ist neben van Hoddis und Lichtenstein zu den Erfindern des expressionistischen Reihungsstils zu zählen. 1910 entstand sein Gedicht 'Der Gewitterabend', das deutlich die Merkmale dieses Stils aufweist. Dieser wurde also offenbar unabhängig und gleichzeitig an verschiedenen Orten "erfunden". Wie van Hoddis' 'Weltende' hatte auch Trakls 'Gewitterabend' sofort begeisterte Nach-

---

[62] Dies ist die überarbeitete und vor allem um die Abschnitte 2.4 bis 2.5 erweiterte Fassung eines Vortrags, den ich im Februar 1974 im Trakl-Haus in Salzburg gehalten habe.

[63] Eine Wirkungsgeschichte Trakls soll demnächst im Otto Müller Verlag, Salzburg, erscheinen.

ahmer, so im Falle Trakls einen Herrn Ullmann, den Trakl in einem Brief vom Juli 1910 des Plagiats bezichtigte (577, 151 f.). Trakl sprach dabei bezeichnenderweise von einem "infernalischen Chaos von Rhythmen und Bildern", das ihn damals bedrängt habe (577, 151 f.). In diesem Reihungsstil sind weitgehend seine 1913 veröffentlichten 'Gedichte' verfaßt. Er wurde indessen bereits ausführlich analysiert. Wichtiger im Blick auf eine Ergänzung des expressionistischen Lyrik-Typs und hinsichtlich der Bedeutung Trakls ist jener Gedicht-Typus, der in dem 1914 veröffentlichten Band 'Sebastian im Traum' dominiert. Aus diesem stammt das Gedicht 'Geburt', das vermutlich im November 1913 niedergeschrieben wurde (575, 189). Es ist besonders schwer verständlich und hat bislang − im Gegensatz zu vielen anderen Gedichten Trakls − noch keine eingehendere Würdigung erfahren. Deshalb wurde es für die Analyse ausgewählt. Da sich, wie sich bei der Lektüre Traklscher Lyrik leicht feststellen läßt, seine Bilder in abgewandelter Form in den Gedichten ständig wiederholen und da sich diese auch in der formalen Gestaltung in hohem Maße ähneln, kann die Analyse eines dieser Gedichte zugleich in noch näher zu bestimmender Weise auch grundsätzliche Einsichten für das Verständnis der anderen Poeme dieses Typs erbringen.

Im Sinne der methodischen Vorüberlegungen soll im folgenden die Lektüre dieses Gedichts in ihren unterschiedlichen Phasen vollzogen werden. Wir gehen dabei − auch um die Einführung in die komplizierte Bild- und Gedichtstruktur zu erleichtern − zunächst von einem "normalen" Leser-Vorverständnis aus; wir konstruieren also einen Leser, der die Kenntnis der Alltagssemantik und ein Vorwissen sowie entsprechende Erwartungen von Lyrik mitbringt, die sich an der Tradition klassisch-romantischer Lyrik orientieren. Ein solches Vorverständnis dürfte der gegenwärtige Leser mit den Zeitgenossen Trakls teilen − mit dem Unterschied natürlich, daß das damalige breitere Publikum, das Epigonales im Stil von Geibel und Heyse bevorzugte, die 'Struktur der modernen Lyrik' nicht kennen konnte (und lange Zeit auch nicht kennenlernen wollte). Wir schränken also unsere Verstehensvoraussetzungen zunächst bewußt ein, und dies auch im Blick auf den Erwartungshorizont der damaligen Leserschaft: daß dieser sich nicht nur aus literarischen Exspektationen zusammensetzt, wurde bereits mehrfach betont. Immerhin aber dürfte die klassisch-romantische Lyrik Element und Bestandteil der damaligen Lyrikkenntnis gewesen sein, und in diesen Erwartungshorizont hinein wurden die expressionistischen Gedichte − immer im Blick auf das breitere Publikum gesehen − geschrieben. Es dürfte für unsere Zwecke nützlich sein, diesen Typ mit Hilfe von Emil Staigers 'Grundbegriffen der Poetik' zu illustrieren. Nach Staiger ist dieser lyrische Stil geprägt von Eingebung und Stimmung, von Innerlichkeit und Gefühl, von ununterscheidbarer Einheit des Innen und Außen, des Subjektiven und Objektiven; er besitzt hohe Musikalität, die eine vollendete innere Einheit darstellt mit den flüchtig als Inhalt aufscheinenden Bildern, er ist gänzlich unreflektiert und unrhetorisch. Was sich vom Gedicht auf den Leser überträgt, ist eine Stimmung. "Wer in der gleichen Stimmung ist", erklärt Staiger, "besitzt einen Schlüssel, der mehr erschließt, als geordnete Anschauung und folgerichtiges Denken. Es wird dem Leser zumute sein, als habe er selbst das Lied verfaßt. Er wiederholte es im stillen, kann es auswendig, ohne es zu lernen, und spricht die Verse vor sich hin, als kämen sie aus der eigenen Brust." (759, 49) Für Staiger ist "lyrisches Dichten" "jenes an sich unmögliche Sprechen der Seele, das nicht 'beim Wort genommen' sein will, bei dem die Sprache selber noch ihre eigene feste Wirklichkeit scheut und lieber sich jedem logischen und grammatischen Zugriff entzieht." (759, 78) Das Unpräzise dieser Bestimmungen, das mit dazu beigetragen hat, Staigers Theorie in Mißkredit zu bringen, ist für unsere Zwecke von Vorteil, denn gerade das Ungefähre, das die Begriffe zu benennen suchen, beschreibt, scheint mir, das relativ vage Vorverständnis, das ein Freund der klassisch-romantischen Lyrik für die Lektüre von Gedichten mitbringt.

Nun aber zum Gedicht 'Geburt' und zur ersten Lektüre.

Geburt

Gebirge: Schwärze, Schweigen und Schnee.
Rot vom Wald niedersteigt die Jagd;
O, die moosigen Blicke des Wilds.

Stille der Mutter; unter schwarzen Tannen
Öffnen sich die schlafenden Hände,
Wenn verfallen der kalte Mond erscheint.

O, die Geburt des Menschen. Nächtlich rauscht
Blaues Wasser im Felsengrund;
Seufzend erblickt sein Bild der gefallene Engel,

Erwacht ein Bleiches in dumpfer Stube.
Zwei Monde
Erglänzen die Augen der steinernen Greisin.

Weh, der Gebärenden Schrei. Mit schwarzem Flügel
Rührt die Knabenschläfe die Nacht,
Schnee, der leise aus purpurner Wolke sinkt. (576, 64)

Der konkrete Titel erweckt Erwartungen im Blick auf den Inhalt des Gedichts. Allerdings dürfte kaum ein Leser mit den genannten Vorkenntnissen die Darstellung eines realen Geburtsvorgangs erwarten. Er wird 'Geburt' metaphorisch oder symbolisch aufnehmen — vielleicht als Vorausdeutung auf ein Natur- oder Frühlingsgedicht, auf die Darstellung des

Werdens und Wachsens, das ein lyrisches Ich besingt und zugleich als Medium und Sinnbild seiner eigenen neuerwachten Liebe betrachtet. Seine Erwartungen werden sich daher zunächst bestätigen, wenn sich ihm bei der Lektüre der beiden ersten Strophen des Gedichts ein Naturpanorama enthüllt. Die drei in je eine Zeile gefaßten Bilder der ersten Strophe lassen sich als stimmungsvolle Evokation einer durchaus noch in der Tradition der Erlebnis- und Naturlyrik anzusiedelnden und auf die Realität beziehbaren Gebirgslandschaft rezipieren. "Gebirge: Schwärze, Schweigen und Schnee." Drei knapp gefaßte Sinneswahrnehmungen stellen, keineswegs impressionistisch, ein hart konturiertes Gebirgsmassiv vor Augen, an dessen Imagination sofort alle Sinnen beteiligt sind: der optische und der akustische, der Temperatursinn (durch die Kühle des Schnees) und der haptische Sinn (durch die Imagination des Gebirges). Von diesem düster-majestätischen Hintergrund hebt sich als bewegter und bunter Vordergrund eine möglicherweise heimkehrende Jagdgesellschaft ab, über deren Beute das lyrische Ich klagt. "Moosig" läßt sich — im Sinne von samten, weich — ebenso als realitätsbezogene und nicht von ihr abstrahierende Metapher aktualisieren wie die "rot" niedersteigende Jagd. Allerdings wird ein anfangs vielleicht noch positiv eingestimmter Leser durch solche Entschlüsselungen oder spätestens durch die dritte Zeile den Eindruck des Unheilvollen, Gefährlichen gewinnen, das diese Landschaft ausstrahlt. Weder ihre Requisiten noch die bedrohliche Stimmung sind aber etwas im Blick auf die Tradition Ungewöhnliches. Man denke etwa an die Eingangsverse von Eichendorffs Gedicht 'Die Heimat':

> Denkst du des Schlosses noch auf stiller Höh?
> Das Horn lockt nächtlich dort, als ob's dich riefe,
> Am Abgrund grast das Reh,
> Es rauscht der Wald verwirrend aus der Tiefe —
> O stille, wecke nicht, es war, als schliefe
> Da drunten ein unnennbar Weh.

Die Einheit der Stimmung, der Landschaft sowie die konkreten Augenblicks- und Ortsmerkmale setzen sich auch in der zweiten Strophe von Trakls Gedicht fort. Die Bildwelt wird indessen ungewöhnlicher. Doch erst mit dem Beginn der dritten Strophe — "O, die Geburt des Menschen" — wird dem Leser bewußt, daß der Titel vielleicht die eigentliche Realitätsebene des Gedichts anspricht, daß es hier also tatsächlich um die Geburt des Menschen gehen könnte. Dann ließe sich im Nachhinein die Landschaft der beiden ersten Strophen als Natureingang begreifen, der die Vorgänge der Geburt symbolisch oder metaphorisch vorwegnimmt, auf sie einstimmt und sie vorbereitet. Auch dies aber ist nicht eindeutig, denn obwohl in der dritten — mittleren — Strophe der Bereich des Menschlichen den größeren Anteil an der Bildwelt zu gewinnen scheint, bleibt die Natur daneben präsent. Sie hat also eine wichtigere Funktion als nur die einer Eingangsstaffage. Der Leser gerät zunehmend in Zweifel darüber, welche der wahrzunehmenden Elemente der Ebene des "Eigentlichen" angehören: soll er die Gebirgslandschaft als Bildspender für den Vorgang der Geburt betrachten oder fungiert Geburt — immer noch — als Symbol für ein unaussprechliches Geschehen in der Natur? Rückschauend läßt sich auch die zweite Strophe als Vorbereitung einer Geburt verstehen. Die dritte Strophe verstärkt die Unsicherheit, statt sie zu beseitigen. Sie evoziert mit ihrer Schlußzeile einen neuen, an biblisches Gedankengut erinnernden Bildbereich, dessen Realitätsbezug ebenso unklar ist wie das, was sich in der vierten Strophe ereignet. Hat sich hier die Geburt bereits vollzogen, oder ist "ein Bleiches" nicht das Neugeborene, sondern die Mutter? Die "dumpfe Stube", in der das "Bleiche" erwacht, verweist nicht nur auf eine andere — die Einheit des Ortes zerstörende — Topographie, sondern auch auf eine andere Realitätsebene: War alles Vorherige vielleicht nur geträumt und setzt erst hier die Ebene des Eigentlichen ein? Aber in welchem vorstellbaren Raum- und Zeitkontinuum sind dann die folgenden Verse anzusiedeln? Kehren sie zur (Traum-)Landschaft zurück? Ist die "steinerne Greisin" eine Metapher für das eingangs genannte Gebirge? Das ist ebenso wenig eindeutig zu entscheiden wie die Frage, ob sich hier ein Ereignis in zeitlicher Kontinuität vollzieht. Einerseits besteht dieses offenkundig — der zeitliche Verlauf erstreckt sich vom Abend mit dem aufgehenden Mond bis zur Nacht, welche die Knabenschläfe berührt —, andererseits scheint sich die Geburt zu Beginn der vierten Strophe ereignet zu haben, um sich dann doch erst in der letzten zu vollziehen: "Weh, der Gebärenden Schrei."

Halten wir fest: Das Gedicht läßt sich zunächst im Sinne einer traditionellen Erlebnis- und Naturlyrik lesen. Je weiter die Lektüre aber fortschreitet, desto stärker scheinen die Verse den hermeneutischen Ausgangspunkt des Lesers infragezustellen. Es sieht sogar beinahe so aus, als sei das Gedicht geradezu systematisch auf eine zunehmende Problematisierung jenes traditionellen Lyrikverständnisses angelegt. Es führt in dieser Hinsicht zu einer Desorientierung des Lesers. Dadurch, daß die Schlußzeile mit dem Motiv des Schnees zum Eingangsbild des Gedichts zurückkehrt, erinnert sie an dieses und lenkt auf den Anfang zurück — nicht, um das Gedicht in einer wohlgelungenen Kreiskomposition abzuschließen, sondern um angesichts der von ihm aufgeworfenen Fragen zu einer erneuten Lektüre aufzufordern. Statt Einstimmung und gefühlshafter Hingabe scheint es eher Reflexion zu provozieren. Es ist darauf angelegt, einen neuen hermeneutischen Prozeß im Leser zu initiieren.

Damit scheint es in geradezu exemplarischer Weise der "Struktur der modernen Lyrik" zu entsprechen, die Hugo Friedrich beschrieben hat. Ihr geht es nach Friedrich um die Irritation des Lesers, die Durchbrechung traditioneller ästhetischer Rezeptionsweisen, um die Abwendung von allem, was Darstellung oder Wiedergabe von Realität heißen kann. Kreative und diktatorische Phantasie zerlegt und deformiert die Wirklichkeit.

Die bewußt und "gemacht" komponierten Bilder und Metaphern, bei denen es — wie Friedrich sagt — "weit weniger auf mögliche Anschauungswerte ankommt als auf die Heftigkeit im Zusammenstoß der einander fremden Schichten" (741, 208), werden vieldeutig, abstrakt, alogisch oder auch absurd und unsinnig, sie wollen magisch und suggestiv Ungesagtes oder auch das Nichts sagbar machen und entziehen sich einem vordergründigen Verstehen, provozieren aber ein Weiterdichten im Leser, und dieser Begriff des Weiterdichtens sei geradezu dem des Verstehens gewichen (741, 179).

Die Erfahrungen einer ersten genaueren Lektüre des Traklschen Gedichts werden hier also als Kennzeichen moderner Lyrik schlechthin begreifbar und damit gleichsam wissenschaftlich legitimiert. Das Gedicht selbst aber fordert zu einer erneuten Lektüre auf, bei der das bisher Beobachtete auf einer anderen Ebene zu überprüfen ist.

2.2 Die Wahrnehmung struktureller Diskrepanzen bei der zweiten Lektüre

Diese geschieht unter veränderten Bedingungen. Da der Inhalt bekannt ist, steht nicht mehr der sich im Lektüreprozeß entwerfende, die Erwartungen des Lesers bestätigende oder durchbrechende Finalduktus des Gedichts im Mittelpunkt des Interesses, sondern der literarische Text wird nunmehr als Ganzes auf seine strukturelle Verknüpfung, auf seine Komposition hin untersucht. Dabei ist natürlich zuzugestehen, daß sich solche Strukturbeobachtungen sukzessive bereits im Vollzug der ersten Lektüre anstellen lassen und ebenso Wahrnehmungen im Bereich der "Schallform". Aber es geht mir hier ja nicht um eine möglichst realistische Kopie einer tatsächlichen ersten Lektüre, die sich vermutlich nur in den seltensten Fällen mit dem hier vorausgesetzten Grad von Bewußtheit ereignet, sondern um ein kontrollierbares Nachvollziehen der prinzipiell unterschiedlichen Lesephasen und dessen, was der Text jeweils an unterschiedlichen Rezeptionsweisen eröffnet. Bei der ersten Lektüre ist der sich im Verlauf des Lesens steigernde Prozeß der Infragestellung des traditionellen Lyrik-Vorverständnisses entscheidend sowie die zunehmende Unsicherheit über die Zuordnung der Bildbereiche und über das, was in diesem Gedicht das Reale und was das Metaphorische, was das "Eigentliche" und was das "Uneigentliche" sei. Die zweite, das Ganze des Gedichts bereits überblickende Lektüre wird versuchen, die erkennbar gewordenen Disparitäten zu beseitigen durch eine Betrachtung der Gedichtstruktur, die in der traditionellen Lyrik ja die Einheit von Form und Inhalt herstellt und garantiert.

Beginnen wir mit der Schallform. Unterstützt sie die Einheit des Gedichts? Zunächst sind auffällige Korrespondenzen erkennbar. Im Bereich der Vokale fallen vielleicht zuerst die o-Laute auf: das "o" des Klagelauts, dann rot, moosig, Mond und Wolke. Sodann a als einer der häufigsten Vokale: Wald, Jagd, Tannen, schlafend, kalt, Nacht, schwarz usw. Gleichwohl hat man nicht den Eindruck, daß die dunklen Vokale dominieren. "i" und "ei" tauchen häufig auf, so in der ersten Strophe: Gebirge, Schweigen, niedersteigt und die Assonanz "Blicke des Wilds". Beim Lesen nimmt man ein ständiges Auf und Ab von hohen und tiefen, hellen und dunklen Vokalen wahr. Dies gibt den Bildern etwas Unruhiges.

Analoges läßt sich bei den Konsonanten beobachten. Auf der einen Seite dominieren – bis in auffällige Alliterationen hinein – die Spiranten (Schwärze, Schweigen, Schnee, Stille, schlafend, erscheint usw. oder Wald Wild, Wasser, erwachen, Wolke) und die Nasale (moosig, Mutter, Mond, Mensch usw.). Sie scheinen den Bildern etwas Stilles, Weiches, Sanftes, ja etwas Innerliches zu vermitteln und den Gedichtsablauf zu verzögern. Auf der andern Seite führt eine auffallend große Zahl von Verschlußlauten (Geburt, Gebirge, Blicke, Blau, Bild, Bleiches) zusammen mit den vielen kurzen – einsilbigen– Hauptmotiven (rot, Wald, Jagd, Wild, Bild usw.) zu einer Beschleunigung des Sprech- und Imaginationstempos.

Unruhe und Spannungen erregt auch die metrisch-rhythmische Gestaltung des Gedichts. Ein festes metrisches Schema liegt ihm nicht zugrunde. Immer wieder – und immer an anderen Stellen in den einzelnen Versen – schiebt sich – kaum daß sich ein festes Metrum etabliert zu haben scheint – ein anderes, "schnelleres" dazwischen: langsam-schwergewichtige Trochäen und nervös-behende Daktylen reiben sich aneinander und unterstreichen die bisher beobachtete Disparität und Diskontinuität der semantischen Verhältnisse im Gedicht.

Auf der anderen Seite scheinen sich die Klangphänomene wie ein Schleier über das Gedicht zu legen und die inhaltlichen Kontraste in eine gewisse Musikalität und Sprachmelodie einzubinden. Der Gleichklang von Konsonanten und Vokalen könnte sogar – jedenfalls hat man dies behauptet – eine Affinität oder sogar Ähnlichkeit in der Bedeutung von Motiven herbeiführen, die von der Semantik her nichts oder nur wenig miteinander zu tun haben, so z. B. zwischen Mond und Mutter, Bleiches und Greisin, Geburt und Gebirge (wobei die beiden zuletzt genannten Motive etymologisch auf dieselbe indogermanische Wurzel "bher-" = "tragen, heben" zurückgehen). Dies macht den Zusammenhang der Motive allerdings nur noch rätselhafter, und die Rätselhaftigkeit verstärkt sich, wenn man weitere Korrespondenzen – diesmal im Bereich der Komposition – entdeckt. Dazu gehört zunächst der Zusammenhang von erster und letzter Strophe. Nicht nur wiederholt sich das Schneemotiv, sondern die letzte Strophe scheint mit dem Sinken der Wolke auch das Niedersteigen der Jagd als Abwärtsbewegung zu repetieren und mit dem "purpurn" das "rot" verwandelnd wieder aufzunehmen. Das "Leise" des Sinkens der "Wolke" knüpft an das "Schweigen" der ersten Zeile an. Der

"Schrei" der Gebärenden tritt dazu in offenkundigen Gegensatz. Der Klageruf "Weh" wiederholt das "O", der "schwarze Flügel" die "Schwärze" des "Gebirges".

Solche Korrespondenzen bestehen zwischen allen Strophen des Gedichts. Die "Schwärze" beispielsweise wiederholt sich zu Beginn der zweiten Strophe in den "schwarzen Tannen", zu Beginn der dritten im "nächtlich", und zu Beginn der vierten erscheint der optische Kontrast "ein Bleiches", und anschließend "erglänzen die Augen", bevor in der letzten Strophe die optische Wahrnehmung mit der Imagination des "schwarzen Flügels" in Nacht und Dunkel zurückkehrt, um schließlich mit der dissonanten Wahrnehmung von Schnee und Purpur zu enden. Bedeutsam ist auch der "Blick" als Träger der optischen Wahrnehmung. Den "moosigen Blicken des Wilds" aus dem Ende der ersten Strophe entspricht am Ende der dritten der Engel, der "sein Bild erblickt", und damit wiederum stehen offenbar die erglänzenden Augen der Greisin in Zusammenhang. Wenn am Ende der zweiten Strophe der Mond "erscheint", so tritt auch er "in den Blick", und durch die Identifikationsmetapher "Zwei Monde / Erglänzen die Augen der steinernen Greisin" wird der Mond mit dem Augen- und Blick-Motiv aufs engste verknüpft.

Auch der mit dem Motiv des "Schweigens" intonierte Bereich der akustischen Wahrnehmung setzt sich in den folgenden Strophen fort: zunächst in der "Stille der Mutter", dann im "Rauschen" und "Seufzen" in der dritten und schließlich im "Schrei" der "Gebärenden", um zum Schluß in das "Leise" des "Sinkens" auszuklingen. Also auch hier einerseits Analogien, andererseits Kontraste.

Und dies gilt schließlich gleichfalls für die syntaktische Gestaltung. Einerseits Analogien, z. B.:

> O, die moosigen Blicke des Wilds.
> O, die Geburt des Menschen.
> Weh, der Gebärenden Schrei.

Oder:

> ... unter schwarzen Tannen
> Öffnen sich die schlafenden Hände,
> ... Mit schwarzem Flügel
> Rührt die Knabenschläfe die Nacht.

Andererseits gibt es Variationen in der Satzlänge, in der Gestaltung des Enjambements, in der Fügung von Haupt- und Nebensätzen.

Als Haupteindruck dieses Blicks auf die Gedichtstruktur ergibt sich, daß sich das klassische Postulat einer Einheit von Form und Inhalt unter umgekehrten Vorzeichen verwirklicht: in der Einheit der Diskrepanz, die sich durch alle ästhetisch und semantisch relevanten Ebenen zieht und sich auch beim ersten Kennenlernen des Gedichts als entscheidendes Erlebnis herausstellte. Damit scheinen die offenen Fragen nicht beantwortet, sondern eher verschärft zu sein. Verschärft, weil der Text offensichtlich strukturelle Verknüpfungen herstellt zwischen Motiven, die für den Leser von der Alltags- und Umgangssprache her semantisch nicht zusammengehören, und weil er damit eine Einheit nicht nur von Form und Inhalt, sondern auch von Wortlaut und Sinn, von Gesagtem und Gemeintem behauptet, die sich für den Leser vorläufig immer noch als Diskrepanz bzw. — im Blick auf den Sinn — als unerkennbar darbietet. Insofern fordert die zweite Lektüre eine dritte heraus.

Diese orientiert sich gleichermaßen an der Lesesituation wie auch an den Erfordernissen der Hermeneutik, und diese besagen, daß das Einzelne aus dem Ganzen und das Ganze aus dem Einzelnen zu verstehen sei. Danach wäre also der weitere Kontext des Gedichts auf seine Möglichkeiten zum Verständnis dieses Gedichts zu befragen. Dies entspricht zugleich der Lektüreerfahrung. Nur selten wird ein Leser lediglich ein Gedicht Trakls lesen, meist steht dieses im Kontext mehrerer, und diese bilden — selbst wenn sie aus dem Ganzen seines Oeuvres ausgewählt sind — einen Bedeutungszusammenhang, der den Leser mit den Eigentümlichkeiten des Traklschen Dichtens vertraut macht und ihn auf die Lektüre der einzelnen Gedichte vorbereitet. Der Kontext verdient insbesondere dann Beachtung, wenn er — wie im vorliegenden Fall — bewußt als Zyklus komponiert ist.

2.3 Die dritte Lektüre: der Zyklus und die Traumstruktur der Gedichte

'Geburt' ist das dritte Gedicht aus dem Zyklus 'Siebengesang des Todes'. Dieser besteht aus vierzehn Gedichten und ist selbst Teil der von Trakl insgesamt zyklisch angelegten Gedichtsammlung 'Sebastian im Traum'. Das Eingangsgedicht zum Teilzyklus 'Siebengesang des Todes' heißt 'Ruh und Schweigen'. Ich kann es hier ebensowenig einläßlicher analysieren wie die anderen aus diesem Zyklus oder gar aus den ihm vorhergehenden und nachfolgenden Teilzyklen. Es geht hier vorwiegend um die Kennzeichnung des methodischen Schrittes. Dazu gehört wiederum eine gewisse Unbefangenheit des Blicks, ferner die Einsicht, daß jedes Gedicht zunächst einmal seine individuelle "Physiognomie" besitzt. Die immer wieder zu lesende Ansicht, alle Gedichte Trakls seien im Grunde nur *ein* Gedicht, kann höchstens am Ende, nicht aber am Anfang eines Erkenntnisweges stehen. Angesichts des zu bewältigenden Stoffes muß ich im folgenden zupackender interpretieren als bei 'Geburt'.

'Ruh und Schweigen' scheint in seiner Bildstruktur auf die Stadien der Menschheitsgeschichte anzuspielen. Es setzt mit dem ältesten ein:

Hirten begruben die Sonne im kahlen Wald.
Ein Fischer zog
In härenem Netz den Mond aus frierendem Weiher. (576, 63)

Diese Bilder sind nicht nur schöne Metaphern für den Sonnenuntergang und den Aufgang des Mondes. Vielmehr verweisen sie zugleich auf das Ende des goldenen, von der Sonne regierten Zeitalters, das die Unsterblichkeit des Menschen beendete und die Nacht und *ihre* "Sonne" inthronisierte. Der Untergang der Sonne und ihres Reiches führt die Eiszeit herbei und überführt den Menschen aus seiner mythischen Geschichtslosigkeit in die Geschichte und damit in die Geschichtlichkeit, die den Gesetzen des Werdens und Vergehens unterliegt. An die *Geburt* des Menschengeschlechts also erinnern die Bilder und daran, daß diese ihm sogleich den ersten langen Todesschlaf brachte. Diese Epoche scheint die zweite Strophe anzudeuten:

In blauem Kristall
Wohnt der bleiche Mensch, die Wang' an seine Sterne gelehnt;
Oder er neigt das Haupt in purpurnem Schlaf.

Diese Verständnismöglichkeit — mehr ist es nicht — ließe sich in der folgenden Strophe zwar fortsetzen — der "schwarze Flug der Vögel", der den "Schauenden" "rührt", könnte auf das nachfolgende, von Magiern und Propheten bestimmte Zeitalter hindeuten —, sie muß indessen um eine Komponente erweitert werden: denn offenkundig ist in dieser Strophe zugleich von der Gegenwart die Rede:

Doch immer rührt der schwarze Flug der Vögel
Den Schauenden, das Heilige blauer Blumen,
Denkt die nahe Stille Vergessenes, erloschene Engel.

Diese Gegenwart wird in Kategorien betrachtet und interpretiert, die aus der Vergangenheit überkommen sind. Und indem dies geschieht, denkt der Schauende zugleich Vergangenes und hält Vergessenes gegenwärtig. Dies erinnert an eine dialektische Geschichtsmetaphysik, die für Trakl von entscheidender Bedeutung ist. Sie expliziert in Form eines bildlichen Denkens seinen Versuch, gegenwärtige Realität zu begreifen und zu deuten. Er sieht in der Gegenwart ihre Geschichte und betrachtet sie damit als geschichtliche, als veränderte, allerdings als nicht mehr veränderbare, wohl aber als erlösungsbedürftige. Mit Erlösungshoffnung nämlich scheint das Gedicht zu enden:

Wieder nachtet die Stirne im mondenen Gestein;
Ein strahlender Jüngling
Erscheint die Schwester in Herbst und schwarzer Verwesung.

Verlorenes Paradies, gegenwärtiger Verfall, Hoffnung auf die zukünftige Wiedergewinnung des Paradieses: dies ist die auf eine Kurzformel gebrachte Geschichts- und Wirklichkeitsdeutung bedeutender klassischer und romantischer Dichter, wobei die Nuancierungen etwa zwischen Hölderlin, Schiller und Novalis außer Betracht bleiben müssen. Auf sie greift Trakl hier zurück, und er macht dies auch durch die zitathafte Übernahme bedeutender romantischer Symbole dem Leser bewußt, so etwa durch "das Heilige blauer Blumen". Damit deutet sich das Programm für diesen Teilzyklus an. In immer neuen Variationen – vor allem in den berühmten Gedichten 'Abendländisches Lied' und 'Passion', die dem 'Siebengesang des Todes' ebenfalls angehören – werden Wirklichkeit und Geschichte in diesen Kategorien poetisch reflektiert, und in der Abfolge der Gedichte zeigt sich ein Schwanken zwischen Zukunftshoffnung und Geschichtspessimismus, wie es in den einander unmittelbar folgenden Gedichten 'Verklärung' und 'Föhn' exemplarisch sichtbar wird. Das zweite Gedicht des Zyklus, 'Anif', transponiert den universalhistorischen Aspekt gleichsam ins Individuelle, Private. Schon der Titel kennzeichnet einen Ort persönlicher Erinnerung, und mit diesem Wort – "Erinnerung" – beginnt denn auch das Gedicht.

Kehren wir aber noch einmal zu 'Ruh und Schweigen' zurück und erinnern wir uns an die bereits zitierte dritte Strophe:

> Doch immer rührt der schwarze Flug der Vögel
> Den Schauenden, das Heilige blauer Blumen,
> Denkt die nahe Stille Vergessenes, erloschene Engel.

Diese Verse scheinen das Amt des Dichters – und damit vielleicht auch das dichterische Selbstverständnis Trakls – zu thematisieren. Der Schauende ist der vates, der kultisch-priesterliche Funktionen wahrnimmt, das "Heilige blauer Blumen" erinnert an die frühromantische – vor allem Hardenbergsche – Auffassung vom Dichter, die ihrerseits an die zuvor angedeutete Tradition anknüpfte und den Dichter bekanntlich als den wahren Priester bezeichnete, der die Menschen durch seine Dichtung aus der als scheinhaft und unwirklich begriffenen und dargestellten Realität zur wahren, hinter den Phänomenen liegenden und nur vom Dichter zu offenbarenden Wirklichkeit führen soll. In diesem Zusammenhang scheint mir bedeutsam, daß Novalis der einzige Dichter aus der literarischen Tradition ist, dem Trakl ein Gedicht gewidmet hat. Die Anspielungen auf ihn und seine Dichtung sind in dem Zyklus 'Siebengesang des Todes' besonders häufig.

Hilft uns dies nun zum Verständnis des Gedichts 'Geburt'? Sind wir berechtigt, nach der Lektüre von 'Ruh und Schweigen' in dem Titel 'Geburt' auch an die Anfänge des Menschengeschlechts zu denken und damit eine geschichtliche Dimension als Vorverständnis an das Gedicht heranzutragen? Und sollen wir die Bilder und Motive auf ihre literarische Tradition hin befragen, weil der Autor vielleicht an sie erinnern und möglicherweise nur in ihrem Kontext die Gegenwart und damit auch sich selbst und sein Dichten deuten will? Versuchen wir auch hier eine Antwort, indem wir dies Verfahren an einem Beispiel erproben.

Legitimiert durch den Kontext des Zyklus könnte man behaupten, in 'Geburt' sei von der "blauen Blume" die Rede, obgleich sie dort im Wortlaut nicht erscheint. Aber wer Novalis kennt, erinnert sich vielleicht jener berühmten Passage aus dem ersten Kapitel seines Romans 'Heinrich von Ofterdingen', in dem der zum Dichter geborene Held von der "blauen Blume" träumt — man vergleiche, was ich jetzt zitiere, vor allem mit der dritten und vierten Strophe des Trakl-Gedichts —:

Nachdem es in Heinrichs Seele "gegen Morgen" "stiller" geworden war, stieg er durch einen "*dunklen Wald*", über "*bemooste Steine*" kletternd, "*bergan*" und gelangte schließlich in eine "*Höhle*", die von einem "*Strome*" durchflossen wurde, der "*bläuliches* Licht" verbreitete. "Berauscht von Entzücken und doch jedes Eindrucks bewußt, schwamm er gemach dem leuchtenden Strome nach, der *aus dem Becken in den Felsen hineinfloß.*" Kurz darauf erblickt er die blaue Blume, und es heißt dann u. a.: "... die Blume neigte sich nach ihm zu, und die Blütenblätter zeigten einen blauen ausgebreiteten Kragen, in welchem ein *zartes Gesicht* schwebte. Sein süßes Staunen wuchs mit der sonderbaren Verwandlung, als ihn plötzlich die *Stimme seiner Mutter weckte, und er sich in der elterlichen Stube fand,* die schon die Morgensonne vergoldete. (734 a, 196 f.)

Nicht nur einzelne Motive, sondern der Inhalt, ja sogar der Vorgang des Traumes scheinen in 'Geburt' analog zu sein. Der Roman vermag sogar zu erklären, was dieser Traum mit Geburt zu tun haben kann. Gegen Ende des 6. Kapitels erkennt Heinrich nämlich:

Jenes Gesicht, das aus dem Kelche sich mir entgegenneigte, es war Mathildens himmlisches Gesicht, ... *Ich ward nur geboren, um sie zu verehren, um ihr ewig zu dienen, um sie zu denken und zu empfinden* ... und bin ich der Glückliche, dessen Wesen das Echo, der *Spiegel* des ihrigen sein darf? ... Auch mir bricht der Morgen eines ewigen Tages an. Die Nacht ist vorüber." Der anschließend erzählte Traum enthält wiederum die Motive des "tiefen blauen Stroms", der Spiegelung des Gesichts in den Wellen und des plötzlichen Erwachens. (734 a, 277 ff.)

Es spricht einiges dafür, daß die vielumrätselte blaue Blume, in deren sich öffnendem Kragen das Gesicht Mathildes erscheint, ein Symbol für die Vereinigung von Mensch und Natur sein soll.[64] Der Dichter ist dazu

---

[64] In diesem Sinne wird Hans-Joachim Beck, Tübingen, dies vielumrätselte Symbol in seiner demnächst erscheinenden Dissertation über Novalis interpretieren.

geboren, diese Vereinigung und damit die Geburt eines neuen goldenen Zeitalters herbeizuführen. Heinrich träumt dies, ohne den Sinn des Traumes bereits ganz zu erfassen, und wird immer wieder gestört, in eine Wirklichkeit zurückgerufen, die er ja gerade kraft seines Amtes verwandeln und zur Einheit von Mensch und Natur zurückführen soll, zu einer Einheit, die er soeben im Traum bereits antizipierte. Diese Störung ist aber nur vorübergehend, Heinrich wird seine Aufgabe – so sahen es jedenfalls die Pläne von Novalis vor – erfüllen.

Nun hätten wir die Möglichkeit, den Sinn von Trakls Gedicht zu entziffern. Es greift auf die Bilder- und Vorstellungswelt einer der bedeutendsten und weitreichendsten Konzeptionen dichterischen Selbst- und Weltverständnisses zurück und deutet mit ihnen sich und seine Gegenwart, indem er den Anspruch dieser Konzeption und ihre Durchführbarkeit widerruft. Der Traum von der Erlösung der Natur und des Menschen durch den Dichter ist endgültig zerstört. "Mit schwarzem Flügel/Rührt die Knabenschläfe die Nacht": Wenn auch unklar ist, was hier Subjekt und was Objekt ist, so vollzieht sich diese Berührung – mehr ist es nicht – im Zeichen der Nacht, die hier nicht mehr Symbol romantischer Unendlichkeitssehnsucht und Wirklichkeitsüberwindung ist, sondern eher Zeichen für Verlorenheit und Untergang – auch des Menschen und auch des Dichters. Der romantische Traum von der Geburt eines neuen Zeitalters ist angesichts der Wirklichkeit zerbrochen. Der "Schnee, der leise aus purpurner Wolke sinkt", der die Welt mit Kälte und Schweigen zudeckt, scheint die Geburt eines neuen, eines eiszeitlichen Weltalters anzudeuten. Es ist die Geburt des Untergangs, die hier beschworen wird und die daher in den beiden nachfolgenden Gedichten des Zyklus mit den bezeichnenden Titeln 'Untergang' und 'An einen Frühverstorbenen' eine weitere visionäre Beschwörung erfährt.

Damit hätten wir also einen Sinn dieses Gedichts erschlossen, der den Vorteil besitzt, auch die Erfahrungen der ersten und zweiten Lektüre als sinnvoll zu begreifen und einzubeziehen. Denn die Wahrnehmungen von der im Lauf der Lektüre zunehmenden Unsicherheit über die Ebene des Eigentlichen, über die Zusammengehörigkeit von Inhalt und Form und ihre gleichwohl erkennbar werdende Einheit verweisen auf die vom Gedicht als gescheitert gedeutete Symbiose von Mensch und Natur, die es als romantischen Traum entlarvt. In der Adaption des romantischen Gedankengutes deutet es Vergangenheit, Gegenwart und Zukunft und sieht die latent erkennbar werdende Einheit von Mensch und Natur nur als eine Einheit im Untergang.

Diese Deutung ist indessen zumindest vor-eilig. Es läßt sich einiges gegen sie einwenden. Wir haben dem Autor etwas Doppeltes unterstellt: unsere Deutung des Novalis und seine poetische Rezeption in dem von uns explizierten Sinne. Das Novalis-Bild beispielsweise, das Hugo Friedrich zu Beginn seines von uns bereits zitierten Lyrikbuchs entwirft – dort ist Novalis ein direkter Vorläufer und theoretischer Begründer für die

Struktur der modernen Lyrik (741, 27 ff.) –, läßt solche direkten und inhaltlichen Entschlüsselungen kaum als gerechtfertigt erscheinen. Bei Friedrich heißt es beispielsweise über Hardenbergs Lyrik-Verständnis: "Im dinglichen wie geistigen Stoff bewirkt Lyrik Vermischung des Heterogenen, Phosphoreszieren der Übergänge. Sie ist eine 'Schutzwehr gegen das gewöhnliche Leben'. Ihre Phantasie genießt die Freiheit, 'alle Bilder durcheinanderzuwerfen'." Die Sprache der "diktatorischen Phantasie" sei eine "'Selbstsprache', ohne Mitteilungszweck":

In der dichterischen Sprache 'ist es wie mit mathematischen Formeln; sie machen eine Welt für sich aus, spielen nur mit sich selbst'. Solche Sprache ist dunkel, auch insofern, als der Dichtende zuweilen 'sich selbst nicht versteht'. Denn es kommt ihm an auf die 'musikalischen Seelenverhältnisse', auf Ton- und Spannungsabfolgen, die nicht mehr auf die Bedeutung der Worte angewiesen sind. Wohl ist noch ein Verstehen angestrebt. Aber es ist das Verstehen weniger Eingeweihter. (741, 28 f.)

Vielleicht hat Trakl eher solche Vorstellungen mit Novalis verknüpft und diesen – auch durch literarische Anspielungen in seinem Werk – als jenen Dichter und Poetologen verehrt, der für die Literatur postulierte und zum Teil bereits erprobte, was Trakl in aller Radikalität fortsetzte und in mancher Hinsicht bereits vollendete? Dann wäre die Ansicht schwerlich zu vertreten, er habe bedeutsames frühromantisches Gedankengut umgekehrt. Allerdings ist diese Auffassung nicht sehr wahrscheinlich, weil Trakl schon allein auf Grund der Quellenlage – die von Friedrich zitierten Äußerungen Hardenbergs stammen aus den um die Jahrhundertwende weitgehend unbekannten Fragmenten – dieses Novalisbild ebensowenig wie sein Publikum gehabt haben dürfte.

Trotzdem darf man auch für dies Publikum ein höheres Maß an literaturgeschichtlichen Kenntnissen voraussetzen als bei der ohnehin immer mehr schwindenden Zahl von Lesern "hoher" Literatur in der Gegenwart, jedenfalls was Klassik und Romantik anbelangt. Was deshalb heute möglicherweise als eher esoterische Anspielung auf den Traum von der blauen Blume erscheinen mag, konnte vor einem halben Jahrhundert möglicherweise noch als Teil eines aktivierbaren literarhistorischen Wissens beim Leser gelten.

Daß die Bilder des Gedichts und dieses selbst etwas Traumartiges an sich haben, dürfte indessen auch dem gegenwärtigen Leser nicht verborgen geblieben sein. Trakl hat schon mit dem Titel der Gedichtsammlung – 'Sebastian im Traum' – eine solche Verständnismöglichkeit angeboten. Sie wurde auch von der Forschung aufgegriffen, doch dies eher im Sinne einer Hilfsvorstellung, die das Unerklärliche erklären soll, aber selbst nicht mehr zu begreifen ist, weil sie den Horizont des Philologen übersteigt.

Der Traum, so zeigt Simon im einzelnen an Trakls Gedichten, "komponiert Unvereinbares zusammen", er trennt Zusammengehöriges und verunklärt die Sachform (598, 32 f.), er löst das zeitliche Nacheinander in ein räumliches Nebeneinander auf (598, 28) und schaut Vergangenes als Gegenwärtiges (598, 28), die einzelnen Traumbilder haben "in symbolhafter Verdichtung Weltgehalte angereichert" (598, 48), sie sind mit archaischen Elementen verknüpft, die sie aufnehmen, der Traum entspricht damit dem auch für Hofmannsthal bedeutsamen "präexistenten" Zustand, in dem "der junge Mensch" "die ganze Welt mit ihren verwickelten Bezügen geeinigt" findet (598, 37), er ist also eine Flucht aus der Realität (598, 53 f.).

In 'Geburt' indessen wird dieses Traum-Bild widerrufen. Der zu Beginn der zweiten Strophe evozierte Zustand des Schlafs — "Stille der Mutter; unter schwarzen Tannen / Öffnen sich die schlafenden Hände" — wird durch das Erblicken und Erwachen sowie durch das Erglänzen der Augen in der dritten und vierten Strophe in den Zustand des Wachens und damit in den Bereich des Wahrnehmens und Erfahrens der Realität überführt. Auf dieses Erwachtsein erfolgt dann "der Gebärenden Schrei" als schmerzvolles Sinnbild für den Eintritt des Menschen aus dem pränatalen und präexistenten Zustand in die Realität. Vom Modus des Träumens bringt sich das Gedicht zur Wirklichkeit.

Doch auch diese Deutung dürfte nicht die ganze Wahrheit enthalten. Denn es scheint so, als sinke es in der Schlußzeile in jenen Zustand zurück, der an seinem Anfang herrschte: in den von Schlaf und Traum.

Und damit sind zugleich unsere Aussichten weiter gesunken, einen erkennbaren, verbindlichen Sinn in diesem Gedicht zu finden, der mehr konstatiert als unser Nichtverstehenkönnen. Es scheint bis jetzt so, als würde dieses Gedicht bei näherer Betrachtung immer mehr Sinnmöglichkeiten entfalten, die aus verschiedenen Bereichen stammen und nur zum Teil miteinander konvergieren. Es bleibt immer ein mehr oder weniger großer "Rest", der nicht aufgeht. Es ist auch nicht zu übersehen, daß wir zu unseren Sinndeutungen nur durch eine — dem Philologen vermutlich von Anfang an verdächtige — relativ große Entfernung vom Wortlaut des Gedichts gelangten. Je mehr wir uns ihm wieder nähern, desto weniger verifizierbar scheint er zu werden. Verse wie ". . . unter schwarzen Tannen / Öffnen sich die schlafenden Hände" oder "Zwei Monde / Erglänzen die Augen der steinernen Greisin" haben bislang ohnehin noch keineswegs eine zureichende Deutung erfahren. Sie scheinen im Gegenteil in solchem Sinnzusammenhang noch rätselhafter zu werden. Sollen oder müssen wir also mit der Einsicht von der unauflösbaren Vieldeutigkeit der Traklschen Poesie die Waffen strecken? Als Resultat unserer Bemühungen könnten wir dann jene Sätze Rilkes zitieren, die dieser bereits 1915 an Ludwig von Ficker, den Herausgeber des 'Brenner', richtete:

Inzwischen habe ich den 'Sebastian im Traum' bekommen und viel darin gelesen: ergriffen, staunend, ahnend und ratlos; denn man begreift bald, daß die Bedingungen dieses Auftönens und Hinklingens unwiederbringlich einzige waren, wie die Umstände, aus denen eben ein Traum kommen mag. Ich denke mir, daß selbst der Nahstehende immer noch wie an Scheiben gepreßt diese Aussichten und Einblicke erfährt, als ein Ausgeschlossener: denn Trakl's Erleben geht wie in Spiegelbildern und füllt seinen ganzen Raum, der unbetretbar ist, wie der Raum im Spiegel. (Wer mag er gewesen sein?) (577, 9)

Bislang haben wir, so scheint mir, die Verstehensmöglichkeiten eines belesenen, geübten und erfahrenen Lesers nicht grundsätzlich – wenn auch vielleicht in Einzelerkenntnissen und in den methodischen Überlegungen – überschritten. Aus dieser Perspektive läßt sich vorläufig die Einsicht gewinnen, daß Trakls Gedichte offenbar durch zahlreiche Anspielungen zu einer Sinnsuche in verschiedenen Bereichen herausfordern, daß sie sie aber immer wieder zunichte machen. Ein Leser Trakls, der begreifen will, was ihn ergreift – um ein bekanntes Wort Staigers zu zitieren –, wird offenbar immer mehr zum Philologen und von diesem wiederum zum Leser, weil ihm Ungewohntes widerfährt: ein Gedicht, dessen einzelne Worte und Sätze er dem Wortlaut nach vollkommen versteht, ergibt für ihn keinen Sinn. Wenn er aber – den Winken des Textes und des weiteren Kontextes folgend – einen befriedigenden Sinn gefunden zu haben glaubt, dann ist dieser wiederum mit dem Wortlaut nicht vereinbar. Das besagt nichts weniger, als daß diese Gedichte die Regeln des hermeneutischen Verfahrens außer Kraft zu setzen scheinen. Denn dieses setzt voraus, daß ein Text einen Sinn besitzt, der sich kongruent aus dem Wortlaut ergibt. Nur so vermag der hermeneutische Zirkel zu funktionieren, der auf der methodischen Prämisse beruht, daß man das Einzelne aus dem Ganzen und das Ganze aus dem Einzelnen verstehen könne und daß deshalb das Gesagte nicht im Gegensatz zu dem damit Gemeinten stehen könne oder sich etwa gänzlich heterogen ihm gegenüber verhalte.

Insofern ist die Desorientierung und Dissoziierung des Lesers hier von grundsätzlicher Art, und in der Tatsache, daß Trakls Gedichte dies bewirken, liegt ein zentrales gemeinsames Merkmal mit anderen Autoren des Expressionismus. Allerdings radikalisiert Trakl – wie übrigens auch Kafka – die Verunsicherung und Erschütterung der traditionellen Sehweisen und der geläufigen Kategorien. Die von Autoren wie Heym, Benn, van Hoddis, Lichtenstein, Wolfenstein und anderen verwendeten Formen der Depersonalisierung und Zivilisationskritik (vgl. Teil II, Kap. 2.2) hoben die Möglichkeiten des Verstehens keineswegs so grundsätzlich aus den Angeln wie dies durch Trakl und Kafka geschieht.

Kein Wunder daher, daß gerade die Dichtung dieser beiden Autoren die Philologen zu immer neuen Deutungsversuchen verlockt und herausgefordert hat. Die Trakl-Philologie hat dabei Methoden und Verfahren entwickelt, die über das hinausgehen, was ein Leser zu erkennen imstande ist, wenn sie oft auch nur einzelne Lektüreschritte gleichsam systematisiert. Um zu prüfen, ob mit Hilfe dieser Verfahren eine grundsätzlich andere Einsicht in das Werk Trakls möglich ist, ob sich damit der Sinn, den ein Leser zu erkennen bzw. nicht zu erkennen glaubt, als vordergründig oder gar falsch erweist, sei ein solcher methodischer Schritt im folgenden skizziert.

2.4 Verdichtung und Regression — Trakls 'Traumarbeit' in den Entwürfen

Die Trakl-Forschung hat sich durch den Eindruck der hohen Ähnlichkeit und Wiederkehr zahlreicher Bilder und Motive in den Gedichten dazu veranlaßt gesehen, die Zusammenhänge der Motive systematisch zu erforschen. Die methodischen Probleme, die sich dabei einstellen, muß ich hier übergehen (vgl. dazu 589). Diese Untersuchungen bestätigen und vertiefen den Eindruck, der sich bei der Lektüre aufdrängt: Die in den verschiedensten Konstellationen im Wortlaut der Gedichte miteinander kombinierten Motive stehen in offenem oder latentem semantischen Zusammenhang miteinander. Wenn beispielsweise in 'Anif' das "dunkle Wild" syntaktisch-metaphorisch mit einem "rosigen Menschen" identifiziert wird oder im Entwurf zu 'Nachtseele' das "blaue Wild" mit der "Seele" (575, 331), dann nimmt "Wild" diese Bedeutungskomponenten an — ebenso wie diejenige der "Schwester", mit der "Wild" häufig in metaphorischen Konnex gebracht wird. — Das Motiv lädt sich also mit Bedeutung auf, die es der Traklschen Bildwelt verdankt und aus der Umgangs- oder Alltagssprache nicht mitbringt. Potentiell gelten diese Bedeutungen also auch für die "moosigen Blicke des Wilds" in 'Geburt'. Für den Rezipienten jedenfalls treten die Motive — bedingt durch die Lektüre — in einen assoziativen Zusammenhang. Indem sie sich so mit Denotationen und Konnotationen aufladen, die sie in der Alltagssprache nicht besitzen, indem sie in geheime Korrespondenzen zueinander treten, weil ein Motiv immer auch auf andere verweist und auch im Gedichtkontext kompositorisch auf andere bezogen wird, verdichten sie sich im Rahmen der Bildwelt Trakls. Im Blick auf die Alltagssprache erscheinen sie vieldeutig und überdeterminiert. Dies impliziert aber auch, daß sich ihr Bedeutungsumriß, den sie in der Alltagssprache für den Leser haben, zu verflüchtigen beginnt. Verdichtung entsteht — wie wir noch sehen werden — auch dadurch, daß die Bilder ein Geschehen möglichst intensiv auszudrücken versuchen.

Im Blick auf die Lektüre bleibt allerdings zu beachten, daß jeder neue Gedichtkontext auch einen eigenen Bedeutungszusammenhang herstellt und daher zu einer modifizierten Rezeption nötigt. Nicht alle zuvor wahrgenommenen Bedeutungen eines Motivs, sondern offensichtlich nur einige werden im Zusammenhang eines Gedichts relevant. Indem jedes neue Gedicht durch die Wiederaufnahme bereits bekannter Motive an deren Bedeutung in anderen Zusammenhängen erinnert, aber gleichwohl selbst jeweils einen neuen semantischen Zusammenhang herstellt, fordert es den Leser auch im Blick auf den Kontext des Werkes zu jener Sinnsuche auf, die es ihm bei der Lektüre jedes einzelnen Gedichts abverlangt, und es scheint jenen Sinn immer wieder infragezustellen, den der Leser von anderen Gedichten als Lektüreerfahrung bereits mitbringt.

Damit wird allerdings deutlich, daß die Forschung mit der Untersuchung des Rekurrentenmaterials lediglich den Lektürevorgang systematisiert und intensiviert. Verstanden oder gar erklärt ist diese Bedeutungsanreicherung damit noch nicht. *Eine* Möglichkeit, diesen inneren Konnex der Motive aufzudecken, besteht darin, nach gemeinsamen semantischen Merkmalen für sie zu suchen. Welche Bedeutung wäre also – im Beispiel 'Geburt' – so unterschiedlichen Motiven wie "Gebirge", "Schwärze", sich "öffnenden Händen", dem "Mond", dem "Felsengrund", der "Stube", den "Augen" und der "Wolke" gemeinsam? Sie implizieren oder erwecken die Vorstellung des Gestalthaft-Runden und Gewölbten, das auch in der Bewegung des "Sich Öffnens" erkennbar ist, und damit wird auch ihr latenter Zusammenhang mit 'Geburt' offenkundig. Ich habe die Zusammengehörigkeit dieser Motive an anderer Stelle ausführlich zu begründen versucht und an den Gedichtentwürfen Trakls nachgewiesen, daß er sie miteinander assoziiert (589, 54 ff.). Da auch die metrisch-rhythmischen Verhältnisse und die Vokalkomposition – wie wir sahen – die Bewegung eines ständigen Auf und Ab und damit eines Kreisens hervorruft, läßt sich das Gedicht formal und inhaltlich auf ein einheitliches Grundmuster zurückführen, dessen Imaginationsraum im Titel angeführt ist.

Am Beispiel des Mond-Motivs läßt sich illustrieren, auf welchen noch engeren Bedeutungsraum diese semantische Affinität reduzierbar ist. Im 'Siebengesang des Todes' – dem Titelgedicht des gleichnamigen Zyklus, in dem auch 'Geburt' seinen Platz erhalten hat – heißt es:

> Und es jagte der Mond ein rotes Tier
> Aus seiner Höhle;
> Und es starb in Seufzern die dunkle Klage der Frauen.
>
> (576, 70)

Was hier nur untergründig anklingt, ist in anderen Bildern offenkundiger, so wenn es heißt: "Mutter trug ihr Kindlein im weißen Mond" (576, 52). Die häufigen Verbindungen von Mond und "Höhle" – "Mond, als träte ein Totes / Aus blauer Höhle" (576, 76) – seien hier nur stellvertretend für ähnliche Zuordnungen der anderen Motive untereinander genannt. Es ist der Bereich des als sündhaft und schuldhaft erfahrenen Geschlechtlichen, der hier konnotiert ist.

Schien es bislang so, als ließe sich 'Geburt' immer mehr mit Sinnelementen anreichern, die gerade wegen ihrer nur partiellen Vereinbarkeit der Widersprüchlichkeit des Wortlauts zu entsprechen schienen, so deutet sich uns nunmehr eine Eindeutigkeit an, die den Anschein erweckt, als könne sie den Zauber des Gedichts zerstören und das ästhetische Empfinden des Rezipienten verletzen. Diese Eindeutigkeit wurde methodisch dadurch herbeigeführt, daß wir, statt wie bisher in einer Sinnsphäre außerhalb des Wortlauts einen Zusammenhang zu suchen, diesen nun in den Worten selbst, im kleinsten gemeinsamen Nenner ihrer Bedeutung, aufspürten. Man kann hier von semantischer Reduktion oder Regression sprechen, die — wenn unsere Deutung stimmt — den Zusammenhang dieser Motive plausibel macht und die bei Trakl mit einer Regression des Bildmaterials selbst einhergeht: immer seltener nämlich tauchen in seiner Reifezeit Bilder aus der ihn umgebenden Realität in seinen Gedichten auf. Vielmehr scheint seine Bilderwelt in einen mythisch-archaischen Raum zu führen, in dem ebenfalls, wie Claude Lévi-Strauss gezeigt hat, geheime Korrespondenzen und Wechselbeziehungen zwischen zahlreichen Motiven bestehen, die uns sofort einsichtig werden, wenn wir begreifen, daß die — z. B. im Totemismus vereinigten, für uns scheinbar heterogenen — Phänomene in Wahrheit "gut zu denken" sind (752 a, 116), weil sie gemeinsame Merkmale aufweisen. Dem Phänomen des Mythischen bei Trakl hat Karl Wilhelm Buch schon Anfang der fünfziger Jahre eine ergebnisreiche Studie gewidmet (580).

Auf philologischem Wege haben wir damit Phänomene erkannt — wie zuletzt Verdichtung, Regression und die Rückführbarkeit der Motive auf den Bereich der Sexualität —, die auf Freud verweisen und die vor allem in seiner 'Traumdeutung' — einem wissenschaftlichen Vorstoß in die unbewußten Schichten des Ich — eine zentrale Rolle spielen. Bevor wir auf diese Beziehung eingehen und bevor wir die gewonnenen Resultate im größeren Rahmen der Epoche bewerten können, soll uns ein Blick in die Gedichtentwürfe Trakls einen Einblick in den Schaffensprozeß dieses Autors vermitteln. Wir können damit zwar nicht den Anspruch erheben, in die unbewußten Schichten des Traklschen Ichs einzudringen, wohl aber können wir Aufschluß über die Gestaltungsprinzipien und damit auch über den Grad von Bewußtheit erwarten, mit dem dieser Autor gedichtet hat. Der Verdacht der Schizophrenie hat auch von medizinischer Seite nie ausgeräumt werden können, und seit die Entwürfe publiziert worden sind, gibt es Stimmen, die dem Autor auch die poetische Zurechnungsfähigkeit absprechen wollen (vgl. 588, 3 ff.). Am Beispiel Trakls läßt sich also die grundlegende Kategorie der Ich-Dissoziation bis in den Schaffensvorgang hinein verfolgen und überprüfen. Das penible Untersuchen der einzelnen Änderungen ist dem psychoanalytischen Verfahren nicht unverwandt, seit dieses — vornehmlich durch Lorenzer — seinem Selbstverständnis nach "selbst als eine Sprachanalyse" aufzufassen ist (646, 15 f.), bei der es zunächst einmal darum geht, die häufig von der "Norm" abweichenden sprachlichen Äußerungen eines Patienten in dem von diesem gemeinten Sinn zu verstehen.

Entwürfe zu Trakls 'Geburt' sind nicht überliefert. Dies gibt uns Gelegenheit, die hohe Ähnlichkeit und Wiederkehr der Bilder und Motive auch in den Entwürfen zu dokumentieren. Wenige Monate nach der Niederschrift von 'Geburt' entstand der Entwurf zu dem Gedicht 'Nachtseele', von dem zwei Fassungen überliefert sind. Die zweite erinnert besonders deutlich an 'Geburt'. Ich beschränke mich im folgenden auf die Analyse der schwierigsten — weil verwirrendsten — Passagen in den Versen 11 bis 13, die ich mit allen Variationen hierhersetze, während ich die vorhergehenden Zeilen nur in ihrem endgültigen Wortlaut wiedergebe.[65] Es gehört zur Eigenart Traklschen Dichtens, daß er mit jeder Fassung im Grunde "von vorn" beginnt. Man ist also — um einen möglichen Einwand vorwegnehmend zu beantworten — mit der ersten Fassung nicht wesentlich näher an der dichterischen Inspiration als bei den nachfolgenden. Schon die Ähnlichkeit des Bildbestandes zeigt an, daß es bei der Niederschrift nicht in erster Linie um das Erfinden von Bildern geht.

2. *Fassung:* Nachtseele

1 Nachtseele.
2 Schweigsam stieg von schwarzen Wäldern ein blaues Wild
3 Die Seele nieder.
4 Da es Nacht war; über moosige Stufen ein schneeiger Quell.

5 Blut und Waffengetümmel vergangener Zeiten
6 Rauscht im Föhrengrund,
7 Der Mond scheint immer in verfallene Zimmer;

8 Trunken von dunklen Giften, silberne Larve
9 Über schlumernde Hirten geneigt,
10 Haupt, das schweigend seine Sagen verlassen.

---

[65] Ich zitiere nach dem Text der historisch-kritischen Ausgabe (575). Die dort verwendeten Abkürzungen, Siglen und Zeichen sowie die Erklärung des Editionsverfahrens selbst kann ich hier nicht wiederholen. Sie finden sich dort im 'Bericht der Herausgeber'. Eine brauchbare Erläuterung enthält ferner die dtv-Ausgabe (576, 267 ff.), die auch den endgültigen Wortlaut der drei Fassungen von 'Nachtseele' verzeichnet (576, 106–108). — Für die Lektüre des nachfolgenden Entwurfs sei wenigstens das in diesem Zusammenhang Wichtigste erklärt: "Die für einen getilgten Wortlaut von Trakl erwogenen Varianten bis hin zur letztgültigen stehen in chronologischer Folge untereinander ... In gleicher Höhe stehende Varianten zu einer Zeile sind im Zusammenhang entstanden und also zu lesen; steht dieser Zusammenhang nicht fest, macht ein Sternchen darauf aufmerksam" (575, 34).

1 O, dann öffnest [du] leise   die bleichen Hände
* |: öffnet :| jener   knöchernen
* |: jenes :| langsam   rosigen
*   kalten

2 Unter blühendem Baum ;
      sterbendem
      ∧   ∧ |: herbstlicher :| Lärche
                  seufzender
                  |: seufzenden :|||: Lärchen :|
                  steinernen   Bogen

3 Und der Wind schüttelt
   Leise sinken   grü⟨ne⟩
                   goldene Sommer   aus dem kahlen   Gezweig ·
*   klingen   kühlen⟨?⟩
*   sinken   kahlen   Geäst   ·
*   von erblindeten Fenstern
*   steigt ein |: goldener :| an [die] |: Fenster :|
* |: ans :| |: erblindete :|

Nach Zeile 13 kein Strophenzeichen infolge Seitenwechsels!

4 Und es läuten im Grün die Schritte der Tänzerin
5 Die Nacht lang,
6 Öfter ruft in purpurner Schwermut das Käuzchen den Trunkenen.
                                         (575, 331 f.; 576, 107)

     Gegen Ende des Entwurfs werden die Variationen immer zahlreicher
und schwerer verständlich. Für die letzte Strophe benötigt Trakl sogar
mehrere Ansätze, die hier aber auch deshalb nicht dargestellt werden, weil
die Interpretation des Entwurfs nahelegt, daß dieser zunächst mit Vers 13
enden sollte. — Bei den zitierten Änderungen zeigen sich einige "kontradiktorische Varianten", die Walther Killy vor allem als Begründung für die
inhaltliche Unverstehbarkeit der Entwürfe angeführt hat (590): der
"blühende Baum" verwandelt sich in einen "sterbenden", aus "sinkenden" werden "steigende Sommer", aus "knöchernen Händen" werden
"rosige". Wie ist dies nun begreifbar? Beginnen wir mit schlichten klangästhetischen Phänomenen, die aber für Trakl, wie einige gründliche Studien (vgl. vor allem 587; 602) beweisen, von großer Bedeutung sind.[66] Für
Vers 13 sei dies hier exemplarisch vorgeführt.
     Es ist möglich, daß der erste Versuch "Und der Wind schüttelt" zusam-
men mit der ersten Niederschrift der anderen Verse erfolgte: "O, dann
öffnest du leise die bleichen Hände / Unter blühendem Baum; / Und der

---

[66] Für die Verse 2–12 dieses Entwurfs habe ich dies an anderer Stelle nachzuweisen versucht: 588, 9 ff.

Wind schüttelt". Denn zu dieser vorangegangenen Bildwelt mit dem "blühenden Baum" paßt der "schüttelnde Wind" als Fortsetzung, und "schüttelt" bildet eine Assonanz zu "blühend". Wie klangorientiert Trakl ändert, zeigt sich am folgenden Schritt. Noch während der ersten Niederschrift "Und der Wind schüttelt", die — nebenbei bemerkt — weder sonderlich originell erscheint, noch besondere Traklsche Bildqualitäten verrät, fällt ihm eine Modifikation ein, die einen ganz anderen Inhalt, aber eine kohärente Lautstruktur aufweist: "Leise sinken grü‹ne›": das "i" in "Wind" setzt sich in "sinken" ebenso fort wie das "ü" aus "schüttelt" in "grü‹ne›". Hinzu gewinnt Trakl durch das neue "Leise" eine Alliteration zum — in einem späteren Arbeitsgang niedergeschriebenen — "langsam" aus Vers 11, das dort "leise" ablöste und es daher für Vers 13 freigab. Damit wird deutlich, daß nicht genau bestimmbar ist, in welchem Zusammenhang mit den vorherigen Versen die einzelnen Überarbeitungen von Vers 13 stehen. Die offenbar sogleich anschließend erfolgte Variation "Leise sinken goldene Sommer aus dem kahlen Gezweig" gehört aber offensichtlich noch in den Zusammenhang mit jenen Arbeitsstufen aus den vorherigen Zeilen, die vor dem endgültigen Wortlaut erfolgten, denn sowohl "Gezweig" wie "Geäst" knüpfen deutlich an "Baum" bzw. "Lärche" an, während die abschließenden "Fenster" eingesetzt zu sein scheinen, als die "seufzende Lärche" in die "steinernen Bogen" verwandelt wird. Es ist auch möglich, daß Trakl von rückwärts her in Vers 12 "Bogen" einsetzt, nachdem er in Vers 13 die "goldenen Sommer" ins Bild aufgenommen hat: auch sie bilden eine Assonanz, welche an die "o"-Melodie aus Vers 11 anschließt: "O, dann öffnet jenes langsam die rosigen Hände" heißt es dort in einer Zwischenstufe, von der sich das Eingangs-"O" und das "öffnen" bis in die Schlußversion halten. Das "sinken" in Vers 13 — "Leise sinken goldene Sommer" — kann wegen der Alliteration zu den "seufzenden Lärchen" in Vers 12 ins Bild aufgenommen worden sein — oder umgekehrt. "Gezweig" setzt die bekannte "ei"-Melodie fort. Die möglicherweise anschließende Änderung von "sinken" in "klingen" erbringt eine zusätzliche Alliteration zu dem "kahlen" oder "kühlen Gezweig". Die Änderung von "Gezweig" in "Geäst" erbringt gar eine Assonanz zu beiden Schlußworten der zwei vorangegangenen Zeilen: zu "Hände" und "Lärchen", und auch das endgültig verbleibende "Fenster" hält an dieser Klangbeziehung fest. Dadurch, daß die "Fenster" "erblindet" sind, assonieren sie mit dem "sinken" der "goldenen Sommer" und kontrastieren zugleich lautlich mit diesen. Die letzte "kontradiktorische Variante" schließlich, die Änderung von "sinken" und "steigt", hängt vermutlich aufs engste zusammen mit der Wandlung der "seufzenden Lärchen" in "steinerne Bogen".

Man könnte beliebig so fortfahren. Es ist geradezu befremdlich, in welchem Ausmaß sich für die Änderungen in Trakls Entwürfen klangästhetische Begründungen angeben lassen. Denn man muß sich fragen, wie man ein Dichten zu bewerten hat, das um klanglicher Harmonien und Kontraste willen inhaltliche Widersprüche in Kauf zu nehmen scheint. Sind Trakl die Klänge wichtiger als der Inhalt? Und wie bewußt verläuft ein solches Ändern, das in so hohem Maße dem Bereich des Sinnlichen – den Klängen – hingegeben zu sein scheint?

Auch im Blick auf den Inhalt scheint sich der Entstehungsprozeß der Gedichte in hohem Maße assoziativ zu entwickeln. Dies habe ich an anderer Stelle (588) nachzuweisen versucht. Die Assoziationen verlaufen nach bestimmten, von der Sprachpsychologie seit langem erforschten Gesetzen, so nach Analogie und Kontrast sowie nach gewissen Erfahrungszusammenhängen. Nach Erfahrung und Analogie erklärt sich beispielsweise die Wandlung von "Baum" zu "Lärche" (Vers 12) und von "Gezweig" zu "Geäst" im zuletzt zitierten Vers. Der ebenfalls experimentell nachgewiesenen Tatsache, daß man Gegensätze assoziiert – also auf "schwarz" "weiß", auf "laut" "leise", auf "steigen" "sinken" –, verdanken vielleicht die "kontradiktorischen Varianten" ihr Erscheinen im Text, also die Wandlung von "blühend" in "sterbend", die Änderung von "sinken" in "steigen", obwohl für alle diese Variationen auch klangliche Beweggründe ausschlaggebend gewesen sein können. Hinzu kommt schließlich noch Trakls Eigentümlichkeit, seine eigenen Motive zu assoziieren. Das wird bei den Adjektiven deutlich: "bleich", "knöchern" und "kalt" in Vers 11 oder "kahl" und "erblindet" in Zeile 13 kehren immer wieder in seinen Gedichten. Ihr semantischer Zusammenhang besteht darin, daß jedes dieser Adjektive – hinzukommen "schwarz", "still", "steinern" mit ihren Oppositionen und Synonymen – eine äußerste Intensität oder ein sehr hohes Maß an Wahrnehmung in den verschiedenen Sinnesbereichen oder gar deren Aufhebung darstellt oder symbolisiert, und über dieses gemeinsame "tertium comparationis" sind sie auch einleuchtend austauschbar in den Entwürfen. Ob eine Hand "bleich", "knöchern" oder "kalt" ist, ist für Trakl deshalb stets neu schwer zu entscheiden, weil es ihm offenbar nicht um Wiedergabe einer Realität geht, sondern um die Intensität des Bildes, und in dieser Hinsicht liegen die genannten Adjektive auf vergleichbarer Ebene, und deshalb wiederum vermag Trakl letztlich nach klangästhetischen Gesichtspunkten zu entscheiden.

Ein ähnliches Bild ergibt sich im Bereich der Komposition. Neben höchstmöglicher Intensität geht es um die Suche nach optimaler kompositorischer Verknüpfung der Verse zu einem Gedicht. Da die Motive aber immer schon innerhalb der Bildwelt Trakls eine hohe Affinität zueinander aufweisen, sind die Möglichkeiten kompositioneller Verknüpfung sehr groß, und entsprechend hoch ist daher auch die Zahl der Änderungen. Dennoch hat jedes Gedicht eine unverwechselbare Physiognomie, die es zu finden gilt. Auch von dieser Suche her lassen sich die schon betrachteten Variationen erklären.

Dazu einige Hinweise. Die Verse "O dann öffnest du leise die bleichen Hände / Unter blühendem Baum" hat Trakl mit ziemlicher Sicherheit in einem Zug niedergeschrieben. Inhaltlich stellen sie einen Kontrast zwischen "blühender" Natur und bedrohter oder bedrohlicher Menschenwelt dar. Dies ist die Grundthematik des Gedichts, die sich bereits in den ersten Versen ankündigt: Die "Seele" als "blaues Wild" deutet noch eine Symbiose an, doch verläßt die Seele offenbar die Gemeinschaft mit der Natur. Diese bewahrt, wenn es erlaubt ist, das Bild von Vers 5 und 6 "auf den Begriff" zu bringen, gleichsam als Medium der Geschichte menschliche Zerstörung aus früheren Zeiten auf und hält sie gegenwärtig, und die Gegenwart selbst – "der Mond scheint immer in verfallene Zimmer" – ist vom Verfall gekennzeichnet, der Mensch hat sich von seinen Ursprüngen, von seiner Geschichte gelöst – "Haupt, das schweigend seine Sagen verlassen". Darin wird in modifizierter Form jene Geschichtsauffassung sichtbar, die wir bereits bei 'Ruh und Schweigen', dem Eingangsgedicht des Zyklus 'Siebengesang des Todes', als Reminiszenz an klassisch-romantisches Gedankengut kennengelernt haben: verlorenes Paradies, gegenwärtiger Verfall und Hoffnung auf die Wiedergewinnung des Paradieses. Doch gerade die Gestaltung der Zukunftsperspektive bereitet Trakl Schwierigkeiten. Es scheint auch in anderen Gedichten so, als falle es ihm relativ leicht, den Verfall der Gegenwart darzustellen und das verlorene Paradies zu beschwören. Er schwankt aber erheblich, ob er das Gedicht positiv oder negativ enden lassen soll.

Dieses Schwanken kennzeichnet auch den vorliegenden Entwurf. Die erste vollständige Niederschrift der vierten Strophe lautet:

> O, dann öffnest du leise die bleichen Hände
> Unter blühendem Baum;
> Leise sinken goldene Sommer aus dem kahlen Gezweig.

Es sieht hier so aus, als wolle Trakl eine hoffnungsvolle Perspektive andeuten: Dem Menschen – synekdochisch repräsentiert durch die sich öffnenden Hände – kontrastiert nicht nur die Natur – in Gestalt des "blühenden Baums" –, sondern aus ihr – dem "Gezweig" – "sinken goldene Sommer" auf ihn herab. Doch das ist nicht eindeutig. Das Gezweig ist "kahl" und steht damit im Gegensatz zu dem "blühenden" Baum, und die Sommer "sinken" – dies kann auch ein Zeichen des Untergangs sein. Mit diesem Verb knüpft Trakl an das Niedersteigen der Seele aus den ersten Versen an. Klangliche Verknüpfung, inhaltliche Intensivierung und kompositorische Integration stellen sich dem Dichter als Aufgabe, die verschiedene Lösungsmöglichkeiten eröffnet, die zu erproben sind. Allen drei Intentionen entspringt die nächste Wandlung in Vers 11: "O, dann öffnet jener die knöchernen Hände." Dies Bild erinnert an den Tod, intensiviert also die Vorstellung, es knüpft zugleich an die Zeilen 8 und 9 an – "Trunken von dunklen Giften, silberne Larve / Über schlummernde Hirten geneigt" –, und "knöchern" schafft eine Assonanz zu "öffnen". Doch damit droht die Symbiose von Mensch und Natur verlorenzugehen, vielleicht wird das Bild auch zu eindeutig negativ interpretierbar, und möglicherweise stört "knöchern" auch zu sehr die sonst in diesen Versen erkennbare Dominanz der Spiranten, Liquide und Nasale. Die nächste Änderung läßt sich jedenfalls von diesen Kriterien her als sinnvoll begreifen. Sie umfaßt nun, so nehmen wir an, die Verse 11 und 12: "O, dann öffnet jenes langsam die rosigen Hände / Unter sterbendem Baum." "Jenes" bezieht sich nun auf "Haupt" aus dem unmittelbar vorangehenden Vers, es kann aber auch "das blaue Wild" vom Anfang des Gedichts und damit die Seele meinen, und damit lenkt es in den Zusammenhang von Mensch und Natur, der von Anfang an thematisiert war. Damit ist "jenes" von den drei erprobten Möglichkeiten das beste und wird auch nicht mehr geändert. Das neu hinzugekommene "langsam" assoniert mit "Sagen verlassen" aus Vers 10, und "rosig" repetiert das "o" vom Anfang derselben Zeile (auch das "öffnet"), zugleich stellt es die klangliche Verbindung zu den "goldenen Sommern" her. Mit "rosig" scheint das Bild nun aber positiv imaginierbar zu werden, und deshalb verwandelt Trakl im nächsten Vers den "blühenden" in einen "sterbenden Baum", so daß der von der ersten Niederschrift an intendierte Kontrast − nun aber mit umgekehrten Vorzeichen in den Attributen − erhalten bleibt. Der "sterbende Baum" erleichtert es dem Leser wiederum, ihn mit den "schwarzen Wäldern" aus dem Beginn des Entwurfs in Beziehung zu setzen.

Bei den folgenden Änderungen wird Trakls Bestreben sichtbar, den zunächst eindeutigen Gegensatz zwischen Mensch und Natur zu verunklären, und zwar so, daß die Bilder an Mehrdeutigkeit gewinnen und zugleich an Verhaltenheit. Der "sterbende Baum" muß einer "herbstlichen Lärche" weichen, und auch Vers 13 wird "neutralisiert": "Leise klingen goldene Sommer aus dem kühlen Gezweig." Das Motiv des "Klingens" stellt über seine klangästhetischen Korrespondenzen hinaus kompositorische Beziehungen zu den beiden Eingangsstrophen her: zu dem Motiv des schweigsamen Niedersteigens der Seele und dem Rauschen von Blut und Waffengetümmel. Die Strophe lautet nunmehr:

> O, dann öffnet jenes langsam die rosigen Hände
> Unter herbstlicher Lärche
> Leise klingen goldene Sommer aus dem kühlen Gezweig.

Es spricht, scheint mir, für Trakls poetische Sensibilität, daß er Vers 13 nicht so stehen gelassen hat. Bei aller Freiheit, die man der dichterischen Phantasie im Bereich der Lyrik konzedieren kann: diese Zeile wirkt unfreiwillig komisch, wobei hinzuzufügen ist, daß das Adjektiv "kühl" nicht genau entzifferbar ist. Solche Zeilen entstehen immer wieder in den Entwürfen, so etwa auch der Vers "In schwarzem Grün klapperte morsches Gebein" (575, 457). Grund dafür ist Trakls strukturelles Dichten, das sich offensichtlich weniger auf das Erfinden immer neuer Bilder richtet, sondern auf die immer neue Variation und Integration bereits vorhandener

Bilder. Die Suche nach kompositorischen Korrespondenzen und nach Intensivierung führt dann zu gewissen Überladungen, die sich als mitunter groteske Katachresen zu erkennen geben — in den endgültigen Gedichten der Reifezeit erscheinen sie indessen nicht. Trakl kehrt hier also zum Motiv des "Sinkens" und zum Adjektiv "kahl" zurück, und er wandelt aus den schon genannten klangästhetischen Gründen "Gezweig" in "Geäst" um: "Leise sinken goldene Sommer aus dem kahlen Geäst."

Mit der jetzigen Gestaltung ist Trakl immer noch nicht zufrieden. Er entschließt sich zu einer größeren Änderung. Wenn unsere bisherige Interpretation richtig war, dann muß sich auch der nunmehr letzte Änderungsversuch auf eine Intensivierung der Bildaussage sowie auf eine verbesserte strukturelle Verknüpfung mit früheren Teilen des Entwurfs richten. Daß er auch klangliche Verbesserungen bringt, haben wir schon angedeutet. Die Strophe lautet abschließend:

> O, dann öffnet jenes langsam die kalten Hände
> Unter steinernen Bogen
> Leise steigt ein goldener Sommer ans erblindete Fenster

Das Adjektiv "kalt", das "rosig" ersetzt, erscheint hier sicher in ursächlichem Zusammenhang mit den "steinernen Bogen". Es intensiviert die Bildaussage, weil die "kalten Hände" an Totenhände erinnern. "Kalt" stellt überdies eine strukturelle Beziehung zu dem "schneeigen Quell" in Vers 4 her. Die Assonanz "langsam-kalt" repetiert dasselbe Klangphänomen aus dem vorangehenden Vers: "Sagen verlassen." Wie "kalt" — und entsprechend "schneeig" — im Bereich des Temperatursinns, so bezeichnen auch "steinern" im Bereich des haptischen und "erblindet" im optischen Sinnesbereich einen hohen Grad der Wahrnehmung oder deren Aufhebung. Das "erblindete Fenster" erinnert an die "verfallenen Zimmer" in Vers 7. Zusammen mit dem Motiv des "Steigens" stellt es eine stimmige Verknüpfung mit den "steinernen Bogen" her, aus denen man sich das Aufsteigen der goldenen Sommer vorstellen kann. Der menschliche Bereich wird durch die "erblindeten Fenster" besonders intensiv repräsentiert als Verfallswelt. Selbst wenn das Steigen des Sommers ein hoffnungsvolles Zeichen sein soll, so kann es nicht wahrgenommen werden. Im Prinzip, so scheint es, macht es aber auch keinen Unterschied, ob der Sommer steigt oder wie in den vorangegangenen Variationen sinkt. *Beides* kann positive oder negative Bedeutung haben. Hier paßt "steigt" aber aus kompositorischen Gründen besser, weil es eine Gegenbewegung zum Sinken initiiert.

Das Sinken beginnt mit dem Niedersteigen der Seele in der ersten Strophe, und die Imagination verharrt in den anschließenden Bildern gleichsam in der "Tiefe", im "Föhrengrund". Der Mond scheint in die Zimmer *hinab*, die Larve *neigt* sich über die Hirten, und die Hände öffnen sich *unter* steinernen Bogen. Vor *diesem* Hintergrund allerdings könnte die Gegenbewegung ein hoffnungsvolles Zeichen sein, so daß die von Trakl in den Änderungen beabsichtigte Reduzierung allzu eindeutiger Kontraste, die ihm schon in der abschließenden Formulierung der Strophe gelungen ist, durch die Komposition des Ganzen noch verstärkt wird.

Ich breche die Analyse des Entwurfs ab. Die weiteren Variationen Trakls in der letzten Strophe würden in dem, worauf es uns hier ankommt, keine grundsätzlich neuen Erkenntnisse bringen. Trakl geht es bei der Niederschrift seiner Gedichte offensichtlich nicht anders als dem Leser des fertigen Gedichts: Je mehr der Entwurf und die Lektüre voranschreiten, desto schwieriger wird die zu bewältigende Aufgabe, desto komplizierter und vielschichtiger werden die strukturellen Verknüpfungen, die es herzustellen beziehungsweise wahrzunehmen gilt. Jeder spätere Vers wirft ein neues Licht auf die früheren, nimmt ein Motiv direkt oder indirekt wieder auf, verwandelt Positives in Negatives und umgekehrt und stiftet geheime Korrespondenzen — Analogien oder Kontraste — zwischen Bildern und Motiven, deren Zusammengehörigkeit man anfangs nicht erkannt hatte und vielleicht auch nicht erkennen sollte. Die Gedichte leben von der zunehmenden Strukturierungsaktivität des Lesers, die sie herausfordern und die sie zugleich zu keinem befriedigenden Ende kommen lassen. Denn niemals sind die Zuordnungen bis zur Identifizierbarkeit sicher, und so sehr sich die Motive einerseits semantisch annähern, so sehr stehen sie doch andererseits auch wieder in einem jeweils anderen und für sich sinnvollen Kontext. Und daraus ergibt sich, daß oft nicht einmal sicher ist, ob ein Bild, eine Strophe oder gar ein ganzes Gedicht nun eine positive oder negative oder überhaupt eine Aussage machen wollen.

Insofern hat Killy recht, wenn er behauptet, wir gerieten "in eine bemerkenswerte Unsicherheit, wenn wir mit Hilfe eines handschriftlichen Befundes ein inhaltliches Verstehen begründen wollen" (590, 43). Doch dies nicht wegen angeblicher Uneinsichtigkeit in den Entstehungsprozeß aufgrund zahlloser Variationen und "kontradiktorischer Varianten", sondern gerade wegen der Einsicht in die für die Veränderungen ausschlaggebenden Beweggründe Trakls. Diese werden gerade dann plausibel, wenn man sie als Versuche versteht, in einer äußerst komprimierten und (klang-)ästhetisch befriedigenden Komposition die traditionelle Erwartungshaltung des Lesers zu durchbrechen, seine Kategorien und Urteile infragezustellen, ihn zu einer Sinnsuche herauszufordern und diesen Sinn zugleich zu verweigern. Selbst wenn sich schließlich doch ein Gehalt auf den Begriff bringen läßt, ist dieser äußerst vage und wird — jedenfalls innerhalb des Zyklus — sogleich durch die nachfolgenden Gedichte wieder problematisiert.

Unsicherheit besteht auch in der Frage, welchen Aufschluß der Entstehungsprozeß über die Psyche des Autors zu geben vermag. Selbst der Anteil des Bewußten läßt sich nicht genau bestimmen. Die starke Klangorientiertheit, das assoziative Moment und die relativ enge Begrenztheit des Motiv- und Bildbestands, bei dem ein Motiv mit dem anderen für den Autor – und schließlich auch für den Leser – in einem assoziativen Zusammenhang zu stehen scheint, ferner die gelegentlich zu beobachtende Ratlosigkeit, Unentschlossenheit oder auch affektive Spontaneität im Blick auf "Richtungsänderungen" könnten darauf hindeuten, daß der Anteil des rational nicht Kontrollierten, des Spontanen, Emotionalen und Affektiven bei der Gedichtentstehung nicht gering sei.

Der unverkennbare Anteil des Assoziativen läßt darauf schließen, daß sich die Kategorie des 'Inhalts' im Sinne einer vorgegebenen Weltanschauung oder einer vorgegebenen Realität in einer für den Frühexpressionismus kennzeichnenden Weise zu zersetzen scheint. Auch das Schwanken zwischen Erlösungshoffnung und ihrer Negierung vor allem in den Gedichtschlüssen zeigt sich als dissoziierendes Moment: darin wird eine Rückbindung an Theologie und Metaphysik erkennbar und zugleich der Verlust eines gesicherten Glaubens an die von Theologie und Philosophie angebotenen Sinnsetzungen (vgl. dazu Teil II, Kap. 2.6). Aber darin äußert sich zugleich ein bewußtes, mitunter verzweifelt anmutendes Suchen. Auch die "Klanghörigkeit" läßt sich als Klangbewußtheit definieren, und daß sich in den Änderungen "Zeichen der geistigen Besonnenheit und der strengen gedanklichen Arbeit" erkennen lassen (599, 226), hat unsere Analyse ergeben. Weil sich der jeweilige Anteil nicht exakt angeben läßt, zumal man nicht weiß, in welchem Ausmaß der Genuß von Alkohol und Drogen an der Genese einzelner Gedichte beteiligt war und die rationale Kontrolle herabgesetzt hat, ist auch nicht zu entscheiden, ob und in welchem Ausmaß Trakl sich selbst und seine Desorientierung in den Gedichten unbewußt ausgesprochen hat oder objektivieren und damit als zeittypisches Phänomen darstellen wollte. Vermutlich ist auch hier Persönliches von Unpersönlichem nicht zu trennen.

Insgesamt gesehen läßt sich anhand der Entwürfe auf eine Disposition des dichterischen Subjekts schließen, die sich der Struktur nach mit jener Tätigkeit vergleichen oder gar in Beziehung setzen läßt, die Sigmund Freud als "Traumarbeit" gekennzeichnet hat und die für die Traumbildung verantwortlich ist. Ihr widmet er das ausführlichste Kapitel in seiner monumentalen 'Traumdeutung', die 1900 erschien (639). Eine Fülle der von ihm beschriebenen Verfahren der Traumbildung findet sich der Form nach – als poetisches Darstellungsmittel – bei Trakl, wie wir gesehen haben, wieder. So etwa die Verdichtung mit der Bevorzugung von inhaltlichen Elementen, die vieldeutig und überdeterminiert sind, die in verschiedenen Konstellationen wiederkehren und in latentem Zusammenhang miteinander und mit den Traumgedanken stehen, ferner die durch die Zensur hervorgerufene Verschiebung, die einen Kausalzusammenhang als zeitliches Nacheinander, eine Alternative als einfache Anreihung, einen Widerspruch oder Gegensatz als Einheit wiedergibt und die sich besonders gern der Verwandlung ins Gegenteil bedient. Wichtiger als die psychoanalytische Deutbarkeit einzelner Symbole – so etwa im Blick auf das untersuchte Gedicht die Interpretation, daß die Geburt "fast regelmäßig eine Darstellung durch eine Beziehung zum Wasser" findet (640, 154 f.) – ist für die Einsicht in die Struktur der Bildlichkeit Traklscher Gedichte Freuds Nachweis, daß sich in der Traumarbeit – etwa in der Rückführbarkeit der Traumgedanken auf Kindheitserlebnisse – archaische Züge und damit ein Moment der Regression zu erkennen geben. Dieses hat zwei Seiten: Einerseits übersetzt die Traumarbeit "unsere Gedanken in eine primitive Ausdrucksform", andererseits und zugleich weckt sie auch "die Eigentümlichkeiten unseres primitiven Seelenlebens wieder auf, die alte Übermacht des Ichs, die anfänglichen Regungen unseres Sexuallebens, ja selbst unseren alten intellektuellen Besitz, wenn wir die Symbolbildung als solchen auffassen dürfen." Freud fährt fort:

All dies alte Infantile, was einmal herrschend und alleinherrschend war, müssen wir heute dem Unbewußten zurechnen, von dem unsere Vorstellungen sich nun verändern und erweitern. Unbewußt ist nicht mehr ein Name für das derzeit Latente, das Unbewußte ist ein besonderes seelisches Reich mit eigenen Wunschregungen, eigener Ausdrucksweise und ihm eigentümlichen seelischen Mechanismen, die sonst nicht in Kraft sind. Aber die latenten Traumgedanken, die wir durch die Traumdeutung erraten haben, sind doch nicht von diesem Reich; sie sind vielmehr so, wie wir sie auch im Wachen hätten denken können. Unbewußt sind sie aber doch; wie löst sich also dieser Widerspruch? Wir beginnen zu ahnen, daß hier eine Sonderung vorzunehmen ist. Etwas, was aus unserem bewußten Leben stammt und dessen Charaktere teilt – wir heißen es: die Tagesreste – tritt mit etwas anderem aus jenem Reich des Unbewußten zur Traumbildung zusammen. Zwischen diesen beiden Teilen vollzieht sich die Traumarbeit. Die Beeinflussung der Tagesreste durch das hinzutretende Unbewußte enthält wohl die Bedingung für die Regression. Es ist die tiefste Einsicht über das Wesen des Traumes, zu welcher wir hier ... gelangen können. (640, 216 f.)

Die Traumarbeit als Vermittlungsinstanz zwischen Tagesresten und Elementen des Unbewußten, die beides durchdringt und verwandelnd aufeinander bezieht: dieses Modell läßt sich angesichts vergleichbarer Inhalte und Strukturierungsaktivitäten zumindest per analogiam auf Trakls poetisches Verfahren übertragen. Natürlich ist ein Gedicht kein Traum. Aber man begreift, warum Freud die Dichter mit den Tagträumern in Beziehung setzen konnte. Schon in der 'Traumdeutung' mutmaßt er: "Wir neigen wahrscheinlich in viel zu hohem Maße zur Überschätzung des bewußten Charakters auch der intellektuellen und künstlerischen Produktion." Zwar will er den Anteil des Bewußten nicht leugnen. "Aber", so gibt er zu bedenken, "es ist das viel mißbrauchte Vorrecht der bewußten Tätigkeit, daß sie uns alle anderen verdecken darf, wo immer sie mittut." (639, 618) Für ihn ist das Unbewußte "das eigentlich real Psychische, uns nach seiner inneren Natur so unbekannt wie das Reale der Außenwelt, und uns durch die Daten des Bewußtseins ebenso unvollständig gegeben wie die Außenwelt durch die Angaben unserer Sinnesorgane." (639, 617 f.) So verstanden wäre die poetische Traumarbeit Trakls jene mediale Aktivität, die beide Aspekte dieser Erkenntniskrise vermittelt und bewußt macht: seine Poesie integriert "Tagesreste" und Elemente des Unbewußten im Medium des Ästhetischen. So wenig sich der Anteil des Bewußten vom Unbewußten im poetischen Schaffensvorgang selbst reinlich scheiden läßt, so wenig ist den Bildern selbst noch zu entnehmen, wo sie Wiedergabe äußerer Realität und wo sie Ausdruck — Expression — der unbewußten Schichten des Subjekts sein wollen. Es gehört zu dieser Ununterscheidbarkeit, daß der Traum, wie Freud erklärt, eine "volle halluzinatorische Besetzung der Wahrnehmungssysteme ermöglicht" (639, 553), daß sein "regredienter Charakter" also "das Aufhören der progredienten Tagesströmung von den Sinnesorganen" bewirkt (639, 533), daß er aber, um dies leisten zu können, einen in der Intensität und "Überfülle" nicht geringeren "stream of un-consciousness" aufrechterhalten muß. Die "Überfülle des Erlebens" wird so durch Außen- wie Innenwelt gleichermaßen hervorgerufen und im "Traum-Gedicht" vermittelt. Was dies für die Subjekt-Objekt-Problematik bedeutet, wird noch zu erörtern sein. Im Blick auf die Rezeption eines solchen Gedichttypus läßt sich — anknüpfend an die in den 'Methodischen Vorüberlegungen' zu Beginn dieses Analyseteils zitierten Überlegungen Henrichs — konstatieren, daß das der modernen Kunst eignende Moment der Reflexion sich gerade im Lektüreprozeß entfaltet: Die Ambivalenz der Bilder, deren Struktur eine eindeutige Aussage über ihre Herkunft und ihre Bedeutung verweigert und die gleichwohl in ihrer disparat anmutenden Abfolge auf jeweils unterschiedliche Bereiche festlegbar erscheinen, fordern den Leser zu entsprechend divergierenden Identifizierungsversuchen heraus, ohne eine dieser Festlegungen zu bestätigen. Und eben dadurch fordern sie zur Reflexion heraus. Sie absorbieren zwar einerseits das Wahrnehmungssystem des Lesers, andererseits aber stören sie permanent seine Einstimmung in ein bloßes — bewußtseins- und realitätsabgewandtes — "Träumen". Und damit führen sie den Leser in jene "Erkenntniskrise", der sie ihre eigene Genese verdanken.

Bevor wir versuchen, diesen Lyrik-Typus in den Kontext der Epoche einzuordnen, sei im Blick auf das zuletzt geübte methodische Verfahren noch eine Anmerkung zu dem zur Zeit viel diskutierten Verhältnis von Literaturwissenschaft und Psychoanalyse gestattet. Man verfehlt, scheint mir, den eigentlich fruchtbaren Berührungspunkt, wenn man lediglich die Adaptierbarkeit inhaltlicher Erkenntnisse der Psychoanalyse von Seiten der Literaturwissenschaft diskutiert. Solange diese die Psychoanalyse als Nachbar- oder Hilfswissenschaft betrachtet, deren Erkenntnisse sie angesichts unterschiedlicher Erkenntnisinteressen und methodischer Verfahren ablehnen muß oder gleichsam "fertig" übernehmen kann — und zwar dort, wo sie in die Interpretation hineinpassen –, verstrickt sie sich in fruchtlose Debatten, weil sie damit im Ansatz darauf verzichtet, die Richtigkeit solcher Erkenntnisse selbst zu überprüfen. Wie die schon erwähnte Position Lorenzers – "psychoanalytisches Verstehen hat sich als hermeneutisches Verfahren zu zeigen" (646, 102) – und unser vorstehender Analyseversuch aber zeigen, haben beide trotz unterschiedlicher Ziele gemeinsame philologische Interessen, bei denen sie voneinander lernen, bei deren Durchführung sie einander kontrollieren und deren Ergebnisse sie in ihrer Relevanz für die eigenen Erkenntnisabsichten zureichend beurteilen können.

2.5   Poetischer Positivismus

2.5.1   *Die Wirklichkeit als Empfindung und die Kunst als Natur*

Der Reihungsstil ist von der Literaturwissenschaft als besonders signifikantes Merkmal der expressionistischen Lyrik – im Unterschied zur Lyrik der vorhergehenden Epochen – hervorgehoben worden. Clemens Heselhaus hat in seiner umfangreichen Studie über die 'Deutsche Lyrik der Moderne' die "Zeilenkompositionen" sogar als entscheidendes formales Konstituens moderner Lyrik überhaupt betrachtet und unter dieser Kategorie die Lyrik von Autoren wie Holz, Heym, Stadler, Werfel, Lasker-Schüler, Trakl und Benn abgehandelt, um sie gegen die – seiner Meinung nach ebenfalls modernen – lyrischen Werke von George, Rilke, Mombert, zur Linde, Däubler und Hofmannsthal abzugrenzen, deren gemeinsames Kennzeichen für ihn die lyrischen Zyklen sind. Während in diesen ein vom "Zeitgeist" abgewandtes, autonom handelndes lyrisches Ich eine Totalität erschafft, in der sich Elemente der Realität mit "erdachten Figuren", "übernommenen Bildern" sowie "vorgeprägten geistigen Formen" (59, 18) zu einer "geheimnisvollen Dunkelheit" zusammenfinden, ist wichtiges Kennzeichen der Zeilenkomposition gerade die "Zusammenhanglosigkeit", die indessen von einem leidenschaftlich an der Welt leidenden Dichter durch sinnhafte, bildliche oder rhythmische Verknüpfungen in einer "harmonischen Zusammenhanglosigkeit" aufgehoben wird (59, 148 f.). Heselhaus geht es um eine Phänomenologie der lyrischen Formen, und darin sind Stärke wie Schwäche seines Ansatzes begründet: Die Orientierung an der Kategorie der Form ermöglicht es ihm, die inhaltlichen Gegensätze unter den expressionistischen Lyrikern gleichwohl in ihrer kompositorischen Einheitlichkeit zu begreifen und damit an der Einheitlichkeit eines expressionistischen Stilbegriffs festzuhalten: "Die Expressionisten leiden an der Welt und an sich selbst: offene Gesellschaftskritik, verzweifelte Untergangsstimmung, literarische Ausschweifung — Bruder-Mensch-Pathos, Zivilisationsklage, Mythen-Hunger, religiöse Metanoeite-Stimmung, Kunst-Verabsolutierung. Der Dichter als Leidender in der erneuerten Sebastian-Gestalt — der Dichter als Visionär und Verzückter: das sind die beiden wichtigsten Gestalten, die die expressionistische Dichtung hervorgebracht hat. In Zusammenhang damit wird die hymnische Verklärung oder die pathetische Schmerzensklage ein bevorzugtes Thema." (59, 149)

Bis in die jüngste Forschung hinein hat man diesen Zusammenhang gern vernachlässigt. Als Beispiele dafür mögen die beiden 1972 erschienenen Studien von Jürgen Ziegler und Hellmut Thomke gelten. Beide entwickeln konträre Ansichten über die frühexpressionistische Lyrik, Ziegler am Beispiel der Gedichte von Heym, van Hoddis und Becher, Thomke am Beispiel von Stadler und Werfel (118; 110). Ziegler setzt an bei dem Widerspruch zwischen "gebundenen Vers- und Strophenformen und dem Willen zum unvermittelten subjektiven Ausdruck im Expressionismus" (118, 30) und fragt nach dem "Bewußtsein" und dem "geschichtlichen Sinn", die sich in dem Verhältnis zwischen solcher Form und der Subjektivität aussprechen. Dabei gelangt er zu weitreichenden Resultaten, in denen sich die Monotonie und Neutralität der Form als Ausdruck geschichtlich bedingter Depersonalisation erweisen. Wie problematisch indessen eine solche Isolierung des Aspekts der Form ist — trotz der Absicherung mit dem dialektischen Argument, daß sich in moderner Literatur die Form auch gegen den Inhalt kehren könne und daher isoliert zu betrachten sei (118, 11) —, zeigt ein Blick auf die gleichfalls frühexpressionistischen Gedichte von Stadler und Werfel, die sich ebenso — trotz dominierender Langzeile bei Stadler — auffällig traditioneller Formstrukturen bedienen, die indessen hier offenkundig adäquates Korrelat eines messianischen Expressionismus sind. Thomke jedenfalls, der die Dissoziationserscheinungen des Expressionismus lebhaft bedauert, weil diese "oft auch der Lust am Zertrümmern nicht nur einer beschränkten, heuchlerischen, epigonenhaften bürgerlichen Welt (welche den Untergang verdiente), sondern jeglicher vernünftigen Ordnung überhaupt und des Schönen wie des Sittlichen schlechthin" entsprangen (110, 11) und damit einer echten Erneuerung des hymnischen Stils im Wege standen, Thomke also sieht in den Erneuerungs- und Aufbruchsversuchen von Stadler und Werfel den gelungenen Neubeginn für eine hymnische Dichtung, die sich weithin ebenfalls in der Form der Zeilenkomposition verwirklichte. Gunter Martens wiederum unternimmt den großangelegten und materialreichen Versuch, die so gegensätzlich anmutenden Werke von Heym und Stadler als zutiefst verwandt zu erweisen, indem er ihre innere Zugehörigkeit zum Vitalismus aufweist. Auf die Form der frühexpressionistischen Lyrik geht er in seiner geistes- und motivgeschichtlichen Untersuchung allerdings nur am Rande ein (76 a). Solche Gegensätze sind nicht nur deshalb schwer miteinander vereinbar, weil die genannten Studien durchweg solide gearbeitet sind und ihre Ergebnisse nachprüfbar an den Texten gewinnen, sondern weil sie alle im Ansatz unter verschiedenen partialen Aspekten dialektisch verfahren und ihre Ergebnisse divergieren. Ziegler reflektiert die Dialektik von Form und Subjektivität, Thomke hält ständig die Dialektik von Weltzerstörung und "Verkündung eines neuen Menschen" gegenwärtig, und auch Martens gelingt die Vermittlung zwischen der Dichtung Heyms und den Gedichten Stadlers nur dadurch, daß er Zeitkritik und Verherrlichung des Lebens als komplementäre Erscheinungen faßt, die bei Heym wie bei Stadler gleichermaßen − wenn auch in unterschiedlicher Ausprägung − vorhanden sind: bei Stadler äußert sich diese "Dialektik des Lebens" unmittelbar als "Beschränken und Entgrenzen", als "Bewegung und Ruhe", als "Aufbruch" und "Einkehr" in den Gedichten und ihrer zyklischen Abfolge (76 a, 166 ff.), bei Heym ist die "Entgegensetzung von antivitalem Sein und lebensvollem Aufbruch" (76 a, 203) vorwiegend nur indirekt erschließbar: "alle dargestellten endzeitlichen Zustände und Vorgänge sind polar dem ersehnten Leben entgegengesetzt, die untergehende Welt, die zunächst den Lebenskult zu widerlegen scheint, bleibt antithetisch auf das Positivum 'Leben' bezogen, ist nichts anderes als das zugehörige Gegenstück und verweist damit auf dieselbe Hochschätzung des Vitalen, wie sie den positiven Gestaltungen der Vitalisten zugrundeliegen." (76 a, 205) Gerade die starke Vitalisierung der Leben bedrohenden und Realität zerstörenden, im Gewande der Mythologie vorgestellten Kräfte ist ihm Beweis dafür. Diese am Inhalt orientierte Dialektik läßt sich indessen nicht einfach mit dem Ansatz und den Ergebnissen Zieglers vermitteln. Die Dialektik der Autoren funktioniert offensichtlich nur dadurch, daß sie jeweils entweder nur den Inhalt oder nur die Form mit dem lyrischen Ich vermitteln, nicht aber zugleich auch Inhalt und Form. Mit Recht hält Ziegler anderen Autoren vor, sie trügen − zum Teil ausgehend vom theoretischen Selbstverständnis der Expressionisten − Kategorien an die Texte heran, die sie dort dann bestätigt fänden (118, 3). Dies gilt mutatis mutandis aber auch für Martens, Thomke und ihn selbst: ob die Form dem Inhalt widerspricht oder entspricht, ist nicht methodisch vorab zu entscheiden, sondern an den Texten selbst zu überprüfen. Das Problem einer Vermittlung zwischen Form und Inhalt ist dringlich, wenn die Analyse Zieglers stimmt und der Form der expressionistischen Lyrik ein besonderer, eigenständiger Aussagewert zugesprochen werden muß. Dies gilt vor allem dann, wenn man den Reihungsstil als Ausdruck eines durch die geschichtliche Entwicklung bedingten Änderung der Wahrnehmungsstruktur des Subjekts interpretiert, wie dies im Anschluß an Ziegler auch im vorliegenden Band geschehen ist.

Die Lyrik Georg Trakls bietet den geeigneten Anlaß, nach den Voraussetzungen und Bedingungen einer Vermittlung von Inhalt und Form und der darin angelegten Subjekt-Objekt-Dialektik zu fragen. Sie stellt einen eigenständigen Typ dar, der gleichwohl Elemente und Tendenzen der Form und des Inhalts mit den Gedichten der zuvor genannten Autoren teilt. Die Bildabfolge läßt sich nicht mit der Zeilenkomposition identifizieren, zumindest ansatzweise eröffnet sich ein für mehrere Bilder gemeinsamer Bezugsrahmen der Imagination. Dennoch entstammen die Bilder und Motive heterogenen Sinn- und Wertbereichen. Sie integrieren, ohne auf den Vitalismus festlegbar zu sein, Bewegung und Ruhe, "Aufbruch" und "Einkehr", und dies nicht nur im Bildbestand, sondern auch durch jenes "Kreisen" in der "Schallform", das zu der Ruhe der Bildabfolge in spannungsvollen Kontrast tritt. Trakls Gedichte enthalten deutliche Merkmale der Ich-Dissoziation, dennoch ist ihnen die messianische Suche nach Aufbruch und Erlösung keineswegs fremd. Diese Erlösung wird in einigen Gedichten gestaltet — mit denselben Motiven und Bildern, die in den meisten anderen Poemen den "Untergang des Geschlechts" beschwören. Die Bilder selbst lassen sich sowohl als Darstellung einer außersubjektiven Realität wie auch als Ausdruck einer "Seelenlandschaft" begreifen.

Indem diese — in 'Sebastian im Traum' dokumentierte — Lyrik Intentionen und Tendenzen der Gedichte anderer expressionistischer Autoren integriert und zugleich übergreift, nötigt sie zu einer erneuten Suche nach historischen Entwicklungen, die ein solches Dichten ermöglichten oder nahelegten und die auch für die anderen expressionistischen Gedichttypen von Belang sein können — so wie auch die von Vietta bereits aufgezeigten historischen Phänomene und Faktoren für die Lyrik Trakls von hohem Belang sind, aber für ihr Verständnis nicht ausreichen. Unser Interesse gilt dabei solchen Tendenzen, welche für die Disparatheit des Bild- und Motivbestands und zugleich für die besondere Form ihrer poetischen Verknüpfung mitverantwortlich sein können. Ich kann dabei im folgenden nur einige Linien andeuten: was hier aus den vorhergehenden Epochen zur Sprache kommt, wird in den entsprechenden Bänden dieser Reihe ausführlicher erörtert.

Dieter Henrich greift zur Kennzeichnung der modernen Kunst auf die Auffassung Hegels vom grundsätzlich partialen Charakter moderner Kunst zurück. Für Hegel begründet sich ihre Partialität in ihrer Unfähigkeit, "den Zusammenhang der Wirklichkeit als einer in sich vernünftigen zur Darstellung zu bringen". (743 b, 16) Henrich hält an dieser Bestimmung der Partialität fest, interpretiert diese Kategorie aber positiv, indem er der Kunst die Möglichkeit zur Darstellung — nicht zur bloßen Widerspiegelung — dadurch zuspricht, daß diese auch in ihrer Partialität Wirklichkeit verbindlich — wenn auch ohne Bezug zu einem universalen Zusammenhang — zum Vorschein bringen kann, und zwar dadurch, daß "gegenwärtige Kunst als Manifestation *ausgezeichneter* Wirklichkeit zu deuten" sei (743 b, 17). Die Bestimmung des Ausgezeichneten impliziert, daß die Kunst im Sinne einer platonisierenden Ästhetik "an beliebigem endlichen Seienden Verfassung und Gesetz von Seiendem schlechthin" sichtbar machen kann, und zwar "als Ordnung, Stimmigkeit und Harmonie". "Es wäre möglich zu sagen, daß abstrakter Zusammenhang nur *in abstracto* zur Darstellung kommen könne oder daß ausstehende Versöhnung nur *in abstracto* zu antizipieren sei. Beide Male ergäbe sich ein Ansatz, die Ungegenständlichkeit neuerer Kunst zu deuten." (743 b, 17) Henrich zieht diesen von Hegel her entwickelten Denkansatz anschließend selbst wieder als nicht angemessen im Blick auf die eigentlichen Intentionen der modernen Kunst in Frage. In unserem Zusammenhang ist er gleichwohl aufschlußreich, weil er die Problematik beschreibt, vor die sich die Kunst der beginnenden Moderne gestellt sah.

Sie mußte erleben, daß sich nicht nur die gesellschaftliche Wirklichkeit infolge zahlreicher Faktoren in einem rapiden und im einzelnen kaum noch zu durchschauenden Wandel befand, sondern daß auch die Wissenschaften — allen voran die Naturwissenschaften — die traditionelle Ordnung des Seienden mehr und mehr radikal in Frage stellte.

Mit zunehmendem Wissensumfang und bei wachsender methodischer Differenzierung entwickelten und verselbständigten sich immer mehr Einzelwissenschaften, die teilweise den Kontakt miteinander verloren. Sie legitimierten sich als Einzelwissenschaften dadurch, daß sie einen kleinen und damit überschaubaren Teilbereich des Wissens bis in Einzelheiten hinein durchforschten und beherrschten. Damit gingen zunehmend übergreifende Sinn- und Wertkategorien verloren. Daß sich — dies nebenbei — die Geisteswissenschaften von den Naturwissenschaften trennen, wie Vietta erörtert hat, ist selbst Ausdruck dieser "Atomisierung" und Spezialisierung der Wissenschaften. Sie ist andererseits aber auch Reaktion auf eine gegenläufige Tendenz, alle Wissenschaften auf dieselben theoretischen Prinzipien zu verpflichten: Die ist das Anliegen des Positivismus.

Der von Comte begründete Positivismus versucht im Sinne eines wissenschaftstheoretischen Monismus "die Methoden und Erkenntnisziele der Geisteswissenschaften denen eines naturwissenschaftlichen Gesetzesdenkens anzugleichen" (751, 30). Der Positivismus des 19. Jahrhunderts "sah kulturelle und geistige 'Tatsachen' als empirisch gegebene Data von Natur und Gesellschaft bedingt, konnte sie aber ebenso wie die sozialen und ökonomischen Strukturen der Gesellschaft selbst auch als 'zweite Natur' (Marx) mißverstehen, deren Prozesse mit gesetzmäßiger Notwendigkeit ablaufen und deshalb nicht kritisierbar, sondern nur beschreibbar sind". (751, 30)

Der Positivismus bezeichnet — so hat Habermas prononciert formuliert — "das Ende der Erkenntnistheorie". Die Frage nach den Bedingungen und dem Sinn von Erkenntnis ist für den Positivismus "durch die Tatsache der modernen Wissenschaften sinnlos geworden. Erkenntnis ist implizit durch die Leistungen der Wissenschaften definiert." (640 a, 88) Die Beschränkung der Erkenntnis auf das Gegebene, sinnlich Wahrnehmbare, auf die Beobachtung und Beschreibung von darin sichtbar werdenden Gesetzmäßigkeiten bedeutet zugleich eine entschiedene Ablehnung aller Metaphysik. 'Antimetaphysische Vorbemerkungen' nennt Ernst Mach, einer der einflußreichsten positivistischen Erkenntnistheoretiker, das erste

Kapitel seines zuerst 1885 erschienenen Werkes 'Die Analyse der Empfindungen und das Verhältniss des Physischen zum Psychischen' (646 a). Radikaler als Nietzsche verzichtet Mach nicht nur auf alle vorgängigen Sinnkonstituierungen im Blick auf Subjekt und Objekt, sondern er sucht – am Beispiel des Psychischen und Physischen – nachzuweisen, daß es gar keinen Gegensatz zwischen Subjekt und Objekt gibt, sondern lediglich eine Vielzahl fluktuierender Oberflächenerscheinungen: "Das Ich ist so wenig absolut beständig als die Körper" (646 a, 3). Beide Kategorien sind "vermeintliche Einheiten", die "nur Nothbehelfe zur vorläufigen Orientirung und für bestimmte praktische Zwecke sind"; deshalb "müssen wir sie bei vielen weitergehenden wissenschaftlichen Untersuchungen als unzureichend und unzutreffend aufgeben. Der Gegensatz zwischen Ich und Welt, Empfindung oder Erscheinung und Ding fällt dann weg" (646 a, 9), und damit ergibt sich ein rigoroser Monismus, der den Anspruch erhebt, entscheidende Kategorien abendländischen Denkens und Weltverständnisses als Fiktion entlarvt zu haben. Darin steckt auch ein Element der Sprachkritik, dem Mach selbst dadurch Rechnung trägt, daß er mit genau definierten Zeichensystemen operiert, die an die Stelle der kritisierten Begriffe treten. Es ist bezeichnend für ihn, daß er sich ausdrücklich von dem "ethischen Ideal" "des Nietzscheschen frechen 'Übermenschen', welches die Mitmenschen nicht dulden können, und nicht dulden werden", distanziert (646 a, 17), weil er dies auch als metaphysischen Rückfall des Antimetaphysikers Nietzsche betrachten muß, dem er sich im übrigen auch dadurch überlegen weiß, daß er seine Thesen nicht in genialen Aphorismen, sondern in einem stringenten wissenschaftlichen Beweisgang, gestützt auf empirisches Material, expliziert. Die Problematik und auch die Aporien, in die ein solcher Ansatz führen muß, sind verschiedentlich erörtert worden (vgl. z. B. 640 a; 671; 751). Sie sind auch indirekt erschließbar aus dem, was Vietta über die prinzipielle Subjektivierung jeder – auch der modernen naturwissenschaftlichen – Erkenntnis ausgeführt hat (vgl. Teil II, Kap. 2.6.2.2).

In unserem Zusammenhang sind die Konsequenzen dieses Ansatzes im Blick auf die Literatur zu entfalten. Gemeint ist dabei immer der durch die Position Machs repräsentierte erkenntnistheoretische Ansatz des um die Jahrhundertwende dominierenden Positivismus, nicht jedoch dessen zum Teil tiefgreifende Wandlung im nachfolgenden "Logischen Positivismus" oder "Neopositivismus" des "Wiener Kreises" (vgl. dazu 751, 35 ff.; 671, 29 ff.). – Eine ausgezeichnete Wirklichkeit, auf die sich die Literatur bei ihrer Darstellung stützen könnte, gibt es danach nicht mehr. Im Unterschied zu den mechanistischen Naturwissenschaften des 17. und 18. Jahrhunderts, die hinter der sichtbaren Oberfläche nach den wesentlichen Gesetzen und Kräften der Natur forschten und damit auch der Literatur trotz zunehmender Säkularisation die Möglichkeit einer Symbolbildung eröffneten, ist für den Positivismus das Wesentliche mit dem sinnlich Gegebenen identisch. Dieses allein ist unmittelbar evident, und an dieses –

in ständiger Fluktuation begriffene – Reale hat sich die Wissenschaft zu halten. "Ich" und "Welt" bauen sich im Prinzip aus denselben Elementen auf, die sich als Empfindungen zu erkennen geben. Von der rationalistischen und idealistischen Erkenntnistheorie her ist man präzise Definitionen und Differenzierungen im Blick auf Kategorien wie "Anschauung", "Empfindung", "Wahrnehmung" oder "Erfahrung" gewöhnt. Solche Unterscheidungen sind von Mach nicht zu erwarten, weil sie für ihn nur wiederum begriffliche Hypostasierungen wären, denen keine "Realität" entspricht. Empfindung ist das, was affiziert, und in dieser Vagheit kann das mit diesem Begriff Bezeichnete sogar noch den zum Psychischen gehörenden Gefühlsbereich einschließen, und mit dem Physischen sind die als solche wahrnehmbaren Tatsachen und Fakten gemeint. Was wirklich ist, tritt also in einer prinzipiell unabsehbaren Fülle von Empfindungen, Wahrnehmungen, Tatsachen und Fakten in Erscheinung, und es ist Aufgabe der Wissenschaft, den Zusammenhang der Einzelphänomene zu erfassen und zu beschreiben. Da es keinen metaphysisch begründeten Zusammenhang der Dinge mehr gibt, diese aber gleichwohl wechselnde Konnexionen eingehen, muß dieser rein funktionale Zusammenhang erkannt und beschrieben werden. Voraussetzung für die Richtigkeit dieser Beschreibung ist – neben dieser Beschränkung auf die Oberflächenerscheinungen und der Enthaltsamkeit von jeder metaphysischen Spekulation – die exakte, theoretisch abgesicherte Methode der Beschreibung. Neben die sinnliche tritt also die methodische Gewißheit: "Die Wissenschaft behauptet den Vorrang der Methode vor der Sache, weil wir uns nur mit Hilfe wissenschaftlicher Verfahrensweisen über die Sache zuverlässig informieren können. Die Gewißheit der Erkenntnis, die der Positivismus fordert, meint also gleichzeitig die empirische Gewißheit der sinnlichen Evidenz und die methodische Gewißheit obligatorisch einheitlichen Prozedierens." (640 a, 97) Auch hier wird jede theoretische Spekulation vermieden und weitgehend durch die Präzision des Verfahrens ersetzt. Dieses entspricht mit der Konzentration auf die Beschreibung – also auf eine relativ einfache Stufe in der Methodik wissenschaftlichen Vorgehens – der Reduktion der Wirklichkeit auf ihre Oberflächenerscheinungen. Aus deren permanenter Fluktuation und aus der Verweigerung einer metaphysischen Absicherung des Verfahrens resultiert "die prinzipielle Unabgeschlossenheit und Relativität" der Erkenntnisse (640 a, 100).

Von diesen Andeutungen her ergeben sich einige Aspekte zum Verständnis der Literatur um die Jahrhundertwende. Von daher versteht sich beispielsweise – wenn auch natürlich nicht ausschließlich – die seit dem Naturalismus erkennbare Tendenz zur exakten Beobachtung und Beschreibung in der Literatur. Im Naturalismus wird ein engumgrenzter Bezirk möglichst genau und in seiner vielfältigen Determination erfaßt, ohne daß damit aber im Sinne einer ausgezeichneten Wirklichkeit Anspruch auf symbolische Repräsentanz erhoben würde. Jeder "Fall" ist vielmehr anders. Literatur begnügt sich mit der exakten Beschreibung der

Einzelheiten eines dieser Fälle. Sie kehrt der Geschichte den Rücken und konzentriert sich auf die Gegenwart, die sie in ihren positiven wie negativen Aspekten darstellt.

Die berühmte Kunstformel von Arno Holz — "Die Kunst hat die Tendenz, wieder die Natur zu sein. Sie wird sie nach Maßgabe ihrer jedweiligen Reproduktionsbedingungen und deren Handhabung" (730, 16) — legt die Kunst nicht nur auf detailgetreue Reproduktion fest, womit sie zugleich den Charakter des Mach- und Überprüfbaren erhält, sondern sie ist — das hat man bisher wohl auch angesichts späterer Interpretationen von Holz nicht deutlich genug betont — der ausgesprochenen Tendenz nach eine Identifikationsformel: Die Kunst soll nach Möglichkeit Natur werden, und das kann bedeuten: an ihre Stelle treten, sie integrieren und ersetzen — dies hat Holz (allerdings unfreiwillig) in seinem 'Phantasus' vorgeführt (vgl. 48) — oder in sie ein- und in ihr aufgehen. In jedem Fall aber ist hier die Überwindung einer Diskrepanz zwischen Kunst und Wirklichkeit anvisiert. Und dies ist nur unter der Voraussetzung verstehbar, daß sich die von einem Subjekt in der Kunst ausgesprochenen Empfindungen in ihrer Substanz in nichts von den Empfindungen unterscheiden, welche die Elemente der Körperwelt hervorrufen. Um dies an einem von Holz selbst angeführten, vieldiskutierten Beispiel zu erörtern: Ein kleiner Junge hat auf eine Schiefertafel eine skurrile Figur gemalt, von der erst auf sein Befragen erkennbar wird, daß sie einen "Suldaten" darstellen soll. Holz erklärt dazu: "Dieser 'Suldat' ist das, was ich suchte. Nämlich eine jener einfachen künstlerischen Tatsachen, deren Bedingungen ich kontrollieren kann. Mein Wissen sagt mir, zwischen ihm und der Sixtinischen Madonna in Dresden besteht kein Art-, sondern nur ein Gradunterschied. Um ihn in die Außenwelt treten zu lassen und ihn so und nicht beliebig anders zu gestalten, als er jetzt, hier auf diesem kleinen Schieferviereck, tatsächlich vor mir liegt, ist genau dasselbe Gesetz tätig gewesen, nach dem die Sixtinische Madonna eben die Sixtinische Madonna geworden ist, und nicht etwa ein Wesen, das zum Beispiel sieben Nasen und vierzehn Ohren hat." (730, 13) Dieses Gesetz ist in der zitierten naturwissenschaftlichen Formel festgehalten. Es läßt sich von der Position Machs her verstehen: Mit der "abstrakten" Strichfigur stellt der kleine Junge jene Empfindung dar, die ein Soldat auf ihn gemacht hat. Diese unterscheidet sich ihrer Substanz nach nicht von der Empfindung, die derselbe Soldat vielleicht auf einen anderen Betrachter ausübt. Auch die Sixtinische Madonna ist Darstellung einer entsprechenden Empfindung aus der Natur. Ich kann einen Gegenstand aus dem Bereich der Realität nur durch Empfindung und als Empfindung wahrnehmen. Indem ich ihn auch als Empfindung gestalte, *ist* er der, als den ich ihn wahrnehme, auch wenn ich ihn durch das gewählte Material oder durch handwerkliche Unvollkommenheit bis zur Unkenntlichkeit entstelle. Diese eher technisch bedingten Unterschiede zwischen dem Eindruck und seiner Darstellung wie auch zwischen verschiedenen Darstellungen desselben Eindrucks sind für

Holz nicht entscheidend. Sie sind vielmehr den unterschiedlichen Experimentbedingungen bei einem naturwissenschaftlichen Versuch vergleichbar: je nach Versuchsanordnung kann ein physikalischer Gegenstand – zum Beispiel das Licht – seine Qualität ändern und verschiedene Empfindungen hervorrufen, ohne aber dadurch seine Identität zu verlieren und ohne an der Tatsache etwas zu ändern, daß er nur als Empfindung in Erscheinung tritt.

Indem Wirklichkeit dargestellt wird, wie sie erscheint, wird sie dargestellt, wie sie ist, und zu dieser Seinsweise kann auch die Unterschiedlichkeit ihres Erscheinens in den Empfindungen gehören, die somit auch in der Kunst zu vergegenwärtigen sind. Der Übergang zur Subjektivierung des Holzschen Ansatzes und damit zum Impressionismus ist in dieser Konzeption selbst angelegt. Aber selbst dort, wo der Künstler mit pointillistischen Tupfern, die die Vielzahl der durch die Elemente hervorgerufenen Empfindungen darstellen, sehr subjektive Eindrücke von Einzeldingen oder Landschaften vergegenwärtigt, verhilft er ihnen zur Wirklichkeit, weil Wirklichkeit nicht anders als durch Eindrücke wirklich ist. Indem er so Natur und Welt ins Leben ruft, ist er ihr Schöpfer, aber, da er von den Empfindungen abhängig ist, die er gestalten will, zugleich ihr Diener.

Damit wird die diesem Ansatz innewohnende Dialektik deutlich. Der Künstler, der wie der naturwissenschaftliche Forscher die Welt der Dinge unter wechselnden Perspektiven als Empfindungen beschreibend in Erscheinung ruft, der sie erschafft, ist ihnen zugleich ausgeliefert, weil die Oberflächenerscheinungen ständig fluktuieren, weil jedes einzelne Ding eine Vielzahl von Empfindungen hervorrufen kann, die alle auch zu dieser Wirklichkeit gehören. Jede Wahrnehmung steht für sich und gleichberechtigt neben einer anderen. Eine *ausgezeichnete* Wirklichkeit ist im Prinzip ausgeschlossen, obgleich ein Dichter eine solche durch Aufbau und Abfolge der Eindrücke im Einzelfall herstellen kann. Der Hang zum Monumentalismus der Werke kennzeichnet indessen gerade eine Reihe von Autoren, die man zumindest in einer bestimmten Schaffensperiode zum Impressionismus rechnet: so Holz mit seinem riesigen, von Überarbeitung zu Überarbeitung weiterwuchernden und unabgeschlossenen 'Phantasus', so die sogenannten 'Kosmiker', vor allem Alfred Mombert mit seinen zyklisch gegliederten und "sinfonisch" angelegten großen Gedichtbänden und Theodor Däubler mit seinem 30 000 Verse umfassenden Werk 'Das Nordlicht', das trotz aller mystischen und gnostischen Züge "immer wieder in den Erscheinungen" "schwelgt" (59, 65) und bei dessen Lektüre sich "das Schweifen als das eigentliche Element dieser Dichtung" zeigt (59, 69); und dazu gehört auch der bis in die zwanziger Jahre dieses Jahrhunderts unverdrossen Zyklus auf Zyklus dichtende Otto zur Linde, den man gelegentlich als Vorläufer des Expressionismus bezeichnet hat: seine häufig auch Alltagssituationen in "natürlichem Sprechrhythmus" veranschaulichenden Gedichte kennzeichnet nach Heselhaus "das impressio-

nistische Verlangen nach Aufzeichnung aller Lebensregungen." (59, 60)
Die wesensmäßige Unabschließbarkeit des zu Bewältigenden fordert die
Unermüdlichkeit des Poeten heraus und nötigt ihn zu einer totalen Hin-
gabe an die Objekte, die er zum "Leben" erwecken will.

Dies ist natürlich nur ein – wenngleich nicht unwichtiger – Aspekt zum
Verständnis dieser Autoren. Bevor wir diese Linie des "poetischen Positivismus" bis zum Expressionismus weiterverfolgen, müssen wir noch einen
Problembereich entfalten, der bereits mehrfach angeklungen und für die
Lyrik des Expressionismus von zentraler Bedeutung ist: die Disparatheit
der Realität. Sie ergibt sich, wie bereits angedeutet, aus der prinzipiellen
Negierung von Fragen nicht nur einer metaphysischen, sondern auch
einer immanenten wissenschaftstheoretischen Sinn- oder Zwecksetzung
der Natur. Jede Empfindung, ob sie von den Dingen stammt oder Empfindung dessen ist, was traditionellerweise mit dem synthetischen Begriff
eines 'Ich' bezeichnet wird, ist gleich wichtig, es gibt überhaupt kein Subjekt, das erkenntnistheoretisch notwendig wäre, um eine solche Sinnsetzung vornehmen zu können. Dieser positivistische Skeptizismus ist
keineswegs pessimistisch, er negiert – seiner Meinung nach – nur, was
ohnehin eine Fiktion ist und hält sich stattdessen an die "positiv" gegebenen Tatsachen. Die einzelnen, als Empfindungen wahrgenommenen
Elemente stehen gleichwohl in einem funktionalen Zusammenhang, der
in der Beschreibung erkennbar wird. Insofern ergibt sich auch in den naturalistischen "Objektbeschreibungen" ein von den Objekten selbst ge-
setzter Zusammenhang. Auch die Komposition ist also strenggenommen
keine Leistung eines schöpferischen Subjekts, sondern determiniert durch
die Natur und damit deren unmittelbarer Ausdruck. In einer möglichst
getreuen Beschreibung wird der Zusammenhang der Phänomene und damit der "Sinn" der Natur erkennbar. Selbst in der Auswahl des Sujets
manifestiert sich keine schöpferische Leistung eines poetischen Subjekts,
weil im Prinzip kein Teilbereich der Natur einen Vorrang vor einem
anderen behaupten kann. Dies ist allerdings nur eine logisch-abstrakte
Folgerung aus dem positivistischen Ansatz.

2.5.2 Partialisierung und Funktionalisierung des Lebens

Tatsächlich gab es im 19. Jahrhundert einen wissenschaftlichen Arbeits-
bereich, der in besonderem Maße das Interesse auch einer breiteren Öffentlichkeit fand: die Biologie und vor allem die Erkenntnisse Darwins,
seine Evolutionstheorie, seine Lehre von der Zuchtwahl und von dem
inneren Zusammenhang alles Lebens. Die von Darwin nicht erfundene,
wohl aber durch Funde wissenschaftlich legitimierte Evolutionstheorie
besagt bekanntlich, daß sich der Mensch in einer langen Entwicklung und
mit Intervallen von einigen Primordialzellen über die Fische, Amphibien
und Säugetiere zunächst zu einem affenartigen Wesen und schließlich bis
zum Menschen entwickelt habe und daß auch seine geistigen Fähigkeiten

ihn nicht prinzipiell, sondern nur graduell von anderen Lebewesen, zum Beispiel vom Affen, unterscheiden, da sie in niedrigeren Abstufungen auch bei diesem nachweisbar sind. Die Lehre von der Evolution läßt sich als genaue Umkehrung der alten neuplatonischen Lehre von der Emanation verstehen, die besagt, daß sich der göttliche Geist in kontinuierlicher Stufenfolge über die intelligible und sensible Welt bis hinab zur Materie, die als Prinzip des Schlechten begriffen wird, entfaltet und dabei auf jeder weiteren Stufe seiner "Materialisierung" einen Teil seiner ursprünglichen Reinheit und Vollkommenheit einbüßt. Ziel der menschlichen Seele muß daher sein, in einem mystischen Akt das Haften am Leiblichen und Weltlichen zu überwinden und sich mit dem transzendenten göttlichen Geist zu vereinen. Im Gefolge der Evolutionstheorie entwickelte sich nun die umgekehrte Tendenz: eine mystische Sehnsucht nach Entgrenzung und Hingabe an das "Leben", an die zahllosen vegetativen und animalischen Objektivationen der Natur, mit denen sich der Mensch seiner Herkunft nach brüderlich verwandt fühlen konnte. Wilhelm Bölsche, der unermüdliche und wortgewaltige Popularisator der naturwissenschaftlichen Erkenntnisse, spricht diese Tendenz zu Beginn seines monumentalen dreibändigen Werkes über 'Das Liebesleben in der Natur' in dithyrambischer Ergriffenheit aus:

> Schau dem schönen Segelfalter dort nach, wie er majestätisch sich zu dem Thymian niedersenkt. Aus Tieren, niedriger als dieser schwebende Schmetterling, bist du, Mensch, geworden, du als Mensch der modernen Erkenntnis. Von Urwesen ging dein Stamm aus, unvollkommener noch als dieser stumme, reglos in der glühenden Sonne sich badende Thymian. Groteske Geschöpfe ohne eine Spur deiner Gestalt waren 'du'. Sie krochen am Meeresstrand, als dieser Strand noch der weiche Schlamm war, der heute jene messerharten Felsgräten bildet, an denen sich da unten am Kap die blaue Welle zu Schlamm zermalmt. Und mit allen diesen Wesen, die du waren und doch nicht du vor Äonen der Zeit, hängst du zusammen durch die ungeheure Weltenkraft der Liebe, der Zeugung, des ewigen Gebärens und Werdens. Tausend- und tausend-, millionen- und millionenmal hast du da unten geliebt, gelitten und geblutet, bist gekreuzigt worden und auferstanden am dritten Tag. Dort, in der Vergangenheit, in der unermeßlichen Kette aller dieser Vor-Ichs deines eigenen Ich ... liegen die Lösungen all deiner Rätsel, deiner tiefen Geheimnisse, die dich durchspinnen wie ein dunkles Schicksalsnetz, wie ein schwarzes Spinngewebe, an dem deine Tränen wie Tautropfen blinken. (720 a, 7)

Auch hier wird die Einheitlichkeit und Geschlossenheit der Kategorie des Subjekts erschüttert durch die Behauptung einer historischen Kontinuität, die bis in naturgeschichtliche Ursprünge zurückreicht, in denen es ein Ich als Bewußtsein noch gar nicht gegeben hatte und die gleichwohl für dessen Genese und für seine Identität von entscheidender Bedeutung sind. Die Folge ist auch hier ein "Schweifen" des Subjekts, "hinauswandernd in die Äonen des Raumes und der Zeit, hinauswandernd zu all den alten Brüdern im Tier- und Pflanzenreich" (720 a, 9), um sich in der Entgrenzung und Hingabe an die Vielfalt des Lebens seiner eigenen Identität gewiß zu werden. Auch Arno Holz läßt seinen 'Phantasus' mit einer Erinnerung an die Ursprünge der Evolution beginnen: "Sieben Billionen . . . Jahre . . . vor meiner Geburt / war ich / eine Schwertlilie. / Meine suchenden Wurzeln / saugten / sich / um einen Stern." (730, 7) Der starke mystische Einschlag in vielen Gedichten von der Jahrhundertwende bis hin zu Stadlers 'Aufbruch' hat hier eine seiner wesentlichen Wurzeln, und auch die oft erkennbare Ziel- und Uferlosigkeit dieses Suchens und Schweifens ist in dieser Vorstellung des im Prinzip nicht abschließbaren Prozesses von Identifikationsmöglichkeiten angelegt. Die Einsicht in die prinzipielle Verwandtschaft mit allem Lebendigen führt zu der Konsequenz grundsätzlicher Gleichheit und damit auch Beliebigkeit jener Naturphänomene, die als Sujet der Gedichte sowie als Objekt und Medium der Ichfindung dienen können. Die Kontinuität der naturgeschichtlichen Evolution schließt trotz des Gedankens der Höherentwicklung eine Bevorzugung etwa des Animalischen vor dem Vegetativen aus, weil die jeweils höhere Stufe in ihren Voraussetzungen und Bedingungen nicht ohne die vorangegangene zu begreifen ist.

Ein Phänomen allerdings, das dieser ganzen Entwicklung selbst zugrundeliegt, beansprucht das besondere Interesse der Wissenschaften wie der Dichter jener Zeit: die Frage, was diese Evolution ermöglicht und in Gang hält. Es ist die Frage nach dem Prinzip oder der Seinsweise des Lebens. Für Bölsche und zahlreiche Poeten ist dies das Phänomen der Liebe und der Zeugungsakt, und sie werden nicht müde, beides zu verherrlichen. Dies hat für die Literatur vom Naturalismus bis zum Expressionismus Gunter Martens ausführlich aufgezeigt (76 a). Allerdings leitet er, wie mir scheint, die Bewegung des Vitalismus zu einseitig aus der Lebensphilosophie vor allem Nietzsches und Bergsons her, deren Gedanken er zunächst ausführlich darlegt. Es ist richtig, daß der Begriff 'Vitalismus' der philosophischen Fachsprache entstammt und daß er dort eine naturphilosophische Richtung bezeichnet, "die im Gegensatz zur 'mechanischen Kausalität' Darwins eine nach physikalischen Gesetzen nicht erklärbare Autonomie der Lebensvorgänge aus der Beobachtung organischer Entwicklung (besonders der Embryogenetik) abzuleiten sucht" (76 a, 15). Doch damit deutet Martens zugleich die naturwissenschaftlichen Grundlagen an, die den philosophischen Ansatz ermöglichten. Die Entwicklung der Biologie, insbesondere deren experimentelle Entdeckung lebenswichtiger Stoffe, Elemente und Funktionen (Sauerstoff und Atmungsfunktion, Gewebe, Zellen und Keime) hat Ruth Moore ausführlich dargestellt (755). Die zunächst noch streng mechanistisch erklärten Lebensprozesse wurden erst gegen Ende des 19. Jahrhunderts — und hier vor allem durch Hans Driesch — organologisch verstanden. Driesch beobachtete durch Experimente mit Zellteilungen und am Beispiel von halbierten Zellen, die sich gleichwohl zu vollausgebildeten Organismen entwickelten, daß für die Morphogenese aus unsichtbar kleinen Zellen eine Kraft verantwortlich sein müsse, die sich nicht mit Hilfe physikalischer oder chemischer Vorgänge erklären ließ. Driesch griff deshalb sogar auf den aristotelischen Entelechiebegriff als Erklärungsmodell für die organologische Entwicklung zurück. "Das Leben" war damit eine "immaterielle Kraft" (755, 108) und somit aller mechanistischen Erklärung entzogen, zugleich aber für jede naturphilosophische Spekulation offen. Driesch selbst entwickelte zunehmend Interesse für Mystik und Parapsychologie.

Die naturwissenschaftliche Unerkennbarkeit des Lebens blieb auch philosophisch unangetastet. Für Nietzsche steht das dynamisch als Werden und Wachsen sowie als Wille zur Macht verstandene Leben "beziehungslos den abstrakten Formen des Denkens gegenüber, es ist kausallogisch nicht feststellbar und wehrt sich gegen jede schulmäßige Darstellung." (76 a, 47) Die Vorstellung des Werdens impliziert bei Nietzsche — wie Martens zeigt — zugleich diejenige der Zerstörung: "Die Lebensbewegung, das Werden, schließt die ständige Überwindung und Vernichtung des eben Erreichten ein: das Zerstören ist ein notwendiger Akt innerhalb eines Weltprinzips, in dem 'Zeugen, Lieben und Morden eins ist' " (76 a, 51). Bergson, dessen Denkansatz von Vietta bereits angesprochen wurde (vgl. Teil II, Kap. 2.6.2.1), entwickelt den Begriff einer intuitiven Erkenntnis, mit deren Hilfe die Lebensbewegung erfaßt werden soll, ohne in den Fehler des Intellekts zu verfallen und "wieder in die Fesseln einer starren Begrifflichkeit" zu geraten. Die intuitive Erkenntnis muß — so zitiert Martens den französischen Philosophen — versuchen, zu "geschmeidigen, beweglichen, fast flüssigen Vorstellungen (vorzustoßen), die immer bereit sind, sich den flüchtigen Formen der Intuition anzubilden." (76 a, 59) "In diesem Sinn schlägt Bergson vor, Definitionen zu dynamisieren ..., feststehende Eigenschaften durch Bezeichnung von Tendenzen und Akzentuierungen zu ersetzen ... und die intuitiv erfaßte Wirklichkeit durch eine Vielzahl gegensätzlicher Aspekte zu beschreiben." (76 a, 59)

Mit solchen Anschauungen findet sich die Lebensphilosophie, die das Wort Leben "sogar pointiert als 'Anti-Begriff' verstanden und den rationalistischen Theorien des Positivismus und Materialismus entgegengesetzt" hatte (76 a, 16), unversehens in offenkundiger Nähe zu der positivistischen Position. Nicht nur die — von Bergson nicht vertretene — These von der prinzipiellen Unerkennbarkeit des Lebens an sich und die Ineinssetzung unterschiedlicher Wert- und Wahrheitsbereiche wie "Zeugen, Lieben, Morden" durch ihre Reduktion auf das ihnen gemeinsame Element der Bewegung ist bei ihnen gleich, sondern auch das Interesse am Bereich der Empfindungen, denn das dynamische Prinzip des Lebens ist nicht rational — allenfalls intuitiv — erkennbar, sondern vor allem erfahrbar in den ekstatisch und dionysisch erlebten Empfindungen, welche die von Nietzsche beispielhaft genannten Vorgänge des "Zeugens, Liebens und Mordens" kennzeichnen. (Dabei sind allerdings die Empfindungen von den Gefühlen zu unterscheiden.) Und daß die Wirklichkeit "durch eine Vielzahl gegensätzlicher Aspekte zu beschreiben" sei, verbindet Lebensphilosophie und Positivismus ebenfalls. Darin steckt ferner die gemeinsame Vorstellung von der prinzipiellen Unabschließbarkeit der Erkenntnis angesichts der in ständiger Fluktuation begriffenen Objekte.

Damit sollen die Unterschiede zwischen beiden Richtungen nicht geleugnet werden. Auf sie kommt es in unserem Zusammenhang indessen weniger an als auf das Gemeinsame, das man leicht übersieht, das aber im Blick auf die dichterischen Intentionen und Verfahrensweisen und hinsichtlich der Frage nach dem Zusammenhang des Expressionismus mit den vorausgehenden literarischen Strömungen bedeutsam ist. Die lebensphilosophische Position Georg Simmels vermag zur Klärung der zuletzt genannten Fragen beizutragen. Er sucht "einen Weg zur Überbrückung des unversöhnlich erscheinenden Gegensatzes zwischen Intellekt und Leben, Form und Bewegung" (76 a, 65). Er findet ihn in einem Ansatz, der seine Nähe zu Fichte nicht leugnen kann. Das Leben, als Entwicklung begriffen, setzt sich selbst ständig eine festumrissene Form, um sich in ihr zu erfüllen und diese Form zugleich wieder zerstörend zu transzendieren: "Ein nur kontinuierliches heraklitisches Fließen, ohne ein bestimmtes, beharrendes Etwas, enthielte ja die Grenze gar nicht, über die ein Hinausgelangen geschehen soll, nicht das Subjekt, *welches* hinausgreift." (76 a, 65) Form ist also der "unmittelbare Niederschlag des Lebens" (76 a, 65), Form sind die Konkretionen des politischen, sozialen und kulturellen Lebens, die nach dieser Theorie von dem Lebensstrom immer wieder zerstört werden müssen. Daher konnte Simmel zum Beispiel auch den Ausbruch des 1. Weltkriegs als notwendige "Erneuerung des Lebens" interpretieren und als Zeichen und Chance eines Neubeginns begrüßen.

Vor dem hier ausgebreiteten Hintergrund lassen sich nun auch die zunächst so widersprüchlich erscheinenden Tendenzen einer "messianischen" und einer "erkenntniskritischen" Lyrik im Bereich des Frühexpressionismus in ihrer inneren Zusammengehörigkeit besser begreifen. Dies sei zunächst an Ernst Stadlers berühmtem Gedicht 'Form ist Wollust' illustriert:

Form ist Wollust

Form und Riegel mußten erst zerspringen,
Welt durch aufgeschloßne Röhren dringen:
Form ist Wollust, Friede, himmlisches Genügen,
Doch mich reißt es, Ackerschollen umzupflügen.
Form will mich verschnüren und verengen,
Doch ich will mein Sein in alle Weiten drängen –
Form ist klare Härte ohn' Erbarmen,
Doch mich treibt es zu den Dumpfen, zu den Armen,
Und in grenzenlosem Michverschenken
Will mich Leben mit Erfüllung tränken. (502, 16)

Man pflegt dieses Gedicht als Programmgedicht und damit als Absage an die dem Expressionismus vorausgehende formbewußte Lyrik — etwa des Symbolismus — zu verstehen, der gegenüber die vitalistische Aufbruch der expressionistischen Lyriker alle konventionellen Formen sprengen muß, um diesem dynamischen Aufbruch adäquaten Ausdruck verleihen zu können. Diese Interpretation hat einiges für sich, aber sie vermag die im Text prononciert wiederholte Aussage des Titels ebensowenig zureichend zu erklären wie die ausgesprochen traditionelle Form gerade dieses Gedichts, das sich nicht einmal der für Stadlers expressionistische Gedichtsammlung 'Der Aufbruch' typischen Langzeile bedient. Form ist hier offensichtlich mehr als nur die Bezeichnung für literarisches Gestalten. Im Sinne Simmels läßt sie sich als die in Erscheinung getretene Objektivation des Lebens begreifen, als das Traditionelle, zur starren Konvention Geronnene im Bereich der Sozietät, das es zu überwinden gilt. Als solches, als "beharrendes Etwas", ist es notwendig, weil es überhaupt erst die Grenze setzt und damit den Anstoß und die Möglichkeit zur Überwindung liefert. Diese Spannung zwischen Gewordenem und Werdendem spiegelt sich in dem spannungsvollen Kontrast zwischen inhaltlicher Aussage und traditioneller Form des Gedichts. Letztere ist notwendig, um die inhaltliche Aussage zu legitimieren und um jenen dialektischen Umschlag zu ermöglichen, der sich am Schluß des Gedichts abzeichnet: die streng durchgehaltene Form faßt die inhaltlich ausgesprochene Entgrenzung und "Erfüllung" selbst schon wieder in starre Grenzen und bringt die Bewegung gleichsam zur Ruhe, sie setzt der völligen "Entselbstigung" des Ich eine Schranke, und nur indem sie dies tut, vermag dieses die Bewegung darüberhinaus aufrechtzuerhalten. Wäre dies nicht so, dann würde das Ich zu einem "heraklitischen Fließen", das sich selbst genügt und gerade darin seine endgültige Schranke findet, die es nicht mehr zu übersteigen vermag. Der Drang zum Transzendierenmüssen besitzt aber selbst den Charakter des Notwendigen und Gesetzlichen, und damit ist der Tätigkeit des Formbruchs noch der Formcharakter immanent, der selbst nicht mehr durchbrochen werden kann, weil er die Destruktion der Form und damit die Entgrenzung ins Leben selbst als Formprinzip ermöglicht. Insofern ist Form ohne Leben und Leben ohne Form nicht denkbar; das eine enthält immer schon dialektisch das andere in sich. Daher ist auch der Reihungsstil, dessen sich Stadler in seinen Gedichten bedient, zugleich Begrenzung und Ermöglichung des Aufbruchs ins Leben, er erweist sich als dessen eigentliches Movens und Medium. Die Isoliertheit der einzelnen Zeilenkomposition symbolisiert die notwendige Begrenzung, die eben deshalb zu überwinden ist, die sich im nächsten Vers als überwunden erweist, dessen Abgeschlossenheit aber wiederum die Transzendierung erfordert.

In diesem Vorgang steckt jene innere Dynamik, die auch den lebensphilosophischen Ansatz von Simmel kennzeichnet und die sich bei diesem als Fortsetzung der Evolutionstheorie interpretieren läßt. In diesem nahezu zwanghaften Prozeß offenbart sich aber auch etwas geradezu Verzweifeltes, weil in ihm das Ziel – "Friede, himmlisches Genügen" im "Leben" – als immer wieder zu Durchbrechendes und zu Verlassendes angestrebt werden muß und deshalb eigentlich nie erreicht werden kann. In einer großen dichterischen Anstrengung durchläuft das lyrische Ich in der zyklisch komponierten Gedichtsammlung Stadlers nicht nur die Stadien seiner Jugend, sondern auch verschiedene Phasen der Geschichte, es durchstreift die Bereiche der modernen Zivilisation wie die Orte der Abgeschiedenheit in der Natur und in der Mystik, um sich in der Begegnung mit diesen "Stationen" – so die Überschrift eines dieser Zyklen – zu "spiegeln" – "Die Spiegel" lautet eine andere –, um also seine Identität zu suchen, doch immer bedeuten diese Aufenthalte nur eine kurze "Rast" vor dem erneuten "Aufbruch". Die weit gespannten und disparat anmutenden Themenkreise der Gedichte verweisen auch bei Stadler auf eine Entwertung und Funktionalisierung der vom "Ich" durchwanderten Lebens- und Wirklichkeitsbereiche, sie sind spätestens in dem Moment gleichgültig, wenn das lyrische Subjekt sie verlassen und sich einem neuen Bereich zugewandt hat, denn nur der Aufbruch zählt, nicht aber das Verweilen. Indem das Ich auf der Suche nach sich selbst alles Einzelne hinter sich läßt, nähert es sich mehr und mehr der Totalität der Wirklichkeit, die auch in dem zitierten Gedicht schließlich nur noch als "Leben" bezeichnet wird. Mutatis mutandis gilt deshalb auch für Stadler, was Horst Fritz am Beispiel Richard Dehmels als bedeutsames Charakteristikum der Jugendstil-Autoren in ihrer Beziehung zur Realität expliziert: Die Jugendstildichter behaupten die grundsätzliche Autonomie des dichterischen Subjekts gegenüber der Realität. Sie wollen sie in ihrer Eigenständigkeit negieren und doch zugleich "die Fiktion eines angestrebten objektiven Gegenübers" aufrechterhalten.

Diese Funktion erfüllt die Vorstellung des Unendlichen, das als letzte Totalität die Summe aller realen Inhalte ist, ohne daß diese Inhalte in ihrer Differenziertheit, d. h. als konkrete Objekte der Wirklichkeit, sichtbar werden. Dieses erstrebte Ganze als Ineinander von Totalem und Leere wird daher in formelhaften und miteinander vertauschbaren Bildvorstellungen sichtbar: als Reich der Elemente, als räumliche Weite, als Unendlichkeit des Meeres und des Kosmischen und schließlich als Welt und Weltganzes. Wie auch in den 'Zwei Menschen' – der Extremform der Jugendstilverklärung – sind dies chiffrenhafte Projektionen des Ichs: die Vorstellung des Unendlichen, Letzten und Totalen, die durch sie vermittelt wird, ist das einzig objektive Korrelat für die Autonomie und Unbedingtheit der Ich-Existenz, die das Endziel des subjektivistischen Entwurfes ist. (55 a, 153)

Natürlich sind die Ausgangspunkte diametral entgegengesetzt. Dehmel zieht aus der Evolutionstheorie nicht die von uns bisher geschilderte Konsequenz, daß sich das Ich angesichts seiner naturgeschichtlich bedingten

Verwandtschaft mit allem Lebendigen auf dieses als Wirklichkeit um seiner Identität willen einzulassen hat, sondern er geht davon aus, daß der Geist des Menschen den Höhepunkt der ganzen Entwicklung darstellt. Die im Geist sich ereignende "Bewußtwerdung des Lebens" überträgt er als darzustellende Aufgabe der Kunst. Der Künstler wiederholt im schöpferischen Prozeß das Schaffen der Natur, ohne diese deshalb nachahmen zu müssen. In diesem Sinne modifiziert er denn auch die Holzsche Kunstformel: "Arno Holzens Satz 'die Kunst hat die Tendenz, wieder die Natur zu sein' etc. müßte (...) richtiger lauten: ... Tendenz, wie die Natur zu *wirken*, nämlich als lebendiger Organismus, als beseelte Erscheinungsform." (55 a, 23) Der Dichter als Kulminationspunkt der bisherigen Evolution ist den Entwicklungsmöglichkeiten der ihn umgebenden Natur immer schon voraus. Er muß deshalb nicht wiederholen oder gar beschreibend nachahmen, was sich in unüberschaubarer Vielfalt in der Natur abspielt, sondern er muß selbst wie die Natur schaffen, und das heißt: so wie sich in der Natur aus kleinen Elementen ein Großes und Ganzes, wie sich aus Niedrigerem Höheres entwickelt, so dienen dem Dichter einzelne Elemente der Realität als Stoff für eine neue, höhere Form des Seins, die sich zwar nur im Kunstwerk realisiert, die aber den Anspruch erhebt, in der kompositorischen Formung etwas über das Wesen der Natur auszusagen und damit Gefühle und Erfahrungen zu vermitteln, die der Natur selbst nicht so zu entnehmen sind. So wie sich das Leben nicht in den einzelnen Stoffen und Elementen zeigt, sondern in deren Wachsen und Funktionieren, so ist auch für Dehmel die Form und die Funktionalisierung der Motive und Bilder besonders wichtig, weil sich nur in ihnen das Schöpferische zeigt und das "Gefühlische" entfaltet. Der Künstler will, erklärt er, "einen Zuwachs an Vorstellungen schaffen, Verknüpfungen von Gefühlen und Dingen, die vorher noch auseinanderlagen, in der werdenden Welt unsrer Einbildungen." (55 a, 34)

Trotz der Wendung ins Organologische ist auch hier noch die Nähe zu Mach spürbar. Die "Verknüpfung von Gefühlen und Dingen" verweist auf den Zusammenhang von Psychischem und Physischem, den Mach in seinem erkenntnistheoretischen Hauptwerk zu erweisen versucht hatte. Das Kunstwerk stellt diese Identität durch funktionalisierende Verknüpfung von disparaten Elementen aus beiden Bereichen her. Es findet sie nicht in der Realität, sondern es stiftet sie neu, aber doch auf Grund von – ins Poetische gewendeten – Naturgesetzlichkeiten, die den Zusammenhang der Dinge untereinander wie auch den Konnex von Subjekt und Objekt als vielfältiges Geflecht von Korrespondenzen betrachten und die nun per analogiam aufs Kunstwerk übertragen werden. So wie sich für Mach die Wirklichkeit in eine Vielzahl von als Empfindungen wahrnehmbaren sinnlichen Komplexen auflöst, so konstituiert sich auch das Gedicht Dehmels als durch und durch funktionalisierter Zusammenhang von Bildern und Motiven, die ihres ursprünglichen Wertes um der Komposition willen entkleidet sind. Fritz hat diesen "Prozeß der Funktionali-

sierung" und die Erkenntnis, daß die "Bildlichkeit als 'reiner Verhältnis-
wert' "erscheint, in ausführlichen Gedichtanalysen überzeugend nachgewiesen (55 a, 43 ff.). Die Empfindungen, Vorstellungen und Gefühle,
welche die Gedichte Dehmels hervorrufen, sind nicht — wie der Tendenz
nach bei Holz oder Dauthendey — mit denen identisch, welche der
Natur entstammen, dennoch repräsentieren und verwirklichen sie
im Medium des Ästhetischen die ununterscheidbare Identität von Physischem und Psychischem, von Ding und Gefühl, sie lösen Subjekt und
Objekt in eine Vielzahl fluktuierender Korrespondenzen auf. Und in
diesem Vorgang fallen positivistischer und lebensphilosophischer Ansatz
zusammen. Beide versuchen den Zusammenhang der "Dinge" durch Beobachtung ihres "Funktionierens" zu erkennen und darzustellen. Auch
das Leben ist, wie gesagt, nicht in irgendeinem stofflichen Substrat, sondern nur in seinem — dynamischen — Wirken, ist nur als "Leben-Stiften"
erkennbar, also in einem abstrakten, gleichwohl schöpferischen Prinzip,
das der Dichter durch die Fähigkeit und Tätigkeit des Komponierens auf
seine Gedichte überträgt. Insofern kann Dehmel beanspruchen, "wie die
Natur zu wirken", und er kann trotzdem seine dichterische Autonomie
gegenüber der Natur behaupten (wenn er auch gerade in der Übernahme
der "Gesetze" von ihr abhängig bleibt).

Trotz des gravierenden Unterschiedes in der Ausgangsposition von
Dehmel und Stadler — letzterer nimmt die Realität ernst und sucht die
Identität des Ich gleichsam im Durchgang durch alle Stufen der Wirklichkeit — nähern sich beide Positionen im Vollzug und im Resultat des poetischen Verfahrens bis zur Identität hin an. Auch für Stadler ist die Wirklichkeit des "Lebens", auf die er sich zunächst in den verschiedensten
Konkretionen einläßt, schließlich nur Mittel und Substrat zur Überwindung, zum Aufschwung in immer weitere und höhere Dimensionen, wobei die anfangs noch festen Konturen der als "geprägte Form" erfahrenen
Wirklichkeit zunehmend unbestimmt werden und sich schließlich nur
noch als leerer Begriff "Leben" darstellen. Und selbst dieser müßte — in
der Konsequenz des Ansatzes — als "Nicht-Ich" noch vom Ich transzendiert
werden. Indem das Ich den Aufbruch als entscheidendes Moment setzt,
definiert es die Wirklichkeit als das Zufällige und Transitorische, als das
potentiell Disparate und beliebig Kombinierbare. Die Objektivationen
des Lebens, die sich das Ich entgegensetzt, erweisen sich im Moment ihrer
Überwindung als entwertet. Daß und warum der Reihungsstil die ad-
äquate Form dieses Prozesses ist, haben wir bereits gesehen. Er ist zugleich Ausdruck für die prinzipielle Unabschließbarkeit dieses Prozesses,
er bezeichnet die einzelnen Stufen der Begegnung zwischen Subjekt und
Objekt, und er hält fest, daß das Subjekt mit jedem Überschreiten zugleich
eine Möglichkeit der Identifikation zurückläßt und damit verliert, daß es
selbst um so unbestimmter wird, je mehr es auf eine Totalität zustrebt,
in der alle einzelnen Objekte nicht aufgehoben, sondern zurückgelassen
sind und die sich damit letztlich als Leere erweist. Diese Leere aber fällt

auf das Subjekt selbst zurück. Sie bezeichnet nicht jenen Punkt, in dem es endgültig zu sich selbst kommt, sondern die äußerste Konsequenz des Ich-Verlusts. Stadler selbst ist nicht soweit gegangen. Er hat auf dem Weg dorthin "Rast" gemacht. Diese Konsequenzen sind indessen in seiner Gedichtsammlung angelegt, und sie erweisen die Affinität seines "messianischen" Expressionismus zu einem Autor wie Georg Heym.

Jürgen Ziegler hat nachgerechnet, daß 96 Prozent von Heyms frühen Gedichten "dieselben formalen Aspekte" aufweisen. Zu ihnen gehören die vierzeilige Gedichtstrophe, das Metrum des fünfhebigen Jambus und der Endreim (118, 44 f.). In ihnen konstituiert sich die Monotonie der Perspektive (118, 53), und was diese registriert, "bedeutet für die in der 'Ebene' lagernden Objekte gegenseitige Gleichwertigkeit". Diese "Ebene" umfaßt nicht nur das sinnlich Wahrnehmbare, sondern sie ist fähig, "Reales wie den Großstadtspülicht gleichberechtigt neben Mythologischem, Dämonischem, Groteskem aufzunehmen". (118, 54) Die Monotonie "impliziert, daß die von ihr geprägten Gedichte ihrer Tendenz nach unbegrenzt fortgesetzt werden können und damit ohne Abschluß bleiben." (118, 65) Die neutrale Perspektive schließt zugleich jede "subjektive Regung" aus. Damit spiegelt sie "die Gewalt, der das Subjekt objektiv ausgesetzt ist." (118, 65) Ja, dieses wurde selbst "längst schon ganz und gar Objekt" (118, 66). Das Ende der Gedichte hat immer etwas Erzwungenes, Gewaltsames, das den "imperatorischen Duktus" der Perspektive zum Bewußtsein bringt (118, 72). Im Unterschied zum Symbolismus und — so muß man ergänzen — zum Jugendstil wie auch zum Impressionismus, bei denen die Perspektive dazu diente, aus der Vielfalt der umgebenden Realität und der Empfindungen eine einheitliche kompositorische Beziehung zu stiften, reproduziert und registriert die monotone Perspektivierung Heyms gerade die Ordnungs- und Zusammenhangslosigkeit der Dinge (118, 76 f.).

Heym thematisiert also die Disparatheit der Realität, er macht sie bewußt, indem er sie ernst nimmt. Er weigert sich, ihr jenen höheren kompositorischen Sinn zu geben, um dessentwillen sie in den zuvor genannten Stilrichtungen funktionalisiert wurden. Kompositorischer Ausdruck dafür ist der Reihungsstil, ist eine Form, die jeden Wirklichkeitsausschnitt in monotoner Unterschiedslosigkeit als gleichwertig und gleichgültig präsentiert und damit die Zusammenhanglosigkeit der Wirklichkeit gerade durch die starre poetische Konstruktion sinnfällig macht. Im Zerfall der Außenwelt ist die Einheit des Lebens, ist aber auch die Einheit des Subjekts geschwunden, wie Vietta gezeigt hat (vgl. Teil II, Kap. 2). Selbst die von Martens betonte starke Vitalisierung der das Leben bedrohenden Mächte, die für ihn Zeichen einer antithetischen Bezogenheit auf das Positivum Leben ist, wird noch durch die Starrheit der Form begrenzt und eingeengt. Unter umgekehrten Vorzeichen erfüllt die Form hier eine Funktion, die derjenigen in Stadlers Gedichten gleicht: sie ist ein retardierendes Moment, das zu immer neuem Transzendieren nötigt, in dem immer neue und andere Bereiche der Objektwelt erfaßt und entwertet werden. Dadurch ergibt sich zugleich eine Steigerung: Ähnlich wie bei Stadler der Drang ins Leben, so führt auch hier die dynamische Beschwörung des Untergangs zu einer Lockerung des strengen Reihungsstils und zu zusammenhängenden Bildkomplexen (vg. Teil II, Kap. 2.2.2), während aber Strophenform, Versmaß und Endreim die Einheitlichkeit der Form aufrechterhalten. Die undistanzierten, in der mythischen Personenallegorie sich zu visionärer Kraft entfaltenden Gedichte kulminieren häufig in Bildern und Motiven des Weltuntergangs als Sinnbild der vollständigen Zerstörung allen Lebens, so wie umgekehrt Stadlers Gedichte in der leeren Totalität des Lebens enden. In diesem Endpunkt aber — in der Leere des Lebens — lassen sich die beiden so gegensätzlich erscheinenden Autoren, die hier stellvertretend für andere die Gegensätze von nihilistischem und messianischem Frühexpressionismus repräsentieren, miteinander vergleichen. Bei Stadler durchbricht die Dynamik des sich nach dem Leben sehnenden Ichs alle einzelnen Objektivationen und löst damit zugleich das Ganze auf, so daß es selbst als entleertes zurückbleiben muß, bei Heym drängt das mythisch personifizierte Leben selbst auf Zerstörung, in die auch das Subjekt selbst eingeschlossen ist. Lassen sich die Destruktionstendenzen bei Heym als Sehnsucht nach einem Neubeginn interpretieren, so zeigt Stadlers Gedichtsammlung, daß der "Aufbruch" in der gleichen Leere endet, die Heym herbeisehnt, um sie zu überwinden. Die von Stadler wie von Heym verwendete starre Form und insbesondere der Reihungsstil sind das äußerlich sichtbare Korrelat dieser inneren Übereinstimmung, denn diese Form zerschneidet das Leben in einzelne disparate Elemente und Teile, sie setzt der Dynamik Grenzen und fordert zugleich zur Überwindung der in ihr gefaßten Partialität heraus. Die Gleichheit der Form nimmt die Leere des Zieles vorweg und hilft zugleich, sie herbeizuführen.

Reihungsstil und Zeilenkomposition symbolisieren die Erkenntnis, daß die Wirklichkeit seit Beginn der Moderne — nicht nur von der Kunst — nur noch als partiale in den Blick gelangen kann. Sie symbolisieren ferner in ihrer Gleichförmigkeit die Beliebigkeit alles Seienden und damit auch den "Hinfall aller kosmologischen Werte", die Unmöglichkeit, eine ausgezeichnete Wirklichkeit metaphysisch zu begründen und zum Gegenstand der Kunst zu machen: sie symbolisieren also letztlich die "Unmöglichkeit symbolischer Aussage" (vgl. 48). Sie sind aus vielfältigen Erfahrungen erwachsen, die Silvio Vietta zum großen Teil bereits ausführlich erläutert hat (vgl. Teil II). Was in diesem Kapitel von der positivistischen Erkenntnistheorie ausgehend dazu ergänzt wurde, ermöglicht es, sowohl die Gemeinsamkeiten scheinbar gegensätzlicher Tendenzen im Frühexpressionismus zu erkennen und in dieser Gemeinsamkeit zugleich auch den Unterschied zur vorangegangenen Epoche mit ihren vielfältigen literarischen Strömungen.

Auch dort findet die Partialität der Wirklichkeit bereits literarische Gestaltung. Die Reduktion der Wirklichkeit auf ihre sinnlichen Komponenten ermöglicht der Kunst die Vorstellung, wieder die Natur zu sein, und sie ermöglicht durch die funktionale Betrachtungsweise des Lebens, bei der sich dieses schließlich zu einem abstrakten Prinzip des Leben-Stiftens verflüchtigt, die Übertragung dieses Prinzips auf die Kunst und das dichterische Verfahren. Indem Kunst aber Natur sein oder wie Natur nach lediglich funktionalen Kategorien wirken will, begibt sie sich des Anspruchs, sie auch zu erkennen, und ihr kommt die Problematik ihres Verfahrens nicht einmal zum Bewußtsein. Dies aber geschieht mit dem Beginn des Expressionismus. Das hat Vietta gezeigt, und es bestätigt sich auch aus der hier entwickelten Perspektive. Gerade weil die Wirklichkeit nun wieder als ganze in den Blick kommt, wird ihre Auflösung schmerzlich erfahren, und indem sie in Reihungsstil und starrer Form in ihrer Disparatheit gestaltet wird, gibt sich darin das Streben nach Überwindung der Vereinzelung, nach Zerstörung und Neubeginn zu erkennen. Als Zeichen der Bindungslosigkeit von Elementen der Realität impliziert die Zeilenkomposition die Sehnsucht nach Verbindlichkeit. Sie läßt sich, so hatten wir zu Beginn des Analyse-Teils im Anschluß an Henrich bereits gesagt, im Blick auf die Subjekt-Objekt-Dialektik genau entgegengesetzt verstehen: als Zeichen der sich selbst in ihrer "Aseität" zur Anschauung bringenden Realität und zugleich als uneingeschränkter Ausdruck für die Autonomie des Subjekts gegenüber der Wirklichkeit. Damit vereinigt dieser Stil, wie sich nun zeigt, die Tendenzen des Naturalismus wie des Jugendstils, er weist Subjekt und Objekt als identisch aus, und damit erinnert er an den erkenntnistheoretischen Ausgangspunkt von Ernst Mach, der allerdings viel radikaler die Existenz von Subjekt und Objekt als bloße Fiktion zu entlarven versucht hatte. Die expressionistische Kritik steckt indessen darin, daß sich in dieser als Disparatheit gestalteten Identität die Zerstörung von Subjekt und Objekt vollzieht.

In diesen Zusammenhang läßt sich nun auch die Lyrik Georg Trakls einordnen. Um dies zu verdeutlichen, sei zunächst an den auffälligen Farbgebrauch in seinen Gedichten erinnert. Karl Ludwig Schneider erkannte schon vor zwanzig Jahren, daß die Farbe einen "selbständigen Anschauungswert" erhalte (99, 129) und daß im Gefolge davon der Farbmerkmalsträger "in den Hintergrund" rücke (99, 129). Dies wird neuerdings durch Eckhard Philipp bestätigt. Er erläutert dies an einem Beispiel: "In der Wortverbindung 'blaue Kindheit' etwa beansprucht der Farbwert größere Aufmerksamkeit, weil das Ungewöhnliche der Farbprädikation, zumal in der Verbindung mit dem Abstraktum, sofort bemerkt wird." (593, 54) Dies läßt sich als konsequente Anwendung positivistischer Erkenntnistheorie interpretieren. Philipp hat diesen Zugang eröffnet, indem er im Anschluß an Hans Lipps versucht, die Verwendung der Farben unter der Kategorie des "Eindrucks" zu bestimmen. Er weist zunächst auf die "sachliche Neutralität der Farbe" hin: Die Bedeutung oder Wirkung einer Farbe ergibt sich weder aus einer bestimmten Verbindung mit empirischen

Gegenständen noch aus einer Setzung des Subjekts: "Lipps bemerkt dazu, daß nur dann die Frage entstehen kann, ob die Farben als 'objektiv' dem Gegenstand zuzuweisen oder ob sie als 'subjektiv' auf das Subjekt der Erkenntnis zurückzunehmen sind, wenn dieses Verhältnis zu den Dingen zu einer Beziehung zwischen Subjekt und Objekt entstellt werde." (593, 37) Die Farbe besitzt also einen Anschauungswert und eine Qualität, die im Prinzip unabhängig von den Gegenständen vorhanden ist, mit denen sie sich verbindet; Grau zum Beispiel bezeichnet "in Verbindung mit einem Abstraktum einen Eindruck, den die Farbe an einem anderen Gegenstand in gleicher Weise wecken kann." (593, 38) Der Eindruck selbst "geht hervor aus einer Wirkung, den die Dinge auf jemanden machen. Diese Wirkung erfährt man an sich selber, sie kann nicht ursächlich von den Dingen her verstanden werden, die z. B. eine Person affizieren und zum Objekt eines kausal begründbaren Geschehens machen. Das Verschiedenste kann den gleichen Eindruck machen. Er ist also sachlich neutral, da er durch das Verschiedenste erfüllt werden kann." (593, 39) Die Nähe zu Mach – vor allem in der Ablehnung der Subjekt-Objekt-Relation und im Verzicht auf eine Aussage über die Objekte selbst sowie auf eine Herleitung der Eindrücke von den Objekten – ist deutlich. Und in dem zuletzt genannten Aspekt geht dieser Ansatz über das impressionistische Verfahren hinaus, denn Holz wie Dauthendey halten daran fest, daß die Empfindungen, die sie gestalten, von den realen Gegenständen stammen. Hier aber, so scheint es, wird nun Ernst gemacht mit der Kategorie der Empfindung oder des Eindrucks – wobei Eindruck mehr ist als bloße Empfindungen, während aber bei Mach wiederum die Empfindungen mehr sind als lediglich sensuelle Reize –: nach dieser Theorie thematisieren Trakls Gedichte nur noch die Eindrücke selbst, ohne daß im einzelnen überhaupt noch erkennbar ist, ob sie dem Bereich der Objekt- oder der Subjektwelt entstammen. Streng genommen läßt sich dabei nicht einmal mehr die Art dieses Eindrucks aus dem Kontext näher bestimmen, weil selbst die dort erscheinenden Gegenstände bereits im Blick auf solche Eindrücke hin funktionalisiert sind. Dies stimmt mit unseren Beobachtungen zur Bildstruktur von 'Geburt' überein: es war, so sahen wir, schließlich nicht mehr entscheidbar, ob die Bilder sich auf eine empirische, außerhalb des Subjekts vorfindliche Wirklichkeit bezogen, oder ob sie Ausdruck "diktatorischer Phantasie" oder einer Seelenlandschaft des Autors sein sollen. An den Gedichtentwürfen war zu erkennen, welch hohe Bedeutung Trakl offenbar dem sinnlich Wahrnehmbaren beimaß: zahlreiche Motive und Bilder wurden nach dem Eindruck ihrer klanglichen Korrespondenzen im Kontext des werdenden Gedichts erwogen und verworfen. In hohem Maße, so könnte es scheinen, sind die Sinneswahrnehmungen das eigentliche Sujet des Gedichts, die Gegenstände sind lediglich Funktionsträger von Empfindungen, deren wechselndes und im Prinzip unabschließbares Korrespondieren in immer neuen Konstellationen gestaltet wird. So gesehen, hängt alles mit allem zusammen. Rücksichtslos werden die Welt der Objekte und die Dimension der Geschichte in einzelnen Motiven auf die Sphäre des Sinnlichen und seiner Empfindungen reduziert, im Eindruck ist alles gleich wichtig oder unwichtig, jedenfalls neutral gegenüber Kategorien wie "positiv" oder "negativ", die versagen, wenn man die Gedichte mit ihrer Hilfe zu verstehen sucht. Physisches und Psychisches im Sinne Machs, Subjekt und Objekt existieren und fungieren als prinzipiell gleiche Sinnesdaten, und in dieser kategorialen Gleichheit sind Subjekt und Objekt, Sein und Selbst "aufgehoben". Diese "Versöhnung des Bewußtseins mit dem ihm Entgegengesetzten" geschieht also nicht mehr wie in früheren Jahrhunderten "in der Anschauung eines Absoluten" (743 b, 30), sondern in der Anschauung eines beiden gemeinsamen Sinnlich-Konkreten. Gerade darin aber liegt nun auch das Bewußtsein einer Indifferenz von Selbst und Sein begründet, weil ihre Vermittlung nur durch eine Reduktion des ihnen jeweils Eigentümlichen zugunsten eines nur äußerlich und oberflächlich Gemeinsamen zustandekommt. In der Reduktion auf das sinnlich Gegebene sind die Bilder und Motive gegenständlich, aber sie sind zugleich ungegenständlich, weil sie nur als Komplexe von fluktuierenden Empfindungen fungieren, und sie sind abstrakt, weil sie darin jene Beziehung zur außersprachlichen Realität verleugnen, welche den einzelnen Motiven in ihrem alltagssprachlichen Gebrauch zukommt. Die Herstellung der Relationen zwischen den Bildelementen dokumentiert auch im Bereich des Poetischen den vom Positivismus geforderten Vorrang der Methode vor der Sache. Und so, wie sich in der späteren Entwicklung des Logischen Positivismus die Theorie allmählich absolut setzt, indem — wie Walter Schulz gezeigt hat — "anstelle eines Vergleichs von Sätzen mit der Wirklichkeit" nunmehr "ein Vergleich von Sätzen im Verhältnis zueinander" tritt und damit die Richtigkeit der Wirklichkeitsaussage nur noch durch die "Übereinstimmung der Sätze untereinander gewährleistet werden" kann (671, 60), so daß die "enge Bindung an die Erfahrung" "in das Gegenteil" umschlägt, nämlich in die "Ausschaltung der Erfahrung zugunsten der logischen Syntax oder Kohärenztheorie" (671, 61): ebenso scheint die rigorose Reduzierung der Motive und Bilder auf analoge sinnliche Qualitäten in den Gedichten Trakls zu einer durch solche Assimilation bedingten Entleerung in der Substanz des Sinnlichen zu führen, und im selben Maß erweist sich der Akt der poetischen Funktionalisierung als durch keinerlei sinnliche Erfahrung bedingter und kontrollierter Selbstzweck, dem jeder Sachbezug und damit jede Möglichkeit zur symbolischen Aussage abhanden kommt, weil jedes einzelne Motiv immer schon auf unspezifische sensuelle Komponenten hin verallgemeinert ist und damit als mit ihnen identische nur noch diese selbst aussagen kann.

In diesem Akt des poetischen Verfügens über die Elemente zeigt sich nicht mehr die Autonomie des dichterischen Subjekts, das sich gleichsam im Vorgang des Produzierens seiner selbst bewußt und sicher wird. Eine solche "romantische Absicht", "in der einen Tat des schaffenden Subjekts sich zu befreien", hat Henrich dem Expressionismus allgemein zugesprochen (743 b, 25). Bei Trakl offenbart die poetische Strukturierungsaktivität vielmehr Zeichen der Depersonalisation, weil sich die dichterische Freiheit gegenüber den Elementen nicht – wie Hugo Friedrich interpretierte – als dichterische Autonomie zu erkennen gibt, sondern umgekehrt als Akt der Reduktion und Selbstaufgabe um den Preis des "kleinsten gemeinsamen Nenners" mit den Dingen im Medium der Empfindungen. Das Ich assimiliert sich gewaltsam den Dingen auf immer demselben Wege, es verdinglicht sich in der ursprünglichen Bedeutung des Wortes, indem es sich ebenso wie den Bereich der Objekte in der Fluktuation des Sensuellen auflöst.

In solcher totalen Funktionalisierung und Beziehbarkeit der Bereiche von Subjekt und Objekt zeigt sich, wie mir scheint, nicht nur ein zentrales Anliegen Trakls oder des Expressionismus, sondern auch der Kunstströmungen seit dem Naturalismus und vielleicht sogar des Positivismus selbst: es ist das, was Karl Eibl in seiner Studie über Gustav Sack die "existenzielle Sehnsucht nach Verbindlichkeit" genannt hat (490, 8) und was Lothar Köhn unter dem Generalnenner "Überwindung des Historismus" auch als entscheidendes Movens der nachfolgenden Epoche der "Zwanziger Jahre" herausgearbeitet hat. Unter Historismus versteht Köhn im Anschluß an Walter Schulz (671, 492) "Auflösung der Metaphysik, Historisierung und Individualisierung des Wahrheitsbegriffs (vor allem zunächst in bezug auf Geschichte und Gesellschaft selbst) und der Wertbegriffe (Handlungs- und Orientierungsnormen einschließlich religiöser Bindungen)." (751 a) In radikalster Form tritt der Historismus im Nihilismus Nietzsches in Erscheinung, als solcher aber konnte er "nur dann ertragen werden, wenn seine Überwindung zumindest möglich schien." (751 a) Bekanntlich schlägt der Nihilismus bereits bei Nietzsche selbst in sein Gegenteil um. Dies hat zuletzt Gunter Martens aufgezeigt: "der Verzicht auf ein außerweltliches oberstes Seinsprinzip und damit die Entwertung aller bisher gültigen Wertordnungen münden ein in ein 'dionysisches Ja-sagen zur Welt, wie sie ist, ohne Abzug, Ausnahme und Auswahl' bis hin zu seiner furchtbarsten Konsequenz: der 'ewigen Wiederkehr des Gleichen' " (76 a, 46). Trotz der bereits zitierten Ablehnung des "Nietzscheschen frechen 'Übermenschen' " durch Ernst Mach (646 a, 17) ist auch der Positivismus als erkenntnistheoretisch begründeter Versuch zur Überwindung des Historismus und als Ausdruck einer Suche nach Verbindlichkeit angesichts der in zahlreichen Wissenschafts- und Lebensbereichen erkennbar gewordenen Auflösungserscheinungen bislang anerkannter Wahrheits- und Wertbegriffe zu verstehen. Auch die Partialisierung der Wissenschaften selbst und ihrer methodischen Verfahren sollte überwunden werden – allerdings um den Preis der geschilderten Reduktion. Die Disparatheit der "Phänomene" sollte sich in der kategorialen Einförmigkeit der Empfindungen auflösen und als funktionierende Einheit begreifen lassen. Die dargestellte erkenntnistheoretische Radikalisierung der Subjekt-Objekt-Problematik durch Ernst Mach läßt sich wie bei Nietzsche als notwendige Voraussetzung für die angestrebte Neuorientierung am positiv Gegebenen, als "Ja-sagen zur Welt, wie sie ist" oder besser: wie sie erscheint, interpretieren. Von daher wird auch begreiflich, daß — nach Eibl — " 'Positivismus' und 'Freiheit', das Idealbild Comtes und das Nietzsches", "vereint jene Bestimmungen" bilden konnten, "die das Idealbild Sacks ausmachen" (490, 45). Daß der zum Expressionismus zählende Gustav Sack nicht der einzige Autor ist, auf den dies zutrifft, dürfte deutlich geworden sein.

Was Georg Trakls Position anbelangt, so bedarf sie allerdings noch einer notwendigen Ergänzung, die seine Nähe zum Positivismus relativiert, insofern sie diese als Mittel zum Zweck begreift: Es ist der Aspekt der Rezeption, mit dessen Thematisierung wir zum Ausgangspunkt unserer Überlegungen zurückkehren. Indem Trakl im poetischen Verfahren das positivistische Funktionalisieren am radikalsten gestaltet hat, wird dieses zugleich auch am nachhaltigsten kritisiert, und zwar durch jenen in der "Appellstruktur" verankerten Reflexionsprozeß, den diese Gedichte ihrem Leser abnötigen. Wir haben die Stadien der Rezeption von einem ersten, "naiven" Kennenlernen bis hin zu den Reflexionen dieses Abschnitts nachvollzogen, zu denen die Gedichte uns herausgefordert haben. Dabei kennzeichnete es die Rezeption, daß sie sich in verschiedenen Stufen vollzog, die zwar in ihrer "Rangfolge" vorab festgelegt waren und einzelnen Schritten hermeneutischen Verstehens entsprachen, deren inhaltliche Füllung aber vom Gedicht bestimmt wurde. Auf einer ersten Stufe schien 'Geburt' ein Landschaftspanorama zu entfalten und damit die Wahrnehmungen des Lesers im Bereich der sinnlichen Wahrnehmung festzulegen. Es destruierte indessen diesen Imaginationsraum und radikalisierte — auf der zweiten Lektüreebene — zugleich die Möglichkeit sinnlicher Anschauung, indem es den Blick auf die hohe Funktionalisierung der Motive und Bilder freigab, die sich bis in den Rhythmus hinein am Maßstab ihres sensuellen Korrespondierens zu orientieren schien. Gerade dies aber forderte zu einer weiteren Lektüre heraus, weil sich dadurch die Diskrepanz zwischen dem, was der das Gedicht konstituierende Bild- und Motivbestand im Vorwissen und im "poetischen" Erwartungshorizont des Lesers und dem, was er im Gedicht selbst zu bedeuten schien, erheblich vergrößerte. Der zyklisch angelegte Kontext des Gedichts verwies ferner auf einen weiteren Objektbereich, der die anfängliche sinnliche Anschauung auf religiöse, metaphysische und geschichtliche Dimensionen hin transzendierte. Auch hier indessen ließen sich keine eindeutigen Sinngebungen im Blick auf das Gedicht erkennen. Indem dieses die Elemente unterschiedlicher Welt-Anschauung im Medium des Sinnlichen funktionalisierte, provozierte es die Reflexion des Betrachters, die ihn von der sinnlichen Anschauung bis hin zur Ebene des Begrifflichen führte. So läßt sich am Beispiel Trakls verdeutlichen, warum Henrich mit seinen Überlegungen zur modernen Kunst an Hegel anknüpfen konnte: Bei Hegel geht —

vor allem in der 'Phänomenologie des Geistes' – das kritische Bewußtsein aus einer Reflexion seiner Entstehungsgeschichte hervor. Diese Reflexion beginnt im Bereich der "sinnlichen Gewißheit" und arbeitet sich "durch eine systematische Wiederholung der gattungsgeschichtlich konstitutiven Erfahrungen" zu sich selbst empor. "Die 'Phänomenologie des Geistes' ", so faßt Habermas zusammen, "versucht diese Rekonstruktion in drei Durchläufen: im Durchgang durch den Sozialisationsvorgang des Einzelnen, durch die Universalgeschichte der Gattung und durch die in den Gestalten des absoluten Geistes, in Religion, Kunst und Wissenschaft sich reflektierende Gattungsgeschichte." (640 a, 29) Das kritische Bewußtsein ist somit selbst Element und Bestandteil eines "Bildungsprozesses", in dem sich, wie Habermas ausführt, "auf jeder Stufe die neue Einsicht in einer neuen Einstellung bewährt":

> die Reflexion zerbricht nämlich – das gilt schon für die erste Stufe, für die Welt der sinnlichen Gewißheit – mit einer falschen Ansicht der Dinge zugleich die Dogmatik einer eingewöhnten Lebensform. ... Die Rückstände der Destruktionen falschen Bewußtseins dienen als Sprossen auf der Leiter der Erfahrung der Reflexion. Wie der prototypische Bereich lebensgeschichtlicher Erfahrung zeigt, sind Erfahrungen, aus denen man lernt, negativ. Umkehrung des Bewußtseins heißt: die Auflösung von Identifikationen, das Zerbrechen von Fixierungen, die Zerstörung von Projektionen. Das Scheitern des überwundenen Bewußtseinszustandes setzt sich zugleich in eine neue reflektierte Einstellung um, in der die Situation unverzerrt zu Bewußtsein kommt, wie sie ist. Das ist der Weg der bestimmten Negation, die vor dem leeren Skeptizismus bewahrt, 'der in dem Resultate nur immer das *reine Nichts* sieht und davon abstrahiert, daß dies Nichts bestimmt das Nichts *dessen* ist, *woraus es resultiert*'. (640 a, 27 f.)

Es wäre falsch und sinnlos, die einzelnen Stufen der Reflexion bei Hegel mit denen der Rezeption bei einem Trakl-Gedicht gleichsetzen zu wollen. Beide verlaufen auf kategorial wie inhaltlich völlig verschiedener Ebene. Gleichwohl ist der Hinweis auf Hegel nützlich, weil er angesichts einer tendenziell analogen Reflexionsbewegung verdeutlichen kann, daß das von Hegel intendierte Resultat des Reflexionsprozesses in der historischen Situation nach dem Positivismus und auf der Basis von dessen – auch Trakls Gedichten zugrundeliegenden – erkenntnistheoretischer Auflösung und Reduktion des Erkennbaren auf das in disparater Vielfalt gegebene sinnlich Wahrnehmbare nicht mehr erreichbar war. Dies nicht nur, weil sich in diesem Sinnlichen Subjekt und Objekt bereits aufgelöst hatten, sondern weil dies Sinnliche, um überhaupt noch als Grundlage der Gewißheit fungieren zu können, soweit atomisiert, reduziert und funktionalisiert war, daß es für eine höhere Stufe der Reflexion keinerlei gesicherte Basis mehr abgeben konnte. Zwar wird diese noch intendiert, aber sie kann sich nicht als jeweils bestimmte, neue, höhere Stufe der Reflexion ihrer selbst versichern, weil ihr die dazu notwendige Voraussetzung der bestimmten Negation der vorhergehenden Stufe fehlt. Insofern können sich weder das "lyrische" Ich noch das Ich des Lesers durch den Prozeß der Wahrnehmung konstituieren und ihrer selbst jeweils bewußt werden. Die Auflösung der Identifikationen als Mittel zu einer höheren Stufe der Reflexion ist im Text selbst vorweggenommen, und dadurch ergibt sich in allen Stufen der Rezeption lediglich ein "Scheitern" des Bewußtseinszustandes zu erkennen, den man als Zustand mit dem von Vietta verwendeten Begriff der Ich-Dissoziation in Zusammenhang bringen kann. Dieses Scheitern ist grundsätzlich, weil es alle Stufen der Reflexion einbezieht.

Weil dieses Scheitern auf keiner Stufe zum Abschluß gelangt, ist es auch nicht möglich, schließlich jene Leiter abzustoßen, auf deren Sprossen man von der sinnlichen Anschauung zur endgültigen Stufe der Reflexion gelangt ist. Denn es gibt hier keine philologische Gewißheit, die grundsätzlich der Lektüre eines naiven Lesers voraus wäre. Wohl ist das Bewußtsein des Scheiterns und seiner Ursachen größer. Wer nach dem hier betriebenen philologischen Aufwand zurückschlägt und Trakls Gedicht 'Geburt' nochmals aufmerksam liest, der dürfte kaum jene Sicherheit des Verstandenhabens verspüren, die ein Interpret mit ungleich geringerem Aufwand bei Texten aus anderen — vor allem vorangegangenen — Epochen relativ leicht gewinnt. Der Philologe wird sich schon deshalb bei Trakl immer wieder genötigt sehen, die Sprossen der Leiter herabzusteigen, weil nicht nur die Darstellung, sondern auch die Rezeption an den Bereich des Sinnlichen gebunden bleibt. Trakls im Rezeptionsprozeß initiierte Kritik an der aus dem Positivismus herleitbaren Auflösung der Wirklichkeit bleibt so noch an deren Voraussetzungen gebunden. Auf allen Stufen der rezipierenden Reflexion vollzieht sich noch mit der Suche nach der Verbindlichkeit eines Sinnes, nach der Einheit des Disparaten jene Intention, welcher der Positivismus seine Entstehung mitverdankt, deren Verwirklichung er aber gerade durch seinen Lösungsversuch verschärft in Frage gestellt hat. Insofern fallen in Trakls Gedichten nicht nur Subjekt und Objekt, sondern auch Darstellung und Kritik und damit letztlich auch Produktion und Rezeption in der sinnsetzenden und sinnsuchenden Identität des Nichtvereinbaren zusammen, und damit vollendet sich der poetische Positivismus, der im frühen Expressionismus als Erkenntniskrise zu Bewußtsein kam.

Daß diese zugleich durch eine Vielzahl anderer Entwicklungen im Bereich von Kultur, Technologie, Wirtschaft und Gesellschaft bedingt war, die Silvio Vietta im zweiten Teil dieses Bandes dargestellt hat, sei abschließend nochmals hervorgehoben. Was in diesem Abschnitt an vorwiegend geistes- und literaturgeschichtlichen Tendenzen ergänzt wurde, bestätigt und rechtfertigt, scheint mir, den Versuch, die Einheit dieser Epoche unter der Kategorie der Erkenntniskrise, der Ich-Dissoziation und zugleich in der Suche nach ihrer Überwindung zu begreifen.

GESTÖRTE KOMMUNIKATION.
FRANZ KAFKA: 'DAS URTEIL'

3.1 Zur Motivgeschichte im 'literarischen Realismus'

Das Problem der "Verschiedenverstehbarkeit" von Kafkas Prosa ist im zweiten Teil dieses Bandes am Beispiel der 'Verwandlung' bereits erörtert worden (vgl. Teil II, Kap. 2.2.4), und Dietrich Krusche hat soeben die Fülle der widersprüchlichen Deutungen und der unterschiedlichen methodischen Ansätze an exemplarischen Positionen der Forschung dargestellt und auf bestimmte Eigentümlichkeiten des Kafkaschen Erzählens selbst zurückgeführt (360). 'Das Urteil' gehört zu den am häufigsten untersuchten Erzählungen: mehr als ein Dutzend Mal hat es nach 1945 eine eingehende Interpretation erfahren. Das mag vor allem an seiner Schwerverständlichkeit und Vieldeutigkeit liegen, die sich in den Analysen eindrucksvoll bestätigt, aber es hat seinen Grund wohl auch darin, daß Kafka, wie er selbst mehrfach bekannte (vgl. 331, 19 ff.), dieser kurzen Erzählung eine ganz besondere Bedeutung für sich selbst beimaß. Offenbar hatte er das Gefühl, mit ihr seinen eigentlichen Stil gefunden und zugleich eine für ihn bedeutsame Thematik gestaltet zu haben. Es kennzeichnet die Forschung zu Person und Werk dieses Autors, in welch hohem Maße sie nahezu ausschließlich *Kafka*-Forschung ist. Die Singularität dieses Poeten scheint ihr so offenkundig zu sein und die Bedingungen seines Werkes so einzigartig, daß sie lange Zeit relativ wenig Mühe darauf verwandt hat, den Autor im literarhistorischen Kontext seiner Zeit zu begreifen. Auch die in einer Nacht des September 1912 in einem Zug niedergeschriebene Erzählung 'Das Urteil' gilt den Interpreten bereits als typisch für das spezifisch "Kafkasche", und im Blick auf dieses sind auch die meisten der bisherigen Analysen verfaßt. Daß aber gerade dieser für den Stil seines Hauptwerkes typische Erstling im Blick auf das aufgegriffene Sujet und dessen Gestaltung in auffälliger Weise an die literarische Tradition anknüpft, hat man bislang, soviel ich sehe, nicht beachtet. Gerade dieser Aspekt aber macht 'Das Urteil' in unserem Zusammenhang interessant: es ist zu erwarten, daß sich in der poetischen Auseinandersetzung mit der Tradition besondere Aufschlüsse über Kafkas Stellung ihr gegenüber gewinnen lassen, und damit wäre es uns zugleich möglich, unter diesem bedeutsamen Aspekt die bereits im zweiten Teil dieses Buches erörterte Zugehörigkeit Kafkas zum Expressionismus zu überprüfen.

Das damalige Publikum besaß, wie schon im 'Thema' erwähnt, eine besondere Vorliebe für die realistische Erzählkunst des 19. Jahrhunderts, für deren Sujets und deren Darstellungsweise. Behaglich-"auktoriales" Erzählen, Stoffe und Themen aus dem – wie Sternheim es ironisch formuliert — "bürgerlichen Heldenleben", eine dichterische Gestaltung von Lebenswahrheiten, mit der Darstellung einer Welt, die zwar nicht mehr durchweg als heil empfunden und beschrieben wird, der aber doch zumeist eine Art poetischer Gerechtigkeit widerfährt, so daß sich der Leser bei der Lektüre angenehm entspannt und vielleicht sogar getröstet finden mag: dies konnte der damalige Leser von Erzählungen erwarten, zumal dann, wenn der jeweilige Prosatext das seine dazu tat, solche Erwartungen in ihm zu "aktivieren".

Dies sei zunächst — wenigstens kurz — illustriert. Ich greife aus einer Fülle ähnlicher Romananfänge und Erzählungseingänge von Autoren des dichterischen Realismus drei heraus und füge ihnen den ersten Abschnitt von Kafkas Erzählung 'Das Urteil' bei. Der Leser, der sich an den Anfang des 'Urteils' nicht erinnert, möge überlegen, ob er auf Grund bestimmter Kriterien den Kafkaschen Text bestimmen kann.

1. An einem Spätherbstnachmittage ging ein alter wohlgekleideter Mann langsam die Straße hinab. Er schien von einem Spaziergange nach Hause zurückzukehren, denn seine Schnallenschuhe, die einer vorübergegangenen Mode angehörten, waren bestäubt. Den langen Rohrstock mit goldenem Knopf trug er unter dem Arm; mit seinen dunklen Augen, in welche sich die ganze verlorene Jugend gerettet zu haben schien, und welche eigentümlich von den schneeweißen Haaren abstachen, sah er ruhig umher oder in die Stadt hinab, welche im Abendsonnendufte vor ihm lag. — Er schien fast ein Fremder, denn von den Vorübergehenden grüßten ihn nur wenige, obgleich mancher unwillkürlich in diese ernsten Augen zu sehen gezwungen wurde.

2. An einem der letzten Maitage, das Wetter war schon sommerlich, bog ein zurückgeschlagener Landauer vom Spittelmarkt her in die Kur- und dann in die Adlerstraße ein und hielt gleich danach vor einem, trotz seiner Front von nur fünf Fenstern, ziemlich ansehnlichen, im übrigen aber altmodischen Hause, dem ein neuer, gelbbrauner Ölfarbenanstrich wohl etwas mehr Sauberkeit, aber keine Spur von gesteigerter Schönheit gegeben hatte, beinahe das Gegenteil. Im Fond des Wagens saßen zwei Damen mit einem Bologneserhündchen, das sich der hell- und warmscheinenden Sonne zu freuen schien.

3. Es war an einem Sonntagvormittag im schönsten Frühjahr. Georg Bendemann, ein junger Kaufmann, saß in seinem Privatzimmer im ersten Stock eines der niedrigen, leichtgebauten Häuser, die entlang des Flusses in einer langen Reihe, fast nur in der Höhe und Färbung unterschieden, sich hinzogen. Er hatte gerade einen Brief an einen sich im Ausland befindenden Jugendfreund beendet, verschloß ihn in spielerischer Langsamkeit und sah dann, den Ellbogen auf den Schreibtisch gestützt, aus dem Fenster auf den Fluß, die Brücke und die Anhöhen am anderen Ufer mit ihrem schwachen Grün.

4. An einem unfreundlichen Novembertage wanderte ein armes Schnei-
derlein auf der Landstraße nach Goldach, einer kleinen reichen Stadt,
die nur wenige Stunden von Seldwyla entfernt ist. Der Schneider
trug in seiner Tasche nichts als einen Fingerhut, welchen er, in Er-
mangelung irgendeiner Münze, unablässig zwischen den Fingern
drehte, wenn er der Kälte wegen die Hände in die Hosen steckte, und
die Finger schmerzten ihm ordentlich von diesem Drehen und Reiben; denn er hatte wegen des Fallimentes irgendeines Seldwyler
Schneidermeisters seinen Arbeitslohn mit der Arbeit zugleich verlieren und auswandern müssen.

Wichtig sind in unserem Zusammenhang nicht die Unterschiede, sondern die Gemeinsamkeiten zwischen diesen Eingangspassagen: die obligatorischen kalendarischen Informationen, der rasche Sprung "in medias
res", die szenische, tableauhafte Vorstellung des oder der "Helden" und
eines gewohnt bürgerlichen Milieus, die exakte Beschreibung der "Topographie" und die vorwiegend "auktoriale" Erzählweise, wenngleich sich
in dieser bereits deutliche Unterschiede erkennen lassen. So tritt der "Erzähler" — wenn es gestattet ist, zu heuristischen Zwecken diesen umstrit-
tenen Begriff zu verwenden — in den beiden Texten (Storms 'Immensee' und Fontanes 'Frau Jenny Treibel') durch deutliche Kommentie-
rung und Bewertung sowie durch eine gleichzeitige Einschränkung seiner
Allwissenheit stärker in Erscheinung als in den beiden folgenden Beispielen (Kafkas 'Urteil' und Kellers 'Kleider machen Leute'). Der behagliche
Erzählton, die Detailfreudigkeit, die zumeist langen, hypotaktisch kon-
struierten Sätze sind weitere Gemeinsamkeiten, wenngleich auch hier
der Erzähleingang Kafkas noch am zielstrebigsten und — trotz der Bewertung "im schönsten Frühjahr" — nüchternsten zu sein scheint.

Romananfängen fällt eine bedeutsame erzähltheoretische Aufgabe zu.
Sie müssen den Übergang von der Realität in die Fiktion leisten, den
fiktionalen Charakter des Textes verdeutlichen, den Leser ästhetisch ein-
stimmen und "umdisponieren". Dies kann mit Hilfe bestimmter Formeln
geschehen. Am bekanntesten ist die Märchenformel "Es war einmal".
Beliebt — gerade im "realistischen" Erzählen des 19. Jahrhunderts — sind
stereotype Hinweise auf die Jahres- und Tageszeit (z. B. Sonnenauf- und
-untergänge), die Präsentation eines Tableaus, einer Szene oder eines
Genrebildes, welche die Verbreitung einer behaglichen Feierabendstim-
mung mit der Evokation einer angenehmen Spannung zu verbinden weiß.
Der Anfang knüpft in besonderer Weise an die Erwartungen des Lesers
an — und zwar auch dann, wenn er sie problematisiert oder geradezu
durchbricht, wie es Kafka eindrucksvoll mit dem ersten Satz seiner Erzählung 'Die Verwandlung' gelingt: "Als Gregor Samsa eines Morgens
aus unruhigen Träumen erwachte, fand er sich in seinem Bett zu einem
ungeheuren Ungeziefer verwandelt."
Der Beginn des 'Urteils' ist konventionell im Sinne einer Anpassung an

Erwartungen eines an realistischen Erzählungen "geschulten" Publikums. Diese Rücksichtnahme wird im folgenden zweiten Abschnitt der Geschichte nicht nur durch die Erzählweise, sondern durch die erzählte Thematik verstärkt. Denn das, was hier berichtet wird, ist ein bekannter Stoff der realistischen Literatur des 19. Jahrhunderts:

> Er dachte darüber nach, wie dieser Freund, mit seinem Fortkommen zu Hause unzufrieden, vor Jahren schon nach Rußland sich förmlich geflüchtet hatte. Nun betrieb er ein Geschäft in Petersburg, das anfangs sich sehr gut angelassen hatte, seit langem aber schon zu stocken schien, wie der Freund bei seinen immer seltener werdenden Besuchen klagte. So arbeitete er sich in der Fremde nutzlos ab, der fremdartige Vollbart verdeckte nur schlecht das seit den Kinderjahren wohlbekannte Gesicht, dessen gelbe Hautfarbe auf eine sich entwickelnde Krankheit hinzudeuten schien. Wie er erzählte, hatte er keine rechte Verbindung mit der dortigen Kolonie seiner Landsleute, aber auch fast keinen gesellschaftlichen Verkehr mit einheimischen Familien und richtete sich so für ein endgültiges Junggesellentum ein. (330, 23)

Das Thema, das sich hier anzuspinnen scheint, ist das zweier Jugendfreunde, die – aus welchen Gründen auch immer – verschiedene Lebenswege einschlagen. Storms Novelle 'Immensee', deren Beginn hier zitiert wurde, seine Erzählung 'Waldwinkel', Stifters 'Die drei Schmiede ihres Schicksals', Raabes 'Hungerpastor' und 'Stopfkuchen' oder auch C. F. Meyers 'Jürg Jenatsch' thematisieren und variieren diesen Stoff. Auch der zweite hier zitierte Text, Fontanes 'Frau Jenny Treibel', behandelt eine Variante des Themas in der kritischen Gegenüberstellung von bescheidener Gelehrtenwelt und kulturfeindlicher Bourgeoisie, personifiziert durch Frau Treibel und ihren alten Jugendfreund sowie dessen Tochter Corinna. Sozialkritische Intentionen in der Behandlung des Stoffes finden sich ebenfalls in Kellers 'Martin Salander' und Raabes 'Abu Telfan'. Eine weitere wichtige Modifikation in der Konfrontation von Lebenstüchtigkeit und -untüchtigkeit ist die von Goethes 'Tasso' über Grillparzers 'Sappho' bis zu Thomas Manns 'Tonio Kröger' reichende Darstellung des Konfliktes zwischen Kunst und Leben. Der Stoff weist historisch zurück auf die Zeit der Zünfte und Handelshäuser mit den für die Handwerksburschen obligatorischen Wanderjahren, deren Darstellung sich auch in der realistischen Literatur des 19. Jahrhunderts großer Beliebtheit erfreute, wie Kellers hier als vierter Text zitierte Novelle 'Kleider machen Leute' belegen mag.

Das Grundschema jener Erzählungen, die das unterschiedliche Schicksal zweier Freunde gestalten, läßt sich etwa so skizzieren: Oft bleibt der eine daheim, und ihm wird das bürgerliche Glück des Tüchtigen und Seßhaften zuteil, der sich in die Gemeinschaft eingliedert und an ihrer Prosperität partizipiert: gesicherte materielle Verhältnisse, Amt, Würde und –

wie in 'Immensee' — das Jawort der von beiden geliebten Frau sind seine Belohnung. Den andern hingegen zieht es in die Ferne, wobei ihm recht unterschiedliche Schicksale angedichtet werden. Meist ist er ein Junggeselle, oft von eigenbrötlerischer Naturverbundenheit, mit einem Hang zum Abenteuerlichen und Unsteten, bisweilen auch eine Künstlernatur, häufig durch seinen sozialen Status einer gesellschaftlichen Randgruppe zugehörig. Der bürgerlichen Gesellschaft vermag er sich nicht mehr einzubequemen, wenn er nach langen Jahren der Wanderschaft heimkehrt. Es gab natürlich auch das Umgekehrte wie z. B. in Otto Ludwigs 'Zwischen Himmel und Erde', wo Appollonius, der Held, die Heimat verlassen muß und von vornherein alle bürgerlichen Qualitäten besitzt, die ihn nach seiner Rückkehr befähigen, über seinen daheimgebliebenen Bruder nicht nur moralisch zu triumphieren.

Die besondere Pointe des Sujets liegt nun in einem *Urteil* — darüber nämlich, wer von den beiden Freunden oder Parteien den besseren Teil erwählt hat, wer der bessere Mensch, wer der Glücklichere, der Tugendhaftere ist. Die Antwort ist nicht bereits prinzipiell mit dem Stoff gegeben, sondern sie ist nur von Fall zu Fall — auf Grund der erzählten besonderen Umstände — zu erteilen. Dabei zog das Thema auch aus dem 'Wie' der Darstellung jedesmal von neuem seine Spannung. Nicht selten bewährte sich zum Schluß die poetische Gerechtigkeit. Dem materiellen Wohlstand des einen wurden höhere geistige und seelische Qualitäten des anderen gegenübergestellt. Menschliche Größe und Seelenadel konnten so die zu kurz Gekommenen über ihre Armut hinwegtrösten, und zwar nicht nur den Helden der Geschichte, sondern auch deren Leser. In einem solchen Urteil zeigt sich aber auch der eigentliche Ursprung und Kern des Erzähl- wie des Leserinteresses: Dahinter steckt die im Zeichen zunehmender Säkularisation erfolgende literarische Bewältigung der alten christlichen Vorstellung vom Leben als einer "peregrinatio", als bloße Durchgangsstation zum eigentlichen und wahren Leben im Jenseits. Die Lebensfeindlichkeit, die Ablehnung irdischen Besitzes, die Vorstellung von der Vergänglichkeit irdischen Glücks gehörte jahrhundertelang zu den Grundüberzeugungen christlicher Ethik und Dogmatik, die auch in der Literatur bis ins 17. Jahrhundert hinein gestaltet wurden. Die christlichen Kirchen haben auch danach nicht aufgehört, diese Auffassung zu verkündigen. Sie gewann gegen Ende des 19. Jahrhunderts besondere Aktualität, als es galt, die mit der Gründerzeit einsetzende wirtschaftliche Prosperität, das Streben nach materiellem Besitz und zugleich die negativen Folgen zu legitimieren oder auch zu kritisieren: die Tatsache zum Beispiel, daß viele Einzelhändler, Bauern und Unternehmer angesichts der Verschärfung des wirtschaftlichen Wettbewerbs ihre Existenzgrundlage verloren. In dieser als Konflikt erfahrenen Situation vermochten sich die Autoren des Realismus — wie ihr Publikum — weder eindeutig gegen die Segnungen des irdischen Reichtums zu stellen, noch auch konnten sie das ausschließliche Besitzstreben — zumal angesichts der oft auch am eigenen Leibe erfahrenen negativen Folgen — uneingeschränkt gutheißen. Daher fällten sie zumeist kompromißlerische Urteile, indem sie in der angedeuteten Weise poetische Gerechtigkeit widerfahren ließen. Damit vermochten sie offenbar auch ihr Publikum zufriedenzustellen. Das Ausweichen vor einer grundsätzlichen Stellungnahme gab sich auch in der kasuistischen Erzählweise zu erkennen. Da eine allgemeinverbindliche moralische Entscheidung in der angedeuteten Problematik angesichts der allgemeinen Auflösung weithin verbindlicher Wert- und Wahrheitsnormen nicht mehr möglich erschien, verlagerte sich das Interesse auf die besonderen Umstände eines Falles, der in seinen Einzelheiten geschildert und dessen Urteil, selbst wenn es einmal zugunsten einer der Parteien gefällt wurde, angesichts seiner Partialität nicht generalisierbar war. Von daher läßt sich auch die Vielzahl der diesen Stoff thematisierenden Erzählungen und Romane verstehen und auch das offenbar nicht erlahmende Interesse des Publikums. Es kam bei der vorausgesetzten Grundkonstellation immer auf die jeweiligen "positiv" gegebenen "Fakten" an.

Der Beginn des 'Urteils' scheint auf diesen bedeutsamen Erzählstoff anzuspielen und entsprechende Erwartungen im Blick auf Inhalt und Ausgang wecken zu wollen, obgleich diese Erzähltradition im Text selbst nicht erwähnt wird. Der Leser, den wir im folgenden zum Vollzug der "literarischen Kommunikation" einsetzen, muß schon deshalb eine vom Text unabhängige Größe sein, weil er den Erzählverlauf im Blick auf diese soeben skizzierte Tradition reflektieren muß und weil der Text diesen Bezug nur implizit, aber nicht explizit herstellt: er ist nicht in der "Appellstruktur" selbst verankert — sonst hätte man ihn schon längst bemerken müssen —, sondern er ist — gleichsam als Folie — vorausgesetzt. Unser Leser fungiert daher als Realisierung dieser Voraussetzung. Im Rahmen dieser methodischen Prämissen kann die lange verpönte Motivforschung, wie mir scheint, eine sinnvolle Aktualisierung erfahren. Ich analysiere im folgenden wieder auf der Basis einer ersten Lektüre. Die Absichten und Einschränkungen eines solchen Verfahrens habe ich in den methodischen Vorbemerkungen des Analyseteils und in der ersten Anwendung — bei Trakls 'Geburt' — bereits erläutert.

3.2 Der Anfang des 'Urteils' und das Motiv von der Glückssuche zweier Freunde

Zwei Jugendfreunde, die seit längerem verschiedene Wege gegangen sind, werden einander pointiert gegenübergestellt. Der Daheimgebliebene offenbar wohlhabend und zufrieden, wie sich nicht zuletzt aus seiner Charakterisierung des in Petersburg ansässigen Freundes ergibt. Dessen Geschäfte — und von ihnen ist mit besonderem Nachdruck die Rede —

stehen schlecht, er selbst scheint krank zu sein, ohne Kontakt mit Landsleuten und als Junggeselle auf sich allein gestellt. Der dritte Abschnitt lautet:

Was wollte man einem solchen Manne schreiben, der sich offenbar verrannt hatte, den man bedauern, dem man aber nicht helfen konnte. Sollte man ihm vielleicht raten, wieder nach Hause zu kommen, seine Existenz hierher zu verlegen, alle die alten freundschaftlichen Beziehungen wieder aufzunehmen — wofür ja kein Hindernis bestand — und im übrigen auf die Hilfe der Freunde zu vertrauen? Das bedeutete aber nichts anderes, als daß man ihm gleichzeitig, je schonender, desto kränkender, sagte, daß seine bisherigen Versuche mißlungen seien, daß er endlich von ihnen ablassen solle, daß er zurückkehren und sich als ein für immer Zurückgekehrter von allen mit großen Augen anstaunen lassen müsse, daß nur seine Freunde etwas verstünden und daß er ein altes Kind sei, das den erfolgreichen, zu Hause gebliebenen Freunden einfach zu folgen habe. Und war es dann noch sicher, daß alle die Plage, die man ihm antun müßte, einen Zweck hätte? Vielleicht gelang es nicht einmal, ihn überhaupt nach Hause zu bringen — er sagte ja selbst, daß er die Verhältnisse in der Heimat nicht mehr verstünde —, und so bliebe er dann trotz allem in seiner Fremde, verbittert durch die Ratschläge und den Freunden noch ein Stück mehr entfremdet. Folgte er aber wirklich dem Rat und würde hier — natürlich nicht mit Absicht, aber durch die Tatsachen — niedergedrückt, fände sich nicht in seinen Freunden und nicht ohne sie zurecht, litte an Beschämung, hätte jetzt wirklich keine Heimat und keine Freunde mehr, war es da nicht viel besser für ihn, er blieb in der Fremde, so wie er war? Konnte man denn bei solchen Umständen daran denken, daß er es hier tatsächlich vorwärts bringen würde? (330, 23 f.)

Daß sich Georg Bendemann hier Gedanken über die Rückkehr seines Freundes macht, bestätigt die Erwartungen des Lesers, der die Motivgeschichte kennt. Und obwohl Georg bei seinen — rational zunächst überzeugenden — Überlegungen zu dem Resultat gelangt, es sei besser für den Freund, wenn er in Rußland bliebe, weil eine Rückkehr seinen Zustand nur noch verschlimmern könne, dürfte dies die Erwartungen des Lesers vom Fortgang der Geschichte nur unterstützen. Denn gerade weil das Thema aus der Sicht eines der Freunde bereits abgeschlossen ist — und zwar sogleich zu Beginn der Erzählung —, läßt dies auf eine Korrektur dieser Ansicht Georgs schließen. Auf Grund der Kenntnis des Stoffes also kann der Leser die Perspektive Georgs als parteiliche erkennen und einschätzen. Dazu bedarf er nicht der Einsicht der Forschung in Kafkas Methode des "einsinnigen Erzählens", d. h. eines Erzählens, das alles Geschehen nur aus der Perspektive des Helden und gleichsam mit seinen Augen und Gedanken wiedergibt. Auf Grund der aus der Motivgeschichte bekannten "Rollenverteilung" der beiden Positionen, die zugleich gegensätzliche Werthaltungen einschließen, wird er daher auch die zu Georgs Rolle gehörende kommerzielle Optik registrieren, das Messen des Petersburger Freundes an der Vorstellung des ökonomischen Erfolges und des dadurch bedingten Sozialprestiges — dies ist allerdings auch ohne Kenntnis der Motivgeschichte offenkundig. Im Sinne bürgerlicher Reputation ist der Freund in Georgs Augen gescheitert, ihm ist von den alten Freunden, die den geschäftlichen Erfolg zum Maßstab einer moralischen Bewertung erheben, nicht mehr zu helfen. Dem Leser kann sich somit die Entfremdung zwischen Georg und seinem Freund schon hier erschließen. Die Kommunikation zwischen ihnen ist offensichtlich angesichts unterschiedlicher Norm- und Wertvorstellungen gestört. Dies wird durch die nachfolgenden Erzählpassagen bestätigt. Georg schreibt dem Freund seit langem nur noch Belanglosigkeiten, aus Angst, ihn zu verletzen, denn er könnte ihm, dem Unglücksraben, nur lauter Erfolge vermelden. Nach dem Tod der Mutter nämlich "hatte sich das Geschäft in diesen zwei Jahren ganz unerwartet entwickelt, das Personal hatte man verdoppeln müssen, der Umsatz hatte sich verfünffacht, ein weiterer Fortschritt stand zweifellos bevor." (330, 24) Auch sein privates Glück hat er bisher verschwiegen, die Tatsache nämlich, daß er sich mit einem Mädchen — natürlich "aus wohlhabender Familie" — verlobt hatte. Dem erfolglosen Junggesellen wird also der geschäftlich und privat erfolgreiche Ehemann in spe gegenübergestellt.

Nach einigen Ausflüchten — zum Beispiel dem Hinweis, dem Freund müßte seine Einsamkeit besonders zum Bewußtsein kommen, wenn er zur Hochzeit Georgs geladen würde oder gar käme — entschließt sich Georg auf Drängen seiner Verlobten, die diesen Freund kennenlernen möchte, endlich doch, ihm von der Verlobung zu berichten und ihn zur Hochzeit einzuladen. " 'So bin ich und so hat er mich hinzunehmen', sagte er sich, 'ich kann nicht aus mir einen Menschen herausschneiden, der vielleicht für die Freundschaft mit ihm geeigneter wäre als ich es bin.' " (330, 25)

Die Mitteilung der "Wahrheit" bedeutet gleichzeitig, daß sich Georg nun von seinem Freund endgültig lossagen möchte, denn auf Grund seiner Argumentation muß er annehmen, daß sich der Freund durch diese aufrichtige Nachricht von ihm trennt. Damit unterstellt er allerdings dem Freund eine Gesinnung, die seine eigene ist und die im Grunde nur ihn selbst, nicht aber den Freund charakterisiert, der bislang noch nicht in der Erzählung aufgetaucht ist. Doch selbst der Brief, in dem Georg dem Freund die Einladung übermittelt, ist noch ein Dokument der Verstellung. Georg bezeichnet die Verlobung, welche doch die Freundschaft zu beeinträchtigen droht, als "beste Neuigkeit", die er sich "bis zum Schluß aufgespart" habe. Er vergißt nicht zu erwähnen, daß seine Verlobte "aus einer wohlhabenden Familie" stammt, "die sich hier erst lange nach deiner Abreise angesiedelt hat", die es also — im Gegensatz zum armen Freund — geschafft hat, sich in einer neuen Umgebung gesellschaftliche Anerkennung zu verschaffen. Nicht weniger verletzend muß dem Freund die Bemerkung klingen, daß Georg seit der Verlobung ein "glücklicher Freund" sei — vorher war er, wie er schreibt, nur "ein ganz gewöhnlicher Freund". Auch die Einladung zur Hochzeitsfeier bietet dem Freund in geradezu aufdringlicher Weise Ausflüchte an. Georg gibt zumindest zu verstehen, daß er Verständnis dafür hätte, wenn der Freund aus geschäftlichen Gründen absagen sollte.

Mit der Mitteilung des Briefinhalts endet der erste Teil der Erzählung. Dreierlei verdient bis jetzt hervorgehoben zu werden: Eine auf Aufrichtigkeit gegründete Freundschaft zwischen einem wirtschaftlich und gesellschaftlich Erfolgreichen und einem Erfolglosen kann es offenbar — zumindest in den Augen Georgs — nicht geben. Freundschaftlicher Umgang ist nur um den Preis der Verstellung und des Verschweigens gerade dessen möglich, was dem Erfolgreichen offenbar das Wichtigste ist: der Erfolg. Dies ist bereits eine Radikalisierung des traditionellen Erzählstoffes, bei dem eine solche Freundschaft dennoch möglich war durch gegenseitige Anerkennung verschiedener Werte, die in den beiden Parteien repräsentiert waren. Diese Möglichkeit gegenseitiger Relativierung eröffnet sich jetzt nur noch für den Leser, nicht mehr für den bisherigen "Helden" Georg. Bemerkenswert ist ferner Georgs Denkweise, die den Leser zu einem permanenten "Hinterfragen" und zu einem Beachten von Nuancierungen und Details nötigt; die Präzision und Logik von Georgs Reflexionen erfordern schon deshalb die ganze Aufmerksamkeit des Lesers, weil ein "Erzähler" fehlt, dessen Kommentare ihm diese Denkarbeit vielleicht hätten erleichtern oder gar abnehmen können: auch dies ist ein Novum. Und schließlich scheint mir beachtenswert, wie genau sich die Entfaltung dieser Erzählung bislang — gerade auch in den eben genannten neuen Aspekten — auf die eingangs explizierte Erzähltradition beziehen und von ihr her verstehen läßt.

Dies aber scheint sich im nun folgenden zweiten Teil der Erzählung grundlegend zu ändern.

3.3 Die Destruktion des Erzählmotivs und die Desorientierung des Lesers

Der Leser, der nun vielleicht erwartet, daß sich die Erzählperspektive dem Freund zuwendet oder ihn zumindest — vielleicht anläßlich der Hochzeit — in das weitere Geschehen einbezieht, wird enttäuscht. Georg begibt sich mit dem Brief zu seinem Vater, um diesen über seine Einladung an den Freund zu unterrichten. Daraus entwickelt sich eine lange, sich immer dramatischer zuspitzende Auseinandersetzung zwischen beiden. Wie ist das mit dem ersten Teil vereinbar?

Die Bedeutsamkeit, die Georg selbst dem Vorgang beimißt, macht zunächst noch begreiflich, warum er den Vater über seinen Entschluß informieren will — unter der Voraussetzung, daß auch der Vater die Bedeutsamkeit dieses Schrittes erahnt. Dies scheint in der Tat der Fall zu sein. Zu Georgs — und des Lesers — nicht geringem Erstaunen fordert er Georg auf, nunmehr "die volle Wahrheit" zu sagen, die ihm dieser, wie er andeutet, in der letzten Zeit auch in geschäftlichen Angelegenheiten verschwiegen habe, und er fragt abschließend: "Hast du wirklich diesen Freund in Petersburg?" (330, 27 f.) Georg weicht aus: Er "stand verlegen auf. 'Lassen wir meine Freunde sein. Tausend Freunde ersetzen mir nicht meinen Vater.' " (330, 28) Dieser Satz macht verständlich, warum der Vater in die Erzählung eingeführt wird. Noch entscheidender und unmittelbarer als der Freund ist der Vater von dem Entschluß Georgs betroffen. Vater und Freund sind Georg gegenüber in einer vergleichbaren Situation. Vom zugrundeliegenden Erzählsujet her läßt sich die Konfrontation der unterschiedlichen Lebenshaltungen und Wertbereiche auch am Beispiel des Vater-Sohn-Konflikts veranschaulichen. Diese Einsicht spricht die Erzählung nicht selbst aus, aber sie sucht sie im Leser dadurch herbeizuführen, daß sie die Situation des Vaters als mit derjenigen des Freundes vergleichbar darstellt. Dem dient die Schilderung der Lebensumstände des Vaters, die der zitierten Auseinandersetzung vorausgeht: Georg war schon seit Monaten nicht mehr im Zimmer seines Vaters gewesen, der Umgang mit ihm beschränkte sich auf geschäftliche Angelegenheiten. Georg staunt darüber, "wie dunkel das Zimmer des Vaters selbst an diesem sonnigen Vormittag war". (330, 26) Im Gegensatz zu seinem eigenen mit dem freien Blick auf die Häuser, "auf den Fluß, die Brücke und die Anhöhen am anderen Ufer mit ihrem schwachen Grün" geht des Vaters Zimmer auf den Hof, sein Blick wird durch eine hohe Mauer eingegrenzt, und der Vater schaut nicht wie Georg hinaus, sondern er sitzt in einer Ecke, umgeben von Andenken an die verstorbene Mutter. Georg, so muß der Leser schließen, hat den Vater im Geschäft und privat "in die Ecke" gedrängt, dem Vater bleiben — wie dem Freund — nichts als die alten Erinnerungen. Er ist, obwohl noch zu Hause, im Grunde wie der Freund heimatlos. Auch der Vater hat "fast keinen gesellschaftlichen Verkehr mit einheimischen Familien" (330, 23) und ist als Witwer in den Status des Junggesellentums zurückgekehrt. Er stellt für Georg einen ähnlichen Ballast dar, wie der Freund, wenn sich dieser zur Rückkehr in die Heimat entschließen würde. Ja, so betrachtet repräsentiert der Vater geradezu jenes Schicksal, das Georg seinem Freund zu Beginn der Erzählung bei einer etwaigen Rückkehr voraussagt: der Vater *ist* jenes "alte Kind", "das den erfolgreichen ... Freunden einfach zu folgen habe", er scheint die "Verhältnisse in der Heimat nicht mehr" zu verstehen, und er leidet "an Beschämung" (330, 23 f.). Insofern also der Vater die Rolle des Freundes einnimmt, braucht dieser selbst in der Erzählung nicht zu erscheinen, und gleichwohl bleibt für den Leser die anfangs entwickelte und vom ersten Teil der Erzählung bestätigte Problematik als Erwartungshorizont erhalten. Auch diese Passage läßt sich als Fortsetzung der indirekten Charakteristik Georgs verstehen, die sich in das schon gewonnene Bild fügt: Georg ordnet als erfolgreicher Geschäftsmann seine privaten Kontakte den beruflichen Erfordernissen unter, und er beurteilt und behandelt sogar seinen nächsten Angehörigen primär nach geschäftlichen Erfordernissen und im Blick auf den eigenen Vorteil.

Jetzt aber, als der Vater ihn zur Wahrheit aufruft, überfällt Georg ihn in einer fast schon penetranten Aufdringlichkeit mit Fürsorglichkeit. Er will einen Arzt holen, das Zimmer mit ihm tauschen, und er beginnt ihn zu entkleiden und ins Bett zu bringen, worauf sich der Vater zudeckt. Georg muß ihm sogar zweimal bestätigen, daß er gut zugedeckt sei. An dieser Stelle der Erzählung nimmt der alte Bendemann zunehmend Züge und Verhaltensweisen eines "alten Kindes" an: er erweist sich als zahnlos und pflegebedürftig, seine schmutzige Unterwäsche erinnert auffällig an die Windeln eines Kindes. Als Georg ihn auf den Armen ins Bett trägt, hat er ein "schreckliches Gefühl", "als er während der paar Schritte zum Bett hin merkte, daß an seiner Brust der Vater mit seiner Uhrkette spiele" (330, 29) — wie ein Kind. Georg scheint in diesen Augenblicken zum Vater, der alte Bendemann zum Sohn zu werden. Das ist eine erstaunliche Wandlung, nachdem der Vater kurz zuvor noch seinem Sohn als "Riese" erschien und ihn durch seine Fragen und seine Aufforderung zur Wahrheit in Verlegenheit gebracht hatte. Tatsächlich erweist sich aber, daß der Vater mit seinem Sohn nur gespielt hat, daß er ihn auf die Probe stellte und das Zudecken als Symptomhandlung versteht, als Ausdruck von Georgs Absicht, den Vater für immer "zuzudecken". Im Anschluß an Georgs beruhigende Erklärung "Sei nur ruhig, du bist gut zugedeckt" fährt die Erzählung nämlich fort:

'Nein!' rief der Vater, daß die Antwort an die Frage stieß, warf die Decke zurück mit einer Kraft, daß sie einen Augenblick im Fluge sich ganz entfaltete, und stand aufrecht im Bett. Nur eine Hand hielt er leicht an den Plafond. 'Du wolltest mich zudecken, das weiß ich, mein Früchtchen, aber zugedeckt bin ich noch nicht. Und ist es auch die letzte Kraft, genug für dich, zuviel für dich. Wohl kenne ich deinen Freund. Er wäre ein Sohn nach meinem Herzen. Darum hast du ihn auch betrogen die ganzen Jahre lang. Warum sonst? Glaubst du, ich habe nicht um ihn geweint? Darum doch sperrst du dich in dein Bureau, niemand soll stören, der Chef ist beschäftigt — nur damit du deine falschen Briefchen nach Rußland schreiben kannst. Aber den Vater muß glücklicherweise niemand lehren, den Sohn zu durchschauen. Wie du jetzt geglaubt hast, du hättest ihn untergekriegt, so untergekriegt, daß du dich mit deinem Hintern auf ihn setzen kannst und er rührt sich nicht, da hat sich mein Herr Sohn zum Heiraten entschlossen!'

Georg sah zum Schreckbild seines Vaters auf. Der Petersburger Freund, den der Vater plötzlich so gut kannte, ergriff ihn, wie noch nie. Verloren im weiten Rußland sah er ihn. An der Türe des leeren, ausgeraubten Geschäftes sah er ihn. Zwischen den Trümmern der Regale, den zerfetzten Waren, den fallenden Gasarmen stand er gerade noch. Warum hatte er so weit wegfahren müssen!

'Aber schau mich an!' rief der Vater, und Georg lief, fast zerstreut, zum Bett, um alles zu fassen, stockte aber in der Mitte des Weges.

'Weil sie die Röcke gehoben hat', fing der Vater zu flöten an, 'weil sie die Röcke so gehoben hat, die widerliche Gans', und er hob, um das darzustellen, sein Hemd so hoch, daß man auf seinem Oberschenkel die Narbe aus seinen Kriegsjahren sah, 'weil sie die Röcke so und so und so gehoben hat, hast du dich an sie herangemacht, und damit du an ihr ohne Störung dich befriedigen kannst, hast du unserer Mutter Andenken geschändet, den Freund verraten und deinen Vater ins Bett gesteckt, damit er sich nicht rühren kann. Aber kann er sich rühren oder nicht?'

Und er stand vollkommen frei und warf die Beine. Er strahlte vor Einsicht. (330, 29 f.)

So wie im ersten Teil der Erzählung Georgs Versuch, dem Freund gegenüber aufrichtig zu sein, zugleich die Auflösung der Freundschaft – jedenfalls nach Georgs Auffassung – bedeutete, so interpretiert der Vater hier Georgs plötzliche Hilfsbereitschaft als Wunsch zur Beseitigung des Vaters.

Dem Leser wird hier einiges zugemutet. Zwar ist er vom Erzählmotiv her daran gewöhnt, daß sich in der Konfrontation unterschiedlicher Lebenshaltungen Grundsätzliches ereignet, dennoch hat er zunehmend Schwierigkeiten, das, was geschieht, angemessen zu beurteilen, zumal, wie gesagt, der gewohnte Erzähler fehlt, der eine verläßliche Orientierung bieten könnte. Diese wäre um so dringlicher, als die anfangs von Georg praktizierte "Alltagspsychologie" zusehends – vor allem durch den Vater – in Bereiche vorstößt, die sich mit der aus realistischen Erzählungen gewohnten "Bewußtseinspsychologie" nicht mehr zureichend verstehen läßt. Und damit verliert der Leser zunehmend den verläßlichen Halt für eine Bewertung des Geschehens. Schwer wiegt dabei vor allem, daß er das Verhalten des Vaters – im Unterschied zu dem des Sohnes – nicht eindeutig beurteilen kann. Zunächst darf der Vater noch als offensichtliches Opfer von Georgs Rücksichtslosigkeit mit des Lesers Sympathie rechnen. Nun aber, wo der alte Bendemann ein moralisches Urteil über seinen Sohn fällt, wirkt er selbst keineswegs als moralisch integre Person. Er verhält sich in der zitierten Passage einigermaßen "ordinär", er scheint sogar so etwas wie Sexualneid an den Tag zu legen und zeigt, daß er mit seinem Sohn lediglich ein Spiel getrieben, daß er ihn also willentlich getäuscht hat. Dies nicht nur durch die Rolle als Kind, sondern durch seine Eröffnung, daß er den Freund als eigentlichen "Sohn nach seinem Herzen" betrachtet. Dies hat er Georg gegenüber bisher ebenso verschwiegen wie die Tatsache, die er ihm anschließend eröffnet:

'Aber der Freund ist nun doch nicht verraten!' rief der Vater, und sein hin- und herbewegter Zeigefinger bekräftigte es. 'Ich war sein Vertreter hier am Ort.'

'Komödiant!' konnte sich Georg zu rufen nicht enthalten, erkannte sofort den Schaden und biß, nur zu spät, — die Augen erstarrt — in seine Zunge, daß er vor Schmerz einknickte.

'Ja, freilich habe ich Komödie gespielt! Komödie! Gutes Wort! Welcher andere Trost blieb dem alten verwitweten Vater? Sag' — und für den Augenblick der Antwort sei du noch mein lebender Sohn —, was blieb mir übrig, in meinem Hinterzimmer, verfolgt vom ungetreuen Personal, alt bis in die Knochen? Und mein Sohn ging im Jubel durch die Welt, schloß Geschäfte ab, die ich vorbereitet hatte, überpurzelte sich vor Vergnügen und ging vor seinem Vater mit dem verschlossenen Gesicht eines Ehrenmannes davon! Glaubst du, ich hätte dich nicht geliebt, ich, von dem du ausgingst?'

'Jetzt wird er sich vorbeugen', dachte Georg, 'wenn er fiele und zerschmetterte!' Dieses Wort durchzischte seinen Kopf. (330, 30 f.)

Hier scheint es sogar so, als neide der alte Bendemann dem Sohn den geschäftlichen Erfolg und das dadurch gewonnene Sozialprestige, das, wie er zu verstehen gibt, im Grunde ihm gebührt. Dies paßt zu Georgs früherer Mitteilung, der Vater habe ihn bis zum Tode der Mutter vor zwei Jahren im Geschäft seinen Willen aufgezwungen. Infolgedessen muß sich der Leser sagen, daß der immer noch im Geschäft tätige Vater kaum einen Grund hat, Georg für ein Verhalten und Denken zu verurteilen, dem auch er offenbar noch nicht entsagt hat. Andererseits bestätigt Georg, der im Gegensatz zum Beginn der Erzählung hier offenbar keines klaren Gedankens mehr fähig ist, den Verdacht des Vaters: er wünscht diesem den Tod und scheint damit seine kurz zuvor noch praktizierte Hilfsbereitschaft nachdrücklich zu widerlegen.

Vater und Sohn haben also geschauspielert, haben sich voreinander verstellt. Dies gilt offensichtlich sogar für den Freund, wie man aus der folgenden Eröffnung des Vaters schließen kann:

Wie hast du mich doch heute unterhalten, als du kamst und fragtest, ob du deinem Freund von der Verlobung schreiben sollst. Er weiß doch alles, dummer Junge, er weiß doch alles! Ich schrieb ihm doch, weil du vergessen hast, mir das Schreibzeug wegzunehmen. Darum kommt er schon seit Jahren nicht, er weiß ja alles hundertmal besser als du selbst, deine Briefe zerknüllt er ungelesen in der linken Hand, während er in der Rechten meine Briefe zum Lesen sich vorhält!'

Seinen Arm schwang er vor Begeisterung über dem Kopf. 'Er weiß alles tausendmal besser!' rief er. (330, 31)

Wenn dies stimmt, dann hat auch der Freund mit Georg ein nicht weniger falsches Spiel getrieben als dieser mit jenem oder als Vater und

Sohn miteinander. Möglicherweise hat der Freund sogar auch noch den Vater getäuscht, denn immerhin hat er, so erfährt man eingangs, mehrfach "Georg zur Auswanderung nach Rußland überreden wollen und sich über die Aussichten verbreitet, die gerade für Georgs Geschäftszweig in Petersburg bestanden. Die Ziffern waren verschwindend gegenüber dem Umfang, den Georgs Geschäft jetzt angenommen hatte. " (330, 24 f.) Vielleicht orientiert sich das Verhalten des Freundes — wie teilweise auch das des Vaters — an denselben Kategorien ökonomischen Erfolges wie dasjenige Georgs?

Obwohl dies unsicher bleiben muß, weil die Erzählung nichts Verbindliches darüber aussagt, so bewirkt allein schon diese Denkmöglichkeit große Unsicherheit im Blick auf die abschließende Bewertung der Personen. Es ist nicht einmal mehr sicher, ob sie überhaupt verschiedene Welt-Anschauungen und Lebenshaltungen repräsentieren. Der Schluß der Erzählung, der hier zunächst zitiert sei, muß den Leser vollends verwirren. Er beginnt mit der Bemerkung des Vaters:

'Wie lange hast du gezögert, ehe du reif geworden bist! Die Mutter mußte sterben, sie konnte den Freudentag nicht erleben, der Freund geht zugrunde in seinem Rußland, schon vor drei Jahren war er gelb zum Wegwerfen, und ich, du siehst ja, wie es mit mir steht. Dafür hast du doch Augen!'

'Du hast mir also aufgelauert!' rief Georg.

Mitleidig sagte der Vater nebenbei: 'Das wolltest du wahrscheinlich früher sagen. Jetzt paßt es ja gar nicht mehr.'

Und lauter: 'Jetzt weißt du also, was es noch außer dir gab, bisher wußtest du nur von dir! Ein unschuldiges Kind warst du ja eigentlich, aber noch eigentlicher warst du ein teuflischer Mensch! — Und darum wisse: Ich verurteile dich jetzt zum Tode des Ertrinkens!'

Georg fühlte sich aus dem Zimmer gejagt, den Schlag, mit dem der Vater hinter ihm aufs Bett stürzte, trug er noch in den Ohren davon. Auf der Treppe, über deren Stufen er wie über eine schiefe Fläche eilte, überrumpelte er seine Bedienerin, die im Begriffe war heraufzugehen, um die Wohnung nach der Nacht aufzuräumen. 'Jesus!' rief sie und verdeckte mit der Schürze das Gesicht, aber er war schon davon. Aus dem Tor sprang er, über die Fahrbahn zum Wasser trieb es ihn. Schon hielt er das Geländer fest, wie ein Hungriger die Nahrung. Er schwang sich über, als der ausgezeichnete Turner, der er in seinen Jugendjahren zum Stolz seiner Eltern gewesen war. Noch hielt er sich mit schwächer werdenden Händen fest, erspähte zwischen den Geländerstangen einen Autoomnibus, der mit Leichtigkeit seinen Fall übertönen würde, rief leise: 'Liebe Eltern, ich habe euch doch immer geliebt', und ließ sich hinabfallen.

In diesem Augenblick ging über die Brücke ein geradezu unendlicher Verkehr. (330, 31 f.)

Die Geschichte macht ihrem Titel Ehre. Dem Todeswunsch des Sohnes gegenüber dem Vater folgt das Todesurteil des Vaters gegenüber seinem Sohn. Nach dem vergleichsweise behaglichen Erzählbeginn war dieses Ende nicht zu erwarten. Und doch! Im Verlauf der Erzählung gab es genügend auffällige Signale, die auf ein immer grundsätzlicher werdendes Geschehen aufmerksam machten. Bei genauer Lektüre zeigt sich, daß die Macht des Urteils auf Vater und Sohn in etwa gleich wirkt. Der Vater stürzt aufs Bett, als Georg das Zimmer verläßt, und dies scheint den Wunsch des Sohnes zu erfüllen: "Wenn er fiele und zerschmetterte!" Daß der Vater aufs Bett fällt, erinnert an das Zudecken, das er bereits als Zeichen der Vernichtungsabsicht des Sohnes gedeutet hatte und das sich nun zu erfüllen scheint. Ob dieser Sturz den Tod des Vaters bedeutet, läßt die Erzählung offen. Dasselbe gilt für das 'Herabfallen' des Sohnes, das dem 'Stürzen' des Vaters entspricht. Immerhin scheinen sich hier zwei Todesurteile zu erfüllen, und dies am Ende einer Erzählung, deren Anfang das Motiv von der Glückssuche zweier Freunde zu thematisieren schien.

Dieses Motiv ist hier offenkundig radikal "zuendeerzählt". Es gibt kein Glück, scheint die Erzählung besagen zu wollen, weder für den, der sich ökonomischen Erfolges und privaten Glücks zu erfreuen glaubt, noch — erst recht — für den, der diesem Glück entsagt oder besser: entsagen muß. Daß Georg die Perspektivfigur der Erzählung ist, hat seinen Grund darin, daß sich in seinem Denken und Verhalten die Hauptschuld und deren Ursachen zu erkennen geben. Er ist ichbezogen und denkt in den Kategorien bürgerlicher Besitz- und Erfolgsideologie. Ihr ordnet er sein Verhalten gegenüber dem Freund unter, und sie bestimmt auch seine Beziehung zum Vater. Sein Erfolg zwingt ihn zur Verstellung gegenüber den anderen, wirtschaftlich weniger Begünstigten, um die privaten Beziehungen noch aufrechtzuerhalten und sie damit doch zugleich zur Heuchelei zu entwerten. Die Ungleichheit des Erfolges führt letztlich zum Verlust der Kommunikation: in dem Moment, wo die Personen versuchen, offen und ehrlich miteinander zu verkehren, brechen ihre Beziehungen endgültig auseinander. Darin aber erweist sich auch Georgs Glück als nur vordergründig und scheinhaft. Es gibt, könnte dies besagen, andere und höhere Werte des Glücklichseins, die sich in dem manifestieren, was Georg offensichtlich verspielt hat: im echten und aufrichtigen Miteinander, in der verbindlichen und verantwortlichen Gemeinschaft. In dieser Konfrontation von menschlichen Werten und materiellem Besitz und in der Abwertung des letzteren scheint sich die Erzähltradition noch geltend zu machen. In Kafkas 'Urteil' indessen stehen sich diese beiden Positionen nicht als voneinander unabhängige und gegeneinander "kompromißlerisch" aufrechenbare gegenüber, sondern sie werden in ihrer Abhängigkeit voneinander gezeigt. Das höher zu bewertende Glück echter menschlicher Gemeinschaft wird durch das "Glück" des Tüchtigen prinzipiell in Frage gestellt, weil dieses zum Egoismus und damit zur Separation der menschlichen Beziehungen führt. Dies ist um so verhängnisvoller, als der Vater und vielleicht auch der Freund keineswegs freiwillig auf das Glück des Erfolges zu verzichten scheinen. Sie sind unglücklich, weil sie nicht denselben Erfolg wie Georg haben. Selbst ihre Beziehung untereinander leidet unter diesem Bewußtsein und kann sich deshalb ebenfalls nicht als echtes Miteinander entfalten. Beide bleiben dem Denken Georgs verhaftet. Indem der Vater dieses kritisiert und seinen Sohn verurteilt, verurteilt er, so gesehen, auch sich selbst. Der im Affekt ausgesprochene Wunsch Georgs nach dem Tod des Vaters ist daher konsequent, wenn man von der Schwere des 'Urteils' absieht und nur nach der Schuld selbst fragt.

Das wahre Glück also läßt sich unter den gegebenen Bedingungen nicht verwirklichen. Auswanderung, Heimatlosigkeit, Junggesellentum sind nicht seine Voraussetzungen, weil sie von den Erfolgreichen erzwungen sind. Es gibt also kein Glück, weder innerhalb, noch außerhalb der Gesellschaft, weder innerhalb, noch außerhalb der Familie. Mit der widerspruchslosen Ausführung des Todesurteils durch Georg wird nun aber – in personaler Symbolisierung – die entscheidende Ursache, die dem wahren Glück entgegensteht, beseitigt. Darin ließe sich jener Wunsch nach Erneuerung, jene Sehnsucht nach dem "Aufbruch", nach wahrer Verbindlichkeit und Gemeinschaft erkennen, die bereits mehrfach als bedeutsames Kennzeichen des frühen Expressionismus herausgestellt wurden. Man könnte in der vielumrätselten Todesart – dem Ertrinken – sogar eine im Text selbst verankerte Bestätigung dafür finden: das Hineingehen ins Wasser ist nach Freud Symbol für die Neugeburt. Aber das ist hier natürlich eine unbeweisbare Spekulation.

Daß diese Erzählung indessen im Bereich frühexpressionistischer Tendenzen anzusiedeln ist, dürfte deutlich geworden sein. Nicht zufällig, so scheint es, gelingt Kafka gerade mit ihr der Durchbruch zu der ihm gemäßen Thematik und Gestaltungsweise: er greift ein weitverbreitetes, aktuelles und zentrales Sujet auf, um es in radikaler und parteilicher Weise zu destruieren: es ist die Frage nach der wahren Selbstverwirklichung des Menschen. Die Erzählung entlarvt die Lösungsmöglichkeiten des "literarischen Realismus" als scheinhaft und zeigt, daß und warum es eine solche Selbstverwirklichung nicht geben kann. Dies zeigen in vielfachen Variationen auch zahlreiche andere Autoren des Frühexpressionismus.

In der im 'Urteil' angegebenen Personenkonstellation war es zugleich das ganz persönliche, zentrale Problem Kafkas. Dies hat soeben Jürgen Demmer nachgewiesen, indem er – den Umfang eines Buches benötigend – jedes Detail der Erzählung auf die Biographie des Autors bezieht und von daher verständlich zu machen sucht. Seiner Deutung zufolge "veranschaulicht sich Kafka in dieser Geschichte seine Befürchtung, daß sein Versuch, in seiner Beziehung zu Felice Bauer sein Schreiben mit der Ehe zu vereinen und dadurch gegenüber seinem Vater selbständig zu werden, an seinem Vater scheitert. Daß der Vater in der Geschichte als Vertreter des Freundes Georg entgegentritt und zum Tod verurteilt, bedeutet demnach für Kafka, daß er wegen seines Vaters Felice Bauer nicht wird heiraten können und an seinem Schreiben wird festhalten müssen." (347, 186) Dennoch übersieht Demmer nicht die "Zweideutigkeit der Geschichte in der Schuldfrage". Er sieht den Grund für diese darin, daß Kafka "keine Antwort auf die Frage nach dem Sinn seines Tuns weiß. Daraus folgt, daß er für sein Tun nicht einstehen kann. Ausdruck davon ist sein Schwanken zwischen Selbstanklage und Selbstrechtfertigung." (347, 193) Dazu würde unsere Beobachtung passen, daß hinsichtlich der wahren Selbstverwirklichung im Grunde nicht nur Georg, sondern auch Vater und Freund schuldig gesprochen werden, daß er also weder im Junggesellentum noch in einer Heirat, weder in der Gemeinschaft mit dem Vater noch in der Trennung von ihm eine Lösung seines Problems finden konnte.[67] Die verzweifelte Suche nach einer solchen Lösung kennzeichnet die Biographie der folgenden Jahre. Daß und warum sie zu keinem für ihn zufriedenstellenden Resultat kam, ist im 'Urteil' dargestellt. Vielleicht ist diese erste typisch Kafkasche Geschichte deshalb zeitlebens die ihm liebste geblieben.

Daß Kafka sich auch später immer wieder des Mittels der "Deformation klassischer Motive" bediente, hat Dietrich Krusche am Beispiel einiger Parabeln und Erzählungen nachgewiesen (360, 92 ff.). Allerdings erhält es dabei eine andere Akzentuierung: "Das klassische Motiv als Anschaulichkeit vermittelndes Element, als kulturgeschichtlich eingeführter Informationsträger, als in diesem Sinne 'eindeutiges' Kommunikationspotential übernimmt in der Welt Kafkas die Funktion der Verundeutlichung, Entkonturierung, Desorientierung." (360, 100) So lautet Krusches Ergebnis einer Analyse des 'Jäger Gracchus':

So wird eine Motivgestaltung, die auf eine Separation kulturgeschichtlich tradierter Motive von ihrem (ihnen im Verlauf der Geschichte zugewachsenen) Welthintergrund abzielt, dazu benutzt, die Ureinsamkeit menschlicher Existenz zu erweisen, die letzte Unzuständigkeit der Menschen füreinander, ihre Unfähigkeit zu gegenseitiger Hilfeleistung zu veranschaulichen. Anders ausgedrückt: Eine Erzählintention, die auf eine Problematisierung der zwischenmenschlichen Interaktion ausgerichtet ist, realisiert sich bei der Verwendung kulturgeschichtlich tradierter Momente in einer Dekomposition der den Motiven (infolge ihrer Tradition) immanenten Deutungsmöglichkeiten. (360, 107)

---

[67] Meine Analyse des 'Urteils' ist vor Kenntnis der Studie Demmers niedergeschrieben worden. Trotz mancher Übereinstimmungen in Details ergeben sich angesichts der divergierenden methodischen Ansätze sehr unterschiedliche Deutungen. Ein Vergleich beider Analysen kann veranschaulichen, wie sehr die jeweilige methodische Ausgangsposition bereits den Blick lenkt und über den zu erwartenden Sinn mitentscheidet.

Dem wäre auch von unserer Analyse her zuzustimmen. Kafkas " 'Helden' finden keine Erfüllung mehr in einer metaphysischen Transzendenz. Ihr 'Streben' bewegt sich in der irdischen Immanenz gleichsam im Kreise." (360, 154) Es ist ein Vorgang, der demjenigen bei Trakl entspricht: ein gleichsam spiralenförmiges Kreisen, das den Leser immer wieder angesichts seiner Desorientierung zu Sinndeutungen herausfordert und diese im weiteren Verlauf doch immer wieder destruiert. Bestes Beispiel dafür sind die unterschiedlichen und widersprüchlichen Deutungen des 'Urteils', die bei Demmer und Ingo Seidler referiert und verarbeitet sind.

Die Ursachen für dies Kreisen sowohl des 'Helden' als auch des Lesers seien abschließend noch genauer benannt, um auch in diesem zentralen Punkt – der im Text intendierten desorientierenden Reflexion von 'Held' und Leser – den Zusammenhang des Kafkaschen Erzählens mit den frühexpressionistischen Tendenzen aufzuzeigen.

3.4 Zur Homologie von Darstellung, Rezeption und gesellschaftlichem Verhalten

Kafkas Werke zwingen zu einem nahezu detektivischen Lesen. Dieses ist eins der auffälligsten, übereinstimmenden Kennzeichen der Kafka-Forschung, die häufig die Reflexion an jenen Stellen fortzusetzen sucht, wo die Perspektivfiguren sie abbrechen. Und darin liegt die Schwierigkeit: "Angesichts des temporären Informationsentzuges", so bemerkt Iser zur Wirkung der Prosa auf den Leser bei Handlungsschnitten, "wird sich die Suggestivwirkung selbst von Details steigern, die wiederum die Vorstellung von möglichen Lösungen mobilisieren." (746, 22) Im Falle Kafkas befinden sich die Protagonisten seines Werkes selbst bereits in dieser Situation – allerdings eines permanenten und nicht nur temporären – Informationsentzuges, sie versuchen durch Reflexionen, durch Beachten auch von scheinbar Nebensächlichem, dem, was mit ihnen geschieht, einen Sinn abzugewinnen. Der erste "implizite Leser" ist bei Kafka also, pronfonciert formuliert, die Perspektivfigur selbst. Ihre einsinnig erzählte Sicht mit ihren subjektiven Deutungsversuchen des Geschehens müssen vom Leser in ihrer Relativität erkannt und entsprechend beurteilt werden. Da der Text damit aber keine verbindliche Ansicht zu dem Dargestellten anbietet, ist der Leser zur eigenen Sinnsuche aufgefordert. Und eben darin ist er in einer dem 'Helden' vergleichbaren Situation.

Ausdruck der Orientierungslosigkeit und Movens der unaufhörlichen Reflexionen der Perspektivfiguren ist das Mißtrauen. So ruft Georg gegen Schluß des 'Urteils' aus: "Du hast mir also aufgelauert!", und der Vater dementiert dies nicht, sondern gibt – an anderer Stelle – zu, "Komödie" gespielt, also sich verstellt zu haben. Georgs Mißtrauen gegenüber den anderen und auch sein Mißverstehen sind Kennzeichen einer gestörten Kommunikation, die ihrerseits Ausdruck einer gestörten sozialen Interaktion ist.

Die neuere, soziologisch orientierte Psychologie hat das Phänomen des Mißtrauens nicht nur in faßbaren psychologischen Kategorien beschrieben, sondern zugleich seine Herkunft im Zusammenhang mit Entfremdungsproblemen soziologisch zu erklären vermocht. Ich verweise dazu auf die Untersuchungen von Ronald D. Laing und seinen Mitarbeitern, insbesondere auf die von ihnen entwickelte Theorie der "Spirale reziproker Perspektiven", die das Entstehen des Mißtrauens aus einer gesellschaftlich bedingten hermeneutischen Fehlleistung erklärt: Man erfährt einen anderen Menschen, indem man dessen Verhalten und Denken wahrnehmend interpretiert, indem man sich ein Bild von ihm macht und zugleich ein Bild von dem Bild, das sich der andere von seinem Gegenüber macht. Nach dem Bild, das die anderen Menschen von ihm haben, sucht der Mensch zu handeln, richtet er sich in seinem Verhalten gegenüber den anderen Menschen aus. Ist diese interpersonelle Wahrnehmung durch Mißtrauen gekennzeichnet, dann kommt es zu einer Perspektivenspirale, d. h. der Mißtrauische versteigt sich dann zu immer komplizierteren Denkperspektiven über das, was wohl sein Kontrahent über ihn denkt und was er beabsichtigt (644 a). Kafkas Dichtung bietet überaus eindrucksvolle Beispiele für diese Denkweise, die sich auch in der Realität bis zum Wahn und bis zu neurotischen Verhaltensweisen entwickeln kann und der, wie man weiß, Kafka selbst ausgeliefert war.

Die "Einsinnigkeit" der Erzählperspektive ist ein notwendiges Korrelat dieses Bewußtseins, das sich auf sich allein gestellt sieht, das sich des anderen Menschen nie sicher sein kann.

Im Rezeptionsprozeß potenziert sich nun diese Perspektivenspirale notwendigerweise nochmals, indem der Leser genötigt wird, nicht nur die Überlegungen des 'Helden' nachzuvollziehen, sondern sie eben auch als potentielle hermeneutische Fehlleistung zu erkennen, ohne aber wegen des einsinnig erzählten Textes eine Möglichkeit zu haben, sie im einzelnen als solche zu durchschauen und damit für sich zu revidieren. So muß er also den Äußerungen der Perspektivfigur mißtrauen, die selbst aus Mißtrauen hervorgehen.

Wie die Lyrik Trakls, so provoziert auch die Prosa Kafkas den Leser zu mehreren Stufen der Reflexion und verweigert ihm doch zugleich eine sichere Erkenntnisbasis. Sie unterwirft den Leser im Lektüreprozeß jenem Dissoziierungsprozeß, dem die Texte ihre Entstehung verdanken und der das Geschehen in ihnen bestimmt.

1915 wurde Carl Sternheim für seine Erzählungen 'Busekow', 'Napoleon' und 'Schuhlin' der Fontanepreis zugesprochen, mit dem der jeweils beste moderne Erzähler ausgezeichnet werden sollte. Franz Blei bestimmte Sternheim indessen, den damit verbundenen Geldpreis Franz Kafka zukommen zu lassen. In Kafka hat der Fontane-Preis einen würdigeren Träger gefunden, weil er Fontanes Erzählweise zeitgemäß radikalisiert hat. Richard Brinkmann hat die Intentionen Fontanes auf die Formel von der "Verbindlichkeit des Unverbindlichen" gebracht und die Subjektivität seines Erzählens bewußt gemacht: "Fontane entgeht der Versuchung, die eigene Ansicht der Realität als objektive Wirklichkeit auszugeben, indem er sich zu dem durch und durch subjektiven Charakter der Wirklichkeit, die er erzählt, bekennt und sie in diesem subjektiven Modus, als subjektiv gedeutete, durchschaubar macht." (740 b, 181) Fontane macht sich "die Überzeugung zu eigen und demonstriert sie durch seine Dichtung als *eine* ihrer wesentlichen Aussagen, daß Welt und Wirklichkeit zu sehen, zu 'haben', darzustellen nur in der Form subjektiver Auslegung möglich ist." (740 b, 185) Hier knüpft auch das zentrale Erzählinteresse Kafkas an. Der veränderten Zeit entsprechend radikalisiert Kafka diese Subjektivität zur Vieldeutigkeit implizierenden Einsinnigkeit seiner Perspektivfiguren, denen sich alles Verbindliche als scheinhaft entlarvt und von denen der Zustand der Unverbindlichkeit als schuldhaft erfahren wird. Unter diesen Voraussetzungen konnte er auch die Frage nach wahrem Glück und Selbstverwirklichung des Menschen nicht mehr mit der verbindlichen Unverbindlichkeit des "literarischen Realismus" beantworten.

4.   GESTÖRTES VERGNÜGEN.
        CARL STERNHEIM: 'DIE HOSE'

4.1   H e i t e r e r   B e g i n n   u n d   d o p p e l b ö d i g e   K o -
        m i k

Das "bürgerliche Lustspiel" 'Die Hose' nimmt in Sternheims Werk eine
Stellung ein, die derjenigen des 'Urteils' für Kafkas Entwicklung vergleichbar ist. Mit dieser Komödie nämlich findet Sternheim nach einem dem
Umfang nach nicht unbeträchtlichen Jugendwerk zum ersten Mal zu jener
dramatischen Gestaltungsweise, die seinen Ruhm begründen sollte und
deren Sprache und Struktur in unverwechselbarer Weise die bekanntesten
seiner nachfolgenden Dramen kennzeichnen. Wie bei Kafka spielt auch bei
Sternheim die Auseinandersetzung mit der literarischen Tradition eine
besondere Rolle, und schließlich scheint die Wirkungsabsicht beider Autoren vergleichbar zu sein.
    Das Problem der "Appellstruktur" stellt sich beim Drama allerdings
komplizierter dar als bei der Prosa, weil der Text nur das Substrat einer
Inszenierung ist. In der Aufführung erfährt ein Stück durch die damit verbundene Interpretation von Regisseur und Schauspielern und durch die
gesamte optische und akustische Vergegenwärtigung der Handlung eine
Bereicherung und Differenzierung an wirkungsrelevanten Momenten, die
bei der Lektüre des Dramas weitgehend entfallen. Aus naheliegenden
Gründen müssen wir uns hier auf die Analyse des Lustspiels als "Lese-
drama" beschränken. Das schließt allerdings nicht aus, daß wir uns die
Handlung als Bühnengeschehen vorstellen.
    Eine besondere Schwierigkeit ergibt sich aus dem von Sternheim in der
'Hose' aufgegriffenen Sujet: Einem unsympathisch-tyrannischen Ehemann
sollen allem Anschein nach die Hörner aufgesetzt werden. Dies ist ein
beinahe zeitloses Thema zahlreicher Komödien und Klamotten, und entsprechend zeitlos scheint die Komik zu sein, die sich aus diesem Stoff heraus entfaltet.[68] Man könnte daher versucht sein, die Art dieser Komik auf
der Basis einer formalen Komiktheorie zu erschließen, wie sie etwa in der
philosophischen Ästhetik des 19. Jahrhunderts verschiedentlich entwickelt
wurde. Sternheim selbst legt seinem 'Helden' gleich zu Beginn des Stückes
in formelhafter Weise eine solche Theorie in den Mund: "Könnte ich dir
doch begreiflich machen, jedes Ärgernis der Welt stammt aus dem Nichtzusammengehen zweier ein Ding bildenden Faktoren." (525, 8) Was hier

    [68] Mit dem Problem des Komischen in Sternheims Dramen beschäftigt sich
die im Entstehen begriffene Dissertation von Albert Gnädinger, der ich manche
Anregung verdanke, so auch den Hinweis auf F. Th. Vischer. Im übrigen danke
ich Gnädinger für eine kritische Lektüre des Sternheim-Kapitels.

als Ursache für ein Ärgernis bezeichnet wird, gilt — mutatis mutandis — zum Beispiel für Schopenhauer als Grund des Lachens: Dieses "entsteht jedesmal aus nichts Anderm, als aus der plötzlich wahrgenommenen Inkongruenz zwischen einem Begriff und den realen Objekten, die durch ihn, in irgend einer Beziehung, gedacht worden waren, und es ist selbst eben nur der Ausdruck dieser Inkongruenz." (668, 70) Ob man das Komische wie Jean Paul als "sinnlich angeschaute Zweckwidrigkeit" oder als "ein umgekehrtes Erhabenes" (761, 161) betrachtet, ob man es — wie Friedrich Theodor Vischer — als Offenbarwerden der Diskrepanz zwischen Idealem und Realem interpretiert (761, 160 ff.) oder — wie Henri Bergson — als ein starres Mechanisches, das sich "als Überzug, als Kruste über Lebendigem" zu erkennen gibt (637 a, 35): immer wird das Komische auf das Gewahrwerden eines "Nichtzusammengehens" von "Faktoren" zurückgeführt. Doch in dieser übereinstimmenden Formalisierung wird das Problem deutlich: was komisch ist, läßt sich inhaltlich nicht vorab festlegen, es bedarf jeweils einer genauen Analyse, welche "Faktoren" als nichtzusammengehörig und damit als komisch (und nicht etwa als ärgerlich oder gar tragisch) empfunden wurden. Was komisch ist oder sein soll, läßt sich also nur auf der Basis historischer Rekonstruktion erschließen.

Vor dem Hintergrund ihrer Entstehungszeit und angesichts der frigiden Prüderie in der öffentlichen Moral des Wilhelminischen Deutschland hat 'Die Hose' zum Teil anders gewirkt als sie es heute tut. Diesen Unterschied gilt es im folgenden wenigstens in einigen Aspekten zu verdeutlichen, die im Rahmen der in diesem Band entwickelten Fragestellung von Belang sind. Wir gehen bei unserer Analyse nicht nur von dem zugrundeliegenden Stoff oder Motiv aus, sondern auch — analog der Analyse von Trakls 'Geburt' — von den Erwartungen, welche die im Titel angekündigte Gattung des Lustspiels im Publikum hervorrufen kann und soll. Denn offenkundig legt es dieses Stück darauf an, zunächst mit allen Mitteln und Formen dem Typ des traditionellen Lustspiels zu entsprechen, und vor dieser Folie läßt sich daher am besten erkennen, auf welche Weise die Komödie in der allmählichen Entfaltung der Handlung wie der Charaktere die anfangs selbst gesetzten traditionellen Erwartungen durchbricht und damit den Komikbegriff inhaltlich füllt. Wir beginnen also unsere Analyse unter der Voraussetzung eines "klassischen" Lustspiel-Vorverständnisses und lassen uns vom Text her mehr und mehr auf die historischen Voraussetzungen führen, die von der Entstehungszeit her zu seinem Verständnis nötig sind.

Das 1909/10 entstandene Stück 'Die Hose' wurde am 15. Februar 1911 in den Berliner Kammerspielen des Deutschen Theaters unter der Regie von Felix Hollaender uraufgeführt. Auf Grund des Einspruchs der Zensurbehörde mußte der Titel in 'Der Riese' umgewandelt werden: 'Die Hose' erschien der Aufsichtsbehörde offensichtlich bereits als anstößig. Mit dem Ersatztitel und mit der die bekannte Lessingsche Typenbezeichnung 'Bürgerliches Trauerspiel' auf die Komödie übertragenen Gattungsspezifizierung 'Ein bürgerliches Lustspiel' durfte und sollte wohl auch das Publikum glauben, sich bereits einen gewissen Vers auf das machen zu können, was es an diesem Abend erwartete: Der Titel spielt offenkundig auf eine Komödientradition an, welche schon in ihren Überschriften – man denke etwa an Molieres 'Misanthrop', an seinen 'Geizigen' und 'Eingebildeten Kranken' oder an die Komödie der Aufklärung in Deutschland, z. B. J. E. Schlegels 'Stumme Schönheit' oder Lessings 'Jungen Gelehrten' – zu erkennen gibt, worum es im Stück jeweils geht: um die Bloßstellung einer gravierenden Charakterschwäche des Helden, durch welche er sich im Verlauf der Handlung lächerlich macht und von der er zum glücklichen Ende durch das Spielgeschehen geheilt wird. Dies diente auf vergnügliche Weise der Belehrung des Publikums, dessen Gelächter die soziale Ächtung des jeweiligen Sonderlings implizierte und dessen Schlußapplaus den zur Selbsterkenntnis Gelangten zu seiner Rückkehr in die Normalität des sozial Verbindlichen beglückwünschte. In den vorgeführten negativen Folgen eines Ausbruchs aus den gesellschaftlich anerkannten Konventionen eines moralischen Verhaltens sah es sein eigenes Verhalten bestätigt und bestärkt. So konnte auch 'Der Riese' auf einen bürgerlichen Helden deuten, der vielleicht seine Umwelt tyrannisierte, der möglicherweise seine Kräfte überschätzte oder sich eine Stellung anmaßte, die ihm nicht zustand, und der für seine Hypertrophie heilsames Lehrgeld würde zu zahlen haben. Denkbar wäre von der Komödientradition her, auf die der Titel anspielt, auch, daß mit der Darstellung der menschlichen Schwächen des Helden zugleich eine Entlarvung und Desillusionierung bestimmter sozialer und geschichtlicher Erscheinungen intendiert ist.

Da das Personenverzeichnis den Helden als "Beamten" ausgibt, könnten in ihm die Schwächen seines Standes bloßgestellt werden. Dies verspricht eine gewisse delikate Spannung angesichts der überragenden Bedeutung, die dem Beamtenstand damals zuerkannt wurde. Für Bergson, dem "eine gewisse mechanische Starrheit da, wo wir geistige Rührigkeit und Gelenkigkeit fordern" (637 a, 11), Ursache des Lachens ist, dient der Beamtenstand geradezu als Paradebeispiel für die Leblosigkeit und Lächerlichkeit: "Vollkommen Automat aber ist zum Beispiel der Beamte, der wie eine einfache Maschine arbeitet ..." (637 a, 30) Und daß dieser Beamte auch noch Maske heißt – und damit offensichtlich einen aus der Komödientradition geläufigen "sprechenden Namen" besitzt –, scheint einerseits auf diese Leblosigkeit zu deuten, zugleich aber auch auf die Undurchsichtigkeit dieser Berufsgruppe, die als personifizierte Staatsautorität ein "riesenhaftes" Selbstbewußtsein zur Schau trägt.

Im folgenden zitiere ich den Beginn der Komödie, den es genauer zu analysieren gilt. Dabei fällt zunächst das vollständige Fehlen von Regieanmerkungen hinsichtlich der Gestaltung des Bühnenraumes auf, wie sie mit zum Teil seitenlangen detaillierten Beschreibungen im naturalistischen Drama üblich waren.

Erster Auftritt
Theobald und Luise treten auf
THEOBALD   Daß ich nicht närrisch werde!
LUISE   Tu den Stock fort!
THEOBALD   *schlägt sie* Geschändet im Maul der Nachbarn, des ganzen Viertels. Frau Maske verliert die Hose!
LUISE   Au! Ach!
THEOBALD   Auf offener Straße, vor den Augen des Königs sozusagen. Ich, ein einfacher Beamter!
LUISE   *schreiend* Genug.
THEOBALD   Ist nicht zu Haus Zeit Bänder zu binden, Knöpfe zu knöpfen? Unmaß, Traum, Phantasien im Leib, nach außen Liederlichkeit und Verwahrlosung.
LUISE   Ich hatte eine feste Doppelschleife gebunden.
THEOBALD   *lacht auf* Eine feste Doppelschleife. Herrgott hör das niederträchtige Geschnatter. Eine feste – da hast du eine feste Doppelohrfeige. Die Folgen! Ich wage nicht, zu denken. Entehrt, aus Brot und Dienst gejagt.
LUISE   Beruhige dich.
THEOBALD   – Rasend ...
LUISE   Du bist unschuldig.
THEOBALD   Schuldig, ein solches Weib zu haben, solchen Schlampen, Trulle, Sternguckerin.
Außer sich Wo ist die Welt?
Er packt sie beim Kopf und schlägt ihn auf den Tisch.
Unten, im Kochtopf, auf dem mit Staub bedeckten Boden deiner Stube, nicht im Himmel, hörst du? Ist dieser Stuhl blank? Nein – Dreck! Hat diese Tasse einen Henkel? Wohin ich fasse, klafft Welt. Loch an Loch in solcher Existenz. Schauerlich!
Mensch, bedenke doch! Ein gütiges Schicksal gab mir ein Amt, das siebenhundert Taler einbringt.
Schreit Siebenhundert Taler! Dafür können wir ein paar Stuben halten, uns tüchtig nähren, Kleidung kaufen, im Winter heizen. Erschwingen eine Karte in die Komödie, Gesundheit spart uns Arzt und Apotheker – der Himmel lacht zu unserm Dasein.
Da trittst du auf mit deiner Art und zerstörst unser Leben, das gesegnet wäre. Warum noch nicht geheizt, warum die Tür auf, jene zu? Warum nicht umgekehrt? Warum läuft die Uhr nicht?
Er zieht sie auf
Warum laufen Töpfe und Kannen? Wo ist mein Hut, wo blieb ein wichtiges Papier, und wie kann deine Hose auf offener Straße fallen, wie konnte sie?
LUISE   Du weißt, kanntest mich als junges Mädchen.
THEOBALD   Nun?
LUISE   Und mochtest gern, ich träumte.

THEOBALD Für ein junges Mädchen gibt es nicht besseres dem Unmaß freier Zeit gegenüber. Es ist sein Los, weil es an Wirklichkeit
nicht herandarf. Du aber hast sie, und damit ist der Traum vorbei!
LUISE Ja! (525, 7 f.)

Diese Passage kann geradezu als Musterbeispiel im Blick auf eine ge-
lungene Exposition eines Lustspiels und die nahezu unwiderstehliche
Evokation von Schmunzeln und Gelächter gelten. Das Stück setzt sofort
mit einer zugleich dramatischen und komischen Aktion ein, welche die
Hauptpersonen in einer exorbitanten Situation vorführt. Die beiden
ersten Sätze des Dialogs charakterisieren bereits die Hauptfiguren. Der
echauffierte Theobald scheint in der Maßlosigkeit seines Zorns nicht mehr
Herr seiner selbst und damit seines Verstandes zu sein, er ist also "närrisch" und damit "komisch", und dies als Beamter: schon darin zeigt sich
das "Nichtzusammengehen zweier ein Ding bildenden Faktoren". Die
Tatsache, daß sowohl seine Erregung wie auch das Verprügeln seiner Frau
als komisch empfunden werden können, ohne daß dem Publikum zunächst der Grund dafür bekannt ist, liegt vor allem in der Vorinformation,
daß es sich um ein Lustspiel handle. Dies läßt erwarten, daß der Grund
für den Ausbruch Maskes in keiner vernünftigen Relation zum Anlaß
seines Zornes stehen kann.
Die Geschichte der Komödie ist an Prügelszenen reich. Diese sind indessen zumeist eher Kennzeichen der "niederen" Personen des 4. Standes, über die sich daher das Bürgertum in vermeintlicher Überlegenheit
seiner sublimierteren Gefühlskontrolle amüsieren konnte. Daß hier ein
Beamter seine Frau in den heimischen vier Wänden schlägt, setzt ihn auf
eben diese Stufe herab. Die Lächerlichkeit des Vorgangs erhöht sich noch
durch den Anlaß: Frau Maske hat auf der Straße — coram publico — ihre
"Unaussprechlichen" verloren. Mit wenigen Sätzen wird damit die Vorgeschichte des ehelichen Eklats vor die Phantasie des Publikums gerückt.
Es kennzeichnet die Kunst der Exposition, daß Sternheim den Vorgang
selbst nicht auf die Bühne bringt, sondern ihn in den Worten der Akteure
vergegenwärtigt. Dadurch gewinnt er die Möglichkeit einer Selbstcharakte-
ristik der Personen und einer Intensivierung der Komik selbst. Die Inkongruenz zwischen einer Vorstellung oder einem Begriff und den unter ihn
subsumierten "realen Objekten", aus der nach Schopenhauer das Lachen
entsteht, liegt hier gleich mehrfach vor: Etwas Ideales oder Erhabenes —
die der Frau gebotene Schamhaftigkeit — verkehrt sich durch einen banalen
Zufall ins Gegenteil, ein Hosenband öffnet sich in der Öffentlichkeit, und
dies passiert auch noch der Frau eines ehrbaren Beamten. Die Komik
steigert sich, weil bei dem Vorfall — wie Theobald sagt — "die königliche
Majestät" "nicht weit gewesen sein" soll (525, 9). Sie verstärkt sich weiter
durch die Wiederholungen des Sachverhalts im Dialog des ersten Auftritts
und vor allem durch die darin erkennbar werdende phantastische Aus-
malung der möglichen Folgen. Zunächst die Vorstellung, "im Maul der

Nachbarn", ja sogar "des ganzen Viertels" "geschändet" zu sein, dann die Rückkehr zum Geschehen — "Auf offener Straße, vor den Augen des Königs sozusagen" — und dann wiederum das Denken an die "Folgen", die im Verlust des Beamtenstatus und des Arbeitsplatzes gipfeln: "Entehrt, aus Brot und Dienst gejagt." (525, 7) Der Vorfall wird zum Anlaß eines Ehekrachs, in welchem Theobald das Hosendebakel als Symptom einer tiefgreifenden Charakterschwäche seiner Frau betrachtet, die sich in der überall sichtbaren Vernachlässigung des Haushalts manifestiert. Diese Inkongruenz zwischen dem vergleichsweise harmlosen Anlaß und der grundsätzlichen Gardinenpredigt kann das Lachen des Publikums ebenso zusätzlich stimulieren wie die schon erwähnte Prügelszene, die maßlose Erregung Theobalds, seine vielleicht darauf zurückzuführende "komische" Sprache und die eingestreute Wortkomik — etwa die Verknüpfung von "fester Doppelschleife" und "fester Doppelohrfeige". Grundsätzlich erhöht sich die Komik der Situation dadurch, daß der Held sich über den Vorfall ärgert, während sich das Publikum darüber amüsiert. Bedeutsam ist schließlich das Sujet, das der Sphäre des Obszönen angehört.

Anscheinend ganz im Sinne dieser an Luises Schlüpfer geknüpften "schlüpfrigen" Erwartungen entwickelt sich die weitere Exposition des Stückes. Im zweiten Auftritt lernen wir Fräulein Deuter kennen, eine zweiunddreißigjährige Jungfrau, deren "Gesichtsbildung", wie sie später bekennt, nicht hinreichte, "die unbändige Lebenslust, die mir gegeben ist, zu erfüllen." (525, 16) Sie hat von Luises Mißgeschick erfahren, ist aber überzeugt, daß Luise ihr Beinkleid nicht ganz unabsichtlich habe fallen lassen. Luise bekennt denn auch, das Band sei gerissen, "als ich mich nach dem Kutscher reckte." (525, 11) Auch ohne Freuds 1904 erschienene 'Psychopathologie des Alltagslebens' gelesen zu haben, ist die Jungfer der Überzeugung, es hier mit einer Symptomhandlung zu tun zu haben, in der sich unbewußte und bislang unerfüllte sexuelle Wünsche der Frau Maske zu erkennen geben. Sie bietet ihr deshalb ihre kupplerischen Dienste bei der Erfüllung dieser Wünsche an und hofft, dabei — wenigstens durch "Aushorchen" — auf ihre Kosten zu kommen. Der Hosenfall, so zeigt sich weiter, führt auch zwei Männer in die Maskesche Wohnung, welche — um Luise nah zu sein — die beiden zur Vermietung ausgeschriebenen Zimmer beziehen. Fräulein Deuter — hierbei erweist sich auch ihr Name als "sprechend" — klärt Luise nicht nur über die Absichten der beiden Männer auf, sondern bringt sie auch zur Selbsterkenntnis und zu dem Willen, das ihr bisher von ihrem Mann aus Angst vor möglichen Folgen angesichts beschränkter finanzieller Verhältnisse Verweigerte durch ein außereheliches Techtelmechtel mit Herrn Scarron nachzuholen, der ihr ungleich besser gefällt als der Barbier Mandelstam.

Theobald scheint von all dem nichts zu ahnen. Er ist zufrieden, daß der genierliche morgendliche Vorfall anscheinend keine weiteren schlimmen Folgen hatte, sondern sich überraschend angesichts vorteilhafter Mietabschlüsse noch zum Guten gewendet habe. Damit schließt der erste Akt.

Welch eine Exposition für ein Lustspiel, möchte man meinen, welch vergnügliche Erwartungen für den weiteren Verlauf der Komödie! Eine geradezu klassische Intrigenkomödie scheint sich da anzuspinnen, in deren spannendem Verlauf dem ebenso bösartigen wie dummen Hausherrn gehörig die Hörner aufgesetzt werden. In der Einsicht in seine Fehler und in seinem Willen zur Besserung könnte das zu erwartende komödiantische Ende des Lustspiels liegen. Darüberhinaus ist mit der Exposition das Grundmuster für eine Situationskomödie gelegt: Die Rivalität zwischen Mandelstam und Scarron, die zum Entscheidenden entschlossene Luise und die schlüpfrig-lüsterne Deuter versprechen eine höchst amüsante Turbulenz eindeutiger Situationen, die — trotz aller "retardierender" Momente — schließlich doch zielstrebig auf den beabsichtigten Höhepunkt zueilen.

Bei genauerem Zusehen indessen zeigen sich schon von Anfang an gewisse Tendenzen, die den zuvor explizierten Erwartungen zuwiderlaufen. Sie haben ihren Grund im gewählten Sujet selbst. Eine Bemerkung Schopenhauers mag dies verdeutlichen: "Daß die Geschlechtsverhältnisse den leichtesten, jederzeit bereit liegenden und auch dem schwächsten Witz erreichbaren Stoff zum Scherze abgeben, wie die Häufigkeit der Zoten beweist, könnte nicht seyn, wenn nicht der tiefste Ernst gerade ihnen zum Grunde läge." (669, 109) Wir kommen auf die Begründung dieser Ansicht zurück. Vorerst geht es nur um Ausdruck und Auswirkung dieses Ernstes: er schlägt sich in der öffentlichen Moral nieder, in den Gesetzen und Sanktionen, die den ganzen Bereich der Sexualität einer strengen Kontrolle unterwerfen und eine mitunter schon bigotte Züge annehmende Prüderie erzeugen. Sternheims Lustspiel stellt dies dar und handelt von den Folgen, von der Einwirkung der öffentlichen Moral auf die private und von der Diskrepanz zwischen beiden. Das Publikum, das über Luises Mißgeschick und Theobalds Wutausbruch lacht, reagiert genauso, wie Theobald dies von seinen Nachbarn, ja vom ganzen Viertel fürchtet. Es sorgt für den Spott und legitimiert damit die häusliche Prügelszene. Ohnehin dürfte mancher der damaligen Zuschauer das Bühnengeschehen nicht in heiterem Darüberstehen, sondern in dem Bewußtsein betrachtet haben, daß er in einer vergleichbaren Situation kaum anders als Theobald gedacht — wenn auch vielleicht nicht so rabiat gehandelt — hätte. Der 'Riese' Maske besitzt offenbar keinen Charakterfehler, der ihn vom Publikum distanziert und dessen Heilung der Zuschauer im Verlauf der Handlung beifällig als Rückkehr in die Normalität der Sozietät belächeln kann, sondern sein Charakter und sein Verhalten sind plausibel und nötigen zur geheimen Identifikation, die andererseits durch seine Brutalität erschwert wird. Im Grunde aber wird das Publikum zum Lachen über sich selbst gezwungen, zu einem bitteren Lachen, und es kann bereits das Thema selbst — wie Hellmuth Karasak meint — "als schockierende Herausforderung an die Prüderie der wilhelminischen Epoche" begreifen: "Was scheinbar wie eine französische Boulevard-Komödie beginnt — ...

denunziert in Wirklichkeit eine Welt, die Wohlanständigkeit vor allem als schützende Gardine an die Fenster ihrer Bürgerheime spannte und sich deshalb schon in dem unfreiwilligen Verlust einer Hose ertappt und durchschaut vorkommen mußte." (536, 29)

Es ist daher, scheint mir, ein glänzender Einfall Sternheims, die Exposition so anzulegen, daß sie gerade dann spannend und interessant wird, wenn der Zuschauer den einzelnen Personen all jene unzweideutigen Absichten unterstellt, die in der öffentlichen Moral gerade mit Sanktionen belegt sind. Damit führen die vom Lustspiel provozierten Erwartungen dem Publikum in peinlicher Weise seine eigene moralische Korrumpiertheit vor Augen. Das Stück "lebt" und wirkt nur dann komisch, wenn sich die Exspektationen in der für die doppelbödige bürgerliche Moral typischen Weise entfalten, und es tut alles, um sie hervorzurufen.

Auf der anderen Seite sind die auftretenden Personen keineswegs durchweg als typische Lustspielfiguren gezeichnet. Der kränkelnde Barbiergeselle Mandelstam wirkt schüchtern und zurückhaltend. In den wenigen Augenblicken des Alleinseins mit Frau Maske versichert er, sein Kommen habe "nichts Entehrendes" zur Ursache, sondern "etwas, was mich kaum betrifft, Sie mehr als jeden sonst angeht". (525, 23) Als Figur in einer Sexualposse jedenfalls scheint sich Mandelstam nicht so recht zu eignen, ebensowenig wie die von ihrem Ehemann geprügelte und unterdrückte Luise. Selbst der so lächerlich anmutende Scarron gibt Luise eine Erklärung für sein Kommen, in der er sich von den zweideutigen Gedanken der "blöden gierigen Menge" distanziert und in Luise eine vermeintliche Bundesgenossin anspricht, die mit ihrer Hose gleichsam auch die verlogenen bürgerlichen Moralvorstellungen hat fallen lassen und die damit ein elementares Zeichen unverfälschten Lebens gegeben hat (525, 13). Indem aber sowohl Luise selbst wie auch das Publikum die wohltönenden Beteuerungen Scarrons als Verbrämung eindeutiger Absichten auffassen, geben sie zu erkennen, wes moralischen Geistes Kinder sie sind. Der weitere Verlauf des Lustspiels scheint ihren Vermutungen Recht zu geben.

4.2   V e r w i r r e n d e s   R o l l e n s p i e l   u n d   ä r g e r l i -
       c h e s E n d e

Der zweite Aufzug beginnt im Sinne der auf schlüpfrige Entwicklungen gespannten Erwartungen. Im ersten Auftritt versucht Mandelstam, seinem Vermieter die durchsichtigen Absichten des Herrn Scarron anzudeuten. Doch dies mißlingt ihm gründlich. Mit der Sicherheit und Überlegenheit eines beschränkt erscheinenden Intellekts hält Theobald dem "Badergesellen" entgegen: "So sicher Sie den Leuten den Bart abnehmen, nicht ganz sattelfest sind, so bestimmt ich an nichts denke, als daß meine

Kolumnen stimmen, Herr Scarron Liebesgeschichten dichtet, meine Frau zu mir gehört, so sicher ist, was meine Augen sehen, und so bestimmt ist Lüge nur, was Sie träumen. Und das kommt aus der Leber, der Lunge oder dem Magen." (525, 30) Nach dieser, durch keinerlei "Erkenntniskrise" getrübten Äußerung verabschiedet sich Maske für den Rest dieses Aufzugs. Somit wäre die Bahn frei für die Mietlohn entrichtenden Schürzenjäger.

Doch nun, da der anscheinend mit Blindheit geschlagene "Riese" den ihm gebührenden Denkzettel erhalten soll, scheint sich die Geschichte eher im Sinne seiner Anschauungen zu entwickeln. Im zweiten Auftritt gibt sich Mandelstam nämlich gegenüber Luise als Hüter ihrer ehelichen Treue zu erkennen. Dies ist eine spannungsfördernde Eröffnung, aber sie ist nicht komisch, weil sie einen sehr ernsthaften Grund für Mandelstams Erscheinen in Maskes Wohnung zu erkennen gibt. Um diesen zu verdeutlichen, benutzt Sternheim zunächst das für komische Effekte so geeignete Mittel des unechten Dialogs:

LUISE ... Nehmen Sie noch ein Täßchen Kaffee. Eine Honigsemmel will ich Ihnen streichen.
MANDELSTAM Hat man niemand in der Welt.
LUISE Nur ordentlich Zucker!
MANDELSTAM Man hat eben niemand in der Welt.
LUISE Das ist Honig von meinem Vater. Zwei Meilen von hier hat er ein Häuschen im Grünen.
MANDELSTAM Hat man seine Eltern kaum gekannt.
LUISE Ich bin sonst geizig mit ihm.
MANDELSTAM Man ist so blödsinnig allein. Keine Wurzeln in der Erde, nichts, an das man lehnt, das einen hält.
LUISE Ein bißchen pflegen muß man Sie. Es ist vieles nervös. Nur sind Sie so wild.
MANDELSTAM Nein. Sanft.
LUISE Heftige Naturen muß ich verachten. Das Gehorsame, Schmiegsame liebe ich. Die guten Kinder.
MANDELSTAM Wer keine Mutter hatte, dessen einziger Wunsch ist es doch.
LUISE Ja – dessen einziger Wunsch! Man kennt das.
MANDELSTAM Frau Maske, das behaupte ich bei dem Andenken an meine tote Mutter, die auf uns schaut in diesen Augenblicken: nie werde ich eine Grenze, die Sie mir setzen, überschreiten.
LUISE Nicht, daß ich etwas gegen Sie hätte. (525, 31 f.)

Der arme und elternlos aufgewachsene Barbiergeselle, so scheint sich herauszustellen, sieht in Luise statt einer Geliebten eher eine Art "Ersatz-Mutter", er sehnt sich nach der bislang entbehrten Geborgenheit in einer Familie, nach ein bißchen Fürsorglichkeit, welche ihm Luise während des Dialogs am Frühstückstisch gewährt, und damit erweist sich das Zwiegespräch keineswegs als unechter Dialog. Denn die bislang kinderlose Frau Maske scheint gegenüber dem kränklichen Jüngling jene mütterlichen Gefühle zu entwickeln, die aus ihrer Liebe für das "Gehorsame, Schmiegsame" stammen und denen sie angesichts ihres tyrannischen Angetrauten bislang ganz und gar nicht freien Lauf lassen konnte. Offensichtlich ist Luise ein wenig gerührt von dem Idealbild, das Mandelstam von ihr besitzt. In diesem Dialog also stellen sich soziale Beziehungen zwischen den beiden her, die ihr Verhältnis zueinander in anderer Weise festzulegen scheinen, als das Publikum — und Luise selbst — erwartet haben mögen.

Bereits in der nächsten Szene indessen gibt Luise ihr Verhalten gegenüber Mandelstam als Schmeichelei aus, um "ihn sicher zu machen" (525, 34), und sie erklärt nun frei heraus, sie sei zur Tat mit Scarron "fest entschlossen. Diese Nacht hat völlig über mich entschieden. Ein süßer Traum schon." (525, 35) Die Wandlungsfähigkeit von Luise war schon im ersten Akt bemerkenswert. Scheinbar zerknirscht und schuldbewußt ließ sie dort die Tiraden und Handgreiflichkeiten ihres Ehegemahls über sich ergehen, doch kaum hatte sich dieser auf die Straße begeben, charakterisierte sie dessen Gardinenpredigt gegenüber Fräulein Deuter mit der despektierlichen Bemerkung: "Und der alte Schwall auf unsere Liederlichkeit." (525, 11) Auch die Art, wie sie den Hitzkopf Theobald durch die Zubereitung von leiblichen Genüssen von seinem heiklen Thema abzubringen sucht, zeugt von einiger weiblicher Durchtriebenheit.

Doch auch die anderen Figuren haben es mehr oder weniger faustdick hinter den Ohren. Theobald entlarvt seinen nahezu seriösen Umgang mit den neuen Untermietern anschließend selbst durch seinen Spott über die "beiden minderwertigen Männlichkeiten, die Gott uns ins Haus sandte" (525, 27). Fräulein Deuters kupplerisches Rollenspiel ist ohnehin offenkundig. Doch selbst bei Mandelstam bleibt ein Rest an Zweifel über die von ihm beteuerte Aufrichtigkeit seiner Gefühle. Denn er sucht bei Luise die Gemeinsamkeit des Träumens bei der Lektüre des 'Fliegenden Holländers'. Er vergleicht Senta, die Heldin der romantischen Wagner-Oper, mit Luise, und Senta ist es immerhin, die den zu ruhelosem und unstetem Umherirren verurteilten "fliegenden Holländer" schließlich mit dem Ausruf "Treu bis zum Tode" und einem Sprung ins Meer erlöst, so daß beide zum Schluß in den Himmel schweben können. Um diese Erlösung vollbringen zu können, muß Senta immerhin ihren bisherigen Geliebten verlassen. Vielleicht also hofft der bislang heimatlose Barbier, der sich mit dem "fliegenden Holländer" identifiziert, insgeheim auf eine ähnliche Erlösung durch Luise?

Und Scarron? Im vierten Auftritt des zweiten Akts ist sich dieser vornehme, den anderen Akteuren des Stücks in der sozialen Rangordnung weit überlegene Herr nicht zu schade, auf das schon peinliche kupplerische Spiel von Fräulein Deuter einzugehen, die ihn bittet, beim Anmessen einer neuen Hose für Frau Luise mit Hand anzulegen. Hier scheint er seine Entschlossenheit zum amourösen Abenteuer handgreiflich zu beweisen. So interpretiert denn auch die völlig verwirrte Luise sein gestenreiches Schwadronieren als eindeutigen Sturmangriff auf die zum Fallen längst bereite Festung ihrer ehelichen Treue und ist dann völlig konsterniert — und mit ihr vermutlich ein nicht geringer Teil des Publikums —, als Scarron nach ihrem unter der Wucht seiner Worteskaden dreimal wie im Traum gehauchten Eingeständnis — "Ich bin dein!", "Laß mich dein sein!", "Dein!" (525, 38 f.) — in sein frisch gemietetes Zimmer hastet, um das soeben Erlebte als glühendes Liebesgedicht auf dem Papier zu verewigen. Dies läuft allen vordergründigen Lustspielerwartungen zuwider, — im Gegensatz zum nachfolgenden kurzen Auftritt Mandelstams. Er trifft die völlig verwirrte Luise, wie sie sich mit einem Halstuch über das Gesicht wischt. Dies betrachtet er hochbeglückt als eine "Symptomhandlung" und gibt ihr spontan einen Kuß — und damit weit mehr, als der von ihr angebetete Scarron ihr bislang angedeihen ließ. Dafür wird er mit einer schallenden Ohrfeige belohnt. Darob wird er ohnmächtig, und als Luise ihn fürsorglich wieder zum Leben erweckt, bekennt er, er sei rasend eifersüchtig auf Scarron und schließt: "Ich liebe Sie, Luise!" Der heimkehrende Hausherr platzt mit einem markigen "Mahlzeit, meine Herren!" in die allgemeine Verwirrung, mit der der zweite Akt endet.

Nicht Theobald allein, so zeigt sich, verdient den sprechenden Namen "Maske". Keiner der an dem scheinbar vordergründigen Geschehen Beteiligten ist auf einen Lustspieltyp im traditionellen Sinne reduzierbar. Ihre Charaktere sind vielschichtig angelegt, und sie spielen voreinander Rollen, deren Widersprüchlichkeit einen Rückschluß auf die Identität ihres Charakters erschwert. Im Unterschied etwa zu Molières 'Tartuffe', der gegenüber seinem Gönner den mönchischen Asket und gegenüber dessen Ehefrau den lüsternen Liebhaber spielt und dessen Verhalten gerade deshalb als Charakterfehler, nämlich als Heuchlertum, bloßgestellt wird und seine verdiente Strafe findet, im Unterschied zu 'Tartuffe' also läßt sich das widersprüchliche Verhalten der Figuren in Sternheims Lustspiel nicht als Charakterfehler und im Einzelfall auch nicht als bewußtes Täuschungsmanöver deuten. Daß sich beispielsweise Mandelstam, wie er in dem zitierten Dialog mit Luise zu erkennen gibt, nach mütterlicher Geborgenheit sehnt, erscheint im Blick auf seine Biographie und seine gebrechliche und kränkliche Figur glaubwürdig, und auch die momentane mütterliche Hilfsbereitschaft Luises ist — obgleich sie dies anschließend so interpretiert — nicht bloß als "Trick" zu verstehen, um Mandelstam "sicher" zu machen. Und doch ist es dies auch, denn an ihrem Entschluß, mit Scarron ein Liebesabenteuer zu erleben, ist nicht zu zweifeln, und dabei ist ihr Mandelstam als "Aufpasser" im Wege. Und daß dieser sich nun doch mit einem Kuß als glühender und eifersüchtiger Liebhaber zu erkennen gibt und vor Aufregung in Ohnmacht fällt, das widerlegt zwar seine anfängliche Beteuerung, Luise stets mit der gebotenen Achtung begegnen zu wollen, dennoch kann man zweifeln, ob Mandelstam sein anfängliches Verhalten in bewußter Täuschungsabsicht inszeniert hat. Vielleicht war er sich über seine eigentlichen Motive nicht im klaren und ist sich ihrer erst durch das entschiedene Auftreten Luises und Scarrons bewußt geworden. Auch Luise ringt sich erst im Verlauf der Handlung zu ihrem Entschluß durch. Und Mandelstam wie Luise verlieren zunehmend die rationale Kontrolle über ihr Verhalten. Auf der anderen Seite scheint Scarron von Anfang an ein falsches Spiel mit Luise getrieben zu haben, indem er die Rolle eines stürmischen Liebhabers spielte und sich ihr dann doch im entscheidenden Moment entzog, um Luise damit tief zu verletzen.

Der soziologische Begriff der Rolle ist für dies unterschiedliche Verhalten nur mit Einschränkung zu gebrauchen, zumal er selbst ganz unterschiedlich definiert wird (vgl. dazu 743 a). Insofern damit jene Handlungsmuster und Verhaltensweisen gemeint sind, die ein Individuum im Rahmen seines Status und seiner Position im Blick auf seine gesellschaftlichen Rechte und Pflichten ausübt und die es ihm ermöglichen, trotz unterschiedlicher Aufgaben und Funktionen die Identität seines Ichs zu bewahren, zeigt sich, daß die widersprüchlich erscheinenden Verhaltensweisen der Akteure in diesem Stück nicht als Rollenkonflikte erfahren werden und auch nicht so zu interpretieren sind. Daß der Seitensprung mit Scarron etwa für Luise einen Konflikt hinsichtlich ihrer Rolle als Ehefrau eines Beamten bedeuten könnte, ist ihr offenbar ebensowenig ein entscheidendes Problem wie der soziale Unterschied zwischen ihr und Scarron. Das Hosenband riß ihr, so bekennt sie, als sie sich "nach dem Kutscher reckte" (525, 11), also nach einem sozial niedriger Gestellten. Es ist in diesem Sinne auch bezeichnend, daß sich nach dem morgendlichen "Vorfall" mit Mandelstam und Scarron je ein Vertreter aus der "Unter-" und aus der "Oberschicht" bei den kleinbürgerlichen Maskes einfindet. Theobald behandelt sie zwar ihrem Stande entsprechend mit deutlich unterschiedlichem Respekt, im Grunde aber sind ihm beide "minderwertige Männlichkeiten". Die entscheidenden Spannungen, die in dieser Komödie zum Austrag gelangen, resultieren nicht aus sozial determinierten Rollenkonflikten, sondern aus anthropologischen Prädispositionen: es geht um die Rolle der Frau und des Mannes, um ihre Bestimmung und Selbstverwirklichung, um die Polarität und Beziehung der Geschlechter, es geht darum, sich aus den anerzogenen, durch Religion, Konvention und öffentliche Moral auferlegten Beschränkungen zum unverfälschten "Leben" als Mann und Frau zu befreien und das heißt auch: soziale Rollenkonflikte in der Verfolgung dieses Zieles als irrelevant zu betrachten und zu überwinden. Dies ist das Programm Scarrons, mit dem er Luise und schließlich auch Mandelstam in Aufruhr versetzt und zum "Aufbruch" treibt. Der Fall von Luises Hose ist für Scarron Zeichen und Signal dazu. Die zuvor beschriebenen Inkongruenzen im Verhalten der an diesem Prozeß Beteiligten sind daher als Stationen auf diesem Weg der Selbstfindung zu betrachten, sie markieren gleichsam anthropologische Rollenkonflikte: Mandelstam sehnt sich nach der Mutter und zugleich in ihr nach der Geliebten, er weckt in Luise Mutterinstinkte und zugleich die Sehnsucht, Geliebte zu sein und damit ihre Bestimmung als Frau erfüllen zu können. Zunächst unbewußt und dann zunehmend zielstrebiger handeln die Personen, um dieses Ziel zu erreichen. Was sich als Instabilität und Widersprüchlichkeit ihres Verhaltens und ihres Charakters zu erkennen gibt, ist Ausdruck dieser Zielstrebigkeit, die alle Widrigkeiten zu überwinden trachtet.

Nun darf man hierbei natürlich keinen Augenblick vergessen, daß sich das ganze Geschehen als Lustspiel vollzieht und daß sich eine komische Situation an die andere reiht, die das Publikum geradezu zum Gelächter provoziert. Doch dies Gelächter war, so sahen wir bereits, von Anfang an mit unangenehmer Selbsterkenntnis verknüpft. Es stellt sich nun aber sogar als Ärgernis dar. Denn der bisherige Verlauf des Stückes bestätigt die Vermutungen des Publikums, daß sich hier etwas Unmoralisches ereignet, das nach den Gesetzen bürgerlichen Anstandes eigentlich nicht geschehen dürfte. Aber nicht nur die provozierende Schnelligkeit, mit der schon im zweiten Akt Luise zum Ehebruch entschlossen ist und die beiden Untermieter ihre Absichten verraten, muß das Publikum verunsichern, nicht nur die Vehemenz und Unbedingtheit, mit der die Personen ohne große Rücksicht auf moralische Bedenken und mit offenbar großem Ernste agieren, sondern das Fehlen jeder "gegenläufigen" Tendenz, die das vorausgeahnte Unmoralische schließlich dem im Sinne der öffentlichen Moral gerechten Urteil überantworten würde. Daß ausgerechnet Scarron Luise noch nicht zum gewünschten Ziel kommen läßt, muß zusätzlich dupieren und verwirren. Denn einerseits handelt Scarron als Vertreter der Unmoral, andererseits erscheint er durch seine Verweigerung als "minderwertige Männlichkeit", die nicht einmal imstande ist, die Haltung des Unmoralischen auch konsequent zu verwirklichen. Das vom Text permanent provozierte Lachen wird zunehmend seiner moralischen Bestätigung enthoben, es wird immer weniger ersichtlich, worauf es eigentlich seine Rechtfertigung gründet. Das Stück scheint zu propagieren, was es lächerlich macht.

Im übrigen fragt sich, wie der Autor noch zwei weitere Aufzüge mit diesem Sujet durchhalten will, nachdem die Konsequenzen aus Luises Hosenfall schon weidlich genug ausgespielt sind. Sofern sich die Erwartungen eines "naiven" Zuschauers an das Beinkleid Luises knüpfen, muß er das, was ihn in der zweiten Hälfte des Stücks erwartet, als Bruch und als langweilig empfinden: ein schier nicht endenwollendes Gespräch zwischen dem Hausherrn und seinen Mitbewohnern im dritten Akt, in dessen Verlauf sich auch noch herausstellt, daß sich die beiden anfänglichen Rivalen um die Gunst der liebessüchtigen Hausfrau alle Standesunterschiede hintansetzend zunehmend zusammenfinden. Das ist allerdings kein Wunder angesichts des Themas, bei dem die sich zuvor noch so sehr im Mittelpunkt wähnende Luise plötzlich kaum noch eine Rolle spielt:

Der Mann als Herr der Schöpfung, als Herrenmensch gewissermaßen, der dem Weibe schlechthin überlegen ist: darum kreist dies Gespräch, und dies muß Luise um so mehr verwirren, als ihre beiden Verehrer unisono diese Ansicht vertreten. Sie bricht, wie sie ihrer Hausfreundin im zweiten und letzten Auftritt des dritten Akts gesteht, hinter der Bühne darob in Tränen aus. Jungfer Deuter, die gerade, wie sie erzählt, vom Besuch einer Sternheimschen Komödie zurückkehrt, hat denn auch die größte Mühe, der in ihren etwas außerhalb der ehelichen Legalität schweifenden Gefühlen tief verletzten Luise den Glauben an die Ehrlichkeit der ehebrecherischen Absichten ihres wortgewaltigen Liebhabers Scarron wiederzuschenken. Fräulein Deuter glaubt unerschütterlich an ihn. In dem Lustspiel, das sie besuchte, hat sie Ähnliches erlebt, und vor allem gehört sie, wie sie bekennt, zu jener erklecklichen Leserschaft, welche heimlich jene brünstigen Liebesgeschichten und -gedichte konsumiert, zu deren Verfassern wir auch Herrn Scarron rechnen dürfen. Aber wer glaubt denn noch an eine solche Wendung der Dinge? Luise selbst fragt denn auch eher ungläubig am Ende dieses eher betrüblichen Aufzugs: "Wär's möglich?" (525, 57)

Wär's möglich, daß Sternheim die Verwegenheit besäße, die "Unterhosenlogizität" doch noch bis zum bitteren und schalen Ende auszuspinnen? Der vierte und letzte Akt beweist es: es *ist* möglich, aber auf eine Weise, die den Zuschauer und Leser nach dem letzten Niedergehen des Vorhangs in vollständiger Perturbation zurücklassen muß, und zwar auch den gewieften Beobachter der Szene. Was sich dort ereignet, ist schlicht dies: Am einjährigen Hochzeitstag des Ehepaars Maske nutzt Theobald, während seine Frau in der Kirche betend Trost sucht, kurzerhand die Gelegenheit zu einem Seitensprung mit Fräulein Deuter in seinem ehelichen Schlafgemach. Gleichzeitig räumt Scarron — die Miete für ein volles Jahr hinterlassend — sein Zimmer, um die Seele eines Freudenmädchens zu ergründen, das er in der voraufgegangenen Nacht nach einer ausschweifenden Zecherei mit Theobald kennengelernt hat, während Mandelstam nach einer glänzend durchschlafenen Nacht den Mietkontrakt für ein Jahr unterzeichnet, nicht ohne sich vom geschäftstüchtigen Theobald noch einen Taler mehr pro Monat abhandeln lassen zu müssen. Da sich zugleich ein Mietnachfolger für Herrn Scarron in Gestalt eines an Stuhlverstopfung leidenden und nichtsdestotrotz wissenschaftlich tätigen Misogynen namens Stengelhöh einstellt, kann der vitale Theobald seiner von der kirchlichen Verrichtung an den heimischen Herd zurückgekehrten und mechanisch Schweinefleisch mit Sauerkraut zubereitenden Luise angesichts dieses unverhofften Geldsegens leise und in unnachahmlich Maskescher Diktion eröffnen: "Jetzt kann ich es, dir ein Kind zu machen, verantworten." (525, 73)

Der schlichte Lustspielkonsument muß sich betrogen fühlen, weil der von Anfang an zum Hahnrei prädestinierte Haustyrann Theobald über seine zum Sturmangriff auf seine eroberungswillige Gattin angetretenen

Untermieter triumphiert, indem er nicht nur im Gegensatz zu diesen ohne viel Federlesens sein außereheliches Vergnügen sucht und findet, sondern indem er sich darüberhinaus noch mit Hilfe des durch die neuen Hausgenossen für die Zimmer entrichteten "Judaslohns" instand gesetzt sieht, auch seiner Frau schließlich jene Wünsche zu erfüllen, die diese sich von ihren finanziell gerupften Verehrern vergeblich erhoffte. Eine vergnügliche Lehre im Sinne der Komödientradition steckt in diesem Ausgang des Stückes jedenfalls nicht. Der anfangs belächelte Theobald lacht zum Schluß am besten. Sein plebejischer Charakter und sein unmoralisches Verhalten werden nicht bestraft, sondern gerechtfertigt, ja vielleicht sogar verherrlicht. Er ist, so scheint es, der "Riese", der über seine Kontrahenten triumphiert, weil er sich schlau im Rahmen seiner Möglichkeiten hält und weder von Scarron noch von Mandelstam zu einer Änderung seiner Weltanschauung oder zu einem "Aufbruch" zu neuen Ufern bewegen läßt. Diese Deutung entspricht derjenigen, die Sternheim selbst in seinem 1918 geschriebenen Vorwort zu diesem Lustspiel gegeben hat und die sich auch viele seiner Interpreten zu eigen gemacht haben.

Bislang ist in dieser Analyse der Begriff "Expressionismus" noch nicht gefallen. Er wäre bisher auch fehl am Platze. Denn wenn es stimmte, daß hier ein Autor einem Publikum in Gestalt eines widerwärtigen, von keinerlei Erkenntniszweifeln geplagten Repräsentanten der Wilhelminischen Bourgeoisie Mut zu seinen Schwächen und Lastern machen möchte, dann hätte dies wenig mit dem zu tun, was bisher als bestimmendes Kennzeichen dieser Epoche herausgearbeitet wurde. Der früheren Forschung konnten schon gewisse Stileigentümlichkeiten und die forciert-exaltierte Sprache der Figuren als "expressionistisch" erscheinen. Wir müssen indessen die Signatur der Epoche in diesem Stück verdeutlichen können, um es entsprechend zu klassifizieren. Ein bedeutsames Merkmal hat sich für uns immerhin schon bei der "ersten Lektüre" ergeben: die Desorientierung des Publikums. Diese scheint sich nun am Schluß in eine positive Lehre aufzulösen: Der Prozeß kritischer Selbsterkenntnis, der anfangs initiiert schien, endet mit der Aufforderung, sich – wie Maske – um keinen Preis von dieser doch als verwerflich vorgestellten zynischen und skrupellosen Moral zu trennen, sondern sich ihrer mit Erfolg zu bedienen. Doch das eine hebt das andere auf, denn die Form, in der dies geschieht, die Brutalität, mit der Maske sich durchsetzt, die Lächerlichkeit und Erbärmlichkeit, mit der er agiert, machen es dem Publikum unmöglich, diese "Lehre" zumindest offiziell zu akzeptieren. Insofern bestätigt unsere Analyse die Argumente, mit denen Vietta die Verwendung des Begriffs Satire für Sternheims Dramen begründet (vgl. Teil II, Kap. 2.5.1). Sie bestätigt ferner den von Vietta beschriebenen Egoismus der Personen, der sich als Reduktion und damit als Phänomen der Ich-Dissoziation begreifen läßt. Im Blick auf diese zentrale Kategorie ergibt die Analyse des Geschehens in Maskes Wohnung eine wesentliche Ergänzung, die für die Epoche insgesamt von großer Bedeutung ist. Sie liegt im aufgegriffenen

Sujet, das sich nicht nur als zeitloses Komödienthema erweist, sondern auf eine damals höchst aktuelle Diskussion hindeutet. Gemeint ist jene Position, die das Subjekt als im wesentlichen durch die Triebschicht determiniert betrachtet.

4.3   Poetischer Voluntarismus

Bereits mit den ersten Sätzen der Eingangsszene thematisiert das Lustspiel 'Die Hose' das in diesem Zusammenhang entscheidende Problem: Theobald, außer sich vor Wut, bringt die vermutliche Ursache für Luises Hosenrutsch auf die Formel: "Unmaß, Traum, Phantasien im Leib, nach außen Liederlichkeit und Verwahrlosung." (525, 7) Der ganze Haushalt ist durch dieses Unmaß an Träumereien bereits in Unordnung geraten. Luises Gedanken sind offenbar mit anderem beschäftigt als mit ihren hausfraulichen Pflichten. Der peinliche Zwischenfall auf der Straße deutet an, womit sich ihre Phantasie anscheinend nur zu gern beschäftigt, – aber offensichtlich nicht nur ihre, wie das prompte Erscheinen von Fräulein Deuter, von Scarron und Mandelstam beweisen: um die "Geschlechtsverhältnisse", denen nach Schopenhauer "der tiefste Ernst" zugrundeliegt, geht es dann im ganzen Stück. Warum diese so bedeutsam sind, hat Schopenhauer eindringlich und anschaulich erläutert. Er tut dies im Rahmen einer metaphysischen Anthropologie, mit der er als erster die bis zum Idealismus vorherrschende Lehre radikal durchbricht, nach welcher der Mensch grundsätzlich von Geist und Vernunft als den regulierenden Prinzipien seines Daseins bestimmt wird. Nach Schopenhauer indessen wird der Mensch von einem auch die Natur – in verschiedenen Graden seiner Objektivation – beherrschenden "Willen" gelenkt, den er als dumpfen Drang und blinden Trieb beschreibt und den man mit Freuds Bestimmung des "Unbewußten" gleichsetzen kann. Dieser Wille ist grundsätzlich ein Wille zum Leben, der im Geschlechtstrieb kulminiert, weil er hier für seinen Fortbestand sorgt (669, 612). "Der Endzweck aller Liebeshändel, sie mögen auf dem Sockus, oder dem Kothurn gespielt werden, ist wirklich wichtiger, als alle anderen Zwecke im Menschenleben, und daher des tiefen Ernstes, womit Jeder ihn verfolgt, völlig werth. Das nämlich, was dadurch entschieden wird, ist nichts Geringeres, als die Zusammensetzung der nächsten Generation." (669, 611) Dieser Wille hat sich nun auf der Stufe seiner höchsten Objektivation, nämlich im Menschen, ein "Licht" angezündet, das ist der Verstand. Dieser ist aber fast ausschließlich den eigennützigen Zwecken des Willens unterworfen, "welcher alle Gedanken und Vorstellungen, als Mittel zu seinen Zwecken, zusammenhält, sie mit der Farbe seines Charakters, seiner Stimmung und seines Interesses tingiert, die Aufmerksamkeit beherrscht und den Faden der Motive, deren Einfluß auch Gedächtnis und Ideenassoziation zuletzt in Tätigkeit setzt, in der Hand hält: von ihm ist im Grunde die Rede, so oft 'Ich' in einem Urteil vorkommt. Er ist also der wahre, letzte Einheitspunkt des Bewußtseins und das Band aller Funktionen und Akte desselben: er gehört aber nicht selbst zum Intellekt, sondern ist nur dessen Wurzel, Ursprung und Beherrscher." (669, 153) So ist es kein Wunder, daß sich der Mensch in seinen Vorstellungen und Gedanken diesem ständig auf Fortpflanzung bedachten Willen ausgeliefert sieht und damit weder Herr seiner Gedanken noch seiner Triebe ist. Der Wille ist in allen seinen Begehrungen unersättlich. Ist eine Begierde gestillt, so meldet sich bereits die nächste. Für Schopenhauer enthüllen sich darin der tiefe Leidcharakter der Welt, Langeweile und die ewige Wiederkehr des Gleichen. Daher ist dieser Wille zum Leben zu verneinen. Vorübergehend geschieht dies durch die Anschauung des Schönen in der Kunst, endgültig kann es geschehen, wenn der Mensch diesem Willen in der Stunde des Todes entsagt.

Schopenhauers Lehre von der alles überragenden Bedeutsamkeit der Sexualität, auf die sich der Wille richtet, dem wiederum das Bewußtsein untersteht, ist gegen Ende des 19. Jahrhunderts von Nietzsche und Freud vertieft aufgenommen und weiterentwickelt worden (vgl. dazu Teil II, Kap. 2.6.1 und 2.6.2). Freuds Forschungen bestätigten insbesondere Schopenhauers Pessimismus, weil Freuds Trieblehre zunächst streng kausalmechanistisch gefaßt war − der Mensch kann seinen Trieben nicht entrinnen − und weil Freud seine Theorien gerade im Zusammenhang mit psychischen Erkrankungen, vor allem Neurosen, entdeckte und entwickkelte, welche die übergroße Macht dieser Triebe dokumentierten.

Für Nietzsche wiederum war der Wille kein leidvoll erfahrener, dauernd unbefriedigter Drang, sondern eine unerschöpfliche, positive Lebenskraft (vgl. 671, 415). Gunter Martens hat materialreich dargestellt, wie stark die Literatur um die Jahrhundertwende vor allem von Nietzsche und Bergson ausgehend einem irrationalen Lebenskult huldigte (76 a). Zweifellos ist nun die Figur Scarrons eine Parodie auf diesen Dichtertyp. Man vergleiche dazu die "Verführungsszene" im zweiten Aufzug:

SCARRON Das Leben begann mit Vater und Mutter. Geschwister bewegten sich bedeutend auf mich zu, vom Vater kam ein kaum unterbrochener Laut. Wo blieb das plötzlich? Nur noch den bittend geschwungenen Arm der Mutter sah ich, stand in einem Tosen, das den Boden zerriß, Himmel auf mich warf, lief mit einem Ziel ohne Wege. Steh auf, Weib, ich komme in falsche Leidenschaft hinein! Ganz etwas anderes muß ich dir sagen: Herrliche Frauen gibt's auf der Welt, Luise. Blonde, mit blaßroten Malen, wo man sie entblößt, dunkle, die wie junge Adler einen Flaum haben, denen im Rücken eine Welle spielt, reizt man sie. Manche tragen rauschendes Zeug und Steine, die wie ihre Flüssigkeiten schimmern. Andere sind knapp geschürzt, kühl wie ihre Haut. Es gibt Blonde, die einen Flaum haben, dunkle mit blassen Malen. Demütige Brünetten, stolze Flachsige. Der Himmel ist voller Sterne, die Nächte voller Frauen. Sublim schön ist die Welt — aber!

Große abgerissene Geste

LUISE   *hat sich erhoben*

SCARRON   Du bist die Schönste, die mir erschien. Gewitter erwarte ich von dir, Entladung, die meine letzten Erdenreste schmilzt, und in den Wahnsinn enteilend, will ich meinen entselbsteten Balg zu deinen aufgehobenen Füßen liebkosen.

Er ist dicht an sie getreten

Bevor du deine Hand in meine senkst, besieh sie flüchtig. Möglich ist es, Gott läßt aus ihr unserm gemarterten Lande Muttersprache in guten neuen Liedern fließen. Wardst du inne: ich liebe dich inbrünstig Luise? Es darf daran kein Zweifel sein.

LUISE   Ich bin dein!

SCARRON   Wie antik diese Geste! In drei Worte hüllt sich ein Schicksal. Welche Menschlichkeit! Gelänge es, sie im Buch festzuhalten — neben den Größten müßte ich gelten.

LUISE   *neigt sich* Laß mich dein sein!

SCARRON   Tisch, Feder an dein Wesen heran; schlichter Natur angenähert, muß das Kunstwerk gelingen.

LUISE   Dein!

SCARRON   So sei es! In einem Maß, das über uns beiden ist. Nie innegewordenes Feuer bläst mich an, Glück kann nicht mehr entlaufen. In Rhythmen schwingend, fühle ich mich selig abgewendet. Dir auf Knien zugewendet, will ich der Menschheit dein Bild festhalten, und es dir aufzeigend, den ganzen Lohn deiner Gnade fordern.

Entläuft in sein Zimmer

LUISE   Warum —? Was?   (525, 38 f.)

Was Scarron in dithyrambischer Ergriffenheit an Beschreibungsmerkmalen weiblicher Schönheit hervorsprudelt, enthält ein repräsentatives Arsenal jener Klischeedarstellungen, welche in den dem Expressionismus vorausgehenden literarischen Richtungen — in Jugendstil, Neuromantik und Symbolismus — in hohem Maße rekurrent sind. Sein poetisches Verfahren ist eine karikaturistische Verwirklichung der Holzschen Kunstformel, nach der die Kunst die Tendenz hat, "wieder die Natur zu sein" (vgl. dazu Teil III, Kap. 2.5). Scarron treibt den Dialog bis zum Kulminationspunkt der Empfindungen, um diese dann — "schlichter Natur angenähert" — als Gedicht zu gestalten. Für ihn ist nicht nur das spätere Gedicht Natur, sondern die zur "Empfindung" führende "natürliche" Begegnung selbst wird schon von ihm ästhetisch ausgekostet, wobei sie den Bereich des "Eindrucks" nicht überschreitet. Daß der Poet im entscheidenden Moment in die Einsamkeit seiner vier Wände flieht, um dies Erlebnis gestalten zu können, scheint die Lebensfremdheit dieser

Dichtungen aufs anschaulichste zu entlarven. Das Publikum, das solche vorwiegend lyrischen Verherrlichungen des fleischlichen Lebens in der Intimität der eigenen vier Wände nicht ungern konsumierte, wird nun genötigt, sie öffentlich in ihrer realitätsfernen und verblasenen Ersatzfunktion zu belachen. Andererseits vermag Erlebnislyrik offenbar nicht dadurch zu entstehen, daß der Dichter die Feder aus der Hand legt und vollzieht, was er darstellen möchte. "Wäre Petrarca's Leidenschaft befriedigt worden", erklärt Schopenhauer in seiner berühmten 'Metaphysik der Geschlechtsliebe', "so wäre, von Dem an, sein Gesang verstummt, wie der des Vogels, sobald die Eier gelegt sind." (669, 639)

Der Hinweis auf Schopenhauer erinnert daran, daß das Problem ernsthafter Natur, alt und aktuell zugleich ist. Es begegnete uns auch bei der Analyse von Kafkas 'Urteil' als persönliches Problem des Autors, das sich in der Alternative von Junggesellentum und Heirat zu erkennen gab. Gerade um der literarischen Gestaltung des "Lebens" willen muß der Dichter diesem distanziert gegenüberstehen. Gerade dies aber trägt ihm Kritik ein. So wirft Heinrich Mann in seinem erstmals 1910/11 erschienenen und von den 'Aktivisten' als programmatisch empfundenen Essay 'Geist und Tat' den poetischen Nietzsche-Nachfolgern gerade die "ungeheuerlich angewachsene Entfernung" "vom Volk" vor: "Sie haben das Leben des Volkes nur als Symbol genommen für die eigenen hohen Erlebnisse." (12, 6 f.) Dies gilt auch für Scarron, der Luise benutzt, um auf seine poetischen Kosten zu kommen.

So doppeldeutig er als Figur in ihren komischen und ernsthaften Aspekten ist, so doppeldeutig ist auch das Resultat seines Intermezzos in Maskes Wohnung. Einerseits bewirkt und provoziert er in dem Bestreben, die kleinbürgerliche Luise aus den anerzogenen und "repressiven" Konventionen bürgerlicher Prüderie und ihren Mann aus seiner engstirnigen Mediokrität zu einer freieren Selbstentfaltung zu bewegen, zumindest bei Luise offenbar gänzliches Mißverstehen. Dies nicht nur auf Grund unüberbrückbar sichtbar werdender "Sprachbarrieren", sondern auch auf Grund des Inhalts der von ihm verkündeten Lebensphilosophie, die mit den kleinbürgerlichen Realitäten schließlich nicht vereinbar erscheint.

Und doch bewirkt er andererseits Entscheidendes, indem er Luise und schließlich auch Mandelstam — wie schon in der Analyse gesagt — zum "Aufbruch" bewegt. Luise ist dafür prädisponiert. Sie wird von dem dumpfen Drang des "Willens" beherrscht, und es bedarf nur eines Anlasses und einer Gelegenheit, um ihrem Trieb zu folgen, um diesem Bestreben alles unterzuordnen und alle sozialen Verbindlichkeiten hinter sich zu lassen und aufs Spiel zu setzen. Ihr Intellekt steht ganz im Dienste ihres Begehrens, und je näher sie den ersehnten Augenblick gekommen glaubt, desto mehr verliert sie ihren Verstand. Scarron gebärdet sich ohnehin wie ein verrückter Verliebter, wenn er mit ihr allein ist, und auch Mandelstam, der ahnt, was sich anbahnt, bewahrt immer weniger seine Contenance.

Hier liegt ein bedeutsamer Aspekt auch für alle folgenden Werke Sternheims. Die Reduktion des Subjekts auf seine Triebstruktur wird von ihm besonders drastisch in seinen zahlreichen Erzählungen gestaltet. Sie ist dort zumeist Zeichen eines Aufbruchs der Protagonisten, die ihre "eigene Nuance" verwirklichen wollen, deren äußeres Kennzeichen meist die sexuelle Ungebundenheit oder gar Zügellosigkeit ist. Das Triebhafte, Besessene und das Rasende seiner 'Helden' mißverstand er offensichtlich als unverfälschten Ausdruck des Lebens, das sich aus den starren Konventionen bürgerlicher Wohlanständigkeit zu sich selbst – und damit doch nur, wie Vietta bemerkt – zum gleichgeschalteten Egoismus durchringt. Selbst das kühle Kalkulieren Christian Maskes im 'Snob' unterliegt noch einem unbändigen 'Willen zur Macht'. Sternheims Abhängigkeit von der Lebensphilosophie ist hier offenkundig.

Im Lustspiel 'Die Hose' ist der Sachverhalt indessen komplizierter. Hier wird durch die Handlung, die Personenkonstellation und den geistesgeschichtlichen Hintergrund gerade die Fragwürdigkeit eines solchen triebbestimmten Aufbruchs zur Selbstverwirklichung deutlich.

In Theobald, der seine Gefühle genau unter Kontrolle hat und der wartet, bis sich ihm die Möglichkeit eröffnet, ihnen freien Lauf zu lassen, wird das erfolgreiche Gegenbild gestaltet. Dies allerdings um den Preis der Mediokrität, die für Nietzsche im 'Willen zur Macht' den Inbegriff der Menschen seiner Zeit darstellt und von der er sagt: "Man ist klug und weiß Alles, was geschehen ist: so hat man kein Ende zu spotten. Man zankt sich noch, aber man versöhnt sich bald – sonst verdirbt es den Magen. Man hat sein Lüstchen für den Tag und sein Lüstchen für die Nacht: aber man ehrt die Gesundheit. 'Wir haben das Glück erfunden' – sagen die letzten Menschen und blinzeln." (650, 284) Demgegenüber verkörpert Scarron bereits jene höhere Stufe des Übermenschen, in dem sich der Wille zur Macht verwirklicht im Sinne der Selbstüberwindung: "Der Mensch soll der sich *selbst* Überwindende sein. Selbstüberwindung ist nicht als moralische Selbstkasteiung zu verstehen, sondern als das Schaffen, das über seine eigenen Schöpfungen immer hinausgeht im Sinne der *Steigerung*." (671, 414 f.) Es darf deshalb auch zu keinerlei Verbindung und Vermischung zwischen Mediokrität und Übermensch kommen. Auch dies kann erklären, warum sich Scarron den Wünschen Luises letztlich versagt. In der "Herrenrunde" des vierten Aufzugs gibt sich Scarron jedenfalls als begeisterter Nietzscheaner zu erkennen, der "das mit Energien begnadete Individuum" verherrlicht und der in unverkennbarer Selbstinterpretation und unter bewundernden Zurufen Mandelstams ausruft: "Was anders macht den Mann zum Riesen, gigantischen Obelisk der Schöpfung, der dem Weib unüberwindlich ist, als transzendentaler Wille zur Erkenntnis, den tiefste erotische Wollust nicht paralysiert?" (525, 47) Damit rechtfertigt er sein Verhalten gegenüber Luise, und dies ist ein Grund dafür, daß diese Diskussion dramaturgisch an diese Stelle gehört.

Die von Scarron und Mandelstam leidenschaftlich verfochtene These von der intellektuellen Überlegenheit des Mannes über das Weib hatten schon Schopenhauer und nach ihm vor allem Nietzsche vertreten. Im Laufe des 19. Jahrhunderts hatte sich sogar eine ganze Reihe von positivistisch verfahrenden Naturwissenschaftlern und Medizinern daran gemacht, den "physiologischen Schwachsinn des Weibes" empirisch – u. a. durch Schädelmessungen und Wiegen der Gehirne – zu erweisen. So gelangt Möbius zu der anatomischen Erkenntnis, "daß für das geistige Leben außerordentlich wichtige Gehirnteile, die Windungen des Stirn- und Schläfenlappens, beim Weibe schlechter entwickelt sind als beim Manne, und daß dieser Unterschied schon bei Geburt besteht." (648, 5) Daraus folgt alle weitere Minderwertigkeit des Weibes in intellektueller Hinsicht, und diese ist von der Natur so gewollt:

Nach alledem ist der weibliche Schwachsinn nicht nur vorhanden, sondern auch notwendig, er ist nicht nur ein physiologisches Faktum, sondern auch ein physiologisches Postulat. Wollen wir ein Weib, das ganz seinen Mutterberuf erfüllt, so kann es nicht ein männliches Gehirn haben. Ließe es sich machen, daß die weiblichen Fähigkeiten den männlichen gleich entwickelt würden, so würden die Mutterorgane verkümmern, und wir würden einen häßlichen und nutzlosen Zwitter vor uns haben. Jemand hat gesagt, man solle vom Weibe nichts verlangen, als daß es 'gesund und dumm' sei. Das ist grob ausgedrückt, aber es liegt in dem Paradoxon eine Wahrheit. Übermäßige Gehirntätigkeit macht das Weib nicht nur verkehrt, sondern auch krank. Wir sehen das leider tagtäglich vor Augen. Soll das Weib das sein, wozu die Natur es bestimmt hat, so darf es nicht mit dem Manne wetteifern. Die modernen Närrinnen sind schlechte Gebärerinnen und schlechte Mütter. In dem Grade, in dem die 'Zivilisation' wächst, sinkt die Fruchtbarkeit, je besser die Schulen werden, um so schlechter werden die Wochenbetten, um so geringer wird die Milchabsonderung, kurz, um so untauglicher werden die Weiber. (648, 14)

Wer heute über solche Ansichten lacht, erfährt an sich selbst, daß das Phänomen des Komischen nicht im Rahmen abstrakter Theorien, sondern nur im historischen Kontext zu erhellen ist. Denn um die Jahrhundertwende haben sich vermutlich nur wenige über Möbius amüsiert, obgleich er auch für damalige Verhältnisse schon eine extreme Position bezog. Aber seine Kritiker hielten es immerhin noch für nötig, ihn wissenschaftlich zu widerlegen.

Ich muß mich hier mit diesem exemplarischen Hinweis auf ein damals vieldiskutiertes Problem, das auch als "Kampf der Geschlechter" in anderen expressionistischen Dramen – vor allem in Kokoschkas Einakter 'Mörder Hoffnung der Frauen' – gestaltet wurde, begnügen. Ich muß hier auch darauf verzichten, den Kampf um die Frauenemanzipation darzustellen und die in diesem Zusammenhang ebenfalls höchst bedeutsamen Frauengestalten in den Dramen Strindbergs oder Wedekinds vergleichend heranzuziehen. Es muß genügen, wenn deutlich wird, daß die Figur Luises vor dem zeitgenössischen Hintergrund sehr realistisch und damit gerade auch in ihrem "Aufbruchs"-Versuch "antiemanzipatorisch" gestaltet ist. Zugleich aber wird auch Scarrons These vom Mann als Herrn der Schöpfung und als der dem Weibe schlechthin überlegene "Riese" in einem bestätigt und widerlegt: ein Bürgerweib braucht nur die Hose zu verlieren, um die Männer in schwadronierende Ekstase zu versetzen. Auch der Mann ist ein Gefangener seiner Triebe. Theobald erweist sich auch in diesem Punkt als der — mediokre — Realist. "Ich konnte mich nicht überzeugen", erklärt er, "daß es mir in meiner Ehe Vorteile gebracht hätte, hätte ich das Gefühl dieser Unterschiedlichkeit in mir gestärkt und zum Ausdruck gebracht." (525, 47) Somit wäre Theobald auch unter diesem Aspekt der eigentliche Sieger. Doch bewährt sich jene tiefgreifende Ambivalenz des Stückes, die wir von Anfang an beobachten konnten, auch am Schluß. Zwar ist dieser vierschrötige Staatsdiener Sieger, aber doch nicht allein, denn auch die anderen Figuren gewinnen. Zwar scheint das Stück die Herrenmenschenideologie in den Figuren Scarrons und Mandelstams zu karikieren, gleichzeitig aber ist es offensichtlich weit davon entfernt, etwa für die Emanzipation der Frau eine Lanze zu brechen. Vielmehr läßt es Theobald erreichen, was er will, indem er sich die weibliche Schwäche entschieden und skrupellos zunutze zu machen weiß, und indem er damit im Grunde eben doch seine Überlegenheit ausspielt. Luise und Fräulein Deuter entsprechen denn auch genau jener von Scarron und Mandelstam vertretenen Theorie: sie haben augenscheinlich nichts anderes im Kopf — oder besser im "Herz" —, als das, was Möbius ihre "geschlechtliche Rolle" nennt (648, 13). Und auf diese Rolle reduziert, erreichen die beiden Frauen offensichtlich auch, was *sie* ihrer "Natur" nach anstreben müssen, und Jungfer Deuter wird im letzten Aufzug sogar mehr zuteil, als sie zu Beginn dieses merkwürdigen Lustspiels zu hoffen wagte. Auch Scarron hat am Ende erlangt, was er wollte — Maskes Bekehrung ausgenommen. So sehr er im Kontext der Komödie der Lächerlichkeit preisgegeben wird, so konsequent verwirklicht er gleichwohl seine Prinzipien. Er demonstriert seine Überlegenheit über Luise und findet dabei den erstrebten poetischen Genuß. Er erweist sich als "Riese" in der Kompromißlosigkeit, mit der er seiner Nietzsche entlehnten Weltanschauung lebt und in der Rigorosität, mit der er diese durchsetzt, indem er bei Maskes förmlich einbricht, sich Luise gefügig zu machen weiß für seine dichterischen Zwecke und anschließend sofort die Zelte abbricht, um zum nächsten Weib zu eilen: zu einem Freudenmädchen, dessen Existenz er ebenfalls in Poesie umzusetzen gedenkt. Auch Mandelstam, der eltern- und heimatlose Friseurgehilfe, bekommt zum Teil, was er wollte: eine warme Stube, ein gutes Bett, regelmäßige Mahlzeiten und schließlich auch eine gewisse fürsorgliche Aufmerksamkeit und Zuwendung seiner neuen

Vermieter und damit so etwas wie einen Eltern-Ersatz. So scheint es denn kein Zufall zu sein, daß auch er nach der ersten wohldurchschlafenen Nacht bekennt: "Ich fühle mich wie ein Riese" (525, 61).

Ein wahrer Lustspielschluß also, so könnte man denken, in dem sich nach allen Verwicklungen die Heiterkeit der poetischen Gerechtigkeit über Böse und Gute gleichermaßen ausbreitet. Aber weit gefehlt. Alle Figuren, die Träger unterschiedlicher Welt- und Lebenshaltungen sind und sich darin gegenseitig aufzuheben scheinen, da jede von ihnen wenigstens teilweise zu erreichen scheint, was sie erstrebt, – alle Figuren also werden im Rahmen der Handlung der Lächerlichkeit überantwortet. Doch zugleich erreichen sie, was sie wollen oder sogar noch mehr wie Theobald oder Fräulein Deuter. Und dies scheint ihr Verhalten zu legitimieren, – es sei denn, daß dieses Lustspiel auch den Erfolg als relevante Kategorie zur Beurteilung einer Person in Frage stellen wolle. Auch moralische Maßstäbe versagen. Theobald ist nicht besser oder schlechter als Scarron oder Mandelstam. Verhaltensweisen, Handlungen und Szenen sind mehrdeutig und widersprüchlich interpretierbar. So ist Luises "Aufbruch" im Sinne Nietzsches positiv oder im Sinne Schopenhauers negativ bewertbar, er ist im Sinne eines bewußten Entschlusses, aber auch als typisches weibliches Triebverhalten interpretierbar. Scarrons Verhalten gegenüber Luise in der "Verführungsszene" ist als Zeichen männlicher Stärke wie auch Schwäche zu deuten, und so könnte man fortfahren. Die Form des Lustspiels und die reichhaltigen Mittel der Komik überantworten immer auch schon die mögliche Alternative dem entlarvenden Spott, und dies muß das Publikum natürlich in hohem Maße verwirren. Denn es muß alle Deutungsmöglichkeiten im selben Atemzug bestätigt und in Frage gestellt sehen. Weder erfüllt das Stück den Wunsch des Zuschauers, den unsympathischen Helden durch den Ausgang des Stücks zu bestrafen und damit ihn – den Betrachter – in seiner "öffentlichen" Moral, in seinem Glauben an das Wahre, Aufrichtige und Gute zu bestätigen, noch erlaubt es ihm angesichts der Lächerlichkeit, Trivialität und auch Boshaftigkeit des Dargestellten, sich mit ihm zu identifizieren und sich damit vielleicht zu seinem eigenen Verhalten zu bekennen. Es schafft Distanz und nötigt zur Reflexion, es lädt nicht nur im Vollzug der ersten Lektüre, sondern auch im Nachhinein zu Sinndeutungen ein, indem es Bezüge zur gesellschaftlichen Realität wie auch zu philosophischen Konstellationen eröffnet, doch jedesmal scheitert eine verbindliche Festlegung am "Nichtzusammengehen zweier ein Ding bildenden Faktoren", an der Divergenz von Ernst und Komik, die sich durch alle Szenen und alle Verständnisebenen des Stückes zieht.

Damit initiiert dieses Lustspiel einen Rezeptionsprozeß, der demjenigen vergleichbar ist, den auch Trakl und Kafka, wie wir sahen, in ihrem Werk intendieren. So wie Kafka die Funktion des traditionellen Erzählers preisgibt und in die Perspektivfigur selbst verlegt und damit den Leser zum Nachdenken und zur Distanz gegenüber den Ansichten des 'Helden' nö-

tigt, so weist auch Sternheim dem Rezipienten die Rolle der Perspektivfigur zu, die das verwirrende Geschehen auf der Bühne ohne eine dem
Erzähler im Bereich des Dramas entsprechende Hilfestellung interpretieren muß. Der dem Geschehen ausgelieferte Zuschauer muß daher nicht
weniger mißtrauisch sein als der dem 'Helden' überantwortete Leser Kafkas. Und mit diesem Mißtrauen realisiert der Betrachter jene Perspektivenspirale, die als Ausdruck gestörter Kommunikation und gestörten
Vergnügens auf ein isoliertes und dissoziiertes Subjekt verweist, dem
sich der Objektbereich in eine Fülle partialer und disparater Phänomene
und Sinnpotentialitäten aufgelöst hat, die nahezu beliebig miteinander
kombinierbar erscheinen und deshalb auch keinerlei Verbindlichkeit mehr
ermöglichen.

Sternheims Erzählungen aber propagieren – ohne jeden Anflug komi-
scher oder ironischer Distanzierung, wie sie dieser frühen Komödie eignet
– eine Weltanschauung, in deren Zentrum Scarrons Nietzsche-Adaption
steht, daß "Kraft höchstes Glück" sei. Mit oft geradezu wütender Verbis-
senheit verwirklichen die Helden dort, wie Sternheim glauben machen
will, sich selbst, sie brechen aus den gewohnten Konventionen aus – in
denen sich Theobald Maske noch zu halten weiß – und steigern sich z. T.
in einen vitalistischen Irrationalismus, der in seiner Geistlosigkeit erschreckend ist. Auch hier gibt es Ausnahmen – z. B. das bisher viel zu
wenig beachtete "Erzähldrama" 'Die Laus', das 1917 in zeitlichem und
sachlichem Zusammenhang mit Sternheims Schrift 'Kampf der Metapher!'
entstand –, in der Mehrzahl indessen kommen sie einem Typ expressionistischen Erzählens gefährlich nahe, der im folgenden exemplarisch an
einer Novelle Kasimir Edschmids analysiert werden soll. 1920 schrieb
Sternheim in einem Brief an diesen mit Blick auf dessen Roman 'Die
achatenen Kugeln' u. a.: "Sie stehen mir mit seiner Vollendung kamerad-
schaftlich nah, vielleicht von deutschen Dichtern der Gegenwart am
nächsten." Trotzdem bemängelt er Edschmids Sprache: "Nur ist auch in
der Sprache für mich – kaum ein anderer darf das aussetzen – in der wilden Rebellion, alten Plunder aufzuräumen, das Tempo der Hast zu ständig. Stürmt ein Pferd hundert Kilometer ohne Ruh, habe ich das Bedürfnis,
es streckenweise Schritt zu führen. Sonst erscheint hinter dem Reiter das
Barbarische." (6, 110) Dies gilt als Gefahr auch für Sternheims Werke, und
es betrifft nicht nur seine Sprache, sondern auch die messianisch verkündete Weltanschauung von der Verwirklichung der eigenen Nuance, die
den Menschen letztlich seinen Trieben ausliefert und ihn nicht zum
"gigantischen Obelisk der Schöpfung" und zum Herren, sondern zum
Sklaven seiner selbst macht.

5. DER "NEUE MENSCH" ALS ALTER ADAM.
KASIMIR EDSCHMID: 'DER LAZO'

5.1 Z i v i l i s a t i o n s ü b e r d r u ß   u n d   A u f b r u c h
i n s ' L e b e n '

Zeitgenossen feierten Edschmids Novellensammlung 'Die sechs Mündungen', deren Eingangsnovelle im folgenden analysiert werden soll, bei
ihrem Erscheinen 1916 als "Expressionismus schlechthin" und als Beginn
expressionistischer Prosa. Armin Arnold hat die historische und zum Teil
auch die sachliche Berechtigung solcher Urteile kürzlich widerlegt. "Die
Sage vom unschuldigen Edschmid", so faßt er seine Recherchen zusammen, "dem Provinzler, dessen Geschichten plötzlich und unabsichtlich
den Expressionismus eingeleitet hätten, ist eine von Edschmid später erfundene Fabel", auf die andere Autoren und Kritiker hereingefallen
seien (46, 123). Arnold untersucht die beiden Fassungen der hier zu be-
sprechenden Novelle — die erste, kürzere, in Stil und Sprachduktus ge-
mäßigtere Version erschien 1913, ohne Aufsehen zu erregen, in der Zeitschrift 'Licht und Schatten' (46, 113) — und läßt vor allem an der zweiten
kein gutes Haar: "Dieser Wild-West-Schmarren soll um 1915 die expressionistische Prosa aus der Wiege gehoben haben?" (46, 119) Die Kriterien,
die er seiner Analyse zugrundelegt, sind indessen fragwürdig. Es geht nicht
an, den Inhalt eines literarischen Werkes dadurch lächerlich zu machen,
daß man es mit einem nichtfiktionalen Reisetagebuch verwechselt und
einzelne Angaben als absurd nachweist, indem man zum Beispiel positivistisch nachrechnet, wohin man in Wirklichkeit käme, wenn man in
Amerika fünf Tage mit dem Zug nach Westen fährt (46, 115). Ein literarischer Text ist auch nicht schon deshalb schlecht, weil sein Autor möglicherweise ein dubioses Propagandagenie war.
Edschmids Novellen haben offensichtlich in exemplarischer Weise expressionistische Tendenzen aufgenommen und verarbeitet. Diese gilt es
im folgenden zu erkennen und die Intention der Novelle zu erfassen.
Erst von da aus wird ein Urteil möglich, das sich nicht nur damit zufrie-
dengibt, die stilistischen Eskapaden des "Erzählers", die Heterogenität der
Erzählstruktur und einige inhaltliche Ungereimtheiten als ausreichenden
Grund für ein Verdikt zu betrachten. Jene Intention also ist zu erfassen,
deren Ausdruck solche "Formfehler" sind.
Wir können uns im folgenden kürzer fassen als bei den anderen Analysen, weil sich im Blick auf die zugrundeliegenden Ideen vieles von dem
wiederholt, was bisher schon breiter expliziert wurde, und weil auch das
methodische Verfahren bereits in extenso an den drei Hauptgattungen
erprobt wurde. Es soll deshalb hier nicht mehr im einzelnen vorgeführt
werden, — zugunsten der mit seiner Hilfe gewonnenen Resultate, die

gleichwohl, so hoffe ich, nachvollziehbar und am Text überprüfbar sind. Zunächst seien auch hier die ersten Abschnitte zitiert, um einen Eindruck von der Erzählweise zu vermitteln, die sich — das sei gleich hinzugefügt — im Lauf der Erzählung deutlich ändern wird:

Raoul Perten verließ das Haus.

Seine Füße stiegen die Treppe hinunter, er fühlte es und die Bewußtheit des mechanischen Vorgangs erfüllte ihn ganz, beruhigte ihn fast, obwohl keine Erregung in diesen Tagen vorangegangen war, und dies erstaunte ihn ein wenig.

Es hatte geregnet, die Erde strömte nach den Umwälzungen des Gewitters aus aufgerissenen Ventilen dankbaren Geruch in die Höhe. Zwischen den gelben Kieswegen lagen kleine schrägsteigende Dampfwolken und die wassergefüllten ungeheuren Dolden der weißen Fliederbüsche betteten sich schwer, geneigt und trunken in das Feuchte der Blätter und als einziges Geräusch klang das Rieseln feiner ablaufender Tropfen in der Luft.

'Das ist alles so einerlei wie ungerecht', sagte Raoul. 'Wenn ich dies so durch die Nase ziehe, überjagt mich etwas wie die Ahnung eines maßlosen Flugs. In fünf Minuten aber ist das vorüber und ich weiß nur noch, daß wir den Abend zu sechs Gängen soupieren, daß Onkel den Louis Schütz mitbringen wird, daß Blumenthal morgen (was macht es mir?) seinen zweiten Rekord feiern wird, übermorgen vielleicht Hans stirbt oder Mella mit dem Russen verschwindet. Und was geht das Wissen da all mich im Grunde an . . . ? Onkel hat einen neuen Chablis entdeckt und denkt, daß man ihn den Abend drum feiert. Der Präsident wird gegen zwölf wie gewohnt seinen Witz erzählen. Rosenheim lacht durch die Nase. Mella wird im Orpheum meinen leeren Platz sehen, sich ärgern oder freuen oder auch nur erschrocken sein. (233, 3 f.)

Der innere Monolog — so charakterisiert der "Erzähler" diese Passage selbst — geht noch eine Weile so fort. Raoul träumt von einem Galopp zu Pferde und von einer rasenden Autofahrt, bei der er sich als Chauffeur sogar in die Luft gehoben fühlt — "(doch keineswegs so wie im Aero: göttlich und doch gebunden!)" — und bei der ihm die Straßen wie "helle Schläuche" vorkommen, die "alle in eine Seligkeit" führen, "in einen ungeheuer kreisenden Horizont, dessen unermeßliche Offenheit anzuschauen so etwas sei wie ein Ziel." Doch Raoul fährt fort — und damit beendet er den Monolog, währenddessen er in die Stadt hineingewandert ist —:

Allein wenn ich nach außen fasse, nach rechts außen, und den Hebel zurückschmeiße und — der Wagen steht, so weiß ich: Alle Chausseen seien doch nur ineinanderfließend und auf das erste zurücklaufend nicht mehr als ein stumpf machender Kreislauf und eine Schlange, die sich in den Schwanz beißt. Mein Rücken sofort krümmt sich ein wenig wie im gutsitzenden Cutaway, mein Bizeps erlahmt in dem Ärmel, der wieder korrekt darüberfällt, sich erst an der Manschette von neuem erweiternd. – (233, 5)

Arnold bemerkt zu diesem Autotraum: "Dies ist doch wohl verwässerter Marinetti – Marinetti ohne Ironie und Humor! Wozu Auto und Flugzeug, die es in A noch nicht gab? Doch einzig deshalb, um modern zu wirken. Denn im weiteren Verlauf der Geschichte ist von Auto und Flugzeug nicht mehr die Rede . . ." (233, 115) Arnold macht sich erst gar nicht die Mühe, diese Passage in ihrer Funktion als Exposition zu betrachten. – Der Erzähleingang entspricht konventioneller realistischer Erzählweise. Raoul Perten fühlt sich gefangen in den gesellschaftlichen Zwängen und Konventionen eines großbürgerlich-städtischen Lebens mit der "ewigen Wiederkehr" der gleichen Handlungen und dekadenten Amüsements. Wie sehr er sich davon innerlich bereits distanziert hat, zeigt die Unterschiedslosigkeit, mit der er Ereignisse als gleichgültig und langweilig abqualifiziert, die in der Werteskala des pietätvollen bürgerlichen Bewußtseins kaum miteinander vereinbar erscheinen, so etwa einerseits der mögliche Tod von Hans, der im Sinne bürgerlicher Reputation höchst genierliche Fehltritt Mellas und andererseits die Vorgänge beim Souper. Das psychologisierende Erzählen, das gleich mit dem zweiten Satz der Erzählung einsetzt und sich des inneren Monologs bedient, war damals ein sehr beliebtes, modernes, nicht eigentlich expressionistisches Stilmittel. Das Ausmalen von Stimmungen und das Auskosten von Seelenregungen und inneren Zuständen aller Art sind eher Kennzeichen der psychologischen Novellen, die in den dem Expressionismus vorausgehenden (und z. T. gleichzeitigen) Stilrichtungen gepflegt wurden. Sie sind selbst ebenso Kennzeichen jener Welt, in der sich Raoul Perten bewegt, wie die sonntäglichen Ausritte und das Autofahren als neueste Sensation. Raouls Tagtraum dient dazu, das in der Überschrift angedeutete Symbol des "Lazos" einzuführen: Er impliziert die Bewegung des Kreisens, er signalisiert – wie zitiert – die Möglichkeit eines "ungeheuer kreisenden Horizonts", "dessen unermeßliche Offenheit anzuschauen so etwas sei wie ein Ziel." Der 'Lazo' symbolisiert also den expressionistischen "Aufbruch", und in diesem Sinne ist bereits der erste Satz "Raoul Perten verließ das Haus" symbolisch und im Sinne einer Vorausdeutung zu verstehen. Zugleich aber ist auch das sensationelle Autofahren lediglich ein technisches Surrogat, das nur vorübergehend Freiheit beschert. Wenn der Wagen hält, dann sind die Straßen nicht mehr Wegweiser in die "Seligkeit" eines "ungeheuer kreisenden Horizonts", sondern es stellt sich heraus, daß sie "nicht mehr" sind "als ein stumpf machender Kreislauf und eine Schlange, die sich in den Schwanz beißt". Hier symbolisiert also das Motiv des Kreisens die ewige Wiederkehr des Gleichen, die Ausgeliefertheit an die Gesellschaft, an die Technik, welche zu Geschwindigkeiten und Abenteuern verhilft, die nur geringen körperlichen Einsatz verlangen und die den "Bizeps" alsbald wieder erlahmen lassen. Damit deutet sich unübersehbar der expressionistische "Aufbruch" des Helden an. Die Gesellschaft, in der er lebt, hat für ihn keinen Reiz mehr. Die Erzählweise ist gleichsam das formale Korrelat dieser sensiblen, nervösen, ichbezogenen Lebensweise innerhalb der vorgestellten Gesellschaft, in welcher der Held verkehrt. Jedenfalls scheint sich der "Erzähler" unmittelbar im Anschluß an die zuletzt zitierte Passage – den Schluß des inneren Monologs – von diesem Erzählstil selbst zu distanzieren: "Innere Monologe dieser Art dauern in der Regel straßenweit und haben den Vorzug, in abenteuerliche Stimmung zu versetzen und den Weg aufs angenehmste zu verkürzen, da man sich hierbei des Gehens als physischer Erscheinung nicht bewußt wird." (233, 5)

Darin steckt jenes Moment der Ironie, das Arnold bei Edschmid nicht finden kann: In der distanzierten Adaption eines psychologisch-realistischen Erzählens, mit dem die Geschichte einsetzt, um auch den Leser zunächst durch einen ihm vertrauten Stil und Inhalt zu einer Identifikation mit dem Helden zu nötigen. Vielleicht soll der Leser dadurch – und durch die Vorausdeutungen vorbereitet – innerlich mitvollziehen, was Raoul Perten im folgenden widerfährt. Tatsächlich tritt nun aber ein Bruch ein, der auch stilistische Konsequenzen hat. Der "Aufbruch" Raouls in ein neues Leben ereignet sich nämlich – und auch darin steckt der Protest gegen die zuvor praktizierte "Bewußtseinspsychologie" – für den Helden überraschend aus dem Unterbewußten heraus, anläßlich eines Händedrucks zwischen ihm und seinem Onkel an der Tramwaystation:

In diesem Augenblick, während dieses Vorgangs, der sich täglich in unzähligen Variationen, der sich seit Raouls sechstem Jahr (also fünfzehn Jahre hindurch) vollzog wie irgendeine Funktion (denn teils durch Zufall, einigerseits auch aus einer hyperbolischen Marotte des Alten waren sie in dieser Zeit kaum einen Tag getrennt gewesen), in der schamlosen Selbstverständlichkeit und Verbrauchtheit dieser Gebärde vollzog sich die gewaltigste Umwälzung in Raouls Leben.

Er stand da, den Stock auf der Spitze seines Schuhs, ihn oben leicht drehend, die andere Hand im Paletot und sagte, obwohl er keine Sekunde daran gedacht hatte, sagte er in einem Trance: 'Ich werde ein paar Tage verreisen, Onkel' und diese Worte erstaunten ihn selbst nicht ... und wie er ruhig die Scheine einsteckte, nein, wie er sie ergriff und mit drei gespitzten Fingern, als der Onkel sie ihm reichte und ihn bat, doch jedenfalls den Abend da zu sein und daß er sich überlegen wolle, ob er auch mitkomme ohne die Frage, wohin überhaupt ... da spürte Raoul in einer großen Erregung schon, wie sich neue Dinge in ihm von diesem seitherigen Leben schon wieder lösten und andere nachbrachen und in der angegrabenen Rinne der *neuen* Erkenntnis weiterrannen – denn er begriff plötzlich, daß diese gespitzte Bewegung seines Arms keine sei, die nur irgendwie seinem Bizeps korrespondiere und Mißverhältnis zwischen seiner Situation und seiner Anlage und Natur klafften ihm klar auseinander. (233, 6)

Wie der letzte Satz zeigt — und wie auch dem damaligen Leser bewußt sein konnte —, ist das Betonen spontaner, trancehafter, lebensentscheidender Entschlüsse eine Abkehr, ja ein Protest gegen den Naturalismus, gegen feingesponnene Bewußtseinspsychologie, gegen Milieutheorie und Kausalmechanismus, wie sie — um nur ein Beispiel zu nennen — im 'Bahnwärter Thiel' konsequent und eindrucksvoll gestaltet sind. Aber Perten wie Thiel ist gemeinsam, daß Intellekt und Reflexion eine untergeordnete Rolle spielen. Sie sind abhängig von anderen Faktoren und Mächten. Bei Perten sind die Zwänge des Milieus, der Gewohnheit, der Sozialisation im Sinne des Angelernten und Anerzogenen ausschlaggebend für den Entschluß, sich daraus zu befreien. Der Glaube daran, daß dies möglich sei, unterscheidet manche Expressionisten von den Naturalisten. Der Entschluß selbst — und damit die Bedingung seiner Möglichkeit — beruht auf einem Drang des Blutes, auf einem triebhaften Willen, auf der individuellen "Anlage" und "Natur", die vom Milieu nur vorübergehend verdeckt und überlagert werden konnte. Das Unbewußte und Irrationale bricht sich plötzlich Bahn und unterwirft sich den Intellekt. Die sekundäre Rolle des Intellekts wird im Lauf der Erzählung immer wieder herausgestellt. "Es ward ihm heiß beim raschen Gehen. Denn er eilte übermäßig, weil ihm keineswegs klar war, wohin er gehe; nur daß er sich entferne, wußte er und das genügte ihm." (233, 7)

Darauf rannte er weiter und kam an eine Litfaßsäule, die grell erleuchtet war.

An ihr entschied sich sein Schicksal.

Er sah einen Reeling. Ein paar Buchstaben sogen seinen Blick auf. Seine Haltung ward mit einem Ruck ganz gestrafft. Er schob die Beine auseinander und warf mit einer eigentümlichen Bewegung die rechte Schulter zurück und ging von dunklen und heißen Gefühlen überflutet in den spritzenden Regen einer schmalen Wolke hinein, die den silbernen Himmel rasch und scheu noch überschwamm. (233, 7 f.)

Raoul Perten "ging mit aufgeblasener Brust auf seinen großen Horizont zu" (233, 8). Es scheint ihm nun, "die Zeit der zynischen und geistvollen Glossierungen sei vorbei" (233, 8), und es wird ihm klar, daß er für sein neues Leben "alles Angelernte abtun und an sich töten müsse." (233, 8) In dem Maße, wie Raoul Perten auf der Schiffsreise nach Amerika und später dort als Cowboy versucht, seiner Veranlagung gemäß unverdorben, natürlich, ja kreatürlich zu leben, verlagert sich auch der Erzählstil. Die Sätze werden kurz, ganz auf "action" ausgerichtet. Im Sekundenstil reiht sich ein Hauptsatz an den andern, im Telegrammstil werden Handlungen und

Ereignisse vermittelt in der Wahrnehmung auf Äußerliches beschränkt, als Ausdruck eines heldisch-triebhaften Sturms und Drangs, dessen Sinn sich in der Demonstration urwüchsiger Lebenskraft, heldischen Mannesmuts und in der sklavischen Einhaltung eines an solchen Maßstäben orientierten Ehrenkodex erschöpft. Auch darin manifestiert sich die Reduktion des Intellekts. Dieser ist Relikt und Sinnbild jener gesellschaftlichen Denkkonventionen, die Raoul mit seinem "Aufbruch" hinter sich zu lassen versuchte, die aber immer wieder durchzubrechen drohten. Das neue Cowboy-Leben scheint aber ohne ständige Kontrolle durch Verstand und Vernunft realisierbar zu sein, denn es beruht auf Gefühl und Kraft, auf der dauernden Erregung und auf einer vom Bizeps zu bewältigenden Lebenssteigerung in exorbitanten Situationen. Nur insofern der Intellekt diesem Ziel dient, wird seine Hilfe in Anspruch genommen, sonst wird er von dieser instinktiven Vitalität als lebensfeindlich ignoriert und bekämpft.

Hier liegt, so scheint mir, der nervus rerum des Edschmidschen Erzählinteresses und zugleich das Kernproblem eines nicht geringen Teils expressionistischer Prosa. Fritz Martini hat es im Vorwort zu seiner Anthologie expressionistischer Prosa u. a. so formuliert:

Der Mensch, der die Grenzen der bürgerlichen Gesellschaft, damit die Determinationen der sogenannten Realität hinter sich ließ und frei wurde – im pathologischen wie idealistischen Sinne, zu seinen Trieben oder zu seinem Idealismus, zu seinem eigenen Leben wie zu seinem Tode, frei in der Nihilität, im bitteren Spiel und Hohn der Groteske, in der ethischen Erkenntnis und im Aufschwung zum Unbegrenzten –, dies war der Mensch, zu dem expressionistisches Erzählen immer wieder zurückgekehrt ist. (13, 12)

Man versteht von daher besser, warum man Edschmids Novellen als "Expressionismus schlechthin" betrachten konnte. Mit kompromißloser Rigorosität beantwortet er die Frage nach der Selbstverwirklichung des Menschen auf "expressionistische" Weise. Die Frage ist nicht neu, und nicht zuletzt deshalb greifen Edschmids Novellen auch so weit in die Geschichte zurück und spielen sich auf verschiedenen Kontinenten und in verschiedenen Kulturkreisen ab, um so die expressionistische Antwort als die eigentliche, zu allen Zeiten und an allen Orten gültige zu erweisen: "überall ist das Verwandte, der Ansatz, das Gleiche, wo eine ungeheure Macht die Seele antrieb, mächtig zu sein, das Unendliche zu suchen und das Letzte auszudrücken, das Menschen schöpferisch mit dem Universum bindet" (25, 102). Dies allerdings erscheint als Edschmidsche "Geschichtsklitterung": in keiner anderen Epoche wurden die Aktionen der Helden mit solcher Vehemenz und Ausschließlichkeit von dem bestimmt, was dem Wortsinne nach in dem Begriff des Expressionismus steckt: vom Aufruhr des Gefühls, vom irrationalen, aus dem Unbewußten gelenkten "daimonion".

Der Aufbruch Raoul Pertens mutet indessen – trotz aller modernen Requisiten – eigentümlich zeitlos an. Er ist nicht eigentlich *diese* Gesellschaft, welcher er entflieht, sondern sie steht nur stellvertretend für das Prinzip der Determination, der Ratio schlechthin, gegen welche das Individuum seine Freiheit zu erkämpfen hat. Edschmid geht es offensichtlich weniger um eine Kritik an der zeitgenössischen Gesellschaft, sondern um scheinbar zeitlose Fragen: um anthropologisch-psychologische Grundkategorien, um Langeweile und dauernde Erregung, um Wille und Intellekt, Gefühl und gesteigerte Aktion. Doch auch keine psychologische Ergründung, erst recht keine kausale Fundierung möchte er angesichts der dargestellten Handlungen vermitteln, sondern nur diese selbst, allerdings mit der Absicht, das gänzlich Irrationale und Unlogische des "natürlichen" menschlichen Verhaltens und seinen Ursprung aus dem unbewußten Lebenszentrum zu veranschaulichen. In seiner berühmt gewordenen Rede von 1918 über 'Expressionismus in der Dichtung' rechtfertigt er diese Gestaltung seiner Menschen:

Doch sind diese Menschen nicht töricht. Ihr Denkprozeß verläuft nur in anderer Natur. Sie sind unverbildet. Sie reflektieren nicht. Sie erleben nicht in Kreisen, nicht durch Echos. Sie erleben direkt.

Das ist das größte Geheimnis dieser Kunst. Sie ist ohne gewohnte Psychologie. Dennoch geht ihr Erleben tiefer. Es geht auf den einfachsten Bahnen, nicht auf den verdrehten, von Menschen geschaffenen, von Menschen geschändeten Arten des Denkens, das, von bekannten Kausalitäten gelenkt, nie kosmisch sein kann. Aus dem Psychologischen kommt nur Analyse. Es kommt Auseinanderfalten, nachsehen, Konsequenzen ziehen, erklären wollen, besser wissen, eine Klugheit heucheln, die doch nur nach den Ergebnissen geht, die unseren für große Wunder blinden Augen bekannt und durchsichtig sind. Denn vergessen wir nicht: alle Gesetze, alle Lebenskreise, die psychologisch gebannt sind, sind nur von uns geschaffen, von uns angenommen und geglaubt. Für das Unerklärliche, für die Welt, für Gott gibt es im Psychologischen keine Erklärung. Ein Achselzucken nur, eine Verneinung.

Die neue Kunst ist daher positiv. Weil sie intuitiv ist. Weil sie, elementar empfindend, willig aber stolz sich den großen Wundern des Daseins hingebend, frische Kraft hat zum Handeln und zum Leiden. Diese Menschen machen nicht den Umweg über eine spiralenhafte Kultur. Sie geben sich dem Göttlichen preis. Sie sind direkt. Sie sind primitiv. Sie sind einfach, weil das Einfachste das Schwerste ist und das Komplizierteste, aber zu den größten Offenbarungen geht. Denn täuschen wir uns nicht: erst am Ende aller Dinge steht das Schlichte, erst am Ende gelebter Tage bekommt das Leben ruhigen steten Fluß. (25, 98 f.)

In dieser Hinsicht stimmt die Theorie Edschmids mit seiner dichterischen 'Praxis' überein, doch war es ein folgenreicher Irrtum zu meinen, die Ablehnung eines psychologischen Gestaltens, das in kausal-mechanischen Bahnen verläuft, bedeute bereits Abkehr vom Psychologischen und führe zu der von ihm beschriebenen "positiven Kunst". Aus der von Vietta beschriebenen Erkenntniskritik, aus den Einsichten Schopenhauers, Nietzsches und Bergsons sowie aus Freuds Entdeckung des Unbewußten wird hier eine ins Poetisch-Positive gewendete Lehre gezimmert, die das Subjekt als losgelöst — und als ablösbar — von den Umwelteinflüssen betrachtet, die es auf eine anthropologische Dimension reduziert, in der irrationale psychische Prozesse, die sich einer rationalen Begründbarkeit weitgehend entziehen, zu eruptiven Aktionen führen. Die Freiheit von der Ratio, die sich ein solches Menschenbild erobert zu haben glaubte, ist allerdings — das hat bereits Schopenhauer mit aller Eindringlichkeit beschrieben — teuer erkauft. Denn dieser Wille — wie Schopenhauer das unbewußte Lebenszentrum nennt —, auf den sich das neue Menschenbild gründet, ist ein dumpfer Drang und blinder Trieb, er ist — wie Schopenhauer ausführt — "vom Anfang bis zum Ende, unveränderlich der selbe" (669, 265), er ist durch und durch utilitaristisch veranlagt und extrem ichbezogen, und er schließt seinem Wesen nach die Möglichkeit zur objektiven Selbst- und Welterkenntnis aus. Statt vermeintlicher Freiheit handelt sich der Mensch damit eine Abhängigkeit von seinem unbewußten Lebenszentrum ein, die erschreckende Folgen hat. Diese hat Edschmid — auch im 'Lazo' — gestaltet.

5.2 Cowboy-Idylle und 'Blut und Boden'-Romantik

Ich überspringe in der Erzählung mehrere Stationen und auch die Bedeutsamkeit verschiedener Symbole — etwa der "Spinne" — und zitiere zwei Absätze, die nach der Ankunft Raouls auf der Farm in Amerika in die Cowboy-Welt einführen. Sie illustrieren zugleich den nunmehr gewandelten Erzählstil:

Es gibt drei Ideale, die der Cow-Boy kennt: Revolver, Lazo, seidenes Halstuch. Im übrigen erscheinen sie als Schweine. Vom Hanf- über das Leder- zum Seidenlazo zu kommen, ist die Gentkarriere des Cow-Boy. Allein es gibt noch etwas in seiner schieren Unerreichbarkeit unermeßlich Köstlicheres. Das ist der Lazo aus geflochtenen Pferdehaaren. Der Gaucho kommt selten in seinen Besitz, obwohl er die Sehnsucht seines Daseins ist, weil er zuviel säuft und schießt. Denn ein oder zwei Jahre auf die Sehnsucht des Tages zu verzichten, um die Inbrunst eines Lebens einzutauschen dafür, ist eine Sache, die komplizierter ist als die letzte Wissenschaft oder mit Größe in den Tod gehn. Die Tochter des

Besitzers aber hatte ihn und Helen war stolz auf ihn, und siehe: breite Silberringe unterbrachen seinen Lauf.

Die anderen Cow-Boys ritten später an, pflockten und nickten ihm zu. Einige gaben ihm die Hand und einer nahm seinen Hut ab und sagte mit einem knappen Einknicken der Hüften: 'Heinz Freiherr von Kladern. Werde hier allerdings selten mit vollem Titel angeredet.' Die übrigen schauten dumm, weil er es deutsch sagte. Doch Raoul liebte ihn darum noch nicht, denn obwohl ihm das Originelle der Situation gefiel, sagte ihm die ins Humoristische stilisierte Form des äußerlich Verkrachtseins nicht zu. Dagegen schloß er sich zusammen mit Jim, einem frischen Kerl. Er sagte sich, daß er im Augenblick ungefähr im Steigen auf der Höhe angekommen sei, die dieser Bursche hatte. Nämlich Kraft, Saftigkeit und eine Helligkeit des Auges, die den Dingen und besonders dem glänzenden Himmel etwas abzuzwingen immer bereit und sicher war. (233, 12 f.)

Am nächsten Morgen schießt der Freiherr, als Raoul schon im Sattel sitzt, dessen Pferd einen Seifenbolzen auf den Bauch, so daß Raoul auf die Erde fällt: "Wut stieg ihm in die Fäuste", aber er beherrscht sich "und empfand auch dies als Drang zum Handeln, Überwinden und Durchsetzen" (233, 13). Er schießt auf zwanzig Schritt Entfernung einer Flasche durch Hals und Boden und "bluffte sich damit in alle Achtung und Bewunderung zurück" (233, 13). So geht es fort. Auf der Farm herrscht das Faustrecht, das Recht des Stärkeren. Zwistigkeiten werden in brutalen Zweikämpfen ausgetragen. Raoul liebt die stolze Helen, und die Erzählung steuert auf ihr Finale zu, als Helen Raoul eines Tages eröffnet "mit einer Stimme, die so beherrscht war, daß die Verzweiflung aus jedem Vokal weinte und in jedem Konsonanten pfiff und mit einer Kälte, die kaum die Wut maskierte, daß ihrer Unnahbarkeit dies zugestoßen sei: der Freiherr habe sie die Nacht angegriffen ..." (233, 15 f.) Helen überläßt ihm für den Zweikampf ihr Pferd und ihren Lazo. Bei diesem "Duell im Sinne des Landes" (233, 18) "zielte er, stemmte das Knie hoch, schrie etwas, schoß Heinz Freiherrn von Klader eine Kugel mitten durch den Kopf." (233, 17) Damit hat er Helen gewonnen und ist wieder reich geworden. "Aber es schien ihm, daß er wieder da dann angelangt sei, wo er ausgegangen ..." Das Leben "würde nichts mehr zum Steigern für ihn haben", und er begreift, "daß nur *ein* Reiz ewig und wertvoll in ihm sei: sich selbst höher zu werfen und weiter zu steigern, und er begriff, daß dies in diesen Zeitläufen nur so weiter ungebunden und von unten weiter stoßend möglich sei." (233, 18) Deshalb entschließt er sich zu einem erneuten Aufbruch "und ritt" – so endet die Erzählung – "auf ein Stück Himmel zu, das sich wie ein blaues Dreieck zwischen zwei Hügel hineinbohrte und über dem ein Horizont aufbrach, ungeheuer, voll Ewigkeit und in flimmernden Rotunden kreisend wie ein von Rätseln durchstochener Schild." (233, 19)

Man braucht diesem Inhalt nur wenig hinzuzufügen. Er spricht für — oder besser gegen — sich selbst. Vor dem angedeuteten zeitgeschichtlichen Hintergrund wird erklärlich, was man — unter vorwiegend ästhetischen Gesichtspunkten — an Edschmids Erzählkunst zu tadeln hat: das Sprunghafte und Holzschnittartige des Erzählduktus, die mangelnde psychologische Durchdringung, die monomanische Ausrichtung auf heldische Aktionen, die Vorliebe für eruptive Affekte, die Abneigung gegen beinahe jede Art von Exploration, die Ungeschichtlichkeit, das soziale "disengagement", das auch am Schluß der Erzählung deutlich wird, sowie die Verherrlichung eines vom Bizeps kontrollierten Irrationalismus. Der Weltanschauung, die hier gepredigt wird, korrespondieren stilistische Eigentümlichkeiten, die man als Entgleisungen abqualifizieren kann, z. B. die fehlende Einheitlichkeit des Stils, vulgärsprachliche Vokabeln und Wendungen, peinliche und lächerliche Katachresen, grammatische Fehler, aufdringliche Symbolik und Leitmotivik, nachlässige und oberflächliche Handlungsverknüpfung, Exaltiertheit und Phrasenhaftigkeit. Solche Kennzeichen scheinen Ausdruck der zugrundeliegenden Anthropologie zu sein, und sie bezeugen auf ihre Weise die Einheit von Inhalt und Form. Es sieht so aus, als erfordere dieses Weltbild im Blick auf seine Darstellbarkeit eine besondere, "expressive" Ästhetik, deren Qualität allerdings auch derjenigen von Inhalt und Gehalt der Erzählungen entspricht.

Diese vom unbewußten "elan vital" getriebenen Menschen verwirklichen sich selbst — ihre "Nuance", um die Nähe zu Sternheims Selbst-Interpretation anzudeuten —, finden in der dauernden Erregung, in der Anspannung aller Kräfte, in der Bewältigung exorbitanter Situationen, in der permanenten Subordination unter das Triebgesetz ihres Willens die rauschhafte Erfüllung ihres Lebens, sie schreiben statt langweilig-konformer Mediokrität das "court et bon" von 'Gustav Adolfs Pagen' auf ihre Fahnen. Es ist heute kaum noch zu begreifen, mit welchem geradezu messianisch-euphorischen Impetus diese Lebensläufe gestaltet sind, ohne Rücksicht auf das im Grunde Verzweifelt-Schicksalhafte, für die unentrinnbare Ananke, die diesen Vitalismus determiniert und immerhin für Schopenhauer der Grund für das Postulat einer Verneinung des Willens zum Leben war.

Zwar heißt es gegen Schluß der Erzählung von Raoul Perten:

Er hatte einen Augenblick lang das Bewußtsein, daß er nun, wo diese Schmerzlichkeit weiter über sein Leben hinaushänge, das Alte und Schwermachende nicht mehr zu fürchten habe. Doch sogleich kamen Zweifel, ob alles dies, was so qualvoll an Zeit und Geschick zu durchrennen ist, nicht doch allein aus einer Kette von aufgerollten Schlingen bestehe, die sich ineinanderfließend wiederholten im Hochhinaufgerissenwerden und in der Müdigkeit. (233, 18)

Der nächste Satz indessen lautet lapidar: "Aber er schüttelte sie ab." Die Ratio unterliegt, die Einsicht in die "ewige Wiederkehr des Gleichen", die im Symbol des 'Lazo' steckt, bleibt folgenlos. Dies rächt sich aber um so mehr.

Das im 'Lazo' symbolisierte Kreisen ist uns auch in den vorangegangenen Analysen als ein Symbol für die Rezeptionsweise begegnet, welche die Texte ihren Lesern aufdrängten. Trakl, Kafka und Sternheim in seinen frühen Komödien versagten sich und dem Leser jene Sinnmöglichkeiten, zu deren Suche sie ihr Publikum zugleich herausforderten. Edschmid indessen predigt den Ausbruch aus dieser "Erkenntniskritik". Er schafft in seinen Gestalten die Ratio kurzerhand weitgehend ab – das ist seine Lösung der Erkenntnisproblematik – und huldigt im Sinne der "Umwertung aller Werte" einem kulturfeindlichen, irrationalen Vitalismus. Der Mensch wird damit – auch dies kann der 'Lazo' symbolisieren – zum Gefangenen seiner selbst und damit seiner Triebe. Das Programm einer Rückkehr zur Natur scheint damit widerrufen zu wollen, was sich der Mensch im Laufe seiner Geschichte an Qualitäten erworben hat, die man unter dem Kennzeichen der Humanisierung begreift. Der "neue Mensch" entpuppt sich so als "alter Adam". Der umfassenden Reduktion des Menschenbildes entspricht die Flucht des Helden in die Scheinbarkeit der Cowboy-Idylle als einer gleichsam archaischeren Form gesellschaftlichen Zusammenlebens, in der sich die Interaktionen auf sehr handgreifliche und grobe – und damit auf scheinbar natürlichere – Weise vollziehen. In Wirklichkeit sind die dort das Zusammenleben regulierenden Prinzipien nur das primitivere Spiegelbild der zivilisierten Gesellschaft, die der Held verlassen hatte. Der Kampf ums Dasein, um Ehre, Liebe und Selbstverwirklichung wird hier lediglich durch körperliche Kraft entschieden.

Diese Ideologie und die ihr entspringenden "Mannesideale" enthalten unverkennbar Elemente, die sich im "Dritten Reich" noch verheerend auswirken sollten. Dies wird Gunter Grimm im entsprechenden Band dieser Reihe darstellen.

Es ist denn auch kein Zufall, daß auf der berüchtigten "schwarzen Liste", die ein junger nationalsozialistischer Buchhändler vermutlich im April 1933 aufstellte und die alsbald offiziellen Charakter erhielt, 'Die sechs Mündungen' von Edschmid ausdrücklich vom Bücherverbot ausgenommen wurden. (740 a, 187) 'Der Lazo' ist übrigens im Vergleich zu einigen anderen Erzählungen dieses Bandes noch vergleichsweise zurückhaltend.

Man mag Edschmids Erzählungen aus seiner expressionistischen Phase – mit Recht – für ästhetisch wertlos halten und sie deshalb lächerlich machen, aber man sollte dabei nicht übersehen, daß sie deshalb keineswegs harmlos sind. Klaus Mann und Bernhard Ziegler entfachten die "Expressionismus"-Debatte u. a. mit der Behauptung, heute lasse sich "klar erkennen, wes Geistes Kind der Expressionismus war, und wohin dieser Geist, ganz befolgt, führt: in den Faschismus" (97, 50). Für Edschmid und einige andere, die seine damalige Gesinnung und Weltanschauung teilten, wird man dies kaum bestreiten können. *Den* Expres-

sionismus indessen — das hat das vorliegende Buch zu zeigen versucht —
repräsentieren sie nicht. Sie weisen der Tendenz nach bereits auf jene
vielfältigen und disparat anmutenden Gruppen und Strömungen der
nachfolgenden Epoche voraus, die Lothar Köhn von dem ihnen gemeinsamen Anliegen — der 'Überwindung des Historismus' — her darstellen
wird.

Die nachfolgende Bibliographie konzentriert sich bei der Forschungsliteratur, ohne Vollständigkeit anzustreben, auf solche Publikationen, die von
dem umfassenden, bis 1960 reichenden Forschungsbericht Richard Brink-
manns (vgl. 34) nicht mehr erfaßt werden konnten. Die Literaturhinweise
sollen eine vertiefte Einarbeitung in die Epoche und in das Werk auch
solcher Autoren ermöglichen, die in diesem Band aus den im 'Thema'
genannten Gründen nicht ausführlicher zur Darstellung gelangten.

1. Dokumente (Textsammlungen, Zeitschriften, Jahrbücher, Erinnerungen)

Paul Raabe leitet ein umfangreiches Editionsprogramm, das die wichtigsten expressionistischen Zeitschriften, Buchreihen, Jahrbücher, Anthologien und Werke im Reprintverfahren neu zugänglich macht (im Verlag
Kraus Thomson, Nendeln). Auf diese Reihe sei mit Nachdruck verwiesen,
zumal inzwischen bereits zahlreiche Werke erschienen sind, die im folgenden nicht einzeln verzeichnet werden können.

1 Benn, Gottfried (Hg.): Lyrik des expressionistischen Jahrzehnts. Von
   den Wegbereitern bis zum Dada. München 1962 (dtv).
2 Best, Otto F. (Hg.): Expressionismus und Dadaismus. Stuttgart 1974
   (Reclam).
3 Blass, Ernst (Hg.): Die Argonauten. Eine Monatsschrift. Bd. 1–12,
   Heidelberg 1914–1921. Reprint 1968.
4 Bode, Dietrich (Hg.): Gedichte des Expressionismus. Stuttgart 1967
   (Reclam).
5 Denkler, Horst (Hg.): Einakter und kleine Dramen des Expressionismus. Stuttgart 1968 (Reclam).
6 Edschmid, Kasimir (Hg.): Briefe der Expressionisten. Frankfurt/M. u.
   Berlin 1964 (Ullstein).
7 Edschmid, Kasimir: Lebendiger Expressionismus. Auseinandersetzungen. Gestalten. Erinnerungen. München 1964 (Ullstein).
8 Ficker, Ludwig von (Hg.): Der Brenner. Halbmonatsschrift für Kunst
   und Kultur (später Brenner-Jahrbuch). Bde. 1–18. Innsbruck 1910–1954.
9 Geerken, Hartmut (Hg.): Die goldene Bombe. Expressionistische Mär-
   chendichtungen und Grotesken. Darmstadt 1970.
10 Haas-Heye, Otto (Hg.) (später: Ludwig Rubiner): Zeitecho. Ein Kriegs-
   tagebuch der Künstler. Bde. 1–3. München (später Zürich) 1914–1917.

11 Heselhaus, Clemens (Hg.): Die Lyrik des Expressionismus. Voraussetzungen, Ergebnisse und Grenzen. Nachwirkungen. Tübingen 1956.

12 Hiller, Kurt (Hg.): Das Ziel. Aufrufe zu tätigem Geist. München u. Berlin 1916 ff.

13 Martini, Fritz (Hg.): Prosa des Expressionismus. Stuttgart 1971 (Reclam).

14 Otten, Karl (Hg.): Schrei und Bekenntnis. Expressionistisches Theater. 2. Aufl. Darmstadt u. a. 1962.

15 Otten, Karl (Hg.): Ego und Eros. Meistererzählungen des Expressionismus. Stuttgart 1963.

16 Otten, Karl (Hg.): Expressionismus – grotesk. Zürich 1962.

17 Pfemfert, Franz (Hg.): Die Aktion. Jg. 1–22. Berlin 1911–1932. Photomech. Nachdruck Bde. 1–4 Stuttgart 1961. Bde. 5–6 München 1967.

18 Pfemfert, Franz (Hg.):Aktions-Bücher der Aeternisten. Bde. 1–10. Berlin 1916–1921.

19 Pfemfert, Franz (Hg.): 1914–1916. Eine Anthologie ('Verse vom Schlachtfeld'). Berlin 1916.

20 Pfemfert, Franz (Hg.): Der rote Hahn. Bde. I–59/60. Berlin 1917–1925.

21 Pinthus, Kurt (Hg.): Das Kinobuch. Kinodramen von Bermann, Hasenclever, Brod, Pinthus, Ehrenstein, Rubiner, Zech u. a. Leipzig 1914.

22 Pinthus, Kurt (Hg.): Menschheitsdämmerung. Symphonie jüngster Dichtung. Berlin 1919. Neuauflage Hamburg 1963 ff. (Rowohlt).

23 Pörtner, Paul (Hg.): Literaturrevolution 1910–1925. Dokumente, Manifeste, Programme. Bd. I.: Zur Ästhetik und Poetik. Neuwied 1960.

24 Raabe, Paul (Hg.): Expressionismus. Literatur und Kunst 1910–1923. Katalog der Marbacher Ausstellung. Stuttgart 1960.

25 Raabe, Paul (Hg.): Expressionismus. Der Kampf um eine literarische Bewegung. München 1965 (dtv).

26 Raabe, Paul (Hg.): Expressionismus. Aufzeichnungen u. Erinnerungen der Zeitgenossen. Olten und Freiburg 1965.

27 Raabe, Paul (Hg.): 'Ich schneide die Zeit aus.' Expressionismus und Politik in Franz Pfemferts 'Aktion'. München 1964 (dtv).

28 Reso, Martin u. a. (Hg.): Expressionismus. Lyrik. Berlin u. Weimar 1969.

29 Rothe, Wolfgang (Hg.): Der Aktivismus 1915–1920. München 1969 (dtv).

30 Schöffler, Heinz (Hg.): Der jüngste Tag. Die Bücherei einer Epoche. Faksimile-Ausg. nach der Ausg. von 1913 ff. 2 Bde. Frankfurt/M. 1970.

31 Schickele, René (Hg.): Die weißen Blätter. Eine Monatsschrift. Jahrg. 1–7. Leipzig 1913–21. (Jahrg. I red. v. E. Schwabach, ab Jahrg. 7., H. 4/5 v. Paul Cassirer).

31a Vietta, Silvio (Hg.): Die Lyrik des Expressionismus. Erscheint Tübingen 1975. (Neuausgabe von Nr. 11).

32 Walden, Herwarth (Hg.): Der Sturm. Wochenschrift (ab 4. Jahrg. Halbmonatsschrift, ab 8. Jahrg. Monatsschrift für Kultur und Künste). Jg. 1–21. Berlin 1910–1932. Reprint 1970.

33 Wolfenstein, Alfred (Hg.): Die Erhebung. Jahrbuch für neue Dichtung und Wertung. Berlin 1919 f.

2. Allgemeine Bibliographien, Forschungsberichte, Materialsammlungen

34 Brinkmann, Richard: Expressionismus. Forschungsprobleme 1952–1960. Stuttgart 1961.

35 Durzak, Manfred: Dokumente des Expressionismus: Das Kurt-Wolff-Archiv. In: Euphorion 60. 1966. S. 337–369.

36 Erken, Günther: Der Expressionismus — Anreger, Herausgeber, Verleger. In: Handbuch der deutschen Gegenwartsliteratur. Hg. v. H. Kunisch. München 1965. S. 647–676.

37 Paulsen, Wolfgang: Die deutsche expressionistische Dichtung des 20. Jahrhunderts und ihre Erforschung. In: Universitas 17. 1962. S. 411–422.

38 Raabe, Paul: Die Zeitschriften des literarischen Expressionismus. 1910–1921. Eine Bibliographie. In: Imprimatur 3. 1961/62. S. 126–177.

39 Raabe, Paul: Expressionismus. Ein Literaturbericht. In: DU 16. 1964. Beilage zu Heft 2.

40 Raabe, Paul: Die Zeitschriften und Sammlungen des literarischen Expressionismus. Repertorium der Zeitschriften, Jahrbücher, Anthologien, Sammelwerke, Schriftenreihen und Almanache 1910–1921. Stuttgart 1964.

41 Raabe, Paul: Der späte Expressionismus 1918–1922. Bücher, Bilder, Zeitschriften, Dokumente. (Katalog einer Ausstellung in Biberach). Biberach 1966.

42 Raabe, Paul (Hg.): Index Expressionismus. Bibliographie der Beiträge in den Zeitschriften u. Jahrbüchern des literarischen Expressionismus 1910–1925. 18 Bde. Nendeln 1972.

43 Schlawe, Fritz: Literarische Zeitschriften 1910–1933. 2., durchges. u. erg. Aufl. Stuttgart 1973.

44 Schneider, Karl Ludwig: Probleme der Edition expressionistischer Dichtung. In: ZfdPh. 84. 1965. Sonderheft. S. 41–47.

3. Gesamtdarstellungen und Einzelaspekte der Epoche

45 Arnold, Armin: Die Literatur des Expressionismus. Sprachliche u. thematische Quellen. Stuttgart u. a. 1966.

46 Arnold, Armin: Prosa des Expressionismus. Herkunft, Analyse, Inventar. Stuttgart u. a. 1972.

47 Bloch, Ernst: Diskussion über Expressionismus. In: Marxismus und Literatur (vgl. Nr. 92). S. 51–59.

48 Brinkmann, Richard: 'Abstrakte' Lyrik im Expressionismus u. die Möglichkeit symbolischer Aussage. In: Der deutsche Expressionismus (vgl. Nr. 107) S. 88–114.

49 Denkler, Horst: Drama des Expressionismus. Programm, Spieltext, Theater. München 1967.

50 Denkler, Horst (Hg.): Gedichte der 'Menschheitsdämmerung'. Interpretationen expressionistischer Lyrik. München 1971.

51 Diebold, Bernhard: Anarchie im Drama. Kritik u. Darstellung der modernen Dramatik. (Nachdr. d.) 4., neu erw. Aufl. Berlin 1928. New York, London 1972.

52 Eykman, Christoph: Die Funktion des Häßlichen in der Lyrik Georg Heyms, Georg Trakls und Gottfried Benns. Zur Krise der Wirklichkeitserfahrung im Expressionismus. 2. erw. Aufl. Bonn 1969.

53 Eykman, Christoph: Zur Sozialphilosophie des Expressionismus. In: ZfdPh. 91. 1972. S. 481–497.

54 Eykman, Christoph: Denk- und Stilformen des Expressionismus. München 1974.

55 Falk, Walter: Leid und Verwandlung. Rilke, Trakl und der Epochenstil des Impressionismus und Expressionismus. Salzburg 1961.

55a Fritz, Horst: Literarischer Jugendstil und Expressionismus. Zur Kunsttheorie, Dichtung und Wirkung Richard Dehmels. Stuttgart 1969.

56 Garnier, Ilse et Pierre: L' Expressionisme allemand. Paris 1962.

57 Göbel, Klaus-Jürgen: Drama und dramatischer Raum im Expressionismus. Eine Entwicklungslinie des modernen Dramas von Richard Wagner bis Reinhard J. Sorge. Diss. Köln 1971.

58 Hannich-Bode, Ingrid: Vom "Welteinheitsporto" bis zur "kriminalistischen Bedeutung des Selbstmordes". Autoren des Expressionismus u. ihre Dissertationen. In: DVjs. 47. 1973. S. 443–455.

59 Heselhaus, Clemens: Deutsche Lyrik der Moderne. Von Nietzsche bis Yvan Goll. Die Rückkehr zur Bildlichkeit der Sprache. Düsseldorf 1961.

60 Hinck, Walter: Individuum und Gesellschaft im expressionistischen Drama. In: Festschrift f. Klaus Ziegler. Hg. v. Eckehard Catholy u. Wilfried Hellmann. Tübingen 1968. S. 343–359.

61 Hohendahl, Peter Uwe: Der Abenteurer im expressionistischen Drama. Zur Soziologie des literarischen Wandels. In: Orbis Litterarum 21. 1966. S. 181–201.

62 Hohendahl, Peter Uwe: Das Bild der bürgerlichen Welt im expressionistischen Drama. Heidelberg 1967.

63 Hohoff, Curt: Der Expressionismus in der modernen deutschen Literatur. In: Universitas 26. 1971. S. 199–204.

64 Kahler, Erich von: Die Prosa des Expressionismus. In: Der deutsche Expressionismus (vgl. Nr. 107). S. 138–156.

65 Kaufmann, Hans: Krisen und Wandlungen der deutschen Literatur von Wedekind bis Feuchtwanger. Berlin, Weimar 1966.

65a Kemper, Hans-Georg: Vom Expressionismus zum Dadaismus. Eine Einführung in die dadaistische Literatur. Kronberg 1974.

66 Klarmann, Adolf D.: Expressionism in German Literature: A Retrospect of a Half Century. In: MLQ 26. 1965. S. 62–92.

67 Klarmann, Adolf D.: Der expressionistische Dichter und die politische Sendung. In: Der Dichter und seine Zeit. Politik im Spiegel der Literatur. 3. Amherster Colloquium zur modernen deutschen Literatur. 1969. Hg. v. Wolfgang Paulsen. Heidelberg 1970. S. 158–180.

68 Kluge, Rudolf: Autobiographische Äußerungen ehemaliger Expressionisten über ihre expressionistische Zeit. Diss. Jena 1971.

69 Kohlschmidt, Werner: Zu den soziologischen Voraussetzungen des literarischen Expressionismus in Deutschland. In: Literatur – Sprache – Gesellschaft. Hg. v. Karl Rüdinger. München 1970. S. 31–49.

70 Kolinsky, Eva: Engagierter Expressionismus. Politik und Literatur zwischen Weltkrieg und Weimarer Republik. Stuttgart 1970.

71 Kurella, Alfred (al. Bernhard Ziegler): 'Nun ist dies Erbe zuende'. In: Marxismus und Literatur (vgl. Nr. 92). S. 43–50.

72 Lämmert, Eberhard: Das expressionistische Verkündigungsdrama. In: Der deutsche Expressionismus (vgl. Nr. 107). S. 138–156.

73 Lukács, Georg: Größe und Verfall des Expressionismus. In: Marxismus und Literatur (vgl. Nr. 92). S. 7–42.

74 Luther, Gisela: Barocker Expressionismus? Zur Problematik der Beziehung zwischen der Bildlichkeit expressionistischer und barocker Lyrik. The Hague 1969.

75 Maclean, H.: Expressionism. In: Periods in German Literature. Ed. by James MacPherson Ritchie. London 1966. S. 257–280.

76 Mann, Otto und Wolfgang Rothe (Hg.): Deutsche Literatur im 20. Jahrhundert. Strukturen und Gestalten. 2 Bde. 5. Aufl. Bonn u. München 1967.

76a Martens, Gunter: Vitalismus und Expressionismus. Ein Beitrag zur Genese u. Deutung expressionistischer Stilstrukturen und Motive. Stuttgart u. a. 1971.

77 Martini, Fritz: Was war Expressionismus? Urach 1948.

78 Martini, Fritz: Expressionismus. In: Deutsche Literatur im 20. Jahrhundert (vgl. Nr. 76). Bd. 1. S. 297–326.

79 Mayer, Hans: Rückblick auf den Expressionismus. In: Neue deutsche Hefte 13. 1966. S. 32–51.

80 Mennemeier, Franz Norbert: Modernes deutsches Drama. Bd. 1. 1910 bis 1933. Kritiken und Charakteristiken. München 1973.

81 Mittner, Ladislao: L'espressionismo. Bari 1965.

82 Motekat, Helmut: Das Experiment des deutschen Expressionismus. In: Ders.: Experiment u. Tradition. Vom Wesen der Dichtung im 20. Jahrhundert. Frankf./M. u. Bonn 1962. S. 79–109.

83 Nedoschiwin, G. A.: Das Problem des Expressionismus. In: Kunst und Literatur 16. 1968. S. 73–90.

84 Newton, Robert P.: Form in the 'Menschheitsdämmerung'. A study of prosodic elements and style in German Expressionist poetry. The Hague 1971.

85 Ott, Karl August: Die wissenschaftlichen Ursprünge des Futurismus und Surrealismus. In: Poetica 2. 1968. S. 371–398.

86 Paulsen, Wolfgang: Expressionismus und Aktivismus. Eine typologische Untersuchung. Bonn u. Leipzig 1935.

87 Paulsen, Wolfgang (Hg.): Aspekte des Expressionismus. Periodisierung, Stil, Gedankenwelt. Die Vorträge des Ersten Kolloquiums in Amherst/Mass. Heidelberg 1968.

88 Pawlowa, Nina: Expressionismus und Realismus: In: Zur Geschichte der sozialistischen Literatur, 1918–1933. Elf Vorträge, gehalten auf einer internationalen Konferenz in Leipzig vom 23. bis 25. Januar 1962. Berlin 1962. S. 141–160.

89 Peter, Lothar: Literarische Intelligenz und Klassenkampf. 'Die Aktion' 1911–1932. Köln 1972.

90 Raabe, Paul: Die Revolte der Dichter. Die frühen Jahre des literarischen Expressionismus 1910–1914. In: Der Monat 16. 1964. S. 86–93.

91 Raabe, Paul: Der Expressionismus als historisches Phänomen. In: DU 17. 1965. H. 5. S. 5–20.

92 Raddatz, Fritz J. (Hg.): Marxismus und Literatur. Eine Dokumentation in drei Bänden. Bd. 2. Reinbek bei Hamburg 1969.

93 Rasch, Wolfdietrich: Was ist Expressionismus? In: Ders.: Zur deutschen Literatur seit der Jahrhundertwende. Gesammelte Aufsätze. Stuttgart 1967. S. 221–227. (Erstdruck in: Akzente. 1956).

94 Riedel, Walter E.: Der neue Mensch. Mythos und Wirklichkeit. Bonn 1970.

95 Rothe, Wolfgang (Hg.): Expressionismus als Literatur. Gesammelte Studien. Bern u. München 1969.

96 Runge, Erika: Vom Wesen des Expressionismus im Drama und auf der Bühne. Diss. München 1963.

97 Schmitt, Hans-Jürgen (Hg.): Die Expressionismusdebatte. Materialien zu einer marxistischen Realismuskonzeption. Frankf./M. 1973.

98 Schmitt, Norbert: Grundzüge der expressionistischen Dramatik in Deutschland mit besonderer Berücksichtigung Georg Kaisers. Diss. Münster 1952.

99 Schneider, Karl Ludwig: Der bildhafte Ausdruck in den Dichtungen Georg Heyms, Georg Trakls und Ernst Stadlers. Heidelberg 1954 ff.

100 Schneider, Karl Ludwig: Themen und Tendenzen der expressionistischen Lyrik. Anmerkungen zum Antitraditionalismus bei den Dichtern des 'Neuen Club'. In: Formkräfte der deutschen Dichtung vom Barock bis zur Gegenwart. Hg. v. Hans Steffen. Göttingen 1963. S. 250–270.

101 Schneider, Karl Ludwig: Zerbrochene Formen. Wort und Bild im Expressionismus. Hamburg 1967.

102 Schultz, Hartwig: Vom Rhythmus der modernen Lyrik. Parallele Versstrukturen bei Holz, George, Rilke, Brecht und den Expressionisten. München 1970.

103 Schulz, Eberhard Wilhelm: Zeiterfahrung und Zeitdarstellung in der Lyrik des Expressionismus. In: Ders.: Wort und Zeit. Aufsätze u. Vorträge zur Literaturgeschichte. Neumünster 1968. S. 131–160.

104 Soergel, Albert: Dichtung und Dichter der Zeit. Neue Folge. Im Banne des Expressionismus. Leipzig 1925.

105 Sokel, Walter H.: Der literarische Expressionismus. Der Expressionismus in der deutschen Literatur des zwanzigsten Jahrhunderts. München 1970. (Neuaufl. der deutschen Übersetzung von: 'The writer in Extremis'. Stanford 1959).

106 Sokel, Walter H.: Dialogführung und Dialog im expressionistischen Drama. Ein Beitrag zur Bestimmung des Begriffes "expressionistisch" im deutschen Drama. In: Aspekte des Expressionismus (vgl. Nr. 87). S. 59–84.

107 Steffen, Hans (Hg.): Der deutsche Expressionismus. Formen und Gestalten. Göttingen 1965.

108 Steffens, Wilhelm: Expressionistische Dramatik. Velber 1968.

109 Szondi, Peter: Theorie des modernen Dramas. 4. Aufl. Frankf./M. 1967.

110 Thomke, Hellmut: Hymnische Dichtung im Expressionismus. Bern, München 1972.

111 Vietta, Silvio: Großstadtwahrnehmung und ihre literarische Darstellung. Expressionistischer Reihungsstil und Collage. In: DVjs. 48. 1974. S. 354–373.

112 Vietta, Silvio: Expressionistische Literatur und Film. Einige Thesen zum wechselseitigen Einfluß ihrer Darstellungsformen und ihrer Wirkung. Erscheint in Mannheimer Berichte 10. 1975.

113 Viviani, Annalisa: Der expressionistische Raum als verfremdete Welt. In: ZfdPh. 91. 1972. S. 498–527.

114 Viviani, Annalisa: Dramaturgische Elemente im expressionistischen Drama. Bonn 1970.

115 Viviani, Annalisa: Das Drama des Expressionismus. Kommentar zu einer Epoche. München 1970.

116 Weisbach,Reinhard: Wir und der Expressionismus. Berlin 1972.

117 Willett, John: Expressionismus. München 1970.

118 Ziegler, Jürgen: Form und Subjektivität. Zur Gedichtstruktur im frühen Expressionismus. Bonn 1972.

119 Ziegler, Klaus: Dichtung und Gesellschaft im deutschen Expressionismus. In: Imprimatur 3. 1961/62. S. 98–114.

120 Ziegler, Klaus: Das Drama des Expressionismus. In: DU. 5. Jg. H. 5. 1953. S. 57–72.

120a Ziegler, Klaus: Das deutsche Drama der Neuzeit. In: W. Stammler (Hg.): Deutsche Philologie im Aufriß. Bd. 2. Berlin 1954. Spalte 949–1298.

4. Autoren des Expressionismus

Ernst Barlach

121 Das dichterische Werk. 3 Bde. Bd. 1. Die Dramen. Hg. v. Klaus Lazarowicz. 1956. Bd. 2. Prosa I. 1958. Bd. 3. Prosa II. Hg. v. Friedrich Droß. 1959.

122 Spiegel des Unendlichen. Auswahl aus dem dichterischen Gesamtwerk. München 1960.

123 Ein selbsterlebtes Leben. München 1962.

124 Frühe und späte Briefe. Hg. v. Paul Schurek u. Hugo Sieker. Hamburg 1962.

125 Die Briefe 1888–1938 in zwei Bänden. Hg. v. Friedrich Droß. München 1968. 1969.

126 E. B. Werk u. Wirkung. Berichte, Gespräche, Erinnerungen. Hg. v. Elmar Jansen. Frankf./M. 1972.

127 Zugang zu E. B. Einführung in sein künstlerisches u. dichterisches Schaffen. Beiträge v. Martin Gosebruch, Klaus Lazarowicz u. Harald Seiler. Göttingen 1961.

128 Albus, Günter: E. B.s 'Der arme Vetter'. Interpretation u. Versuch einer neuen Wertung. In: WB 12. 1966. S. 877–908.

129 Beckmann, Heinz: Die metaphysische Tragödie in E. B.s Dramen. In: E.-B.-Gesellschaft. Hamburg 1964/65. S. 2–33.

130 Beth, Hanna: E. B. Eine Einführung in sein Denken u. Werk. In: E.-B.-Gesellschaft. 1966/67. S. 14–32.

131 Braak, Kai: Zur Dramaturgie E. B.s. Diss. Heidelberg 1961.

132 Chick, Edson M.: E. B. New York 1967.

133 Domandi, Agnes K.: Zur Struktur der Dramen E. B.s. Diss. New York 1966.

134 Erdmann, Kurt-Hans: E. B.s Dramen. Eine Untersuchung zur spätbürgerlichen Problematik in der Konfliktwahl und Menschengestaltung. Diss. Jena 1967.

135 Franck, Hans: E. B. Leben u. Werk. Stuttgart 1961.

136 Franzen, Erich: E. B. als dramatischer Dichter. In: Ders.: Aufklärungen. Essays. Frankf./M. 1964. S. 156–163.

137 Gloede, Günter: B. Gestalt u. Gleichnis. Mit 93 Abbildungen. Hamburg 1966.

138 Gross, Helmut: Zur Seinserfahrung bei E. B. Eine ontologische Untersuchung von B.s dichterischem u. bildnerischem Werk. Freiburg u. a. 1967.

139 Just, Klaus Günther: E. B. In: Deutsche Dichter der Moderne. Ihr Leben u. Werk. Unter Mitarb. zahlreicher Fachgelehrter hg. v. Benno v. Wiese. Berlin 1965. S. 400–419.

140 Kaiser, Herbert: Der Dramatiker E. B. Analysen und Gesamtdeutung. München 1972.

141 Lukas, W. I.: B.s 'Der blaue Boll' and the new man. In: GLL 16. 1962/63. S. 238–247.

142 Matras, Silvia: Die Kriterien der Kunst im Werk E. B.s. Der Humor, das Groteske u. das Tragische. Diss. Wien 1968.

143 Meier, Herbert: Der verborgene Gott. Studien zu den Dramen E. B.s. Nürnberg 1963.

144 Muschg, Friedrich Adolf: Der Dichter B. Diss. Zürich 1961.

145 Page, Alex: Das Vater-Sohn-Verhältnis in E.B.s Dramen. Hamburg 1965.

146 Paulsen, Wolfgang: Zur Struktur v. E. B.s Dramen. In: Aspekte des Expressionismus (vgl. Nr. 87). S. 103–132.

147 Schmidt-Sommer, Irmgard: Sprachform u. Weltbild in den Dramen v. E. B. Diss. Tübingen 1967.

Johannes R. Becher

148 Gesammelte Werke. Hg. vom J. R. B.-Archiv d. Dt. Akademie d. Künste zu Berlin. 4 Bde. Berlin/Weimar 1966.

149 Vom Verfall zum Triumph. Aus dem lyrischen Werk 1912–1958. Mit 50 Originalholzschnitten v. Franz Masareel. Berlin 1961.

150 Über Literatur u. Kunst. Hg. v. Marianne Lange unter Mitarb. des J. R. B.-Archivs. Berlin 1962.

151 Lyrik, Prosa, Dokumente. Eine Auswahl. Hg. v. Max Niedermayer. Wiesbaden 1965.

152 J. R. B. Leben u. Werk. Hg. v. Kollektiv f. Literaturgeschichte im volkseigenen Verlag Volk u. Wissen. Berlin 1967.

153 Becher, Lilly und Gert Prokop: J. R. B. Bildchronik seines Lebens. Berlin 1963.

154 Anissimow, I.: Die Ästhetik B.s. In: Kunst u. Lit. 13. 1965. S. 902–919.

155 Hartung, Günter: B.s frühe Dichtungen u. die literarische Tradition. In: Wiss. Zs. d. Univ. Jena 10. 1960/61. S. 393–401.

156 Herden, Editha M.: Vom Expressionismus zum sozialistischen Realismus. Der Weg J. R. B.s als Künstler u. Mensch. Ein Beitrag zur Phänomenologie der marxistischen Ästhetik. Diss. Heidelberg 1962.

157 Müller, Joachim: B.s Beiträge zu 'Menschheitsdämmerung'. In: Wiss. Zs. d. Univ. Jena 10. 1960/61. S. 371–391.

158 Müller, Manfred: Weltuntergang und Jüngstes Gericht. Zur Motivik in der Lyrik J. R. B.s. In: WB Sonderh. 2. 1968. S. 5–24.

159 Ognjanov, Ljubomir: "Die Poesie ist dem Leben eigen!" Ein Beitrag über J. R. B.s ästhetische Anschauungen. In: ZDLG 8. 1962. S. 320–356.

160 Stein, Ernst: J. R. B.s frühe Lyrik in der Auswahl des Dichters. In: Neue Texte 3. 1963. S. 383–397.

Gottfried Benn

161 Gesammelte Werke. 4 Bde. Hg. v. D. Wellershoff. Wiesbaden. 1958 ff.

162 Bd. I. Essays, Reden. Vorträge. 1959.

163 Bd. II. Prosa und Szenen. 1958.

164 Bd. III. Gedichte. 1960.

165 Bd. IV. Autobiographische und vermischte Schriften. 1961.

166 Adams, Marion: G. B.s critique of substance. Assen 1969.

167 Allemann, Beda: G. B. Das Problem der Geschichte. Pfullingen. 1963.

168 Balser, Hans Dieter: Das Problem des Nihilismus im Werke G. B.s. Bonn 1965.

169 Böckmann, Paul: G. B. und die Sprache des Expressionismus. In: Der deutsche Expr. (vgl. Nr. 107). S. 63–87.

170 Brode, Hanspeter: Studien zu G. B. I. Mythologie, Naturwissenschaft u. Geschichtsphilosophie. In: DVjs. 46. 1972. S. 714–763.

171 Brode, Hanspeter: Studien zu G. B. II. Anspielung u. Zitat als sinngebende Elemente moderner Lyrik. In: DVjs. 47. 1973. S. 286–309.

172 Buddeberg, Else: Probleme um G. B. (Forschungsbericht) I/II. In: DVjs. 34. 1960. S. 107–161 und 35. 1961. S. 433–479.

173 Grenzmann, W.: G. B. Der Nihilismus und die Form. In: W. G.: Dichtung und Glaube. 1964. S. 82–99.

174 Grimm, Reinhold: Der Dichter G. B. und die geistige Situation unserer Zeit. In: Universitas 19. 1964. S. 33–41.

175 Haller, Elmar: Die Entwicklung der Weltanschauung G. B.s in seinem frühen Werk. Die Geschichte einer Kunsttheorie. 1965.

176 Heimann, B.: Ich-Zerfall als Thema und Stil. Untersuchungen zur dichterischen Sprache G. B.s. In: GRM N. F. 14. 1964. S. 384–403.

177 Hillebrand, Bruno: G. B. im Spiegel der Literatur. (Forschungsbericht). In: Lit. wiss. Jb. N. F. 5. 1964. S. 381–426.

178 Hillebrand, Bruno: Artistik und Auftrag. Zur Kunsttheorie von Benn und Nietzsche. 1966.

179 Hohendahl, Peter (Hg.): B. — Wirkung wider Willen. Dokumente zur Wirkungsgeschichte B.s. Frankf./M. 1971.

180 Horch, Hans Otto: Index zu G. B. Gedichte. Frankf./M. 1971.

181 Lennig, Walter: G. B. Reinbek 1962 (Rowohlt Mon.).

182 Lohner, Edgar: G. B. Bibliographie 1912–1956. 2. verm. Aufl. Wiesbaden 1960.

183 Lohner, Edgar: Passion und Intellekt. Die Lyrik G. B.s. 1961.

184 Loose, Gerhard: Die Ästhetik G. B.s. 1961.

185 Lyon, James K. und Craig, Inglis: Konkordanz zur Lyrik G. B.s. Hildesheim 1971.

186 Meyer, Theo: Kunstproblematik u. Wortkombinatorik bei G. B. Köln 1971.

187 Minder, Robert: Das Bild des Pfarrhauses in der dtsch. Lit. von Jean Paul bis G. B. 1959.

188 Nef, Ernst: Das Werk G. B.s. 1958.

189 Peitz, Wolfgang: Denken in Widersprüchen. Korrelarien zur G.-B.-Forschung. Freiburg/Br. 1971.

190 Schöne, Albrecht: Säkularisation als sprachbildende Kraft. Studien zur Dichtung deutscher Pfarrersöhne. 1958. S. 190–226.

191 Weisstein, Ulrich: Vor Tische las man's anders. Eine literarisch-politische Studie über die beiden Fassungen (1933 u. 1955) von G. B.s Expressionismus-Aufsatz. In: Dichter u. Leser. Studien zur Literatur. Hg. v. Ferdinand van Ingen u. a. Groningen 1972. S. 9–27.

192 Wellershoff, Dieter: G. B. Phänotyp dieser Stunde. 1958.
193 Wirtz, Ursula: Die Sprachstruktur G. B.s. Ein Vergleich mit Nietzsche. Göppingen 1971.
194 Wodtke, Friedrich Wilhelm: G. B. 2. Aufl. Stuttgart 1970.
195 Wodtke, Friedrich Wilhelm: G. B. In: Expressionismus als Literatur (vgl. Nr. 95). S. 309–332.

Arnolt Bronnen

196 Vatermord. Hg. v. A. Müller u. a. Emsdetten 1954.
197 Die Geburt der Jugend. 1922.
197a Schröder, Jürgen: A. B. In: Expressionismus als Literatur (vgl. Nr. 95). S. 585–594.

Alfred Brust

198 Dramen. 1917–1924. Hg. v. Horst Denkler. München 1971.

Ernst Blass

199 Die Straßen komme ich entlang geweht. Heidelberg 1912.

Alfred Döblin

200 Ausgewählte Werke in Einzelbänden. In Verbindung mit den Söhnen des Dichters hg. v. Walter Muschg. 11 Bde. Olten, Freiburg/Br. 1960–1965.
200a Berlin Alexanderplatz. München 1965 (dtv).
201 Gesammelte Erzählungen. Reinbek bei Hamburg 1971.
202 Die Ermordung einer Butterblume u. andere Erzählungen. München 1965.
203 A. D. Sonderheft Text u. Kritik. H. 13/14. 1966.
204 Anders, Günther: Der verwüstete Mensch. Über Welt- u. Sprachlosigkeit in D.s 'Berlin Alexanderplatz'. In: Festschrift f. Georg Lukács. Hg. v. Frank Benseler. Neuwied/Berlin 1965. S. 420–442.
205 Becker, Hellmut: Untersuchungen zum epischen Werk A. D.s am Beispiel seines Romans 'Berlin Alexanderplatz'. Diss. Marburg 1962.
206 Best, Otto F.: 'Epischer Roman' u. 'dramatischer Roman'. Einige Überlegungen zum Frühwerk v. A. D. u. Bert Brecht. In: GRM 22. 1972. S. 281–309.

207 Beyer, Manfred: Die Entstehungsgeschichte von A. D.s Roman 'Berlin Alexanderplatz'. In: Wiss. Zeitschrift d. Friedrich-Schiller-Universität Jena 20. 1971. S. 391–423.

208 Blessing, Karl Herbert: Die Problematik des 'modernen Epos' im Frühwerk A. D.s. Meisenheim am Glan 1972.

209 Casey, Timothy Joseph: A. D. In: Expressionismus als Literatur (vgl. Nr. 95). S. 637–655.

210 Endres, Elisabeth: Zur neuen D.-Ausgabe. In: Neue Rundschau 77. 1966. S. 653–658.

211 Huguet, Louis: L' Oeuvre d' A. D., ou la Dialectique de l'Exode 1878–1918. 2 Bde. Paris 1970 (masch.).

212 Huguet, Louis: A. D. Elements de biographie et bibliographie systematique. 3 Bde. Paris 1968 (masch.).

213 Kort, Wolfgang: A. D. Das Bild des Menschen in seinen Romanen. Bonn 1970.

214 Kreuzer, Leo: A. D. Sein Werk bis 1933. Stuttgart u. a. 1970.

215 Links, Roland: A. D. Leben u. Werk. Berlin 1965.

216 Martini, Fritz: A. D. In: Deutsche Dichter der Moderne (vgl. Nr. 139). S. 321–360.

217 Mayer, Dieter: A. D.s Wallenstein. Zur Geschichtsauffassung u. zur Struktur. München 1972.

218 Minder, Robert: A. D. In: Deutsche Literatur im 20. Jahrhundert (vgl. Nr. 76). S. 140–160.

219 Müller-Salget, Klaus: A. D. Werk u. Entwicklung. Bonn 1972.

220 Muschg, Walter: Zwei Romane A. D.s. In: Ders.: Von Trakl zu Brecht. Dichter des Expressionismus. München 1961. S. 198–243.

221 Peitz, Wolfgang: A.-D.-Bibliographie. 1905–1966. Freiburg/Br. 1968.

222 Prangel, Matthias: A. D. Stuttgart 1973.

223 Ribbat, Ernst: Ein Lehrstück ohne Lehre. A. D.s Szenenreihe 'Die Ehe'. In: ZfdPh. 91. 1972. S. 540–557.

224 Ribbat, Ernst: Die Wahrheit des Lebens im frühen Werk A. D.s. Münster 1970.

225 Schöne, Albrecht: D., 'Berlin Alexanderplatz'. In: Der deutsche Roman. Vom Barock bis zur Gegenwart. Struktur u. Geschichte. Hg. v. Benno von Wiese. Bd. 2. Düsseldorf 1963. S. 291–325.

226 Veit, Wolfgang: Erzählende u. erzählte Welt im Werk A. D.s. Schichtung u. Ausrichtung der epischen Konzeption in Theorie u. Praxis. Diss. Tübingen 1970.

227 De Vries, Karl Ludwig: Moderne Gestaltelemente im Romanwerk A. D.s u. ihre Grundlagen. Ein Beitrag zur Morphologie des modernen Romans. Diss. Hamburg 1968.

228 Weyenberg-Boussart, Monique: A. D. Seine Religiosität in Persönlichkeit u. Werk. Bonn 1970.

229 Zmegac, Viktor: A. D.s Poetik des Romans. In: Deutsche Romantheorien. Beiträge zu einer historischen Poetik des Romans in Deutschland. Hg. v. Reinhold Grimm. Frankf./M.-Bonn 1968. S. 297–320.

Kasimir Edschmid

230 Gesammelte Werke in Einzelausgaben. Wien/München/Basel 1962 ff.

231 Die frühen Erzählungen. Die sechs Mündungen. Das rasende Leben. Timur. Neuwied/Berlin 1965.

232 Frühe Schriften. Auswahl u. Nachwort v. Ernst Johann. Neuwied/Berlin 1970.

233 Die sechs Mündungen. Novellen. Mit einem Nachwort v. Kurt Pinthus. Stuttgart 1967. (Reclam)

234 Expressionismus in der Dichtung. In: Expressionismus. Der Kampf um eine literarische Bewegung (vgl. Nr. 25). S. 90–108.

235 Brammer, Ursula: K. E. Bibliographie. Heidelberg 1970.

236 Engels, Günther: Der Stil expressionistischer Prosa im Frühwerk K. E.s. Diss. Köln 1952.

237 Liede, Helmut: Stiltendenzen expressionistischer Prosa. Diss. Freiburg/Br. 1960.

Albert Ehrenstein

238 Gedichte und Prosa. Hg. u. eingel. v. Karl Otten. Neuwied/Berlin 1961.

239 Ausgewählte Aufsätze. Hg. v. M. Y. Ben-gavriel. Heidelberg/Darmstadt 1961.

240 Beigel, Alfred: Erlebnis und Flucht im Werk Albert Ehrensteins. Diss. Cincinnati 1966.

241 White, Alfred: Variations on the theme of war: notes on an group of poems by Ehrenstein. In: MLR 67. 1972. S. 118–126.

Carl Einstein

242 Gesammelte Werke. Hg. v. Ernst Nef. Wiesbaden 1962.

243 Gesammelte Werke in Einzelausgaben. Reinbek 1973.

244 Bebuquin oder Die Dilettanten des Wunders. Wiesbaden 1963.

245 C. E. Sonderheft alternative 75. 1970.

246 Heissenbüttel, Helmut: Ein Halbvergessener. C. E. In: Ders.: Über Literatur. Olten/Freiburg i. Br. 1966. S. 40–46.

247 Kraft, Herbert: Kunst und Wirklichkeit im Expressionismus. Mit einer Dokumentation zu Carl Einstein. Bebenhausen 1972.

248 Penkert, Sibylle: C. E. In: Euph. 61. 1967. S. 407–411.

249 Penkert, Sibylle: C. E. Beiträge zu einer Monographie. Göttingen 1969.

250 Penkert, Sibylle: C. E. Existenz u. Ästhetik. Einführung mit einem Anhang unveröffentlichter Nachlaßtexte. Wiesbaden 1970.

251 Quenzer, Gert: Absolute Prosa. C. E.s 'Bebuquin oder Die Dilettanten des Wunders'. In: DU. 1965. H. 5. S. 53–65.

Reinhard Goering

252 Prosa. Dramen, Verse. München 1961.

253 Capell, Gottfried: Die Stellung des Menschen im Werk R. G.s. Diss. Bonn 1968.

254 Cowen, Roy C.: R. G.s 'Seeschlacht' — Tendenzstück oder Dichtung? In: ZfdPh 91. 1972. S. 528–540.

255 Kreuzer, Helmut: Fatalistischer Heroismus, 'willkommener Tod'. R. G. — Miszellen. In: Rice University studies 57. 1971. H. 4. S. 89–110.

256 Lillyman, W.: R. G.s Seeschlacht: The failure of the will. In: German Life and Letters 22. 1969. S. 350–358.

257 Steinwendtner, Brita: R. G.s Beziehungen zu Stefan George. In: Schillerjb. 16. 1972. S. 576–609.

Yvan Goll

258 Dichtungen, Lyrik, Prosa, Dramen. Hg.v. Claire Goll. Berlin/Neuwied 1960.

259 Methusalem oder Der ewige Bürger. Ein satirisches Drama. Text u. Materialien zur Interpretation besorgt v. R. Grimm u. V. Zmegac. Berlin 1966.

260 I. G. und Claire Goll. Briefe. Mainz/Berlin 1966.

261 Hauck, Winfried: Die Bildwelt bei I. G. Diss. München 1965.

262 Müller, Joachim: Y. G. im deutschen Expressionismus. Berlin 1962.

263 Perkins, Vivien: Yvan Goll. An iconographical study of his poetry. Bonn 1970.

264 Schaefer, Dietrich: I.-G.-Bibliographie. Kiel 1964.

265 Schaefer, Dietrich: Die frühe Lyrik I. G.s. Darstellung und Deutung seines lyrischen Werkes bis zum Jahre 1935. Mit einer Bibliographie des Gesamtwerks. Diss. Kiel 1965.

Ferdinand Hardekopf

266 Gesammelte Dichtungen. Hg. v. Emmy Moor-Wittenbach. Zürich 1963.

Walter Hasenclever

267 Gedichte, Dramen, Prosa. Unter Benutzung des Nachlasses hg. u. eingel. v. Kurt Pinthus. Reinbek bei Hamburg 1963.

268 Denkler, Horst: W. H. In: Rheinische Lebensbilder. Im Auftrag ... hg. v. Bernhard Poll. Bd. 4. Düsseldorf 1970. S. 251–272.

269 Hoelzel, Alfred: W. H.s humanitarism. Themes of protest in his works. Diss. Boston 1964.

270 Hoelzel, Alfred: W. H.s satiric treatment of religion. In: GQ 41. 1968. S. 59–70.

271 Huder, Walther: W. H. und der Expressionismus. In: Welt u. Wort 21. 1966. S. 255–260.

272 Paulsen, Wolfgang: W. H. In: Expressionismus als Literatur (vgl. Nr. 95). S. 531–546.

273 Raggam-Lindquist, Helga Miriam: Das Leid als menschliche Grunderfahrung im Leben und Werk W. H.s. Diss. Wien 1968.

274 Zeltner, Ernö: Die expressionistischen Dramen W. H.s. Diss. Wien 1961.

Max Herrmann-Neisse

275 Lied der Einsamkeit. Gedichte von 1914–1941. Ausgewählt u. hg. v. Friedrich Grieger. München 1961.

276 Flüchtig aufgeschlagenes Zelt. Ausgew. Gedichte. Auswahl u. Nachw. v. Bernd Jentzsch. Berlin 1969.

277 Lorenz, Rosemarie: M. H.-N. Stuttgart 1966.

Georg Heym

278 Dichtungen und Schriften. Gesamtausgabe. Hg. v. Karl Ludwig Schneider. 4 Bde. Hamburg/München 1960 ff.

279 Bd. I. Lyrik. 1964.

280 Bd. II. Prosa u. Dramen. 1962.

281 Bd. III. Tagebücher – Briefe – Träume. 1960

282 Bd. VI. Dokumente zu seinem Leben und Werk. 1968.

283 G. H. Ausgewählt v. Karl Ludwig Schneider u. Gunter Martens. München 1971.

284 Gedichte. Ausgewählt v. Christoph Meckel. Frankfurt 1968.

285 Dichtungen. Auswahl u. Nachwort v. Walter Schmähling. Stuttgart 1964.

286 Brown, Russel E.: Index zu G. H. Gedichte 1910–1912. Frankf./M. 1970.

287 Dammann, Günter: Theorie des Stichworts. Versuch über die lyrischen Entwürfe G. H.s. In: Texte u. Varianten. Probleme ihrer Edition u. Interpretation. Hg. v. Gunter Martens u. Hans Zeller. München 1971. (Studienausgabe München 1973). S. 203–218.

288 Greulich, Helmut: G. H. Leben u. Werk. Ein Beitrag zur Frühgeschichte des deutschen Expressionismus. Berlin 1931. Nachdruck Nendeln/Liechtenstein 1967.

289 Grote, Christian: Wortarten, Wortstellung u. Satz im lyrischen Werk G. H.s. Diss. München 1962.

290 Kohlschmidt, Werner: Der deutsche Frühexpressionismus im Werke H.s u. Trakls. In: Ders.: Dichter, Tradition u. Zeitgeist. Bern/München 1965. S. 128–159. (Erstveröffentlichung 1954).

291 Krispyn, Egbert: G. H. and the early expressionist era. Diss. Univ. of Pennsylvania 1963.

292 Lehnert, Herbert: Das romantische Erbe und die imaginäre Gegenwelt. H.: 'Deine Wimpern, die langen'. In: Ders.: Struktur u. Sprachmagie. Zur Methode der Lyrik-Interpretation. Stuttgart u. a. 1966. S. 67–78.

293 Mahlendorf, Ursula R.: G. H.s development as a dramatist and poet. In: Journal of English and Germanic Philology 64. 1964. S. 58–71.

294 Martens, Gunter: 'Umbra vitae' und 'Der Himmel Trauerspiel'. Die ersten Sammlungen nachgelassener Gedichte G. H.s. In: Euph. 59. 1965. S. 118–131.

295 Martini, Fritz: G. H.: Der Krieg. In: Die deutsche Lyrik. Form und Geschichte. Interpretationen. Hg. v. Benno v. Wiese. Bd. 2. Düsseldorf 1962. S. 425–449.

296 Mautz, Kurt: Mythologie und Gesellschaft im Expressionismus. Die Dichtung Georg Heyms. Bonn 1961.

297 Meckel, Christoph: Allein im Schatten seiner Götter. Über G. H. In: Der Monat 20. 1968. S. 63–70.

298 Müller, Joachim: Jahreszeiten im lyrischen Reflex. Zur Sprachgestalt einiger Gedichte G. H.s u. Georg Trakls. In: Sprachkunst 3. 1972. S. 56–74.

299 Rölleke, Heinz: G. H. In: Expressionismus als Literatur (vgl. Nr. 95). S. 354–373.

300 Salter, Ronald: G. H.s Lyrik. Ein Vergleich von Wortkunst und bildender Kunst. München 1972.

301 Schneider, Karl Ludwig: G. H. In: Deutsche Dichter der Moderne (vgl. Nr. 139). S. 361–378.

302 Schneider, Karl Ludwig: Das Bild der Landschaft bei G. H. und Georg Trakl. In: Der deutsche Expressionismus (vgl. Nr. 107). S. 44–62.

303 Schneider, Karl Ludwig: G. H.s Gedicht 'Der Gott der Stadt' u. die Metaphorik d. Großstadtdichtung. In: Ders.: Zerbrochene Formen (vgl. Nr. 101). S. 109–133.

304 Schneider, Karl Ludwig: "Barrikaden, welch ein Wort." Zum Revolutionsmotiv bei G. H. In: Ders.: Zerbrochene Formen (vgl. Nr. 101). S. 61–85.

305 Schwarz, Georg: G. H. Mühlacker 1963.

306 Schweitzer, Roland: Die Kunstmittel G. H.s. Diss. Graz 1962.

307 Stegmaier, Edmund: Kreis u. Vertikale als strukturtragende Elemente in der Dichtung G. H.s. In: DVjs. 47. 1973. S. 456–466.

308 Uhlig, Helmut: Visionär des Chaos. Ein Versuch über G. H. In: Der Monat 6. 1964. S. 417–427.

309 Vordtriede, Werner: The expressionism of G. H. A note and two translations. In: Wisconsin Studies in Contemporary Literature 4. 1963. S. 284–297.

Jakob van Hoddis

310 Weltende. Gesamtausgabe. Hg. v. Paul Pörtner. Zürich 1958.

311 Reiter, Udo: J. v. H. Leben u. lyrisches Werk. Göppingen 1970.

312 Reiter, Udo: Zur Entwicklung einer simultanen Gedichtstruktur bei J. v. H. In: Vergleichen u. Verändern. Festschrift f. Helmut Motekat. Hg. v. Albrecht Goetze u. Günther Pflaum. München 1970.

313 Rühmkorf, Peter: J. v. H. u. Alfred Lichtenstein. In: Neue Rundschau. 1963. H. 4. S. 672–677.

314 Schneider, Hansjörg: J. v. H. Ein Beitrag zur Erforschung des Expressionismus. Bern 1967.

Hanns Johst

315 Die Stunde der Sterbenden. 1914.
316 Der Einsame. Ein Menschenuntergang. München 1917.

317 Denkler, Horst: H. J. In: Expressionismus als Literatur (vgl. Nr. 95). S. 547–559.

318 Pfanner, Helmut F.: H. J. Der Weg eines expressionistischen Dramatikers zum Nationalsozialisten. Diss. Stanford 1965.

319 Weisstein, Ulrich: The lonely Baal, Brecht's first play as a parody of H. J.s 'Der Einsame'. In: Modern Drama XIII. 1970. S. 284–303.

Franz Kafka

320 Gesammelte Werke. Hg. v. Max Brod. Frankfurt a. M., Lizenzausgabe v. Schocken Books, New York.
Beschreibung eines Kampfes. Novellen, Skizzen, Aphorismen. Aus dem Nachlaß. O. J.

321 Hochzeitsvorbereitungen auf dem Lande und andere Prosa aus dem Nachlaß. O. J.

322 Amerika (Der Verschollene). Roman 1953.

323 Der Prozeß. Roman. O. J.

324 Das Schloß. Roman. O. J.

325 Tagebücher 1910–1923. 6.–10. Tsd. 1954.

326 Briefe 1902–1924. O. J.

327 Briefe an Milena. Hg. v. Willy Haas. 7.–9. Tsd. 1960.

328 Briefe an Felice und andere Korrespondenz aus der Verlobungszeit. Hg. v. Erich Heller u. Jürgen Born. 1967.

329 Erzählungen. Frankf./M. 1946.

330 Sämtliche Erzählungen. Hg. v. Paul Raabe. Frankf./M. u. Hamburg 1970. (Fischer)

331 F. K. Hg. v. Erich Heller u. Jürgen Born. München 1969. (= Dichter über ihre Dichtungen. Studienausgabe Bd. 1).

332 Beschreibung eines Kampfes. Die zwei Fassungen. Parallelausgabe nach den Handschriften. Hg. v. Max Brod. Textedition v. Ludwig Dietz. Frankf./M. 1969.

333 Janouch, Gustav: Erinnerungen an Franz Kafka. In: Die neue Rundschau. 1951. S. 49–64.

334 Janouch, Gustav: Gespräche mit Kafka. Aufzeichnungen u. Erinnerungen. Frankf./M. u. Hamburg 1961.

335 Adorno, Theodor W.: Aufzeichnungen zu Kafka. In: Ders.: Prismen. Kulturkritik u. Gesellschaft. München 1963. S. 248–281.

336 Allemann, Beda: K. Der Prozeß. In: der deutsche Roman. Bd. 2 (vgl. Nr. 225). S. 234–290.

337 Allemann, Beda: Von den Gleichnissen. In: ZfdPh. 83. Sonderheft. 1964. S. 97–106.

338 Beißner, Friedrich: Der Erzähler F. K. Ein Vortrag. 4. Aufl. Stuttgart 1961.

339 Beißner, Friedrich: Der Schacht von Babel. Aus K.s Tagebüchern. Ein Vortrag. Stuttgart 1963.

340 Beißner, Friedrich: K.s Darstellung des 'traumhaften inneren Lebens'. Ein Vortrag. Bebenhausen 1972.

341 Bezzel, Christoph: Natur bei K. Studien zur Ästhetik des poetischen Zeichens. Nürnberg 1964.

342 Binder, Hartmut: Motiv u. Gestaltung bei F. K. Bonn 1966.

343 Binder, Hartmut: K.s literarische Urteile. In: ZfdPh. 86. 1967. S. 211–249.

344 Binder, Hartmut: 'Der Jäger Gracchus'. Zu K.s Schaffensweise u. poetischer Topographie. In: Schillerjb. 15. 1971. S. 375–440.

345 Born, Jürgen, Ludwig Dietz, Malcom Pasley, Paul Raabe, Klaus Wagenbach: K.-Symposium. Berlin 1965.

346 Brod, Max: F. K. Eine Biographie. Frankf./M. u. Hamburg 1963.

347 Demmer, Jürgen: F. K. Der Dichter der Selbstreflexion. Ein Neuansatz zum Verstehen der Dichtung K.s. Dargestellt an der Erzählung 'Das Urteil'. München 1973.

348 Edel, Edmund: F. K. Die Verwandlung. In: WW 8. 1957/58. S. 217–226.

349 Emrich, Wilhelm: F. K. Frankf./M. 2. Aufl. 1960.

350 Fietz, Lothar: Möglichkeiten u. Grenzen einer Deutung v. K.s Schloß-Roman. In: DVjs. 37. 1963. S. 71–77.

351 Fingerhut, Karl-Heinz: Die Funktion der Tierfiguren im Werke F. K.s. Offene Erzählgerüste u. Figurenspiele. Bonn 1969.

352 Flach, Brigitte: K.s Erzählungen. Bonn 1967.

353 Fischer, Ernst: F. K. In: Sinn u. Form 14. 1962. S. 497–553.

354 Henel, Ingeborg C.: Die Deutbarkeit v. K.s Werken. In: ZfdPh. 86. 1967. S. 250–266.

355 Hillmann, Heinz: F. K. Dichtungstheorie u. Dichtungsgestalt. Bonn 1964.

356 Hillmann, Heinz: Das Sorgenkind Odradek. In: ZfdPh. 86. 1967. S. 197–210.

357 Jahn, Wolfgang: K.s Roman 'Der Verschollene' ('Amerika'). Stuttgart 1965.

358 Klatt, Reinhard: Bild u. Struktur in der Dichtung F. K.s. Diss. Freiburg 1963.

359 Kobs, Jörgen: K. Untersuchungen zu Bewußtsein u. Sprache seiner Gestalten. Hg. v. Ursula Brech. Bad Homburg v. d. H. 1970.

360 Krusche, Dietrich: K. u. K.-Deutung: Die problematisierte Interaktion. München 1974.

361 Kudszus, Winfried: Erzählperspektive u. Erzählgeschehen in K.s 'Prozeß'. In: DVjs. 44. 1970. S. 306–317.

362 Leisegang, Dieter: Lücken im Publikum. Relatives u. Absolutes bei K. Frankf./M. 1972.

363 Lukács, Georg: Wider den mißverstandenen Realismus. Hamburg 1958.

364 Nivelle, Armand: K. u. die marxistische Literaturkritik. In: Beiträge zur vergleichenden Literaturgeschichte. Festschrift f. Kurt Wais. Hg. v. Johannes Hösle. Tübingen 1972. S. 331–354.

365 Philippi, Klaus-Peter: Reflexion u. Wirklichkeit. Untersuchungen zu K.s Roman 'Das Schloß'. Tübingen 1966.

366 Philippi, Klaus-Peter: Parabolisches Erzählen. In: DVjs. 43. 1969. S. 297–332.

367 Politzer, Heinz: F. K., der Künstler. Frankf./M. 1965.

368 Politzer, Heinz: Das K.-Buch. Frankf./M. 1965.

368a Politzer, Heinz (Hg.): F. K. Darmstadt 1973.

369 Raabe, Paul: F. K. u. der Expressionismus. In: ZfdPh. 86. 1967. S. 161–175.

370 Ramm, Klaus: Reduktion als Erzählprinzip bei K. Frankf./M. 1971.

371 Reed, T. J.: K. u. Schopenhauer: Philosophisches Denken u. dichterisches Bild. In: Euph. 59. 1965. S. 160–172.

372 Ries, Wiebrecht: K. u. Nietzsche. In: 659, S. 258–275.

373 Richter, Helmut: F. K. Werk u. Entwurf. Berlin 1962.

374 Schillemeit, Jost: Zum Wirklichkeitsproblem der K.-Interpretation. In: DVjs. 40. 1966. S. 577–596.

375 Sokel, Walter H.: F. K. – Tragik u. Ironie. Zur Struktur seiner Kunst. München/Wien 1964.

376 Sokel, Walter H.: K. u. Sartres Existenzphilosophie. In: arcadia 5. 1970. H. 3. S. 266–277.

377 Stern, J. P.: F. K.s 'Das Urteil': an interpretation. In: GQu. 45. 1972. S. 114–129.

378 Strohschneider-Kohrs, Ingrid: Erzähllogik u. Verstehensprozeß in K.s Gleichnis 'Von den Gleichnissen'. In: Probleme des Erzählens in der Weltliteratur. (= Festschrift f. Käte Hamburger). Hg. v. Fritz Martini. Stuttgart 1971. S. 303–329.

379 Wagenbach, Klaus: F. K. Eine Biographie seiner Jugend. Bern 1958.

380 Wagenbach, Klaus: F. K. in Selbstzeugnissen u. Bilddokumenten. Reinbek bei Hamburg 1964 ff.

381 Walser, Martin: Beschreibung einer Form. Versuch über F. K. 3. Aufl. München 1968.

382 Weinberg, Kurt: K.s Dichtungen. Die Travestien des Mythos. Bern/ München 1963.

Georg Kaiser

383 Werke. Hg. v. Walther Huder. 6 Bde. Frankf./M.-Berlin 1970 ff.

384 Bd. I. Stücke 1895–1917. 1971.

385 Bd. II. Stücke 1918–1927. 1971.

386 Bd. III. Stücke 1928–1943. 1970.

387 Bd. IV. Filme – Romane – Erzählungen – Aufsätze – Gedichte. 1971.

388 Bd. V. Stücke 1896–1922. 1972

389 Bd. VI. Stücke 1934–1944. 1972.

390 Stücke, Erzählungen, Aufsätze, Gedichte. Hg. v. Walther Huder. Köln/ Berlin 1966.

391 Von morgens bis mitternachts. Stück in zwei Teilen. Fassung letzter Hand. Hg. v. Walther Huder. Stuttgart 1965 (Reclam).

392 Alding, Wilfried: G. K.s Drama 'Von morgens bis mitternachts' und die Zersetzung des dramatischen Stils. In: WB 1959. S. 369–386.

393 Arnold, Armin: G. K. In: Expressionismus als Literatur (vgl. Nr. 95). S. 474–489.

394 Arntzen, Helmut: Wirklichkeit als Kolportage. Zu 3 Komödien von G. K. und R. Musil. In: DVjs. 36. 1962. S. 544–561.

395 Behrsing, Kurt: Sprache u. Aussage in der Dramatik G. K.s. Zürich u. München 1958.

396 Denkler, Horst: G. K. Die Bürger von Calais. Drama u. Dramaturgie. Interpretation. München 1967.

397 Diebold, Bernhard: Der Denkspieler G. K. Frankf./M. 1924.

398 Elbe, Anna Margarethe: Technische u. soziale Probleme in der Dramenstruktur G. K.s. Hamburg 1959.

398a Fritze, Hanns: Über das Problem der Zivilisation im Schaffen G. K.s. Phil. Diss. Freiburg 1955.

399 Garten, Hugo F.: G. K.s Theorie des Dramas. Zur expressionistischen Ästhetik. In: Monatshefte 61. 1969. S. 41–48.

400 Geifrig, Werner: G. K.s Sprache im Drama des expressionistischen Sprachraums. München 1968.

401 Gröll, Hans Dieter: Untersuchungen zur Dialektik in den Dichtungen G. K.s. Diss. Köln 1965.

402 Huder, Walther: Die politischen und sozialen Themen der Exil-Dramatik G. K.s. In: Sinn u. Form 13. 1961. S. 596–614.

403 Ihrig, Erwin: Die Bürger von Calais. Auguste Rodins Denkmal. G. K.s Bühnenspiel. In: WW 11. 1961. S. 290–303.

404 Kauf, Robert: G. K.s social tetralogy and the social ideas of Walther Rathenau. In: PMLA 77. 1962. S. 311–317.

405 Koenigsgarten, Hugo F.: G. K. In: Deutsche Dichter der Moderne. Unter Mitarbeit zahlreicher Fachgelehrter hg. v. B. v. Wiese. Berlin 1965. S. 435–453.

406 Kuxdorf, Manfred: Die Suche nach dem Menschen im Drama G. K.s. Bonn u. Frankfurt/M. 1971.

407 Lämmert, Eberhard: K. – Die Bürger von Calais. In: Das deutsche Drama II. Hg. v. B. v. Wiese. Düsseldorf 1958. S. 305–324.

408 Last, R.: Symbol and struggle in G. K.s 'Die Bürger von Calais'. In: German Life and Letters 19. 1966. S. 201–209.

409 Last, R. W.: K.s 'Bürger von Calais' and the drama of Expressionism. In: Periods in German Literature. 2. 1969. S. 245–264.

410 Liepe, Wolfgang: Mensch u. Gesellschaft im modernen Drama. In: Ders.: Beiträge zur Literatur- u. Geistesgeschichte II. Hg. v. Erich Trunz. Neumünster 1963. S. 120–138.

411 Makus, Horst: Die Lyrik G. K.s im Zusammenhang seines Werkes. Diss. Marburg 1970.

412 Mann, Otto: G. K. In: Expressionismus Hg. v. H. Friedmann u. O. Mann. Heidelberg 1956. S. 264–279.

413 Paulsen, Wolfgang: G. K. Die Perspektiven seines Werkes. Tübingen 1960.

414 Reichert, Herbert W.: Nietzsche and G. K. In: Studies in Phil. 61. 1964. S. 85–108.

415 Rück, Heribert: Naturalistisches u. expressionistisches Drama. Dargestellt an Gerhart Hauptmanns Ratten und an G. K.s Bürger von Calais. In: DU 16. 1964. H. 3. S. 39–53.

416 Schmidt, Karl-Heinz: Zur Gestaltung antagonistischer Konflikte bei Brecht u. K. Eine vergleichende Studie. In: WB 11. 1965. S. 551–569.

417 Schneider, Karl-Ludwig: Des Bürgers gute Stube. Anmerkungen zur Raumsymbolik in Sternheims 'Bürger Schippel' und Kaisers 'Von morgens bis mitternachts'. In: Wissenschaft als Dialog. Stuttgart 1969. S. 242–248.

418 Schürer, Ernst: Metapher, Allegorie und Symbol in den Dramen G. K.s. Diss. Yale Univ. 1966.

419 Wildenhof, Ulrich: G. K.s 'Die Bürger von Calais'. In: DU 18. 1966. H. 1. S. 42–53.

420 Steffens, Wilhelm: G. K. Velber 1969.

421 Ziegler, Klaus: G. K. und das neue Drama. In: Hebbel-Jahrbuch 1952. S. 44–68.

Wilhelm Klemm

422 Gesammelte Verse. Berlin 1917. Neuausgabe Wiesbaden 1961.

423 Brockmann, Jan: Untersuchungen zur Lyrik W. K.s. Ein Beitrag zur Expressionismus-Forschung. Diss. Kiel 1961.

Oskar Kokoschka

424 Schriften 1907–1955. Hg. v. Hans Maria Wingler. 1956.

425 Schriften. Hg. v. H. M. Wingler. 1964. (Fischer)

426 Mein Leben. Vorwort u. dokumentarische Mitarbeit v. Remigius Netzer. München 1971.

427 Brandt, Regina: Figurationen und Kompositionen in den Dramen O. K.s. München 1968.

428 Denkler, Horst: 'Schauspiel' und 'Der brennende Dornbusch' von O. K. In: DU 17. 1965. H. 5. S. 34–52.

429 Denkler, Horst: Über O. K.s Dramen. In: Jahrbuch. Hg. v. d. Evang. Akademie Tutzing. 15. 1965/66. S. 288–306.

430 Denkler, Horst: Die Druckfassungen der Dramen O. K.s. Ein Beitrag zur philologischen Erschließung der expressionistischen Dramatik. In: DVjs. 40. 1966. S. 90–108.

431 Denkler, Horst: Textvarianten zwischen der Erstausgabe und der Ausgabe letzter Hand des Dramas 'Hiob' von O. K. Ein Nachtrag. In: DVjs. 42. 1968. S. 303–305.

432 Kamm, Otto: O. K. u. das Theater. Diss. Wien 1958.

433 Lukas, W. J.: O. K. In: German men of letters 3. 1964. S. 37–52.

434 Schumacher, Hans: O. K. In: Expressionismus als Literatur (vgl. Nr. 95). S. 506–518.

435 Schwerte, Hans: Anfang des expressionistischen Dramas: O. K. In: ZfdPh. 83. 1964. S. 171–191.

436 Secci, Lia: Die lyrischen Dichtungen O. K.s. In: Jb. d. dt. Schillerges. 12. 1968. S. 457–492.

437 Wingler, Hans Maria: O. K. Ein Lebensbild. 1966.

Paul Kornfeld

438 Die Verführung. Eine Tragödie in fünf Akten. 1916.

439 Himmel und Hölle. Eine Tragödie in fünf Akten und einem Epilog. 1919.

440 Maren-Grisebach, Manon: Weltanschauung und Kunstform im Frühwerk P. K.s. Phil. Diss. Hamburg 1959.

441 Maren-Grisebach, Manon: P. K. In: Express. als Lit. (siehe Nr. 95). S. 519–530.

442 Otten, Karl: P. K. Biograph. und bibliogr. Hinweis, in: K. O.: Das leere Haus. Stuttgart 1959. S. 643 f.

Else Lasker-Schüler

443 Gesammelte Werke. 3 Bde. München 1959 ff.

444 Briefe. Hg. v. Margarete Kupper. Br. I. München 1969.

445 Die Wolkenbrücke. Ausgewählte Briefe. Hg. v. Margarete Kupper. München 1972. (dtv).

446 Sämtliche Gedichte. Hg. v. Friedhelm Kemp. München 1966.

447 Baldrian-Schenk, Brigitte: Form und Struktur der Bildlichkeit bei E. L.-S. Diss. Freiburg i. B. 1962.

448 Bänsch, Dieter: E. L.-S. Zur Kritik eines etablierten Bildes. Stuttgart 1971.

449 Cohn, Hans W.: E. L.-S., Cambridge/Mass. 1974.

450 Guder, Gotthard: E. L.-S. Deutung ihrer Lyrik. Siegen 1966.

451 Guder, Gotthard: The Meaning of Colour in E. L.-S.s Poetry. In: GLL 14. 1960/61. S. 175–187.

452 Heggelin, Werner: E. L.-S. und ihr Judentum. Zürich 1966.

453 Klotz, Volker: Das blaue große Bilderbuch mit Sternen. Zu Gedichten der E. L.-S. In: V. K.: Kurze Kommentare zu Stücken und Gedichten. Darmstadt 1962. S. 61–70.

454 Kupper, Margarete: Die Weltanschauung der E. L.-S. in ihren poetischen Selbstzeugnissen. Diss. Teildr. Würzburg 1963.

455 Kupper, Margarete: Materialien zu einer kritischen Ausgabe der Lyrik E. L.-S.s. In: Lit. wiss. Jb. 4. 1963. S. 95–190.

456 Kupper, Margarete: Wiederentdeckte Texte der E. L.-S. In Lit. wiss. Jb. 5 (1964), Jb. 6 (1965), Jb. 8 (1967).

457 Kupper, Margarete: Der Nachlaß E. L.-S.s in Jerusalem. In: Lit. wiss. Jb. 9. 1968. S. 243–283.

458 Martini, Fritz: E. L.-S. Dichtung und Glaube. In: Der deutsche Expressionismus (siehe Nr. 107). S. 5–24.

459 Meyer, Andre: Vorahnung der Judenkatastrophe bei H. Heine und E. L.-S. In: Bulletin des Leo-Baeck-Institutes 8. 1965. H. 29. S. 7–27.

460 Muschg, Walter: E. L.-S. In: W. Muschg: Von Trakl zu Brecht. München 1961. S. 115–148.

461 Schlocker, Georges: Exkurs über E. L.-S. In: Dtsch. Lit. im 20. Jahrhundert. 5. Aufl. Hg. v. O. Mann und W. Rothe. 1967. Bd. I. S. 344–357.

Alfred Lichtenstein

462 Gesammelte Gedichte. Hg. v. Klaus Kanzog. Zürich 1962.

463 Gesammelte Prosa. Hg. v. Klaus Kanzog. Zürich 1966.

464 Kanzog, Klaus: Die Gedichthefte Alfred Lichtensteins. In: Jb. d. dt. Schillergesellschaft. Bd. V. 1961. S. 376–401.

465 Küntzel, Heinrich: A. L. In: Expressionismus als Literatur (vgl. Nr. 95). S. 398–409.

466 Paulsen, Wolfgang: A. L.s Prosa. Bemerkungen gelegentlich der kritischen Neuausgabe. In: Jb. d. dt. Schillerges. 12. 1968. S. 586–598.

Oskar Loerke

467 Gedichte und Prosa. Hg. v. Peter Suhrkamp. 2 Bde. Frankfurt 1958.

468 Das Goldbergwerk. Erzählungen. Stuttgart 1965. (Reclam).

469 Tagebücher 1903–1936. Hg. v. H. Kasack. Heidelberg/Darmstadt 1955.

470 Reden und kleinere Aufsätze. Hg. v. H. Kasack. Mainz 1956.

471 Dorn, Uwe: Untersuchungen an der Lyrik O. L. s. Diss. München 1954.

472 Eppelsheimer, Rudolf: O. L. Zum Realitätsproblem in der Moderne. In: Lit. wiss. Jb. N. F. 5. 1964. S. 265–296.

473 Eppelsheimer, R.: Mimesis und Imitatio Christi bei Loerke, Däubler, Morgenstern, Hölderlin. Bern 1968. S. 20–98.

474 Frey, Norbert: Schwermut und Glaube. Zur dichterischen Religiosität O. L.s Diss. Freiburg i. Br. 1965.

475 Gebhard, Walter: O. L.s Poetologie. München 1968.

476 Heselhaus, Clemens: Oskar Loerke und Konrad Weiß. Zum Problem des literarischen Nachexpr. In: DU. Jg. 6. H. 6. S. 28–55.

477 Jung, Roswitha: Das Problem des Dialogischen bei O. L. Untersuchung zur frühen Lyrik. Diss. Würzburg 1971.

478 König, Dieter: O. L.s Gedichte. Diss. Marburg 1963.

479 Mehner, Helga: Die Verselbständigung der Metaphorik in der frühen Lyrik O. L.s. Diss. Köln 1961.

480 Neumann, Gerhard: O. L. In: Express. als Lit. (siehe Nr. 95). S. 295 bis 308.

481 Vietta, Silvio: Sprache und Sprachreflexion in der modernen Lyrik. Bad Homburg 1970. S. 57–88.

Carlo Mierendorff

482 "Hätte ich das Kino! !". Berlin 1920.

Karl Otten

483 Herbstgesang. Gesammelte Gedichte. Neuwied/Berlin 1961.

Ludwig Rubiner

484 Der Mensch in der Mitte. Berlin 1917.
485 Die Gewaltlosen. Drama in vier Akten. Potsdam 1919.

Gustav Sack

486 Prosa. Briefe. Verse. München/Wien 1962.
487 Paralyse. – Der Refraktär. Neuausgabe des Romanfragments u. des Schauspiels mit e. Anhang v. Karl Eibl. München 1971.
488 Sack, Paula: Der verbummelte Student. G. S. – Archivbericht u. Werkbiographie. München 1971.
489 Eibl, Karl: Zur Entstehung von Gustav Sacks Romanfragment 'Paralyse'. In: Lit. wiss. Jb. 8. 1967. S. 201–203.
490 Eibl, Karl: Die Sprachskepsis im Werk Gustav Sacks. München 1970.
491 Hohoff, Curt: Gustav Sack und die expressionistische Renaissance. In: Merkur 14. 1960. S. 492 f.
492 Wansch, Franz Georg: Gustav Sack, Persönlichkeit und Werk. Wien. Diss. (Masch.). 1968.

René Schickele

493 Werke in 3 Bänden. Hg. v. Hermann Kesten unter Mitarbeit v. Anna Schickele. Köln/Berlin 1959 (ausgeliefert 1960 f.).
494 Baldus, Alexander: R. S. Aus Anlaß seiner Gesammelten Werke. In: Welt und Wort 16. 1961. S. 363 f.
495 Hellack, Georg: R. S. und die 'Weißen Blätter'. Ein Beitrag zur Geschichte expressionistischer Zeitschriften. In: Publizistik 8. 1963. S. 58–65 und S. 250–257.

Reinhard Johannes Sorge

496 Werke in drei Bänden. Hg. u. eingel. v. Hans Gerd Rötzer. Nürnberg 1962–1967.
497 Bruhwiler, John Alois: R. J. S. Die Rolle des Bettlers im dramatischen Gesamtwerk. Univ. of Cincinnati Diss. 1966.

498 Kohnen, Mansueto: Stil und Sprache bei R. J. S. In: Boletin de etudios germanicos 6. 1967. S. 333–347.

499 Rötzer, Hans G.: R. J. S. Theorie und Dichtung. Diss. Erlangen/Nürnberg 1961.

500 Rötzer, Hans Gerd: R. J. S. Der Dichter und sein Auftrag. In: Stimmen der Zeit 88. 1962–63. S. 334–345.

Ernst Stadler

501 Dichtungen. Gedichte und Übertragungen, m. e. Ausw. der kleinen kritischen Schriften und Briefe. Hg. v. Karl Ludwig Schneider. 2 Bde. 1954.

502 Der Aufbruch und ausgewählte Gedichte. Ausgewählt und Nachw. v. Heinz Rölleke. Stuttgart 1967. (Reclam).

503 Dewitz, Hans-Georg: Ideal und Wirklichkeit einer kritischen Ausgabe. Ein Nachtrag zur Edition der "Dichtungen" E. S.s. In: Euphorion 62. 1968. S. 169–175.

504 Dietz, Ludwig: S.-Miszellen. In: Euph. 67. 1973. S. 386–390.

505 Edschmid, Kasimir: E. S. Dt. Akad. f. Sprache und Dichtg. 1964. S. 174–184.

506 Haupt, Jürgen: Konstellationen. Hugo v. Hofmannsthal. – Harry Graf Kessler. – E. S. – Bertolt Brecht. Salzburg 1970.

507 Kohlschmidt, Werner: Die Lyrik Ernst Stadlers. In: Der deutsche Expressionismus. Hg. v. Hans Steffen. Göttingen. 1965. S. 25–43.

508 Kohlschmidt, Werner: E. S. In: Expression. als Lit. (vgl. Nr. 95). S. 277–294.

509 Rölleke, Heinz: Die Stadt bei Stadler, Heym und Trakl. Berlin 1966.

510 Schirokauer, Arno: Über E. S. In: Germanist. Studien. Hg. v. Fritz Strich. 1957. S. 417–434.

511 Schneider, Karl Ludwig: Kunst und Leben im Werk E. S. s. In: K. L. Schneider, Zerbrochene Formen (vgl. Nr. 101). S. 173–191.

Carl Sternheim

512 Gesamtwerk. Hg. v. Wilhelm Emrich. Neuwied/Berlin 1963 ff.

513 Bd. I. Dramen. 1963.

514 Bd. II. Dramen. 1964.

515 Bd. III. Dramen. 1964.

516 Bd. IV. Prosa I. 1964.

517 Bd. V. Prosa II. 1964.

518 Bd. VI. Zeitkritik. 1966.

519 Bd. VII. Frühwerk. 1967.

520 Bd. VIII. Unveröffentlichtes Frühwerk I. 1969.

521 Bd. IX. Unveröffentlichtes Frühwerk II. 1970.

522 Werkauswahl. Hg. v. Wilhelm Emrich u. Manfred Linke. Darmstadt/ Neuwied 1973.

523 Bd. III. Erzählungen.

524 Bd. IV. Essays.

525 Die Hose. Der Snob. Zwei Stücke. Frankf./M.-Hamburg 1970. (Fischer)

526 Blei, Franz: Über Wedekind, Sternheim und das Theater. Leipzig 1915.

527 Billetta, Rudolf: 'Unabhängig von Gemeinschaftsidealen'. C. St.s bürgerliches Heldenleben. Wien 1958.

528 Brinkmann, Richard: St.s Komödie 'Bürger Schippel'. In: Das deutsche Lustspiel, II. Hg. v. H. Steffen. Göttingen 1968. S. 103–124.

529 Eisenlohr, Friedrich: C. St. Der Dramatiker und seine Zeit. München u. a. 1926.

530 Emrich, Wilhelm: Vorwort zum Gesamtwerk, in Bd. I (vgl. Nr. 513).

531 Emrich, Wilhelm: Die Komödie St.s. In: Der deutsche Expressionismus (vgl. Nr. 107). S. 115–137.

532 Fehr, Hans Otto: Der bürgerliche Held in den Komödien C. St.s. Phil. Diss. Freiburg i. Br. 1968.

533 Grothe, Wolfgang: Dramatiker im ideologischen Niemandsland. Bemerkungen anläßlich der C. St.-Gesamtausgabe. In: Studia Neophilologica 41. 1969. S. 339–345.

534 Hillach, Ansgar: 'Die Schule von Uznach' oder der 'romantische' S. In: Schillerjb. 15. 1971. S. 441–464.

535 Jahn, Wolfgang: St.s Bürger in der ständischen Gesellschaft. Zu 'Bürger Schippel' und anderen Komödien. In: Wiss. als Dialog. Hg. v. R. v. Heydebrand u. a. Stuttgart 1969. S. 249–270.

536 Karasek, Hellmuth: C. St. Velber 1965.

537 Mann, Otto: St. 'Bürger Schippel'. In: Das deutsche Drama. Hg. v. B. v. Wiese. Bd. 2. Düsseldorf 1960. 2. Aufl. S. 284–304.

538 Mennemeier, Franz Norbert: C. St.s Komödien der Politik. In: DVjs. 44. 1970. S. 704–726.

539 Meyers, David: C. S.: satirist or creator of modern heroes? In: Monatshefte 65. 1973. S. 39–47.

540 Mittenzwei, Johannes: C. St.s Kritik am Bürgertum im Rahmen einer Darstellung des Pessimismus. Phil. Diss. Jena 1952.

541 Paulsen, Wolfgang: C. St. Das Ende des Immoralismus. In: Akzente 3. 1956. S. 273–287.

542 Petersen, Carol: C. St. In: Expressionismus (vgl. Nr. 412). S. 280–295.

543 Reichert, H. W.: Nietzsche und Carl Sternheim. In: Nietzsche-Studien I. 1972. S. 334–352.

544 Rilla, Paul: Vom bürgerlichen und sozialistischen Realismus. Aufsätze. Leipzig 1967.

545 Schwerte, Hans: C. St. In: Deutsche Dichter der Moderne (vgl. Nr. 139). S. 420–435.

546 Schwerte, Hans: C. St. 'Die Hose'. In: DU 15. 1963. H. 6. S. 59–80.

547 Sebald, Winfried Georg: C. St. Kritiker und Opfer der Wilhelminischen Ära. Stuttgart 1969.

548 Stauch v. Quitzow, Wolfgang: C. St. Bewußtsein und Form seines Komödienwerkes. Phil. Diss. München 1969.

549 Wendler, Wolfgang: C. St. Weltvorstellung und Kunstprinzipien. Frankfurt 1965.

550 Wendler, Wolfgang: C. St. In: Expressionismus als Literatur (vgl. Nr. 95). S. 454–473.

August Stramm

551 Das Werk. Hg. v. René Radrizzani. Wiesbaden 1963.

552 Bozzetti, Elmar: Untersuchungen zu Lyrik und Drama A. Stramms. Diss. Köln 1961.

553 Hering, Christoph: The Genesis of an Abstract Poem. A Note on August Stramm. In: MLM 76. 1961. S. 43–48.

554 Michelsen, Peter: Zur Sprachform des Frühexpressionismus bei August Stramm. In: Euphorion 58. 1964. S. 276–302.

555 Wallmann, Jürgen: Der Lyriker A. St. In: NDH H. 100. 1964. S. 113–120.

Ernst Toller

556 Ausgewählte Schriften. Hg. v. d. dt. Akad. d. Künste zu Berlin. Zusammenstellung: Irmgard Schütze. Berlin (Ost). 2. Aufl. 1961.

557 Prosa, Briefe, Dramen, Gedichte. Mit einem Vorwort v. Kurt Hiller. Reinbek 1961.

558 Eine Jugend in Deutschland. Leipzig 1970. (Reclam).

559 Anders, Achim: E. T.s großer Theaterskandal. Zum 75. Geburtstag des Dichters. In: Der Literat 10. 1968.

560 Klein, Dorothea: Der Wandel der dramatischen Darstellungsform im Werk E. T.s (1919–1930). Diss. Bochum 1968.

561 Maloof, Katharina K.: Mensch und Masse. Gedanken zur Problematik des Humanen in E. T.s Werk. Univ. of Washington. Diss. 1965.

562 Marnette, Hans: Untersuchungen zum Inhalt – Form – Problem in Ernst Tollers Dramen. Potsdam PH Diss. 1963.

563 Mennemeier, F. N.: Das idealistische Proletarierdrama. E. T.s Weg vom Aktionsstück zur Tragödie. In: DU 24. 1972. H. 2. S. 100–116.

564 Petersen, Carol: E. T. In: Expressionismus als Literatur (vgl. Nr. 95). S. 272–284.

565 Pittock, Malcolm: 'Masse-Mensch' and the tragedy of revolution. In: Forum for Modern Language Studies 8. 1972. S. 162–183.

566 Reso, Martin: Gefängniserlebnis und dichterische Widerspiegelung in der Lyrik Ernst Tollers. In: ZDLG 7. 1961. S. 520–556.

567 Reso, Martin: Die Novemberrevolution und E. T. In: WB V. Jg. 1959. S. 387–409.

568 Sokel, Walter: E. T. In: Dtsch. Lit. im 20. Jh. 5. Aufl. hg. v. O. Mann und W. Rothe. Bern/München 1967. Bd. II. S. 299–315.

569 Spalek, John: Der Nachlaß E. T.s. Ein Bericht. In: Lit. wiss. Jb. 6. 1965. S. 251–266.

570 Spalek, John: E. T. The Need for a New Estimate. In: GQ 39. 1966. S. 581–598.

571 Spalek, John: E. T. and His Critics. A Bibliography. Charlottesville 1968.

572 Willibrand, W. A.: Toller and His Ideology. 1945.

Georg Trakl

573 Dichtungen und Briefe. Historisch-kritische Ausgabe. Hg. v. Walther Killy u. Hans Szklenar. Salzburg 1969.

574 Bd. I: Gedichte. Sebastian im Traum. Veröffentlichungen im Brenner 1914/15. Sonstige Veröffentlichungen zu Lebzeiten. Nachlaß. Briefe.

575 Bd. II: Bericht der Herausgeber. Apparat zu den Dichtungen und Briefen. Dokumente und Zeugnisse. Briefe an G. T. Lebenschronik. Register.

576 Das dichterische Werk. Auf Grund der hist.-krit. Ausgabe v. W. Killy u. H. Szklenar. 1972. (dtv)

577 Erinnerung an G. T. 3., erw. Aufl. Darmstadt 1966.

577a G. T. Sonderheft Text u. Kritik. H. 4/4a. 2. Aufl. 1969.

578 Basil, Otto: Georg Trakl in Selbstzeugnissen und Bilddokumenten. Reinbek bei Hamburg 1965 ff.

579 Blass, Regine: Die Dichtung Georg Trakls. Von der Trivialsprache zum Kunstwerk. Berlin 1968.

580 Buch, Karl Wilhelm: Mythische Strukturen in den 'Dichtungen' G. T.s. Diss. Göttingen 1954.

581 Cierpka, Helga: Interpretationstypen der T.-Literatur. Eine kritische Betrachtung der wissenschaftlichen Arbeiten über das Werk G. T.s. Diss. Berlin 1963.

582 Ficker, Ludwig von: Denkzettel und Danksagungen. Aufsätze. Reden. Hg. v. Franz Seyr. München 1967.

583 Focke, Alfred: G. T. Liebe und Tod. Wien, München 1955.

584 Goldmann, Heinrich: Katabasis. Eine tiefenpsychologische Studie zur Symbolik der Dichtungen G. T.s. Salzburg 1957.

585 Gorgé, Walter: Auftreten u. Richtung des Dekadenzmotivs im Werk G. T.s. Bern/Frankf./M. 1973.

586 Heidegger, Martin: G. T. Eine Erörterung seines Gedichts. In: Merkur 7. 1953. S. 226–258.

587 Hellmich, Albert: Klang u. Erlösung. Das Problem musikalischer Strukturen in der Lyrik G. T.s. Salzburg 1971.

588 Kemper, Hans-Georg: Georg Trakls Entwürfe. Aspekte zu ihrem Verständnis. Tübingen 1970.

589 Kemper, Hans-Georg: Trakl-Forschung der sechziger Jahre. Korrekturen über Korrekturen. In: DVjs. 45. 1971. Sonderheft. S. 496–571.

590 Killy, Walther: Über G. T. 3., erw. Aufl. Göttingen 1967.

591 Klein, Wolfgang u. Harald Zimmermann: Index zu G. T. Dichtungen. Frankf./M. 1971.

592 Muschg, Walter: Trakl und Hofmannsthal. In: Ders.: Von Trakl zu Brecht (vgl. Nr. 220). S. 94–114.

593 Philipp, Eckhard: Die Funktion des Wortes in den Gedichten G. T.s. Linguistische Aspekte ihrer Interpretation. Tübingen 1971.

594 Preisendanz, Wolfgang: Auflösung und Verdinglichung in den Gedichten G. T.s. In: Immanente Ästhetik – ästhetische Reflexion. Lyrik als Paradigma der Moderne. Hg. v. Wolfgang Iser. München 1966. S. 227–261. Diskussion S. 485–494.

595 Ritzer, Walter: T.-Bibliographie. Salzburg 1956.

596 Saas, Christa: G. T. Stuttgart 1974.

597 Schier, Rudolf Dirk: Die Sprache G. T.s. Heidelberg 1970.

598 Simon, Klaus: Traum und Orpheus. Eine Studie zu T.s Dichtungen. Salzburg 1955.

599 Strohschneider-Kohrs, Ingrid: Die Entwicklung der lyrischen Sprache in der Dichtung G. T.s. In: Lit. wiss. Jb. NF. 1. Berlin 1960. S. 211–226.

600 Szklenar, Hans: Beiträge zur Chronologie und Anordnung von G. T.s Gedichten auf Grund des Nachlasses von Karl Röck. In: Euph. 60. 1966. S. 222–262.

601 Walter, Jürgen: 'Orientierung auf der formalen Ebene' – Paul Klee und G. T. Versuch einer Analogie. In: DVjs. 42. 1968. S. 637–661.

602 Wetzel, Heinz: Klang und Bild in den Dichtungen G. T.s. Göttingen 1968.

603 Wetzel, Heinz: Konkordanz zu den Dichtungen G. T.s. Salzburg 1971.

604 Ziegler, Klaus: G. T.s 'Psalm'. In: Studien zur deutschen Sprache und Literatur. Hg. v. der Abteilung für deutsche Philologie an der Universität Istanbul. Bd. 5. 1966. S. 87–97.

Fritz von Unruh

605 Sämtliche Werke. Endgültige Ausgabe. Hg. im Einvernehmen mit dem Autor (ab Bd. VIII mit Kurt von Unruh) v. Hanns Martin Elster. Bisher 8 Bde. Berlin.

606 Auswahlband. Hg. v. Friedrich Rasche. 1960. ('Rebell und Verkünder')

607 Politeia. Aufrufe, Proteste, Gedichte, Reden. Frankfurt 1968.

608 Durzak, Manfred: F. v. U. In: Expressionismus als Literatur (vgl. Nr. 95). S. 490–505.

609 Mainland, W. F.: Fr. v. U. In: German Men of Letters 3. 1963. S. 153–175.

Franz Werfel

610 Gesammelte Werke in Einzelbänden. Hg. v. Adolf Klarmann, 1948 ff.

611 Die Dramen. 2 Bde. 1959.

612 Das lyrische Werk. Frankfurt 1967.

613 Meisternovellen. Frankf./M. 1972.

614 Foltin, Barbara Lore: F. W. Sammelband der internat. W.-Forschung. Pittsburgh 1961.

615 Arnold, Martin: Lyrisches Dasein und Erfahrung der Zeit im Frühwerk F. W.s. Freiburg (Schweiz) Diss. 1961.

616 Foltin, Lore: The F. W. Archives in Los Angeles. In: GQ 39, 1966. S. 55–61.

617 Grenzmann, Wilhelm: F. W. Im Vorraum der christlichen Welt. In: W. G.: Dichtung und Glaube, Probleme und Gestalten der dtsch. Gegenwartslit. 6. Aufl. Frankfurt/Bonn 1967. S. 306–317.

618 Günther, Vincent J.: F. W. In: Dtsch. Dichter der Moderne. Hg. v. B. v. Wiese. Berlin 1965. S. 280–299.

619 Lea, Henry A: The Failure of Political Activism in Werfel's Plays. In: Symposium 22. 1968. S. 319–334.

620 Mittenzwei, Johannes: Werfels Bedürfnis nach einer musikalischen 'unio mystica'. In: J. M.: Das Musikalische in der Lit. Halle 1962. S. 299–313.

621 Rück, Heribert: W. als Dramatiker. Diss. Marburg 1965.

622 Stöcklein, Paul: F. W. In: Dtsch. Lit. im 20. Jh. (vgl. Nr. 568). S. 219–237.

623 Trost, Pavel: Die dichterische Sprache des frühen Werfel. In: Weltfreunde. Konferenz über die Prager dtsch. Lit. Neuwied/Berlin 1967. S. 313–318.

624 Urban, Bernd: F. W. Freud u. die Psychoanalyse. Zu unveröffentlichten Dokumenten. In: DVjs. 47. 1973. S. 267–285.

Alfred Wolfenstein

625 Die gottlosen Jahre. Gedichte. 1914.

626 Die Nackten. Dramatisches Gedicht. 1917.

627 Die Freundschaft. Gedichte. 1917.

628 Der Lebendige. Novellen. 1918.

629 Sturm auf den Tod. Drama. 1921.

630 Der Mann. Szenen. 1922.

630a Jüdisches Wesen und neue Dichtung. Essay. 1922.

631 A. W. Auswahl und Einführung in sein Werk. Hg. v. C. Mumm. Wiesbaden 1955.

632 Brown, Russell E.: A. W. In: Expressionismus als Literatur (vgl. Nr. 95). S. 264–276.

633 Fischer, Peter: A. W. Der Expressionismus und die verendende Kunst. München 1968.

5. Weitere für das Verständnis der Epoche herangezogene Literatur

5.1 Philosophie und Psychologie

634 Horkheimer/Adorno: Dialektik der Aufklärung. Amsterdam 1947.

635 Bateson, G. u. a.: Schizophrenie und Familie. Frankfurt 1969.

636 Becker, H.: Wahrnehmung in der städtischen Umwelt. Berlin 1972.

637 Bergson, Henri: Materie und Gedächtnis. Essays zur Beziehung zwischen Körper und Geist. Jena 1908. Einleitg. v. W. Windelband.

637a Bergson, Henri: Das Lachen. Meisenheim a. G. 1948.

638 Freud, Sigmund: Gesammelte Werke. Hg. v. Anna Freud u. a. 18 Bde. London 1948 ff.

639 Bd. 2 und 3: Die Traumdeutung. Über den Traum. 4. Aufl. 1968.

640 Bd. 11: Vorlesungen zur Einführung in die Psychoanalyse. 4. Aufl. 1966.

640a Habermas, Jürgen: Erkenntnis und Interesse. Frankf./M. [1968] 1971.

641 Heisenberg, Werner: Das Naturbild der heutigen Physik. 13. Aufl. Reinbek 1966.

642 Holzkamp, K.: Sinnliche Erkenntnis. Historischer Ursprung und gesellschaftliche Funktion der Wahrnehmung. Frankfurt 1973.

643 Kilian, Hans: Das enteignete Bewußtsein. Neuwied 1974.

644 Krappmann, Lothar: Soziologische Dimension der Identität. Stuttgart 1971.

644a Laing, Ronald D./H. Phillipson/A. R. Lee: Interpersonelle Wahrnehmung. Frankf./M. 1971.

644b Langbehn, Julius: Rembrandt als Erzieher. Leipzig 1890.

645 Lenin, W. I.: Materialismus und Empiriokritizismus. Ed. Reclam. Leipzig 1970.

646 Lorenzer, Alfred: Sprachzerstörung und Rekonstruktion. Vorarbeiten zu einer Metatheorie der Psychoanalyse. Frankf./M. 1970.

646a Mach, Ernst: Die Analyse der Empfindungen und das Verhältniss des Physischen zum Psychischen. 2. vermehrte Aufl. Jena 1900.

647 Milgram, Stanley: Das Erlebnis der Großstadt. Eine psychologische Analyse. In: Zeitschr. f. Sozialpsychologie. 1970. H. 1. S. 142–152.

648 Möbius, P. J.: Über den physiologischen Schwachsinn des Weibes. 12. unver. Auflage. Halle a. S. 1922.

649 Nietzsche, Friedrich: Werke in drei Bänden. Hg. v. K. Schlechta. München 1966. Bd. 1.

650 Bd. 2

651 Bd. 3

Literatur zu Nietzsche

652 Biser, Eugen: 'Gott ist tot'. Nietzsches Destruktion des christlichen Bewußtseins. München 1962.

653 Grau, Gerd-Günther: Christlicher Glaube und intellektuelle Redlichkeit. Frankfurt 1958.

654 Heidegger, Martin: Nietzsches Wort 'Gott ist tot'. In: Holzwege. Frankfurt 1950. S. 193–247.

655 Heidegger, Martin: Nietzsche. 2 Bde. Pfullingen 1961. (Teilveröffentlichung: Der europäische Nihilismus. Pfullingen 1967. Zitate nach dieser Teilveröffentlichung.)

656 Löwith, Karl: Nietzsches Philosophie der ewigen Wiederkehr des Gleichen. Stuttgart 1956.

657 Müller-Lauter, Wolfgang: Nietzsche. Seine Philosophie der Gegensätze und die Gegensätze seiner Philosophie. Berlin u. a. 1971.

658 Nietzsche-Studien Bd. 1. Hg. v. M. Montinari u. a. Berlin/New York 1972.

659 Nietzsche-Studien Bd. 2. Hg. v. M. Montinari u. a. Berlin/New York 1973.

660 Pütz, Peter: Friedrich Nietzsche. Stuttgart 1967.

661 Ries, Wiebrecht: Grundzüge des Nietzsche-Verständnisses in der Deutung seiner Philosophie (1932–1963). Diss. Heidelberg 1967.

662 Röttges, Heinz: Nietzsche und die Dialektik der Aufklärung. Berlin 1972.

663 Volkmann-Schluck, Karl-Heinz: Interpretationen zur Philosophie Nietzsches. Frankfurt 1968.

664 Wandel, Fritz: Bewußtsein und Wille. Dialektik als Movens für Nietzsche. Bonn 1972.

665 Rathenau, Walter: Zur Mechanik des Geistes. Berlin 1913.

666 Rickert, Heinrich: Die Grenzen der naturwissenschaftlichen Begriffsbildung. Tübingen 1902. 3. Aufl. 1921.

667 Schopenhauer, Arthur: Sämtliche Werke. Nach der ersten v. J. Frauenstädt bes. Ges. ausg., neu bearb. u. hg. v. A. Hübscher. 7 Bde. 2. Aufl. Wiesbaden 1949 ff.

668 Bd. II. Die Welt als Wille und Vorstellung. Bd. 1. 1949.

669 Bd. III. Die Welt als Wille und Vorstellung. Bd. 2. 1949.

670 Schlegel, Friedrich: Kritische Schriften. Hg. v. W. Rasch. München 1964.

671 Schulz, Walter: Philosophie in der veränderten Welt. Pfullingen 1972.

672 Simmel, Georg: Die Großstadt und das Geistesleben. In: Die Großstadt. Jahrbuch der Gehe-Stiftung. Dresden 1903. S. 187–206.

673 Simmel, Georg: Philosophie des Geldes. 6. Aufl. Berlin 1958 (Bd. 1 d. Ges. Werke)

674 Spengler, Oswald: Der Untergang des Abendlandes. München 1918.

675 Stirner, Max: Der Einzige und sein Eigentum. 1845.

676 Tönnies, Ferdinand: Gemeinschaft und Gesellschaft. 2. Aufl. Berlin 1912.

677 Vaihinger, Hans: Philosophie des Als Ob. System der theoretischen, praktischen und religiösen Fiktionen der Menschheit auf Grund eines idealistischen Positivismus mit einem Anhang über Kant und Nietzsche. Berlin 1911.

678 Worringer, Wilhelm: Abstraktion und Einfühlung. Neuausg. München 1959.

5.2 Expressionistische Literatur und Massenmedien

679 Altenloh, Emilie: Zur Soziologie des Kino. Die Kino-Unternehmungen und die sozialen Schichten ihrer Besucher. Jena 1914.

680 Balázs, Béla: Der sichtbare Mensch oder die Kultur des Films. Wien/Leipzig 1924.

681 Eisner, Lotte: Dämonische Leinwand. Die Blütezeit des deutschen Films. Wiesbaden 1955.

682 Fraenkel, Heinrich: Unsterblicher Film. Die große Chronik. München 1956.

683 Freisburger, Walter: Theater im Film. Eine Untersuchung über die Grundzüge und Wandlungen in den Beziehungen zwischen Theater und Film. Emsdetten 1936.

684 Habermas, Jürgen: Strukturwandel der Öffentlichkeit. 5. Aufl. Frankfurt 1971.

685 Hauser, Arnold: Sozialgeschichte der Kunst und Literatur. München 1969. Kap. VIII: Im Zeichen des Films.

686 Kracauer, Siegfried: Von Caligari bis Hitler. Ein Beitrag zur Geschichte des deutschen Films. Dtsch. Ausgabe Hamburg 1958.

687 Kurtz, Rudolf: Expressionismus und Film. Berlin 1926.

688 Luft, Friedrich (Hg.): Facsimile-Querschnitt durch die Berliner Illustrirte. München u. a. 1965.

689 Mierendorff, Carlo: 'Hätte ich das Kino! !'. (siehe Nr. 482).

690 Pinthus, Kurt (Hg.): Das Kinobuch (siehe Nr. 21).

691 Stepun, Fedor: Theater und Kino. Berlin 1932.

692 Toeplitz, Jerzy: Geschichte des Films (1895–1926). München 1973.

693 Vietta, Silvio: Expressionistische Literatur und Film (siehe Nr. 112).

694 Zeitungsstadt Berlin. Menschen und Mächte in der Geschichte der dtsch. Presse. Hg. v. Peter de Mendelssohn. Berlin 1959.

5.3 Malerei der Epoche

695 Buchheim, Lothar: Die Künstlergemeinschaft Brücke. Feldafing 1956.

696 Gadamer, Hans Georg: Begriffene Malerei? In: Kleine Schriften. Bd. II. Tübingen 1967. S. 218–226.

697 Haftmann, Werner: Malerei im 20. Jahrhundert. 4. Aufl. München 1965.

698 Die Künstlergemeinschaft 'Brücke' und der deutsche Expressionismus. Ausstellungskatalog der Sammlung Buchheim. Bd. 1 und Bd. 2. Feldafing 1973.

699 Myers, Bernhard S.: Malerei des Expressionismus. Eine Generation im Aufbruch. Köln 1957.

5.4 Wirtschaftsgeschichte und Politik

700 Berlin und die Provinz Brandenburg im 19. und 20. Jahrhundert. Hg. v. H. Herzfeld. Berlin 1968.

701 Born, K. E.: Moderne deutsche Wirtschaftsgeschichte. Köln/Berlin 1966.

702 Brenner, Hildegard: Die Kunstpolitik des Nationalsozialismus. Reinbek 1963.

703 Engels, Friedrich: Die Lage der arbeitenden Klasse in England (1845). Berlin 1972.

704 Herzfeld, Wieland: Allgemeine Entwicklung und politische Geschichte . . . : In: Berlin und die Provinz Br. (siehe Nr. 700). S. 1–180.

705 Hoffmann, W. G. u. a.: Das Wachstum der deutschen Wirtschaft seit der Mitte des 19. Jahrhunderts. Berlin 1965.

706 Imperialismus. Hg. v. H. Wehler. Köln/Berlin 1970.

707 Kreuzer, Helmut: Die Boheme. Analyse und Dokumentation der intellektuellen Subkultur vom 19. Jahrhundert bis zur Gegenwart. Stuttgart 1971.

708 Lenin, W. I.: Der Imperialismus als höchste Stufe des Kapitalismus (1916). Berlin 1970.

709 Lukács, Georg: Geschichte und Klassenbewußtsein (1923). Neuwied 1970.

710 Marx, Karl: Die Frühschriften. Hg. v. S. Landshut. Stuttgart 1964.

710a Marx, Karl: Frühe Schriften. Hg. v. H. Lieber u. P. Furth. Stuttgart 1962.

711 Marx, Karl: Das Kapital. Bd. I, Frankfurt 1967.

712 Bd. II, Frankfurt 1967.

713 Bd. III, Frankfurt 1967.

714 Schmieder, Eberhard: Wirtschaft und Bevölkerung. In: Berlin und die Provinz Br. (vgl. Nr. 700). S. 309–421.

715 Das Kaiserreich. In Bildern und Dokumenten. Hg. v. H. Dollinger. München 1966.

716 Rosenberg, Arthur: Entstehung der Weimarer Republik. Frankfurt 1961.

5.5 Nichtexpressionistische literarische Texte und Dokumente

717 Bahr, Hermann: Die Überwindung des Naturalismus (1891). Auszug in: E. Ruprecht (Hg.): Lit. Manifeste des Naturalismus 1880–1892. Stuttgart 1962. S. 242–245.

718 Baumgarth, Christa: Geschichte des Futurismus. Reinbek 1966.

719 Baudelaire, Charles: Die Blumen des Bösen. Franz. u. dtsch. Übertrg. v. C. Fischer. Neuwied 1955.

720 Bleibtreu, Karl: Die neue Lyrik (1885). Auszüge in: Ruprecht (vgl. Nr. 717). S. 51–55.

721 Bölsche, Wilhelm: Das Liebesleben in der Natur. Eine Entwicklungsgeschichte der Liebe. 1. Teil. Stark verm. u. umgearb. Ausg. Jena 1913.

722 Brecht, Bert: Ges. Werke (es-Ausg.). Frankfurt 1967.

723 Brecht,Bert: Mann ist Mann. In: Ges. Werke I. S. 297–391.

724 Brecht, Bert: Die heilige Johanna der Schlachthöfe. In: Ges. Werke II. S. 665–790.

725 British and American Classical Poems. Hg. v. H. Meller und R. Sühnel. Braunschweig 1966.

726 Meister Eckehart. Deutsche Predigten und Traktate. Hg. u. übers. v. J. Quint. München 1955.

727 Der Futurismus. Manifeste und Dokumente einer künstlerischen Revolution 1909–1918. Hg. v. U. Appollonio. Köln 1972.

728 Hauptmann, Gerhart: Die Weber. Hg. mit einer Dokumentation v. H. Schwab-Felisch. Frankfurt u. a. 1963.

729 Hauptmann, Gerhart: Die Ratten. Berliner Tragikomödie. Frankfurt 1959.

730 Holz, Arno: Phantasus I. In: Werke. Hg. v. W. Emrich u. A. Holz. Bd. I. Neuwied 1961.

730a Holz, Arno: Das Buch der Zeit. In: Werke (vgl. 730). Bd. V. Neuwied 1962.

731 Holz, Arno u. J. Schlaf: Familie Selicke. Hg. v. F. Martini. Stuttgart 1966.

732 Holz, Arno u. J. Schlaf: Papa Hamlet. Hg. v. F. Martini. Stuttgart 1970.

733 Huelsenbeck, Richard (Hg.): Dada. Eine literarische Dokumentation. Reinbek 1964.

734 Kraus, Karl: Die letzten Tage der Menschheit. München 1964. (dtv)

734a Löwy, Ernst (Hg.): Literatur unterm Hakenkreuz. Das dritte Reich u. seine Dichtung. Eine Dokumentation. Frankf./M. u. Hamburg 1969. (Fischer)

734b Novalis: Schriften. Bd. I.: Das dichterische Werk. Hg. v. Paul Kluckhohn u. Richard Samuel. Darmstadt 1960.

735 Rimbaud, Arthur: Sämtliche Dichtungen. Franz. u. dtsch. Übertrg. v. W. Küchler. Heidelberg 1955.

736 Im steinernen Meer. Großstadtgedichte. Hg. v. O. Hübner u. a. Berlin 1910.

737 Strindberg, August: Werke. Dtsch. Gesamtausgabe übs. v. E. Schering. München/Leipzig 1908 ff.

5.6 Literaturtheorie und weitere Forschungsliteratur

738 Adorno, Theodor W.: Erpreßte Versöhnung. Zu Georg Lukács: Wider den mißverstandenen Realismus. In: Noten zur Literatur II. Frankfurt/M. 1961.

738a Bauer, Werner et al.: Text und Rezeption. Wirkungsanalyse zeitgenöss. Lyrik am Beispiel des Gedichts 'Fadensonnen' von Paul Celan. 1972.

739 Benjamin, Walter: Das Kunstwerk im Zeitalter seiner technischen Reproduzierbarkeit. Frankfurt/M. 1968. (es-Ausg.)

740 Benjamin, Walter: Über einige Motive bei Baudelaire. In: Illuminationen. Frankfurt/M. 1961. S. 201–245.

740a Brenner, Hildegard: Die Kunstpolitik des Nationalsozialismus. Reinbek bei Hamburg 1963. (Rowohlt)

740b Brinkmann, Richard: Theodor Fontane. Über die Verbindlichkeit des Unverbindlichen. München 1967.

741 Friedrich, Hugo: Die Struktur der modernen Lyrik. Von der Mitte des 19. bis zur Mitte des 20. Jahrhunderts. 1. Aufl. d. 2. Neuaufl. Reinbek bei Hamburg 1967. (Rowohlt)

742 Goldmann, Lucien: Der genetische Strukturalismus in der Literatursoziologie. In: Literaturtheorie (vgl. Nr. 760). S. 149–162.

742a Goldmann, Lucien: Zur Soziologie des Romans. In: Wege der Literatursoziologie. Hg. v. Hans Norbert Fügen. 2. Aufl. Neuwied u. Berlin 1971. S. 196–211.

743 Günther, Hans: Funktionsanalyse der Literatur. In: Neue Ansichten (vgl. Nr. 749). S. 174–184.

743a Haug, Frigga: Kritik der Rollentheorie u. ihrer Anwendung in der bürgerlichen deutschen Soziologie. Frankf./M. 1972.

743b Henrich, Dieter: Kunst und Kunstphilosophie der Gegenwart. (Überlegungen mit Rücksicht auf Hegel). In: Immanente Ästhetik – ästhetische Reflexion. Lyrik als Paradigma der Moderne. Hg. v. W. Iser. München 1966. S. 11–32.

744 Hirsch, E.-D.: Prinzipien der Interpretation. München 1972.

745 Ihering, Herbert: Von Reinhardt bis Brecht. Berlin 1961.

746 Iser, Wolfgang: Die Appellstruktur der Texte. Unbestimmtheit als Wirkungsbedingung literarischer Prosa. Konstanz 1970.

747 Iser, Wolfgang: Der implizite Leser. Kommunikationsformen des Romans von Bunyan bis Beckett. München 1972.

748 Jauß, Hans Robert: Literaturgeschichte als Provokation. 2. Aufl. Frankf./M. 1970. S. 144–207.

748a Jauß, Hans Robert: Racines und Goethes 'Iphigenie'. Mit einem Nachwort über die Partialität der rezeptionsästhetischen Methode. In: Neue Hefte für Philosophie 4. 1973. S. 1–46.

749 Kaiser, Gerhard: Überlegungen zu einem Studienplan Germanistik, Literaturwissenschaftlicher Teil. In: Fragen der Germanistik. Zur Begründung und Organisation des Faches. München 1971. S. 38–65.

749a Klotz, Volker: Geschlossene und offene Form im Drama. München 1960.

750 Klotz, Volker: Die erzählte Stadt. Ein Sujet als Herausforderung des Romans von Lesage bis Döblin. München 1969.

751 Köhn, Lothar: Der positivistische Ansatz. In: Jürgen Hauff et al.: Methodendiskussion. Arbeitsbuch zur Literaturwissenschaft. Bd. 1. Frankfurt/M. 1973. S. 29–63.

751a Köhn, Lothar: Überwindung des Historismus. Zu Problemen einer Geschichte der deutschen Literatur zwischen 1918 und 1933. In: DVjs. 48. 1974. H. 4. S. 704–766.

751b Kolbe, Jürgen (Hg.): Neue Ansichten einer künftigen Germanistik. München 1973.

752 Lausberg, Heinrich: Elemente der literarischen Rhetorik. 3. Aufl. München 1967.

752a Lévi-Strauss, Claude: Das Ende des Totemismus. Frankf./M. 1965.

753 Lukács, Georg: Der deutsche Naturalismus. Ders.: Überwindung des Naturalismus. In: Schriften zur Literatursoziologie. Hg. v. P. Ludz. Neuwied 1970. S. 452–461 und S. 462–468.

754 Lukács, Georg: Theorie des Romans. Neuwied 1963.

755 Moore, Ruth: Die Lebensspirale. Die großen Entdeckungen der Naturwissenschaften. Stuttgart 1967.

756 Mukarovsky, Jan: Die poetische Benennung und die ästhetische Funktion der Sprache. In: Vietta (Hg.): Literaturtheorie (vgl. Nr. 760). S. 19–26.

757 Strich, Fritz: Der lyrische Stil des 17. Jahrhunderts. In: Deutsche Barockforschung. Hg. v. R. Alewyn. 2. Aufl. 1966. S. 229–259.

758 Striedter, Jurij (Hg.): Russischer Formalismus. Texte zur allgemeinen Literaturtheorie und zur Theorie der Prosa. München 1971.

759 Staiger, Emil: Grundbegriffe der Poetik. 4. Aufl. Zürich u. a. 1959.

760 Vietta, Silvio und Susanne (Hg.): Literaturtheorie. München 1973.

761 Vischer, Friedrich Theodor: Über das Erhabene und Komische und andere Texte zur Ästhetik. Frankf./M. 1967.

UTB

Uni-Taschenbücher GmbH
Stuttgart

162. Wolfgang Eichler: Sprachdidaktik Deutsch

Ein kommunikationswissenschaftliches und linguistisches Konzept.
289 Seiten mit 20 Zeichnungen und 4 Tabellen im Text, DM 16,80
ISBN 3-7705-0791-6 (Fink)

„Die Didaktik ist jedem zu empfehlen, der Deutschunterricht als Sprach-
unterricht zu geben hat. Wer — als Student oder Referendar etwa — das
Buch durchgearbeitet hat, ehe er seine erste Stunde gibt, wird besser verstehen, was ihn erwartet und was er zu leisten hat. Das garantieren
nicht zuletzt die ausgewogenen und kritischen Bemerkungen des Kapitels
über die Problematik des sprachkompensatorischen Unterrichts."

Muttersprache

252. Hans-Georg Kemper: Angewandte Germanistik

Materialien zu einer kasuistischen Didaktik.
427 Seiten, DM 14,80
ISBN 3-7705-0935-8 (Fink)

„Ein für jeden Deutschlehrer der Sekundarstufen unentbehrliches Buch
mit praktizierbaren Unterrichtseinheiten, gleichzeitig eine informative
Einführung in den Diskussionsstand der Didaktik des Deutschunter-
richts." *Buchanzeiger für Öffentliche Büchereien*

299. Erika Dingeldey/Jochen Vogt, Hrsg.:
Kritische Stichwörter zum Deutschunterricht

Ein Handbuch.
440 Seiten, DM 19,80
ISBN 3-7705-1057-7 (Fink)

Das Buch ist durch seine lexikalische Anlage besonders praktikabel. Unter anderem werden folgende Probleme behandelt: Ästhetische Erziehung, Comics, Curriculum, Dokumentarliteratur, Ideologiekritik, Kommunikation, Literatursoziologie, Pragmalinguistik, Projektunterricht,
Rechtschreibung, Science Fiction.

Kritische Information

5. Dietrich Krusche: Kafka und Kafka-Deutung

Die problematisierte Interaktion — 172 Seiten, DM 16,80

Das gesamte dichterische Werk Kafkas, eines Klassikers der Moderne, wird hier gedeutet, und zwar im Zusammenhang mit der immer mehr wachsenden Sekundärliteratur.

12. Herbert Kaiser: Materialien zur Theorie der Literaturdidaktik

Quellen- und Arbeitstexte mit einer kommentierenden Einleitung
361 Seiten, DM 19,80

Ein einführendes und grundlegendes Handbuch für Literaturstudenten sowie für Studienreferendare und Lehrer. Das kritische Potential „Literatur" wird vor allem im Hinblick auf Literatur als Medium sowie als Prozeß gesellschaftlich-geschichtlicher Erkenntnisse und Kritik entfaltet und durch umfassende Dokumentation dargestellt.

13. Günter Waldmann: Theorie und Didaktik der Trivialliteratur

Modellanalysen — Didaktikdiskussion — literarische Wertung
196 Seiten, DM 12,80

Das Buch enthält zwei Modellanalysen (eine semiotische eines Frauen-schicksals-Romans, eine ideologiekritische der Detektivromane Dürrenmatts), einen Entwurf emanzipativer, praktisch-kreativ orientierter Trivialliteratur-Didaktik und eine theoretische Grundlegung von Trivialliteratur-Didaktik und -Wissenschaft im Grundriß einer literarischen Wertungsästhetik. Beigefügt sind Problemaspekte zur Erarbeitung von Trivialliteratur durch Arbeitsgruppen und eine nach Sachgruppen gegliederte Literaturauswahl (über 300 Titel).

16. Theo Elm: Siegfried Lenz — „Deutschstunde"

Engagement und Realismus im Gegenwartsroman — 143 S., DM 12,80

„Eine Erholung ist Theo Elms Abhandlung über die „Deutschstunde". Elms These ist, daß der Realismus von Lenz' Erzählweise und sein politisches Engagement eng zusammengehören... Ein Beitrag zur Frage nach der Ursache des immensen Erfolges gerade dieses Buches zugleich plausible Argumente zu einer kritischen Wertung des Werkes, seiner Stärken und Schwächen. Wenn sich aus dem akademischen Studium der Literatur nicht solche Maßstäbe für die kritische Auseinandersetzung mit der Literatur der Gegenwart, ihren Erscheinungsformen und ihrer Wirkung gewinnen ließen, wären alle Deutschstunden an den Schulen und Universitäten vergebens." (FAZ)

 WILHELM FINK VERLAG MÜNCHEN

Zur Literatur des Expressionismus

Alfred Brust: Dramen 1917–1924
Mit einem Nachwort und einer Zeittafel neu hrsg. von Horst Denkler
315 Seiten mit 9 Textabbildungen und Frontispiz von Karl Schmidt-Rottluff, Leinen, DM 54,–

Horst Denkler, Hrsg.: Gedichte der Menschheitsdämmerung
Interpretationen expressionistischer Lyrik. Mit einer Einleitung von Kurt Pinthus.
Zusammen 320 Seiten mit 3 Abbildungen auf Kunstdruck, Leinen, DM 32,–; kart. DM 19,–

Karl Eibl: Die Sprachskepsis im Werk Gustav Sacks
Bochumer Arbeiten 3
162 Seiten, Leinen, DM 36,–

Peter Fischer: Alfred Wolfenstein
Der Expressionismus und die verendende Kunst.
251 Seiten, Leinen, DM 44,–

Herbert Kaiser: Der Dramatiker Ernst Barlach
Analyse und Gesamtdeutung.
225 Seiten, kart., DM 44,–

Gustav Sack: Paralyse — Der Refraktär
Neuausgabe des Romanfragments und des Schauspiels, mit einem Nachwort hrsg. von Karl Eibl.
163 Seiten, Leinen, DM 32,–

Paula Sack: Der verbummelte Student
Gustav Sack — Archivbericht und Werkbiographie.
391 Seiten, Leinen, DM 54,–

Ronald Salter: Georg Heyms Lyrik
Ein Vergleich von Wortkunst und Bildkunst.
247 Seiten, kart., DM 42,–

Bernd W. Seiler: Die historischen Dichtungen Georg Heyms
Analyse und Kommentar.
317 Seiten, kart., DM 54,–

 WILHELM FINK VERLAG MÜNCHEN